ANHELO DE VIVIR

IRVING STONE

ANHELO DE VIVIR

LA VIDA DE VICENT VAN GOGH

EDITORIAL DIANA
MEXICO

1a. Edición, Noviembre de 1953
33a. Impresión, Noviembre de 1993

ISBN 968-13-0941-3

Título original: LUST FOR LIFE — Traductora: Delia Piquerez
— DERECHOS RESERVADOS © — Copyright ©, 1953, por EDITO-
RIAL DIANA, S. A. — Roberto Gayol 1219, Esq. Tlacoquemécatl,
México 12, D. F. — *Impreso en México* — *Printed in Mexico.*

LONDRES

EL ANGEL DE LOS NIÑOS

¡Señor Van Gogh, ¡es hora que se despierte!

Vincent había estado esperando oir la voz de Ursula.

—Ya estaba despierto, señorita Ursula —contestó.

—No, no lo estaba usted —repuso la joven riendo— pero ahora sí que lo está.

La oyó bajar las escaleras y entrar en la cocina.

Vincent colocó las manos debajo suyo, y enderezándose saltó de la cama. Sus hombros y pecho eran fornidos y sus brazos gruesos y vigorosos. Comenzó a vestirse, vertió agua del jarro y asentó la navaja de afeitar.

El joven disfrutaba la diaria afeitada; metódicamente pasaba la afilada navaja por su mejilla derecha quemada por el sol; luego seguía pasándola por el labio superior y el mentón, volviendo a comenzar en el mismo orden por el lado izquierdo de su rostro.

Una vez que hubo terminado, fué hasta la cómoda y hundió su rostro en el follaje de yuyos y hojas que su hermano Theo le había enviado y que él mismo había recorrido en los campos de Zundert. Aspiró profundamente. El aroma le recordaba su querida Holanda, y le acompañaba durante todo el día.

—Señor Van Gogh —dijo Ursula llamando de nuevo a la puerta—. El cartero acaba de dejar esta carta para usted.

Reconoció la escritura de su madre mientras desgarraba el sobre.

"Querido Vincent" —leyó—. "Voy a escribirte unas palabras antes de acostarme".

Metió la carta en el bolsillo de su pantalón con la intención de leerla durante sus momentos desocupados en el negocio. Peinó hacia atrás su cabello rojizo, se puso una camisa almidonada y anudó negligentemente una corbata negra, bajando luego a desayunarse.

Ursula Loyer y su madre, viuda de un pastor Provenzal, se ocupaban de un jardín de infantes para varoncitos que habían instalado en una casita al fondo del jardín. Ursula contaba 19 años, era esbelta y tenía grandes ojos sonrientes y un delicado rostro ovalado de suaves tonalidades. Vincent gustaba observar la alegría que irradiaba de su hermoso semblante.

La joven sirvió el desayuno con vivos movimientos, sin dejar de charlar mientras él comía. Van Gogh tenía 21 años y estaba enamorado por primera vez. La vida parecía abrirse ante él, y pensaba que sería un hombre dichoso si pudiera desayunarse frente a Ursula durante el resto de sus días.

La joven le sirvió una tajada de jamón con huevos y una taza de té muy cargado. Sentándose luego sobre una silla del otro lado de la mesa, se alisó los bucles oscuros con la mano, sonriendo mientras le pasaba la sal, pimienta, manteca y pan.

—Sus plantitas están creciendo —dijo humedeciendo sus lindos labios con la lengua— ¿quiere venir a verlas antes de irse a la Galería?

—Sí —repuso él—. Si usted quiere... enseñarme donde están...

—¡Qué hombre tan extraordinario! ¡Planta plantas y luego no sabe dónde encontrarlas! Tenía la costumbre de hablar delante de la gente como si estuviese solo.

Vincent tomaba el café a grandes tragos. Sus modales, así como su cuerpo eran toscos, y no le era posible encontrar las palabras adecuadas para dirigirse a Ursula. Salieron al patio. Era una fresca mañana de abril, pero los manzanos ya habían florecido. Un jardincito pequeño separaba la casa de los Loyer del jardín de infantes, y hacía pocos días Vincent había sembrado amapolas y arvejillas. Algunas de las plantitas comenzaban a salir de tierra. Vincent y Ursula se inclinaron sobre ellas. Un agradable perfume natural emanaba del cabello de la joven.

—Señorita Ursula —comenzó diciendo el joven.

—¿Qué? —repuso ella elevando la mirada y sonriendo.

—Yo... yo... es decir...

—¡Dios mío! ¿Que está usted tartamudeando? —preguntó, y sin esperar contestación se alejó. El joven la siguió hasta la puerta del jardín de infantes.

—Mis niños pronto llegarán —dijo Ursula—. ¿No se le hace tarde para su empleo?

—Tengo tiempo. Solo necesito 45 minutos para llegar al centro.

No sabiendo qué agregar, la joven elevó ambas manos y comenzó a sujetar un pequeño rizo que se escapaba de su peinado. Su cuerpo grácil estaba espléndidamente formado para una niña tan joven.

—¿Y qué sucedió con ese cuadro del Brabante que me prometió para mi escuelita? —preguntó por fin Ursula.

—Pedí a César de Cock que se halla en París que me enviara un grabado para usted.

—¡Qué suerte! —exclamó la joven golpeando las manos—. ¡A veces... a veces es usted un encanto!

Sonrió y quiso alejarse, pero él la contuvo.

—Anoche, en la cama, estuve pensando en un nombre para usted —dijo "El ángel de los niños"...

—Ursula dejó oír una alegre carcajada.

—¡El ángel de los niños! ¡Voy a contárselo a mamá!

Esta vez logró escaparse y atravesando el jardín riendo, entró en la casa.

GOUPIL & COMPAÑIA

Vincent tomó su sombrero y sus guantes y salió. A esa distancia del centro de Londres, el camino de Clapham tenía las casas bastante distanciadas unas de otras. En todos los jardines las lilas y los espinos se hallaban en flor. Eran las 8.30 y Vincent no necesitaba llegar a lo de Goupil antes de las nueve. Le agradaba caminar, y a medida que avanzaba, las construcciones se hacían más compactas y en las aceras aumentaba el número de hombres que se dirigían a sus trabajos. El joven se sentía animado de los mejores sentimientos hacia todos ellos. ¡Ellos también debían saber lo maravilloso que era estar enamorado! Se encaminó por el malecón del Támesis, cruzó el Puente de Westminster, pasó frente a la Catedral y al Palacio del Parlamento y entró en la casa señalada por el número 17 de Southampton Strand, sede de la sucursal londinense de Goupil & Compañía, Comerciantes en Obras de Arte y Grabadores.

Mientras atravesaba la sala principal con sus gruesas alfombras y ricas colgaduras, notó una tela que representaba una especie de enorme pez o dragón contra el que luchaba un hombrecito. Estaba titulada: "El Arcángel Miguel matando a Satanás".

—En el mostrador de las litografías hay un paquete para usted —le dijo uno de los dependientes.

La segunda sala del negocio, después de pasar por el salón de pintura donde se exhibían las telas de Millais, Boughton y Turnes, estaba dedicada a grabados y litografías, y en la tercera habitación era en donde se realizaban la mayoría de las ventas. Vincent sonrió al recordar a la mujer que había efectuado la última compra del día anterior.

—No termina de gustarme este cuadro ¿y a ti Harry? —había preguntado a su esposo—. El perro se parece algo a ese que me mordió el verano pasado en Brighton.

—¿No tiene alguno sin perro? —preguntó Harry—. Esos animales ponen nerviosa a mi mujer.

Vincent sabía que vendía obras sin valor. La mayoría de los clientes que él atendía no sabían lo que compraban y pagaban altos precios por mercadería inferior, pero ¿acaso debía eso importarle? Todo lo que tenía que hacer era vender lo más caro posible esa mercadería.

Abrió el paquete que acababa de llegar de la Casa Goupil de París. Había sido enviado por César de Cock y decía: "Para Vincent y Ursula Loyer: Los amigos de mis amigos son mis amigos".

—Le hablaré a Ursula esta noche cuando le dé esto —murmuró para sí—. Dentro de breves días cumpliré 21 años y ya gano 5 libras mensuales. No necesitamos esperar más.

El tiempo transcurría rápidamente en el salón interior de Goupil & Cía. Vincent vendía un promedio de 50 fotografías por día, y a pesar de que hubiese preferido ocuparse de la venta de telas o aguafuertes, se sentía satisfecho de hacer tantos negocios para la Casa. Se llevaba bien con sus compañeros, y juntos pasaban muchas horas agradables hablando de cosas de Europa.

Siendo más joven, su carácter había sido más retraído y evitaba las amistades. La gente lo consideraba algo extraño y excéntrico. Pero Ursula lo había transformado totalmente. Ella le había infundido el deseo de ser agradable. Era como si le hubiese hecho descubrir una nueva naturaleza enseñándole la alegría de la vida diaria.

A las 6 cerraba el negocio. Cuando Vincent se retiraba, lo detuvo el señor Obach. —He recibido carta de su tío Vincent Van Gogh en la cual me habla de usted —díjole—. Quería saber como se desempeña aquí, y yo le contesté que usted es uno de los mejores empleados nuestros.

—Se lo agradezco mucho, señor.

—No tiene por qué. Después de las vacaciones de verano quiero que deje la Sala interior y se ocupe de litografías y aguafuertes.

—Eso significa mucho para mí en este momento, señor... pues pienso casarme.

—¿Sí? ¡Es una verdadera sorpresa! ¿Y cuándo será?

—Para este verano... creo.

En verdad, aun no había pensado en la fecha.

—Perfectamente, muchacho, estoy muy contento. A pesar de que acaba de tener un aumento de sueldo a principios de año, espero poder aumentarle de nuevo para su regreso del viaje de bodas.

EL AMOR CREA AL AMOR SEGUN SU IMAGEN

—Voy a ir a buscar el cuadro, señorita Ursula —dijo Vincent después de cenar, empujando su silla.

La joven vestía un lindo traje de faya verdosa bordada.

—¿Escribió algo amable para mí? —preguntó.

—Sí. ¿Quiere traer una lámpara, iremos a colgarlo en el jardín de infantes.

La joven hizo una graciosa mueca y mirándolo de soslayo repuso: —Debo ir a ayudar a mamá. ¿Quiere que lo hagamos dentro de media hora?

Vincent, con los codos apoyados sobre la cómoda de su cuarto, se miraba al espejo.

Nunca le había preocupado su figura; en Holanda aquello parecía carecer de importancia. Había notado que en comparación con los ingleses, su rostro y su cabeza eran grandes. Tenía

ojos hundidos y nariz fuerte y ancha, la frente amplia y algo
prominente y cejas espesas. Su boca era sensual, sus mandíbulas
fuertes, y el cuello grueso denotaba claramente su origen holandés.
Se alejó del espejo y sentóse al borde de la cama. Había sido
criado en un hogar austero y nunca había amado antes, ni siquiera conocía lo que era el flirt. En su amor por Ursula no
había ni pasión ni deseo. Era joven, idealista, y estaba enamorado
por primera vez.

Echó un vistazo a su reloj. Sólo habían transcurrido 5 minutos. Los 25 que tenía que esperar se le hacían interminables.
Sacó de su bolsillo una nota de su hermano Theo que había llegado con la carta de su madre y volvió a leerla. Theo era cuatro
años menor que él y ocupaba el puesto que Vincent había dejado vacante en la Casa Goupil de La Haya. Theo y Vincent, al
igual que su padre Theodorus y el Tío Vincent, eran hermanos
inseparables.

El joven tomó un libro, y apoyando en él una hoja de papel
empezó a escribir a su hermano. Sacó del cajón de la cómoda
unos bosquejos que había hecho del Támesis y los colocó en el
sobre para su hermano, así como una fotografía de "La joven
con la Espada" de Jacquet.

—¡Caramba! —exclamó de pronto—. ¡Me olvidé de Ursula!

Miró su reloj. Ya estaba atrasado 15 minutos. Se pasó un
peine por la cabeza, tomó el grabado de César de Cock y abrió
la puerta.

—Creí que se había olvidado de mí —dijo Ursula al verlo
llegar a la salita—. ¿Trajo mi cuadro? ¿Puedo verlo?

—Quisiera colgarlo antes de que lo viera. ¿Está ya la lámpara
allí?

—Mamá la tiene.

Cuando regresó de la cocina, la joven le dió un chal de seda
para que la ayudara a colocárselo sobre los hombros. El contacto
sedoso lo hizo estremecer. En el jardín el ambiente estaba perfumado por las flores de manzanos. El camino estaba oscuro y
Ursula colocó su mano sobre la manga del traje negro de Vincent. Una o dos veces tropezó y asiéndose con más fuerza del
brazo del joven, soltó una carcajada, riéndose de su propia torpeza. El no comprendía qué podía encontrar de gracioso en sus
tropiezos, pero le agradaba oir su risa en la oscuridad. Le ayudó
a abrir la puerta de la escuelita y la dejó pasar delante. Colocan-

do la lámpara sobre la mesa preguntó: —¿Dónde quiere que lo colguemos?

—Sobre mi escritorio, ¿no le parece?

En la habitación que antes había sido una glorieta, había unas quince sillas bajas y algunas mesitas, y a un extremo de ella se hallaba una pequeña plataforma con el escritorio de Ursula. Ambos de pie, uno al lado del otro, discutían la colocación del cuadro. Vincent estaba nervioso y dejaba caer los clavos sin lograr clavar ni uno en la pared. Mientras tanto ella se reía.

—¡Qué torpe! —Déjeme, yo lo haré.

Tomó el martillo y empezó a trabajar con movimientos gráciles y seguros. Vincent sintió deseos de tomarla en sus brazos para terminar de ese modo el engorroso asunto de su declaración. Pero no tuvo oportunidad de hacerlo, pues la joven se movía tanto de un lado para otro, admirando el cuadro y charlando, que no le daba tiempo para nada.

—Entonces él también es amigo mío ¿verdad? —dijo—. Siempre tuve deseos de conocer a un artista.

Vincent trató de decir algo cariñoso que le hubiera facilitado su declaración, pero la joven le volvió la cabeza. La luz de la lámpara ponía un extraño fulgor en sus ojos, y el óvalo de su rostro se destacaba en la oscuridad.

Hubo una pausa. El joven humedeció varias veces sus labios resecos y Ursula, después de mirarlo por encima de su hombro, corrió hacia la puerta.

Temeroso de dejar pasar su oportunidad corrió tras de ella. La joven se detuvo debajo del manzano en flor.

—Ursula... por favor...

Ella lo miró temblando ligeramente. La noche estaba oscura y fría y las estrellas brillaban en el firmamento. Había dejado la lámpara en la habitación y la sola claridad que les llegaba provenía de la ventana de la cocina. El perfume de Ursula parecía marearlo. La joven se envolvió friolenta en su chal y cruzó sus brazos sobre el pecho.

—Usted tiene frío —dijo Vincent.

—Sí; es mejor que entremos.

—¡No! Se lo ruego... Yo...

La joven lo miró con ojos extraños.

—Señor Van Gogh... Creo que no comprendo.

—Sólo quería hablarle... Yo... este...

—Ahora no... ¡Estoy temblando!

—Quería que usted supiese... Hoy me han ascendido...
Trabajaré en la Sala de litografías... Es mi segundo ascenso del
año.

Ursula dió unos pasos hacia atrás. Se abrió el chal y permaneció descubierta sin sentir más el frío de la noche.

—¿Qué es lo que usted trata de decirme, señor Van Gogh?
—inquirió.

Advirtiendo la frialdad de su tono, Vincent maldijo su torpeza. De pronto, su emoción desapareció y se sintió tranquilo y
dueño de sí mismo.

—Estoy tratando de decirle algo que usted ya sabe. Que la
amo con todo mi corazón y que sólo seré feliz si usted acepta
ser mi esposa.

Vincent notó la sorpresa de la joven ante su dominio repen-
tino, y se preguntaba si debía tomarla en sus brazos.

—¡Su esposa! —exclamó por fin—. ¡Pero señor Van Gogh, es
imposible!

El la miró sorprendido a su vez. —Ahora soy yo quien no
comprende.

—¡Es extraordinario que usted no lo sepa! ¡Hace más de
un año que estoy comprometida!

Largo rato permaneció imposibilitado de hablar.

—¿Quén es él? —preguntó por fin con voz contenida.

—¿No lo conoce? Es el joven que ocupaba su cuarto antes
que usted viniese. Creí que lo sabía.

—¿Y cómo iba a saberlo?

—Este... yo... creí que se lo hubieran dicho.

—¿Por qué me lo ocultó durante todo el año, sabiendo que
me estaba enamorando de usted? —dijo con voz en la que no
se notaba ya vacilación.

—¿Acaso es culpa mía que usted se haya enamorado de mí?
Yo sólo quería ser amiga suya.

—¿Vino él a visitarla desde que estoy aquí?

—No. Vive en Gales. Vendrá para las vacaciones de verano.

—¿Hace más de un año que no lo ha visto? ¡Entonces ya
lo ha olvidado! ¡A quien ama usted ahora es a mí!

La tomó violentamente en los brazos besándola en la boca
a pesar suyo. Saboreó la dulzura de sus labios, y el perfume de
su cabello pareció intensificar aún más su amor.

—Ursula... no lo ames a él. No te dejaré. Serás mi mujer.
¡No puedo perderte! No te dejaré hasta que lo olvides y te cases
conmigo.

—¡Casarme con usted! —exclamó—. ¡No puedo casarme con
todos los hombres que se enamoran de mí! Déjeme... Déjeme
o llamo.

Forcejeó para librarse de su abrazo y corrió anhelante por
el camino oscuro. Cuando llegó al umbral de la puerta se volvió
hacia él y le dijo:

—¡Pelirrojo estúpido!

OLVIDEMOS

A la mañana siguiente nadie subió a llamarlo. Bajó pesadamente de la cama y comenzó a afeitarse con desgano. Ursula
no apareció durante el desayuno y Vincent se encaminó a su trabajo sin haberla visto. Le parecía que toda la gente con quien
se cruzaba por la calle estaba triste y solitaria como él. Ni siquiera notó los árboles en flor ni el sol que, sin embargo, brillaba
con más esplendor que el día anterior.

Durante el día vendió veinte copias en color de la "Venus
Anadyomene" de Ingres. El beneficio producido por estas ventas era importante para la Casa Goupil, pero a Vincent ya no
le interesaba. Se sentía impaciente con los clientes. Ninguno era
capaz de diferenciar una obra de arte con un cuadro sin valor,
al contrario, todos elegían cosas ordinarias.

Sus compañeros de trabajo notaron el cambio en su humor,
pues, si bien nunca había sido muy alegre, se esforzaba en ser
agradable y simpático.

—¿Qué bicho habrá picado al ilustre miembro de la familia Van Gogh? —se preguntaban unos a otros.

—Supongo que se habrá levantado del mal lado de su cama.

—¡Tonto! El no tiene motivo de preocupación. Su Tío Vincent Van Gogh es dueño de la mitad de las Galerías Goupil de
París, Berlín, Bruselas, La Haya y Amsterdam. El viejo está enfermo y no tiene hijos; todos dicen que dejará su fortuna a Vin-

—¡Qué afortunados son algunos!

—Y eso no es nada. Su tío Hendrik Van Gogh posee importantes casas de Arte en Bruselas y Amsterdam, y otro tío,
Cornelius Van Gogh, es el director de la firma más importante
de Holanda. Todos saben que los Van Gogh son los comerciantes en cuadros más importantes de Europa. Llegará el día en
que nuestro amigo pelirrojo controlará todo el arte continental!

Esa noche, cuando Vincent entró en el comedor de los Loyer, encontró a Ursula y a su madre que hablaban en voz baja.
En cuanto lo vieron llegar se callaron. Ursula corrió a la cocina.

—Buenas noches, —dijo la señora de Loyer con una expresión extraña en sus ojos.

Vincent cenó solo en la gran mesa del comedor. El golpe
que había recibido lo había dejado anonadado pero no vencido.
No estaba dispuesto a admitir su negativa. ¡Ursula debía olvidar
a aquel otro hombre!

Transcurrió casi una semana antes de que se le presentara
la ocasión de hablar con ella a solas. Durante esa semana había
comido y dormido muy poco y se sentía muy nervioso. En las
Galerías, sus ventas habían disminuído mucho. Sentía más dificultad que nunca en encontrar las palabras cuando quería hablar.

Después de la comida del domingo, siguió a Ursula al jardín.

—Señorita Ursula —dijo—. Temo haberla asustado la otra
noche...

Ella lo miró con sus grandes ojos fríos, como si estuviese
sorprendida de verlo a su lado. —Bah, no importa. No tiene importancia. Olvidemos.

—Quisiera olvidar que he sido brutal con usted. Pero lo
que le dije era verdad.

El joven adelantó un paso pero ella se retiró.

—¿Por qué hablar de eso? —dijo—. Ya lo he olvidado todo.

Y trató de alejarse, pero Vincent la contuvo.

—Debo insistir, Ursula. ¡Usted no sabe cuanto la amo! ¡Lo
desgraciado que he sido durante la semana pasada! ¿Por qué
huye de mí?

—Tengo que entrar... Creo que mamá espera visitas —dijo
la joven.

—Usted no puede amar a ese hombre —insistió Vincent—. Yo
hubiera notado algo en sus ojos...

—Lo siento, pero tengo que irme, señor Van Gogh. ¿Cuándo dijo usted que se iba a Holanda de vacaciones?

—En... en el mes de julio.

—Magnífico. Mi novio tiene justamente las suyas para ese mes, y necesitamos su cuarto.

—¡Nunca permitiré que usted sea suya, Ursula!

—Tendrá que dejarme tranquila... De lo contrario mamá dice que deberá buscarse otra pensión.

Durante los dos meses que siguieron, trató de disuadirla pero inútilmente. Su antiguo carácter volvió a manifestarse. Si no estaba con Ursula quería estar solo a fin de que nadie ni nada se interpusiese entre su pensamiento y ella. Era brusco con los clientes, y cada vez se tornaba más sombrío y taciturno.

Llegaron al fin sus vacaciones de julio. No quería alejarse de Londres por más de dos semanas creyendo que mientras él estuviese en la casa, Ursula no amaría a nadie más.

Entró en la salita donde Ursula y su madre estaban sentadas y notó la mirada significativa que cambiaron entre ellas.

—Solo llevaré una maleta conmigo, señora Loyer —dijo—. Dejaré todo lo demás en mi cuarto. Aquí tiene usted el dinero correspondiente a las dos semanas que estaré ausente.

—Creo que sería mejor que usted sacara sus cosas, señor Van Gogh —dijo la señora.

—¿Por qué?

—He alquilado su habitación a partir del lunes próximo. Creemos más conveniente que usted viva en otro lado.

Se volvió con mirada interrogadora hacia Ursula.

—Sí —explicó la señora—. El novio de mi hija ha escrito que desea que usted se aleje de esta casa. Lo lamento, señor Van Gogh, pero creo que hubiera sido preferible que usted no hubiese venido nunca aquí...

LOS VAN GOGH

Theodorus Van Gogh esperaba con un coche a su hijo en la estación de Breda. Llevaba su pesado abrigo eclesiástico de amplias solapas, camisa blanca almidonada y ancha corbata negra que solo dejaba visible una angosta franja de su alto cuello. Su semblante era muy característico: tenía el párpado derecho que bajaba mucho más que el izquierdo, cubriendo casi el ojo, y mientras los labios del mismo lado eran gruesos y sensuales, los del derecho eran finos y secos. Su mirada pasiva parecía querer decir: Heme aquí.

Hasta el día de su muerte, jamás logró comprender por qué su carrera no había sido más exitosa. Le parecía que hubiera debido ser llamado a desempeñar un puesto importante en Amsterdam o La Haya. Sus feligreses lo llamaban "el hermoso clérigo". Era un hombre muy educado, amante de la naturaleza, de hermosas cualidades espirituales y servidor infatigable de Dios. No obstante, hacía 25 años que se hallaba olvidado en el pueblito de Zundert. Era el único de los seis hermanos Van Gogh que no se había destacado en su carrera.

La rectoría de Zundert, donde había nacido Vincent, era de madera y estaba situada del otro lado de la plaza del mercado. Detrás de la casa tenía un jardín con varias acacias y canteros llenos de flores. La Iglesia, también de madera, estaba escondida entre los árboles detrás del jardín. Era pequeña; tenía dos ventanas góticas a ambos lados y una docena de bancos. Al fondo se encontraba la escalera que conducía a un viejo órgano de mano. Era un lugar austero y sencillo, dominado por el espíritu de Calvino y su reforma.

La madre de Vincent, Ana Cornelia, lo aguardaba atisbando desde la ventana, y abrió la puerta antes de que el coche se detuviera. Desde el primer instante que lo vió, su amor maternal le hizo comprender que algo andaba mal.

—¡Mi querido hijo! —murmuró estrechándolo en sus brazos—. ¡Mi Vincent!

Sus ojos azules parecían ora grises ora verdes, y tenían una expresión afectuosamente inquisitiva, como temerosos de juzgar con demasiada premura.

Ana Cornelia Carbentus había nacido en La Haya donde su padre tenía el título de "Encuadernador de la Corte". Los negocios de William Carbentus estaban florecientes, y cuando fué designado para encuadernar la primera Constitución de Holanda, su fama se extendió por todo el país. Sus hijas, muy bien educadas, se casaron una con el Tío Vincent Van Gogh, hermano de Theodorus, y la tercera con el conocido Reverendo Stricker de Amsterdam.

Ana Cornelia era una buena mujer. No veía perversidad en el mundo y no la conocía. Sólo creía en la debilidad, en la tentación y en el dolor. Theodorus Van Gogh también era un buen hombre, pero comprendía la perversidad y la condenaba sin miramientos.

El comedor quedaba en el centro de la casa de los Van Gogh, y allí después de la cena, sea reunía toda la familia alrededor de la mesa. Ana Cornelia se sentía preocupada por Vincent, el muchacho estaba delgado y nervioso.

—¿Algo anda mal, Vincent? —preguntó después de cenar—. No pareces estar muy bien.

El joven echó una mirada a sus tres hermanas Ana, Elizabeth y Willemien que se hallaban sentadas en derredor de la mesa y que eran completamente extrañas para él.

—No —contestó brevemente.

—¿Te agrada Londres? —preguntó su padre—. Si no te agrada, hablaré a tu tío Vincent. Estoy seguro que podría transferirte a París.

Vincent se agitó. —¡No, no! No hagas nada de eso. No quiero dejar a Londres...

—Como gustes —repuso Theodorus.

—Esa muchacha debe tener la culpa —se dijo su madre para sus adentros.

El pueblito de Zundert estaba rodeado de bosques de pinos y robles y de hermosa campiña. Vincent pasaba sus días caminando solo por los campos, y únicamente parecía encontrar placer en dibujar. Bosquejó al jardín desde todos sus ángulos; la plaza del mercado tal como se veía desde la ventana de la rectoría; la puerta de entrada de la misma. Era la única forma en que lograba alejar a Ursula de su pensamiento.

Theodorus siempre había lamentado de que su hijo mayor no hubiese seguido la carrera religiosa como él. Un día en que habían ido ambos a visitar a un campesino enfermo, mientras caminaban a través del campo iluminado por los últimos rayos solares, el rector dijo a su hijo:

—Mi padre también fué rector, Vincent, y yo siempre había esperado que tú seguirías la misma carrera.

—¿Y qué te hace suponer que no la seguiré?

—Ya sabes... que si te decides, podrías ir a vivir con tu Tío Jan en Amsterdam mientras cursas los estudios en la Universidad. El Reverendo Stricker se ha ofrecido para dirigir tu educación.

—¿Me aconsejas que deje las Galerías Goupil?
—No, de ningún modo. Pero si no te sientes feliz allí...
tal vez...
—Lo sé. Pero por el momento no tengo intención de dejar
mi empleo.

El día que emprendió viaje de regreso a Londres, su padre
y su madre lo acompañaron hasta Brenda. —¿Debemos seguir
escribiéndote a la misma dirección? —preguntó Ana Cornelia.
—No; voy a mudarme.
—Me alegro que dejes a los Loyer —dijo su padre—. Esa
familia nunca me gustó. Tenía demasiado secretos.

Vincent se irguió, sin contestar. Su madre le colocó una mano
afectuosa sobre el brazo y procurando de que su marido no la
oyese le dijo:

—No te sientas desgraciado, hijo mío. Algún día encontrarás una buena muchacha holandesa. Esa Ursula no hubiese sido
conveniente para ti. Créeme.

El joven se quedó pensativo. ¿Cómo había adivinado su madre?

¡USTED ES UN CAMPESINO TOSCO!

De regreso a Londres, Vincent alquiló una pieza amueblada en Kensington New Road. La dueña de la pensión era una
señora anciana que se acostaba regularmente a las ocho. La casa
era muy tranquila, y todas las noches el joven tenía que hacer
grandes esfuerzos para no correr a casa de los Loyer. Cerraba
la puerta de su dormitorio, proponiéndose firmemente acostarse,
pero a los pocos minutos, una fuerza misteriosa lo hacía salir a
la calle y dirigirse a lo de Ursula.

Permanecía largo rato mirando las ventanas detrás de las
cuales se hallaba su amor y, si bien sufría mucho al sentirla tan
cerca y tan lejos al mismo tiempo, sufría aún más si permanecía
en su pieza.

Su sufrimiento lo hacía muy sensible al sufrimiento de los
demás, y lo tornaba intolerante con todo lo que fuese ordinario.
Sus ventas eran casi nulas en la Galería, y cuando los clientes le
pedían su opinión sobre los cuadros que habían decidido com-

prar, no se privaba de decirles lo horrible que los encontraba, y como es de suponer, la gente partía sin comprar. Los únicos cuadros que le agradaban eran aquellos en que se expresaba el sufrimiento.

Durante el mes de octubre, Vincent tuvo que atender a una imponente matrona con cuello de encaje, tapado de piel y sombrero de terciopelo con plumas que le pidió le enseñase algunos cuadros para su nueva residencia en la ciudad.

—Quiero lo mejor que tienen ustedes en el negocio —dijo—. No se preocupe por el gasto... Aquí tiene las dimensiones de las habitaciones. En el comedor hay dos paneles de cincuenta pies... Luego, en la gran sala...

Durante la mayor parte de la tarde estuvo tratando de venderle algunos grabados de Rembrandt, una excelente reproducción de los canales de Venecia de Turner, algunas litografías de cuadros de Thys Maris, y otras de Corot y Daubigny. La señora demostraba pésimo gusto y desechaba todo lo que se le presentaba de valor. A medida que pasaban las horas, Vincent se exasperaba más y más considerando a esa mujer como el prototipo de la ordinariez.

—Bien —exclamó por fin la señora satisfecha—. Creo que hice una magnífica elección.

—Si usted hubiera elegido con los ojos cerrados, posiblemente no hubiera podido elegir peor —dijo Vincent sin poder contenerse.

La mujer se puso de pie ofendida y mirándolo de arriba abajo exclamó:

—Usted... ¡usted no es más que un tosco campesino!

Y salió como si le hubiesen infligido el peor de los ultrajes.

El señor Obach estaba desesperado. —¡Pero Vincent! —exclamó—. ¿Qué le pasa a usted? ¡Arruinó la mejor venta de la semana e insultó a esa mujer!

—Señor Obach —repuso el joven— ¿quiere contestarme a una pregunta?

—¿Y bien? Pregúnteme lo que quiera... Yo también tengo algunas cosas que preguntarle.

Vincent señaló los cuadros elegidos por la clienta.

—Pues bien... ¿Cómo puede justificarse un hombre que pierde su única vida vendiendo cuadros horribles a gente estúpida?

Obach no trató siquiera de contestar. —Si sigue así —dijo— tendré que escribirle a su tío que lo transfiera a otro lado. No puedo permitirle que arruine mi negocio.

—¿Cómo es posible ganar tanto dinero vendiendo cosas tan feas, señor Obach? Y ¿por qué solamente la gente que no sabe reconocer una tela auténtica de un mamarracho tiene dinero para comprar? ¿Será porque su dinero los ha tornado insensibles a la belleza? ¿Y por qué los pobres que son capaces de apreciar una obra de arte ni siquiera poseen un centavo para comprarse una reproducción?

Obach elevó la vista extrañado.

—¿Eso es socialismo? ¿O qué es?

Cuando el joven llegó a su cuarto, cogió un volumen de Renán que se hallaba sobre su mesa y lo abrió a la página señalada: "Para obrar de acuerdo a este mundo" —leyó— "hay que morir dentro de uno mismo. El hombre no está en este mundo para ser feliz ni honrado, está en él para realizar grandes cosas para la humanidad, para alcanzar la nobleza y sobreponerse a la vulgaridad del ambiente en que se desarrolló la existencia de la mayoría de los individuos."

Una semana antes de Nochebuena, los Loyer colocaron un lindo arbolito de Navidad en la ventana de la salita. Dos noches más tarde, Vincent al pasar delante de la casa iluminada, vió que había mucha gente adentro y oyó las risas de los invitados. Los Loyer ofrecían su fiesta de Navidad. El joven corrió a su casa, se afeitó apresuradamente, se vistió con esmero y regresó lo más pronto que pudo a Clapham.

Era Nochebuena. En el aire flotaba el espíritu de bondad y el perdón. Subió las escaleras y llamó a la puerta. Oyó los pasos tan familiares que se acercaban y la puerta se abrió. La luz de la lámpara le iluminaba el rostro en pleno. Miró a Ursula que vestía una chaqueta verde sin mangas y de la que se escapaban muchos encajes. Nunca la había visto tan hermosa.

—Ursula —dijo.

La expresión que se reflejó en el rostro de la joven pareció repetirle todas las cosas que le había dicho aquella noche en el jardín.

—¡Váyase! —murmuró por fin, y cerró la puerta de golpe.

Al día siguiente se embarcó para Holanda.

La época de Navidad era el momento de mayor trabajo en las Galerías Goupil, y el señor Obach escribió al Tío Vincent diciéndole que su sobrino había partido de vacaciones sin siquiera dejar unas líneas de explicación. A raíz de ello, el Tío Vincent decidió trasladar a su sobrino a la Casa Central de las Galerías Goupil, en París, pero Vincent anunció con tranquilidad que estaba harto del comercio, lo que hirió y asombró profundamente a su Tío. Este declaró que no se ocuparía nunca más de su sobrino, no obstante, al poco tiempo le consiguió un empleo en la librería de Blussé y Braam en Dordrecht. Esta fué la última relación que tuvieron tío y sobrino entre sí.

En Dordrecht permaneció casi cuatro meses. No estaba ni contento ni descontento; todo lo dejaba indiferente. Un sábado a la noche, tomó el último tren de Dordrecht a Oudenbosch y de allí caminó hasta Zundert. Hacía una noche espléndida, y a pesar de la oscuridad podía distinguir a lo lejos los grandes y perfumados bosques de pinos. El paisaje le recordaba un cuadro de Bodmer que su padre tenía colgado en su estudio. Entre las nubes que cubrían el cielo, percibíanse algunas estrellas. Cuando llegó a Zundert apenas amanecía y las alondras cantaban a lo lejos en los campos de trigo.

Sus padres comprendieron que atravesaba por un momento difícil. Después del verano, la familia se trasladó a Etten, pueblito a pocos kilómetros de distancia donde Theodorus había sido nombrado rector. Ese pueblo tenía una linda plaza con olmos, y además un ferrocarril lo unía a la importante ciudad de Breda. Para el rector significaba un leve ascenso.

A principios de otoño fué necesario pensar en tomar una decisión. Ursula aún no estaba casada.

—El comercio no te conviene, Vincent —le dijo su padre—. Tu corazón te conduce hacia el servicio de Dios.

—Lo sé, padre.

—¿Y entonces por qué no vas a estudiar a Amsterdam?

—Me agradaría, pero...

—¿Vacilas aún?

—Sí... Me resulta difícil explicarme. Dame un poco más de tiempo.

En esos días, su tío Jan vino de paso a Etten. —En Amsterdam tengo una pieza que te espera, Vincent —díjole.

—El reverendo Stricker ha escrito que puede conseguirte
buenos maestros —añadió su madre.

Sabía que sería muy provechoso para él estudiar en la Universidad de Amsterdam. Las familias de Van Gogh y Stricker
estaban dispuestas a ayudarlo tanto pecuniariamente como con
libros, consejos y simpatía. Pero no lograba decidirse. Ursula estaba en Inglaterra, soltera aún. En Holanda había perdido completo contacto con ella. Hizo venir unos periódicos de Inglaterra
y contestó a varios avisos, hasta que finalmente obtuvo un puesto
de preceptor en Ramsgate, pequeño puerto a cuatro horas y media
de tren de Londres.

RAMSGATE E ISLEWORTH

La escuela de Mr. Stokes estaba ubicada en medio de un terreno cercado de barrotes de hierro. Tenía veinticuatro alumnos
entre diez y catorce años. Vincent debía enseñarles francés, alemán y flamenco, además de vigilar a los niños durante sus re-
creos y ocuparse de su aseo. En pago recibía casa y comida, pero
ningún sueldo.

Ramsgate era un lugar melancólico pero se avenía a su estado de ánimo. Inconscientemente había llegado a amar su dolor como si fuese un compañero querido. Gracias a él, Ursula
estaba constantemente a su lado. Si no podía estar con la muchacha, no le importaba donde estaba. Todo lo que pedía era que
nadie se entrometiese entre él y la pesada saciedad con que Ursula embotaba su mente y su cuerpo.

—¿No podría usted pagarme aunque fuese una suma pequeña, Mr. Stokes? —preguntó Vincent—. Aunque fuese sólo para
tabaco y pequeños gastos?

—De ningún modo —repuso Stokes—. Puedo tener maestros
a montones por sólo casa y comida.

Cuando llegó el sábado, Vincent partió muy temprano para
Londres. Era una caminata larga, y el día se mantuvo caluroso
hasta la noche. Por fin llegó a Canterbury; descansó a la sombra
de los grandes árboles que rodean la catedral, y luego prosiguió
su ruta. Algo más lejos volvió a encontrar un grupo de árboles
cerca de un lago, y se instaló debajo de ellos durmiendo hasta

las cuatro de la madrugada, hora en que el canto de los pájaros lo despertó. Por la tarde llegó a Chatham y a pesar de su cansancio se dirigió directamente a casa de los Loyer. No podía aquietar los precipitados latidos de su corazón. Apoyado contra un árbol, con un dolor indescriptible en su interior, permaneció allí mirando la casa de su amada. Al fin, se apagó la lámpara que brillaba en la ventana de la salita de Ursula, y poco después la de su dormitorio, quedando la casa en tinieblas. Haciendo un esfuerzo Vincent se alejó por el camino de Clapham, y cuando ya no pudo distinguir más la casa del ser que tanto amaba, le pareció que la volvía a perder.

Cuando se imaginaba su casamiento con Ursula, ya no pensaba más en ella como la esposa de un floreciente comerciante de obras de arte, la veía como la fiel compañera de un evangelista, ayudando a servir a los pobres.

Casi todos los fines de semana partía para Londres, pero le resultaba difícil estar de regreso para las clases del lunes. A veces caminaba toda la noche del viernes y del sábado con el solo objeto de ver a Ursula salir de su casa y dirigirse a la Iglesia el domingo a la mañana. No tenía dinero para comer ni para pagarse una cama, y al llegar el invierno, tuvo que sufrir mucho por el frío. El lunes por la mañana, cuando regresaba a Ramsgate, estaba exhausto, hambriento y helado, y necesitaba toda la semana para reponerse.

Después de algunos meses consiguió un puesto mejor en la escuela metodista de Mr. Jones en Isleworth. Mr. Jones era pastor de una importante parroquia. Tomó a Vincent como maestro pero pronto lo transformó en una especie de cura de campo.

Otra vez tuvo Vincent que cambiar todo el cuadro que se había forjado en su mente. Ursula ya no era la esposa de un evangelista, sino la de un párroco campesino que ayudaba a su marido en la parroquia tal como su madre hacía con su padre. Le parecía que Ursula lo miraba con aprobación, feliz de que hubiese abandonado la estrecha vida comercial y se hubiese dedicado a servir a la humanidad. Ni siquiera por un instante pensaba que el día de la boda de Ursula se aproximaba cada vez más. Para él, aquel otro hombre no existía. Siempre se decía que la negativa de Ursula se debía a alguna falta suya que debía reparar. ¿Y cómo repararla mejor que sirviendo a Dios?

Los alumnos de la escuela de Mr. Jones eran de Londres, y
Vincent fué encargado de ir a la capital a cobrar las mensualidades. Como la escuela era sencilla, los niños pertenecían al barrio pobre de Whitechapel. Vincent fué de familia en familia es-
cuchando el relato de sus miserias. Había bendecido aquel viaje
a Londres que le permitiría pasar delante de la casa de Ursula
a su regreso, pero el relato de las tristezas de los habitantes de
Whitechapel lo conmovieron tanto que le hicieron olvidar regresar por Clapham. Volvió a Isleworth sin un céntimo para Mr.
Jones.

Cierto martes a la tarde, durante los servicios religiosos, el
pastor simuló gran fatiga e inclinándose hacia su ayudante le dijo: —Estoy cansadísimo, Vincent. Sé que usted estuvo escribiendo sermones ¿verdad? Háganos escuchar uno de ellos. Quiero
darme cuenta si usted podrá hacer un buen ministro.

Vincent subió temblando al púlpito. Su rostro enrojeció violentamente y no sabía qué hacer con las manos. Buscó en su memoria las bellas frases que había escrito, pero sólo pudo articular
palabras entrecortadas y hacer gestos torpes.

—Bastante bien —díjole Mr. Jones—. La semana próxima lo
enviaré a Richmond.

El día que tuvo que ir a Richmond era hermoso, y magnífico el camino que debía seguir lindando al Támesis, con sus enormes castaños que se reflejaban en el agua. Los feligreses de Richmond escribieron a su pastor que les agradaba el joven predicador holandés, por lo cual Mr. Jones decidió brindar a Vincent
la oportunidad de formarse una carrera.

La iglesia de Turnham Green también estaba bajo el dominio de Mr. Jones. Su congregación era importante y difícil, y si
Vincent se desempeñaba satisfactoriamente allí, estaría calificado para predicar desde cualquier púlpito.

Para su sermón, Vincent eligió el Salmo 119:19 "Soy un
forastero en el mundo. No ocultes Tus mandamientos de mí".
Habló con fervor sencillo. Su juventud, su fuego, el poder que
emanaba de su vigorosa figura y de sus penetrantes ojos, impre-
sionaron fuertemente a la congregación.

Muchos se acercaron a felicitarlo, y él les estrechó la mano
sonriendo. Y en cuanto todos se hubieron retirado, emprendió
camino hacia Londres.

En el camino lo sorprendió una gran tormenta. Había olvidado su sombrero y su sobretodo, pero a pesar de estar calado hasta los huesos, continuó avanzando rápidamente.

¡Por fin había vencido! ¡Se había encontrado a sí mismo! Pondría su triunfo a los pies de Ursula para compartirlo con ella.

Continuaba lloviendo torrencialmente. A lo lejos Londres se dibujaba sombrío sobre el cielo oscuro y parecía un grabado de Dürer con sus torres y construcciones góticas. Siguió avanzando a pesar de que la lluvia le chorreaba por el rostro entrándole por el cuello. Cuando llegó frente a la casa de los Loyer ya era tarde. Del interior de la misma salían ráfagas de música y todas las ventanas estaban iluminadas. En la calle varios coches esperaban. Vincent notó que en la salita la gente bailaba. Un coche, parado frente a la puerta, esperaba pacientemente, con su cochero protegido por un enorme paragüas.

—¿Qué sucede? —preguntó el joven extrañado.

—Un casamiento —le contestaron.

Vincent se apoyó contra el carruaje mirando anonadado hacia la casa. Después de algún tiempo, se abrió la puerta del frente y apareció Ursula del brazo de un joven alto. Los invitados salieron al porch, y riendo arrojaron arroz a la pareja.

Vincent se ocultó detrás del coche en el mismo momento en que Ursula y su esposo subían a él. El cochero dió un ligero chasquido con el látigo y el vehículo comenzó a moverse. Vincent corrió detrás de él y apoyó su frente contra la ventanilla trasera. Ursula, fuertemente rodeada por los brazos de su esposo, tenía los labios unidos a los suyos.

Algo pareció quebrarse en el interior de Vincent. El hechizo estaba roto. Nunca creyó que sería tan fácil.

Regresó a Isleworth bajo la lluvia; arregló sus cosas y partió de Inglaterra para siempre.

EL BORINAGE

AMSTERDAM

EL vice Almirante Johannes Van Gogh, oficial de alta graduación de la Armada Holandesa, estaba de pie en medio de la espaciosa habitación de su residencia cercana al arsenal. En honor de su sobrino, vestía su uniforme de charreteras doradas. Por encima de su poderosa mandíbula, característica de los Van Gogh, sobresalía su nariz recta y vigorosa que iba a unirse a su amplia frente convexa.

—Estoy contento de verte, Vincent —dijo—. Mi casa es muy tranquila. Ahora que mis hijos se casaron.

Subieron un tramo de anchas escaleras y el Tío Jan abrió una puerta. Vincent entró en el cuarto y depositó su maleta en el suelo. Por la amplia ventana veíase el arsenal. Tío Jan sentóse sin ceremonia sobre el borde de la cama y dijo a su sobrino:

—Me siento feliz de que hayas decidido estudiar para el sacerdocio. Siempre hubo un miembro de la familia Van Gogh dedicado al servicio de Dios.

Vincent sacó su pipa y comenzó a llenarla de tabaco, gesto habitual en él cuando necesitaba pensar antes de contestar.

—Hubiera querido ser evangelista y poder empezar a trabajar en seguida —dijo.

—No, Vincent. Los evangelistas son gente sin educación y sólo Dios sabe la teología que predican. No, hijo mío, los ministros de la familia Van Gogh siempre han egresado de la Universidad. Pero te dejo, probablemente querrás abrir tus valijas. Cenamos a las ocho.

En cuanto se encontró solo, Vincent sintió que lo invadía una suave melancolía. Miró a su alrededor. La cama era amplia y confortable, el escritorio invitaba al estudio, no obstante, se sentía incómodo, tal como le acontecía cuando se hallaba en pre-

sencia de extraños. Tomó su gorro y salió a la calle. Pasó delante
del negocio de un judío que vendía libros y grabados. Entró, y
después de prolongada elección apartó trece grabados, y regresó
a casa de su tío satisfecho, con los grabados bajo el brazo.

Mientras se hallaba ocupado pinchando cuidadosamente los
grabados sobre el empapelado de su cuarto tratando de no estro-
pear los muros, alguien llamó a la puerta. Era el reverendo Stricker, tío también de Vincent, pero no por parte de los Van Gogh.
Su esposa era hermana de la madre de Vincent. Era un clérigo
muy conocido y apreciado en Amsterdam, donde lo consideraban
de preclara inteligencia. Su traje negro, de buen paño, estaba bien
cortado.

Después de los primeros saludos, el pastor dijo:

—He contratado a Mendes da Costa, uno de nuestros mejores maestros de idiomas muertos para que te enseñe latín y griego.
Habita en el barrio judío, y deberás ir el lunes a las tres para tu
primera lección. Pero no he venido a decirte eso, sino a pedirte
que vengas a comer mañana domingo, con nosotros. Tu tía Wilhelmina y tu prima Kay ansían verte.

—Estaré encantado, ¿a qué hora puedo ir?

—Comemos a mediodía, después del último servicio religioso.

El reverendo Stricker tomó su sombrero negro y su carta-
pacio.

—Le ruego salude a su familia en mi nombre —díjole Vincent, amablemente.

KAY

La calle Keiisersgracht donde vivía la familia Stricker era una
de las más aristocráticas de Amsterdam. Las construcciones que
se alineaban en ella eran de puro estilo flamenco, angostas, bien
construídas, muy juntas unas al lado de otras, semejantes a una
hilera de tiesos soldados puritanos en un día de parada.

Al día siguiente, después de haber escuchado el sermón de su
tío Stricker, Vincent se dirigió hacia la casa del reverendo. Un
sol brillante pugnaba por abrirse paso por entre las nubes grises
que cubren eternamente el cielo holandés, iluminándolo de tanto
en tanto.

Era aún temprano y Vincent caminaba lentamente, observando los botes del canal que costeaba las calles. Eran lanchas areneras, anchas, negras y chatas, con el centro ahuecado para recibir la carga. De proa a popa largas cuerdas sostenían la ropa de toda la familia del patrón tendida al sol, mientras que los niños jugaban sobre el puente o corrían a ocultarse en la cabina que les servía de hogar.

La casa del reverendo Stricker era de arquitectura típicamente flamenca; angosta, de tres pisos, flanqueada por una torre cuadrilonga.

La tía Wilhelmina dió la bienvenida a Vincent y lo introdujo en el comedor. Un retrato de Calvino, firmado por Ary Scheffer, colgaba de uno de los muros, y sobre un aparador veíase varias piezas de platería. Las paredes tenían paneles de madera oscura.

Antes de que Vincent se hubiera acostumbrado a la oscuridad de la habitación, una joven alta y flexible salió de las sombras y lo saludó amablemente.

—Naturalmente, usted no me conoce —dijo con voz bien templada—. Soy su prima Kay.

Vincent tomó la mano que le tendía. Era la primera vez desde largos meses que sentía el cálido contacto de la piel de una joven mujer.

—Nunca nos hemos visto —prosiguió la joven—. Es extraño ¿verdad? Yo ya tengo veintiséis años y usted debe tener...

Vincent la miraba en silencio, y pasaron algunos momentos antes de que se percatara que debía contestar algo. Con su voz áspera dijo

—Veinticuatro... Soy más joven que usted.

—Sí. Después de todo no es tan extraño que no nos hayamos conocido antes. Usted nunca estuvo en Amsterdam y yo nunca fuí al Brabante. ¿Quiere tomar asiento?

El joven se sentó tiesamente al borde de una silla, y de pronto pareció transformarse de un rústico campesino en un caballero educado, diciendo a su prima, amablemente:

—Mamá siempre ha deseado que usted fuera a visitarnos. Creo que la campiña Brabante le agradaría... es muy agradable.

—Lo sé —repuso la joven—. Tía Anna escribió varias veces invitándome. Pronto iré a visitarla.

Vincent contemplaba embelesado la hermosura de la joven,

con al ansia apasionada de quien estuvo privado demasiado tiempo de ella. Kay poseía las facciones fuertes de los holandeses, pero
suavizadas y delicadamente proporcionadas. Su cabello no tenía
ni el color del trigo ni el rojo violento del de sus compatriotas,
sino que era una mezcla de ambos, lo que producía un hermoso
tono poco común. Tenía el cutis blanquísimo que había sabido
proteger de las inclemencias del tiempo y que estaba delicadamente sonrosado, y sus ojos celestes y alegres daban vida a su
hermoso semblante. La boca, ligeramente sensual, y casi siempre
entreabierta, parecía ofrecerse al amor.

Notando el silencio de Vincent, le preguntó:

—¿En qué está pensando, primo? Parece usted preocupado.

—Estaba pensando en el placer que hubiera sentido Rembrandt en pintarla.

Kay dejó oír una alegre carcajada.

—A Rembrandt sólo le gustaba pintar mujeres viejas y feas.
¿No es así?

—No —repuso Vincent—. Pintaba hermosas mujeres de edad,
mujeres que eran pobres o desgraciadas, pero que por eso mismo
poseían un alma.

Por primera vez Kay observó detenidamente a su primo. Hasta entonces sólo le había echado una mirada indiferente, notando únicamente su pelo rojizo y sus facciones toscas; ahora
advirtió su boca llena, sus ojos penetrantes y la alta frente de los
Van Gogh.

—Discúlpeme por ser tan estúpida —murmuró—. Comprendo
do muy bien lo que quiere decir de Rembrandt. Cuando pinta
aquellos rostros de ancianos marcados por el sufrimiento, llega
hasta la misma esencia de la belleza.

—Hijos míos, ¿de qué están ustedes hablando tan seriamente? —inquirió el reverendo Stricker desde el vano de la puerta.

—Estábamos haciendo más amplio conocimiento —repuso
Kay— ¿por qué no me dijiste que tenía un primo tan simpático?

En ese momento entró un joven con agradable sonrisa. Kay
se acercó a él y lo besó.

—Primo Vincent —dijo— este es mi esposo, Mijnherr Vos.

Salió de la habitación, regresando al poco rato con un niño
pelirrojo de unos dos años. Vos se acercó rodeando a ambos con
los brazos.

—¿Quieres sentarte aquí a mi lado, Vincent? —díjole Tía Wilhelmina indicándole un lugar en la mesa.

Frente a Vincent estaba sentada Kay, con su marido de un lado y su hijo del otro. Ahora que su esposo estaba allí la joven parecía haber olvidado por completo a Vincent. En un momento dado, su esposo le dijo algo en voz baja y ella, con vivo movimiento se inclinó hacia él besándolo.

Las olas vibrantes de su amor parecían envolver implacablemente a Vincent, y por primera vez desde aquel fatídico domingo, el dolor de su amor por Ursula volvió a apoderarse de todo su ser. El cuadro de aquella pequeña familia tan feliz y amante le hizo comprender que hacía largos meses que estaba desesperadamente hambriento de amor, hambre que resultaba muy difícil aplacar.

UN CLERIGO PROVINCIANO

Todas las mañanas Vincent se levantaba antes de que amaneciese para leer su biblia. Cuando salía el sol a eso de las cinco, se reclinaba en la ventana y miraba a los obreros que en largas filas entraban al arsenal. Algo más lejos, en el Zuider Zee, navegaban algunos vaporcitos y botes a vela.

Cuando el sol terminaba por disipar la bruma del amanecer, cerraba la ventana, se desayunaba con un pedazo de pan y un vaso de cerveza, instalándose de nuevo frente a su mesa para estudiar el griego y latín durante siete horas consecutivas.

A las cuatro o cinco horas de concentración mental, su cabeza se tornaba pesada y sus ideas se confundían. No lograba comprender cómo haría para perseverar en el estudio después de los años emocionales que había vivido. Trataba de retener las reglas hasta que el sol se hallaba cerca del ocaso, hora en que debía ir a lo de Mendes da Costa para su lección.

Para dirigirse a lo de su maestro, tomaba el camino de Buitenkant por Oudezyds Chapel y la antigua iglesia del Sud, pasando por callejuelas donde había numerosos negocios de litografías y antigüedades.

Mendes le hacía recordar a Vincent del cuadro "La Imitación de Jesucristo", por Ruyperez; era un clásico tipo de judío,

con ojos profundos y cavernosos, rostro enjuto y espiritual y larga
barba puntiaguda como usaban los primeros rabinos. Cansado,
después de sus siete horas de latín y de griego y casi otras tantas
de historia flamenca y gramática, Vincent gustaba de hablar con
Mendes de litografías y de arte, y un día llevó a su maestro el
estudio de "Un bautismo" de Maris.

Mendes estudiaba detenidamente el cuadro entre sus dedos
huesudos.

—Es bueno —dijo—. Tiene algo del espíritu religioso universal.

La fatiga de Vincent se desvaneció al instante, y se enfrascó
en una entusiasta descripción del arte de Maris. Mendes meneó
levemente la cabeza. El reverendo Stricker le pagaba buen precio
para que enseñara latín y griego a su sobrino.

—Vincent —dijo con voz pausada—. Maris es muy interesante, pero el tiempo pasa y debemos dedicarnos a nuestros estudios.

Al poco tiempo, el Tío Jan tuvo que ausentarse por una semana a Helvoort. Sabiendo que Vincent estaba solo en la gran
casa detrás del arsenal, Kay y Vos fueron una noche a buscarlo
para que los acompañara a cenar.

—Debes venir todas las noches mientras Tío Jan esté ausente
—le dijo Kay—. Además mamá quiere que aceptes venir a almorzar con nosotros todos los domingos después del servicio religioso.

Después de la comida, la familia se entretuvo jugando a las
cartas. Vincent no sabía jugar, y sentándose en un rincón empezó
a leer "La Historia de las Cruzadas" de Augusto Gruson. Desde
donde se hallaba sentado podía observar la alegre sonrisa de su
prima.

—¿Qué lees, primo Vincent? —preguntó Kay acercándosele.

El joven le dijo el título de la obra y añadió:

—Es un hermoso libro, y casi diría que está escrito con el
sentimiento de Thys Maris.

Kay sonrió. Vincent acostumbraba hacer esa clase de graciosas alusiones literarias.

—¿Y por qué de Thys Maris? —preguntó.

—Lee esto y verás si no te recuerda un cuadro de Maris. El
autor describe un antiguo castillo sobre una roca, con bosques en

la lejanía, a la hora del crepúsculo, y en primer plano un campo que ara un campesino con un caballo blanco.

Kay lo miraba pensativamente.

—Sí —dijo— es verdad, se parece a Maris. Tanto el escritor como el pintor emplean su talento para expresar el mismo pensamiento.

Vincent buscó un párrafo en el libro y dijo a la joven:

—Y esto hubiera podido ser escrito por Michelet o Carlyle.

—¿Sabes, primo? Para un hombre que ha pasado tan poco tiempo en las aulas, eres muy instruído. ¿Sigues leyendo mucho?

—No, ahora no, aunque me agradaría poder hacerlo... Pero en realidad no lo necesito, pues todo se encuentra en la palabra de Cristo...

—Oh, Vincent —exclamó Kay con reproche— ¿por qué hablas así?

El joven la miró extrañado.

—Me agradas mucho más cuando vislumbras a Thys Maris en "La Historia de las Cruzadas" que cuando hablas como un clérigo provinciano, de mentalidad estrecha...

Vos se acercó a su mujer.

—Querida, ahora te toca jugar a ti.

La joven miró un instante los ojos ardientes de Vincent, y tomando el brazo de su esposo, se acercó a los demás jugadores.

LATIN Y GRIEGO

Mendes da Costa sabía que a Vincent le agradaba hablar con él sobre tópicos que no fuesen sus estudios, y varias veces por semana, después de la lección, lo acompañaba a la ciudad, a fin de poder charlar juntos.

Un día lo llevó por un barrio muy interesante. Estaba lleno de aserraderos, de casitas humildes con sus jardincitos sencillos, donde vivía gran cantidad de gente. El barrio estaba cruzado por innumerables canales.

—Debe ser hermoso ejercer el sacerdocio en un barrio como este —comentó Vincent.

—Sí —repuso Mendes— esta gente necesita más de Dios y de la religión que nuestros aristocráticos amigos de la ciudad.

—¿Qué quiere usted decir, Mijnheer?

—Esos trabajadores tienen la vida dura. Cuando llega la enfermedad no poseen dinero para médicos. Viven al día, sus casas son pequeñas y pobres y la miseria los acecha. Necesitan de la palabra de Dios para consolarse.

Vincent encendió su pipa.

—¿Y los de la ciudad? —preguntó.

—Ellos tienen buena ropa, posición asegurada y dinero para hacer frente a la adversidad. Cuando piensan en Dios, se lo figuran como a un ser satisfecho de como van las cosas en la tierra hermosa de su creación.

Esa noche Vincent abrió sus libros de griego, pero se quedó mirando fijamente a la pared de su cuarto. Recordaba los barrios pobres de Londres con su sórdida pobreza y sufrimientos; recordaba el deseo que había sentido de convertirse en evangelista para ayudar a esa gente. Luego le pareció ver la iglesia de su tío Stricker. La congregación era escogida, rica y educada. Los sermones de Tío Stricker eran hermosos y confortantes, pero ¿quién necesitaba consuelo en aquella congregación?

Habían transcurrido seis meses desde su llegada a Amsterdam. Comenzaba a comprender que de poco vale el trabajo arduo cuando se carece de habilidad. Cerró sus libros de idiomas y abrió el de álgebra. A media noche entró su tío Jan.

—Ví luz bajo tu puerta, Vincent —dijo el vicealmirante— y el centinela me dijo que te vió caminando por afuera a las cuatro de la mañana. ¿Cuántas horas has estado estudiando?

—Entre dieciocho y veinte.

—¡Veinte! —exclamó el Tío Jan. Sintió que lo invadía una gran desilusión. Le costaba admitir que un Van Gogh fracasara.

—No debieras necesitar tantas —dijo por fin.

—Pero tengo que estudiar para cumplir, Tío Jan.

El vicealmirante meneó la cabeza.

—Prometí a tus padres velar por ti. Por lo tanto te ruego que de aquí en adelante no trabajes hasta tan tarde.

Vincent empujó sus libros de estudio. Lo que él necesitaba no era ni descanso, ni afecto, ni simpatía, sino estudiar su griego, su latín, su historia y su álgebra, a fin de poder pasar el examen e ingresar a la Universidad y recibirse de eclesiástico y servir en forma práctica a Dios sobre la Tierra.

MENDES DA COSTA

En mayo, un año exactamente después de su llegada a Amsterdam, Vincent comenzó a comprender que su dificultad para el estudio lo vencería. Admitía su derrota. Si hubiera sido una simple dificultad o ineptitud no se hubiera sentido tan turbado, pero la cuestión que lo preocupaba día y noche era esta: ¿Deseaba o no convertirse en un sacerdote como el Reverendo Stricker? ¿Qué sería entonces de su ideal de servir a los pobres y a los enfermos y desgraciados si aún debía pasar cinco años más estudiando declinaciones y fórmulas?

Una tarde, a fines de mayo, después de haber terminado su lección con Mendes, preguntó a su profesor:

—Mijnheer da Costa ¿podría usted venir a caminar un rato conmigo?

Mendes había notado la lucha que sostenía su alumno y adivinaba que el joven estaba a punto de tomar una determinación.

—Estaré encantado de acompañarlo. Es agradable caminar después de la lluvia.

Se envolvió en su bufanda y se puso su grueso abrigo negro. Una vez en la calle los dos hombres bordearon la sinagoga en donde tres siglos antes Baruch Spinoza había sido excomulgado, y luego pasaron la casa de Rembrandt que quedaba en la Zeestraat.

Murió olvidado y pobre —dijo Mendes al pasar por la antigua casa.

Vincent elevó la vista vivamente. Mendes tenía la costumbre de ir al grano del problema antes de que se mencionara siquiera. ¡Cuán distinto era del Tío Jan y Tío Stricker!

—Sin embargo, no murió desgraciado —dijo Vincent.

—No —repuso el maestro—. Se había expresado a sí mismo por completo y conocía el valor de su obra. Aunque era el único de su tiempo en reconocerlo.

—¿Y le parece que eso fué suficiente para él? ¿Y si se hubiese equivocado? ¿Si el mundo hubiera tenido razón en despreciar su obra?

—Lo que el mundo pensaba lo dejaba indiferente. Rembrandt sentía necesidad de pintar, una necesidad imperiosa. El valor principal del arte, Vincent, reside en la expresión que da al artista. Rembrandt realizó lo que él sabía era el propósito y la razón de ser de su vida; eso lo justificaba. Aún si su trabajo hubiese carecido de valor, hubiera tenido mucho más mérito su vida que si hubise desechado su inclinación para convertirse en un rico comerciante.

—Comprendo.

—El hecho de que la obra de Rembrandt trae goces al mundo entero —prosiguió Mendes como si hablase consigo mismo— es enteramente fortuito. Triunfó en su vida a pesar de haber sido despreciado por sus contemporáneos. La calidad de su perseverancia y la lealtad a su idea fué lo principal, más importante aún que la calidad de su trabajo.

Siguieron caminando un rato, y luego Vincent dijo:

—¿Y cómo puede saber un joven que la carrera que ha elegido es la que le conviene? Por ejemplo, puede haber pensado hacer algo de particular en la vida y luego comprender que se ha equivocado.

Los ojos de Mendes brillaron, y designando el cielo y los mástiles de los barcos que se reflejaban en el agua dijo:

—Mire, Vincent, qué hermosas tonalidades tiene esta puesta de sol.

Llenó su pipa y pasó la tabaquera al joven.

—Gracias, ya estoy fumando, Mijnherr —repuso Vincent.

—Es verdad. ¿Quiere que sigamos por el dique de Zeeburg? El cementerio judío queda por ese lado, y podemos descansar un momento donde los míos están enterrados.

Siguieron caminando en silencio mientras fumaban sus pipas.

—Nunca se puede estar seguro de nada, Vincent —dijo Mendes—. Sólo se debe tener el coraje y la fuerza de hacer lo que se cree bien. A veces puede resultar que uno está equivocado, pero al menos se habrá hecho, y eso es lo que importa. Debemos actuar según los dictados de nuestra razón, y dejar que Dios juzgue su valor. Si en este momento está usted seguro que quiere servir a nuestro Creador en una forma o en otra, entonces, deje que esa fe sea su guía futura. No tema poner su confianza en ella.

—¿Y si no estoy calificado para ello?

—¿Para servir a Dios? —inquirió Mendes mirándolo con leve sonrisa.

—No; quiero decir si no estoy calificado para convertirme en un sacerdote universitario, erudito y sabio.

Mendes no tenía interés en decir nada de particular acerca del problema personal de Vincent; sólo deseaba discutir sus faces más generales y dejar que el muchacho tomara su propia decisión. Ya habían llegado al cementerio judío; era un lugar muy sencillo con grandes lápidas de mármol cubiertas de inscripciones hebreas, y enormes árboles que se erguían entre el pasto oscuro. Cerca del lugar reservado para la familia Da Costa había un banco de piedra, donde los dos hombres tomaron asiento. A esas horas de la tarde, el cementerio se hallaba desierto y reinaba el mayor silencio.

—Cada uno de nosotros posee integridad, calidad de carácter, Vincent —dijo Mendes mirando las tumbas de su padre y su madre que se hallaban una al lado de la otra—. Si nos tomamos el trabajo de observarla, hagamos lo que hagamos, lo haremos bien. Si usted hubiera permanecido en el comercio de cuadros, la integridad que hace de usted el hombre que es, lo hubiera convertido en un buen comerciante. Lo mismo se aplica a sus estudios. Algún día usted se expresará plenamente, sea cual sea el medio que escoja.

—¿Y si no permanezco en Amsterdam para recibirme de eclesiástico?

—No importa. Regresará a Londres como evangelista o trabajará en un negocio o se convertirá en campesino del Brabante. Haga lo que haga, usted lo hará bien. He tenido oportunidad de conocer la pasta de que está usted hecho y sé que es buena. Muchas veces en su vida creerá usted que ha fallado, pero terminará por expresarse a sí mismo, y esa expresión justificará su vida.

—Gracias, Mijnherr da Costa. Sus palabras me alientan.

Mendes se estremeció ligeramente. El banco de piedra era frío y el sol se había ocultado por completo detrás del mar. Se puso de pie.

—¿Vamos, Vincent?

¿DONDE ESTA LA VERDADERA FUERZA?

Al día siguiente, al caer la tarde, Vincent, de pie ante su ventana, miraba hacia afuera. La pequeña avenida de álamos, con sus siluetas delicadas se destacaban netamente contra el cielo gris. —¿Acaso porque no soy capaz de estudiar —se decía el joven— eso significa que no puedo ser de utilidad en este mundo? Después de todo ¿qué tiene que ver el latín y el griego con el amor a nuestros semejantes? Yo quiero servir a Dios prácticamente, pero no deseo tener una iglesia grande y predicar sermones eruditos. Pertenezco a los humildes y desgraciados. *¡Quiero servirlos ahora, no dentro de cinco años!*

En ese momento sonó el pito señalando la hora de la salida de los obreros, quienes en tropel se dirigieron hacia el portón del arsenal. Vincent se alejó de su ventana. Comprendía que su padre y sus Tíos Jan y Stricker habían gastado mucho dinero en él durante ese último año, y que lo considerarían perdido si abandonaba sus estudios. Sin embargo él había hecho por lo mejor. No podía estudiar más de veinte horas diarias. Era evidente que no estaba creado para la vida estudiosa. Había comenzado demasiado tarde. Si se convertía en evangelista ¿acaso podía llamarse eso un fracaso? Si curaba a los enfermos, consolaba a los pecadores, y convertía a los no creyentes ¿sería eso un fracaso?

Su familia lo consideraría así. Dirían que no era capaz de triunfar, que no servía para nada y que era un ingrato, es decir, la oveja negra de la familia Van Gogh.

—Haga lo que haga, usted lo hará bien —habíale dicho Mendes—. Terminará por expresarse a sí mismo, y esa expresión justificará su vida.

Kay, que era tan comprensiva, ya había sorprendido en él semillas de sacerdote de mentalidad estrecha. Sí, en eso se convertiría si permanecía en Amsterdam donde la verdadera voz se tornaba cada día más débil. Sabía cuál era su lugar en el mundo, y Mendes le había infundido el coraje de decidirse. Con seguridad su familia se enojaría, pero eso ya no le importaba. Todo lo haría por amor a Dios.

Arregló su valija rápidamente y partió sin siquiera despedirse.

ESCUELA EVANGELICA

El Comité Belga de Evangelización compuesto por los reverendos van der Brink, de Jong y Pietersen, acababa de abrir una nueva escuela en Bruselas, donde la enseñanza era gratuita y los estudiantes sólo tenían que pagar una módica suma para la casa y comida. Vincent fué a visitar al Comité y lo aceptaron como alumno.

Después de tres meses —díjole el reverendo Pietersen— le daremos un puesto en algún lugar de Bélgica.

—Siempre que sea considerado competente —añadió el reverendo Jong.

Lo que se necesita en el trabajo evangélico, señor Van Gogh —dijo el Reverendo van der Brink— es talento para ofrecer al pueblo "lecturas atrayentes"'

El Reverendo Pietersen lo acompañó afuera, y tomando el brazo del joven le dijo:

—Me siento feliz de tenerlo con nosotros, muchacho. Hay mucho trabajo que hacer en Bélgica y dado el entusiasmo que usted demuestra, estoy seguro de que usted será un buen elemento.

Vincent se sintió reconfortado por semejantes palabras, y en su turbación no supo qué contestar. Siguieron caminando por la calle hasta que el Reverendo se detuvo en una esquina diciendo:

—Aquí es donde debo doblar. Tome mi tarjeta, y cuando tenga una velada libre, venga a verme. Me complacerá charlar un poco con usted.

En la escuela Evangelista sólo había tres alumnos, contando a Vincent. Su maestro era el señor Bokma, hombrecito pequeño y enjuto con extraña cara hundida.

Los dos compañeros de Vincent eran muchachos de unos diecinueve años que venían del campo. Pronto se hicieron amigos entre sí, y para cimentar su amistad se divirtieron en ridiculizar a Vincent.

En un momento de expansión éste les había dicho:

—Mi deseo es humillarme... morir en mí mismo.

Y cada vez que lo encontraban estudiando con ahinco le decían:

—¿Qué estás haciendo, Van Gogh? ¿Muriendo en ti mismo? Pero, las mayores dificultades las tenía Vincent con su maestro Bokma. Este señor estaba empeñado en enseñarles a ser buenos predicadores, y todas las noches sus alumnos debían preparar un discurso para decirlo al día siguiente en clase. Los dos muchachos escribían mensajes juveniles que recitaban con soltura, mientras que Vincent, que ponía todo su corazón en la elaboración de sus sermones, no lograba decir una sola palabra con claridad.

—¿Cómo puede usted esperar ser algún día un evangelista, Van Gogh? —le decía su maestro—. Usted ni siquiera sabe hablar. Nadie lo escuchará.

Tan mortificado se sentía Vincent que un día decidió leer su hermoso sermón en lugar de decirlo de memoria.

—¿Es así como les enseñan en Amsterdam? —inquirió con desprecio su maestro—. Sepa usted que ninguno de mis alumnos ha dejado mi clase sin haber aprendido a hablar y conmover a su auditorio en cualquier circunstancia.

El joven trató de complacer a su maestro y probó de nuevo, pero por más que se esforzaba, no lograba decir con naturalidad las bellas palabras que había escrito el día anterior. Sus condiscípulos se burlaban de él y el señor Bokma se unía a ellos.

—Señor Bokma —dijo un día Vincent exasperado—. Diré mis sermones como me parezca bien. ¡Mi trabajo es bueno y no quiero que se me insulte!

Bokma se indignó:

—¡Usted hará como le ordeno, de lo contrario abandonará mi clase!

Desde ese instante comenzó abiertamente la guerra entre los dos hombres. Vincent escribía cuatro veces más de lo que se le exigía, pues como no lograba conciliar el sueño, la mayor parte de la noche la pasaba trabajando. No tenía apetito y sus nervios estaban agotados.

Llegó el mes de noviembre en que debía presentarse ante el Comité para obtener un puesto. Cuando llegó a la sala de la iglesia, sus condiscípulos ya se hallaban allí.

El Reverendo de Jong felicitó a los dos muchachos entregándoles su nombramiento para Hoogstraeten y Etiehove respectivamente, y ambos jóvenes salieron contentos de la habitación.

—Señor Van Gogh —dijo De Jong volviéndose entonces hacia Vincent—. El Comité no está persuadido de que usted está listo para llevar la palabra de Dios al pueblo, y lamento decirle que no tenemos ningún puesto para usted.

Vincent se quedó anonadado, y después de largo rato dijo:

—¿Qué encuentran ustedes de mal en mi trabajo?

—Usted ha rehusado someterse a la autoridad. Y la primera regla de nuestra Iglesia es obediencia absoluta. Además usted no ha conseguido aprender a hablar, y su maestro considera que no está en condiciones de predicar.

Vincent miró hacia el Reverendo Pietersen, pero su amigo tenía la vista fija en la ventana.

—¿Qué debo hacer entonces? —preguntó con desaliento sin dirigirse a nadie en particular.

—Siga estudiando en la escuela durante seis meses más —repuso van der Brink— tal vez entonces...

Vincent bajó la cabeza y miró la punta de sus zapatos gastados, y como no se le ocurría nada para decir, salió en silencio.

Siguió caminando por la ciudad hasta que llegó a Laecken. Pronto las casas comenzaron a escasear y se encontró en campo abierto. Notó a un caballo blanco, viejo y flaco y que parecía cansado hasta la muerte por el arduo trabajo. El lugar era triste y desolado. Sacó su pipa y la encendió, pero el tabaco le pareció extrañamente amargo. Sentóse sobre un tronco de árbol caído y comenzó a pensar en Dios.

—Jesús conservó la calma en medio de la tempestad —se dijo—. Yo no estoy solo, pues Dios no me ha abandonado. Algún día encontraré el modo de servirlo.

Cuando regresó a su cuarto encontró al Reverendo Pietersen esperándolo.

—He venido a invitarlo a cenar a casa, Vincent —le dijo.

Salieron juntos. Pietersen charlaba de cosas sin importancia, como si nada hubiese sucedido. Una vez en su casa, el reverendo lo hizo pasar a la habitación del frente que había convertido en un estudio. Había allí varias acuarelas sobre los muros y un caballete en un rincón.

—Ah —exclamó Vincent— usted pinta. No lo sabía.

Pietersen pareció molesto. —No soy más que un aficionado —repuso—, dibujo y pinto para divertirme. Pero le ruego no lo mencione a mis colegas.

Se sentaron a cenar. Pietersen tenía una hija de unos dieciséis años, tan tímida que ni una sola vez levantó los ojos de su plato. El Reverendo hablaba de generalidades, mientras que Vincent se esforzaba en comer algunos bocados, prestando un oído distraído a las palabras de su huésped. De pronto le llamó la atención lo que estaba diciendo.

El Borinage —decía Pietersen— es una región minera. Allí todos los hombres trabajan en las minas. Trabajan en medio de miles de peligros, y su jornal apenas les alcanza para no morirse de hambre. Sus hogares son chozas semiderruídas donde sus mujeres e hijos pasan el año temblando de frío, fiebre y hambre.

—¿Y dónde queda el Borinage? —inquirió mientras se preguntaba para sus adentros por qué el Reverendo le hablaba de esa región.

—En el sud de Bélgica, cerca de Mons. Hace poco estuve allí, y le aseguro Vincent que esa gente necesita de un hombre que sepa predicarles.

El joven tragó con dificultad. ¿Por qué lo torturaba Pietersen?

—Vincent —dijo el Reverendo—. ¿Por qué no va usted al Borinage? Con su fuerza y su entusiasmo hará allí una buena obra.

—Pero ¿cómo puedo ir allí? El Comité...

—Sí, sí, ya sé —le interrumpió Pietersen—. El otro día he escrito a su padre explicándole la situación, y esta tarde recibí su respuesta. Dice que está dispuesto a mantenerlo a usted en el Borinage hasta que pueda conseguir un puesto.

Vincent se puso de pie de un salto.

—¡Entonces usted va a conseguirme un puesto!

—Sí, pero necesito un poco de tiempo. Cuando el Comité vea la hermosa obra que usted hará, seguramente cederá. Y si no lo hace... de Gong y van der Brink vendrán a pedirme algún favor uno de estos días, y en cambio de ese favor... ¡Los pobres de este país necesitan hombres como usted, Vincent, y sabe Dios que cualquier medio de que me valga para llevarlo a usted entre ellos será justificado!

LOS HOCICOS NEGROS

Cuando el tren se acercó al sud, apareció un grupo de montañas en el horizonte. Vincent las miró con placer después de la monótona llanura de Flandes. Había estado observándolas sólo pocos minutos cuando se percató de que eran montañas curiosas. Cada una estaba aislada de las demás y se erguía solitaria y abrupta en medio del terreno llano.

—Egipto negro —murmuró para sí mirando hacia la larga hilera de fantásticas pirámides, y dirigiéndose a la persona que se hallaba sentada a su lado, preguntó:

—¿Puede decirme qué son esas montañas?

—No son verdaderas montañas —repuso su vecino—. Están compuestas de *terril* que es un producto de desecho que suben de las minas con el carbón. ¿Ve usted la vagoneta que está por llegar a aquella montaña? Obsérvela por un momento.

Al poco rato la vagoneta en cuestión que había llegado a la montaña, se tumbó dejando caer su negro contenido sobre la ladera de la misma.

—¿Ve usted? —dijo el hombre—. Así crecen, poco a poco. Hace 50 años que día a día las estoy viendo crecer...

El tren se detuvo en Wasmes y Vincent bajó de él. La ciudad estaba situada en el fondo de un valle en que flotaba una espesa nube negra de polvo de carbón. Se extendía por la ladera en dos calles sucias bordeadas de edificios de material, pero pronto terminaron esas construcciones y apareció el pueblito de Petit Wasmes.

Mientras Vincent avanzaba, se preguntaba por qué no se veía un solo hombre, y apenas de tanto en tanto a alguna mujer en la puerta de su choza con expresión triste e impasible en el semblante.

Petit Wasmes era el pueblito de los mineros. Sólo tenía una construcción de material; era la casa de Juan Bautista Denis, el panadero, y que estaba situada en la parte más alta del pueblo. Allí se dirigió Vincent, pues Denis había escrito al Reverendo Pietersen ofreciendo su casa al próximo evangelista que enviaran al pueblo.

La señora de Denis recibió afectuosamente al joven y lo condujo a su habitación, atravesando la panadería de cuyos hornos calientes se despedía agradable olor a pan. La piecita que le habían destinado tenía una ventana que daba a la calle, y había sido perfectamente limpiada por las vigorosas manos de Madame Denis. Vincent la encontró espléndida, y estaba tan agitado, que sin deshacer su valija, volvió a bajar a la cocina a decir a la señora de Denis que iba a salir.

—¿No se olvidará de volver para la cena? Comemos a las cinco.

—Estaré de regreso para esa hora, señora —díjole—. Sólo quiero ver un poco el pueblo.

—Esta noche vendrá a vernos un amigo que me agradaría usted conociese. Es el capataz de Marcasse, y podrá contarle muchas cosas interesantes para su trabajo.

Había estado nevando abundantemente. Al bajar por el camino, Vincent observó los setos de los jardines y los campos, ennegrecidos por el humo de las chimeneas de las minas. Al este de la casa de los Denis veíase una pendiente al fondo de la cual se hallaban la mayoría de las chozas de los mineros; del otro lado se extendía un gran campo abierto con una gran montaña de terril y las chimeneas de la hullera de Marcasse donde trabajaban todos los mineros de Petit Wasmes.

Marcasse era una de las siete minas pertenecientes al "Charbonnage de Belgique". Era la más antigua y peligrosa del Borinage. Tenía mala fama, pues muchos hombres habían perecido en ella, ya sea debido al gas, a las inundaciones o a los desmoronamientos de los túneles. Dos construcciones de material servían para proteger las maquinarias que se empleaban para subir el carbón a la superficie y para clasificarlo. Las altas chimeneas, primitivamente de color ladrillo, estaban ahora completamente negras y esparcían un espeso humo oscuro durante las 24 horas del día. Alrededor de la mina estaban diseminadas las pobres chozas de los trabajadores; los pocos árboles que aún se erguían estaban secos y negros debido al humo. Era un lugar verdaderamente lúgubre.

—No es de extrañar que llamen a esto "el país negro" —se dijo Vincent.

Al poco rato de haber estado mirando todo aquello, los mineros comenzaron a salir. Estaban vestidos con ropa ordinaria y sucia y llevaban gorros de cuero. Las mujeres estaban vestidas del mismo modo que los hombres. Todos estaban completamente negros, y el blanco de sus ojos contrastaba en forma extraña con el resto de sus rostros. No era sin razón que se les llamaba "gueules noires" (hocicos negros). La tenue claridad del crepúsculo parecía lastimar aquellos ojos que habían estado en las tinieblas de la tierra desde antes del amanecer. Su físico era enjuto y débil y hablaban entre ellos un dialecto ininteligible.

LA CHOZA DE UN MINERO

—Jacques Verney es un hombre que ha llegado, gracias a su propio esfuerzo —dijo a Vincent la señora de Denis después de la cena— pero ha permanecido amigo de los mineros.

—¿Y no sucede lo mismo con los demás que mejoran su situación?

—No, señor Vincent, de ningún modo. En cuanto son trasladados de Petit Wasmes a Wasmes, comienzan a ver las cosas de un modo muy distinto. Su amor al dinero les hace olvidar que ellos han sido también esclavos de las minas, y toman la parte de los patrones. Pero Jacques es fiel y honrado. Cuando hay huelgas es el único que tiene influencia sobre los mineros. Pero el pobre hombre no tiene mucho tiempo de vida.

—¿Qué le sucede? —inquirió Vincent.

—Lo de siempre. Está enfermo de los pulmones. Todo el que trabaja allí abajo está así. Probablemente no pasará el invierno.

Jacques Verney llegó algo más tarde. Era bajo y cargado de hombros, y tenía los ojos melancólicos de los habitantes de la región. Cuando supo que Vincent era el evangelista suspiró profundamente.

—Ah, señor —dijo— tantos han tratado de ayudarnos ya... Pero la vida aquí siempre sigue igual.

—¿Le parece que las condiciones de vida son malas en el Borinage? —inquirió Vincent.

Jacques permaneció silencioso por un instante y luego dijo:

—Para mí, no. Mi madre me enseñó a leer y pude llegar a capataz. Poseo una casita de material en el camino a Wasmes y nunca nos falta comida. No, por mí no tengo ninguna queja...

Tuvo que interrumpirse debido a un violento acceso de tos
que parecía iba a quebrar aquel pobre pecho hundido. Después
de ir a la puerta y escupir al exterior, volvió a sentarse cerca de
la cocina tibia.

—Tenía veintinueve años cuando llegué a capataz —prosiguió— pero ya era tarde y mis pulmones estaban ya atacados.
No obstante estos últimos años no han sido tan malos para mí.
Nosotros, los mineros... —se interrumpió y echando una mirada
hacia la señora de Denis le preguntó: —¿Qué le parece? ¿Lo
llevo a lo de Henri Decrucq?

—¿Y por qué no? No le hará mal conocer la entera verdad.
Volviéndose hacia Vincent, le dijo, como queriendo discul-
parse:

—Después de todo, señor, soy capataz y les debo cierta lealtad a "ellos". Pero Henri le dirá muchas cosas.

Vincent lo siguió en la noche helada y ambos se dirigieron
hacia las chozas de los mineros. Esas chozas eran de madera y
constaban de una sola habitación. Se hallaban diseminadas por
el terreno sin ningún plan preconcebido y resultaba algo com-
plicado reconocer una en semejante laberinto. Por fin llegaron
a la choza de Decrucq por cuya ventana se filtraba un débil rayo
de luz. La señora de Decrucq atendió el llamado.

Esa choza era exactamente igual a todas las demás del pueblo. Tenía el piso de tierra y el techo cubierto de musgo, y entre
las tablas de las paredes habían puesto pedazos de arpillera para
que el viento frío no se colara al interior. En dos de los rincones
había sendas camas, una de las cuales estaba ya ocupada por tres
niños dormidos. Había además una cocina, una mesa de madera
con bancos, una silla y unos estantes que soportaban los pocos
utensilios de cocina y la vajilla. Los Decrucq, como la mayoría
de los mineros, poseían una cabra y algunos conejos, de este modo
podían comer carne de vez en cuando. La cabra dormía bajo la
cama de los niños, y los conejos estaban recostados sobre un poco
de paja detrás de la cocina.

La señora de Decrucq abrió la parte superior de la puerta
para ver quien llamaba, y luego hizo entrar a los dos hombres.
Antes de casarse había trabajado durante muchos años en los
mismos filones que Decrucq, empujando las vagonetas de carbón, y luego había continuado su trabajo. Ahora estaba agotada,

envejecida e inservible, sin embargo no había cumplido aún los veintiséis años.

Al ver entrar a Jacques, Decrucq exclamó:

—¡Qué sorpresa! Hace tiempo que no ha venido usted a mi casa. Estoy encantado de verlo. Sea usted bienvenido así como su amigo.

Decrucq se enorgullecía diciendo que él era el único hombre en el Borinage que las minas no podían matar. —Moriré en mi cama, y de vejez —solía decir—. ¡No pueden matarme! ¡Yo no se los permitiré!

Del lado derecho de su cabeza tenía una gran cicatriz. Era el resultado de una herida que había recibido una vez en que la jaula en la que descendía a la mina con sus compañeros se había precipitado abajo a unos cien metros de profundidad. Sus veintinueve compañeros murieron, pero él solo se había roto una pierna en cuatro lugares, le había quedado casi inservible y recibido aquella herida en la cabeza. En otra oportunidad se había roto tres costillas, pero seguía con su optimismo. Como tenía la costumbre de hablar en contra de la Compañía, siempre era designado para trabajar en los túneles más peligrosos y donde el trabajo era más pesado. Cuanto más trabajaba, más protestaba contra "ellos", ese enemigo invisible pero siempre presente.

—Señor Van Gogh —dijo—. Usted ha venido a un lugar donde puede ser útil. Aquí, en el Borinage, no solo somos esclavos, sino animales. Bajamos a la Marcasse a las tres de la mañana; nos dan 15 minutos de descanso para comer, y luego seguimos trabajando hasta las cuatro de la tarde. Allí adentro está completamente oscuro y hace un calor espantoso por lo que debemos trabajar desnudos. El aire está lleno de polvo de carbón y de gas y no podemos respirar. Tanto las mujeres como los hombres, empezamos a trabajar allí abajo a los 8 ó 9 años. A los veinte ya tenemos los pulmones atacados. Si no nos morimos antes por un desmoronamiento o por el grisú, podemos llegar a los 40... ¿No es así, Verney?

Hablaba con tal excitación y entremezclando en su vocabulario palabras de dialecto, que resultaba difícil para Vincent seguir la ilación de su relato.

—Tienes razón, Decrucq —repuso Jacques asintiendo.

—¿Y qué paga recibimos por todo esto, señor? —prosiguió el minero—. Apenas si tenemos una miserable choza para vivir y comida para no morirnos de hambre. Nuestro alimento consiste en pan, queso blando y café. Una o dos veces al año, cuanto más, comemos carne. Si sólo nos quitaran cincuenta céntimos diarios de nuestro jornal, nos moriríamos de hambre, y no podríamos extraer el carbón de la mina... ¡Esa es la única razón por la cual no nos pagan menos! Estamos al borde de la muerte, señor. Si nos enfermamos no tenemos un solo franco, y tenemos que morir como perros mientras nuestras esposas e hijos deben ser socorridos por los vecinos. Desde los ocho a los cuarenta años, ¡treinta y dos años en la oscuridad del interior de la tierra! Esa es nuestra vida.

¡ T R I U N F O !

Pronto se percató Vincent de que los mineros eran muy ignorantes; la mayoría de ellos no sabían leer, pero, por otra parte, eran inteligentes, valientes y francos, además de poseer un temperamento muy sensible. Estaban delgados y pálidos por la fiebre que los consumía, y parecían siempre cansados. Su cutis amarillento (pues no veían el sol más que los domingos) tenía innumerables puntos negros producidos por el carbón introducido en sus poros. Sus ojos profundos reflejaban la melancolía de los oprimidos que no pueden luchar.

Vincent los encontraba atrayentes. Eran sencillos y buenos, como los campesinos del Brabante, de Zundert y Etten. Ya no encontraba aquel lugar desolado, pues comenzaba a comprender que el Borinage tenía carácter.

A los pocos días de estar allí, el joven realizó su primera reunión religiosa en un rústico cobertizo detrás de la panadería de Denis. Después de limpiarlo lo mejor que pudo, llevó allí algunos bancos para el público y una lámpara de kerosene. Los mineros comenzaron a llegar a las cinco con sus familias, y tomaron asiento sobre los largos bancos, mientras Vincent, con la Biblia abierta, los observaba; estaban todos arropados con sus pobres bufandas alrededor del cuello y parecían helados.

Vicent no sabía qué versículo elegir como tema para su primer sermón. Finalmente eligió el siguiente: "En la noche apareció una visión a Pablo: Un macedonio le tendía la mano diciendo: ¡Ven a Macedonia y ayúdanos!"

—"Nosotros nos representamos a ese macedonio como a un trabajador, amigos míos —dijo Vincent—. Un trabajador en cuyo semblante está reflejada la tristeza y el cansancio. Pero ese hombre no carece de esplendor o de atracción, pues tiene un alma inmortal y necesita del alimento que no perece: de la palabra de Dios. Dios quiere que los hombres, imitando a Jesucristo, vivan humildemente, se adapten a las enseñanzas del evangelio y sean sumisos y mansos, a fin de que, llegado el día elegido, puedan entrar en el Reino de los Cielos y encontrar la paz".

Como había muchos enfermos en el pueblo, todos los días el joven misionero iba a visitarlos, llevándoles, siempre que le era posible, un poco de pan o de leche, o algún par de medias abrigadas o una colcha para su lecho. Esa gente sufría, sobre todo, de una fiebre maligna que ellos llamaban "la fiebre estúpida" y que llegaba hasta producirles delirio.

Todo Petit Wasmes lo llamaba afectuosamente "señor Vincent", aunque aún con un poco de reserva. No había choza en el pueblo donde no hubiese llevado alimento o consuelo, donde no hubiese cuidado a los enfermos o rezado con los desdichados, llevándoles la esperanza de la palabra de Dios. Varios días antes de Navidad, encontró un establo abandonado cerca de Marcasse, con capacidad para unas cien personas. Allí reunió a sus feligreses, y los mineros llenaron el frío y desvencijado local. Escucharon atentamente la narración de la historia de Belén y la esperanza que ella significaba. Hacía sólo seis semanas que estaba entre los "hocicos negros" pero ya había logrado reconfortales el corazón con la promesa del Reino Celestial.

Sólo había un punto que molestaba profundamente a Vincent, y era que su padre seguía manteniéndolo. Todas las noches pedía a Dios que pronto le fuese dado el medio de ganarse los pocos francos que necesitaba para su vida humilde.

El tiempo se tornaba cada vez más feo. Llovía a torrentes, el pueblo estaba convertido en un barrial y la vida se tornaba aún más difícil para los habitantes de Petit Wasmes.

El día de año nuevo, el señor Denis fué a Wasmes y cuando regresó trajo una carta para Vincent. Cuando el joven leyó el nombre del reverendo Pietersen en uno de los ángulos del sobre, temblando de emoción corrió a su cuarto a leerla.

"Querido Vincent" —decía la carta—. "El Comité Evangelis-
"ta ha tenido conocimiento de la espléndida obra que usted está
"realizando, y por lo tanto le otorga un nombramiento proviso-
"rio, por seis meses, a partir del primero del año.

"Si para fin de junio todo marcha bien, su nombramiento
"será hecho efectivo. Mientras tanto, recibirá un sueldo de 50
"francos mensuales.

"Escríbame a menudo y siempre mire hacia adelante. Suyo,
"Pietersen".

Lleno de exuberante alegría, se arrojó sobre la cama teniendo
firmemente la carta entre las manos. ¡Por fin había triunfado!
¡Esa era su verdadera vocación! Los 50 francos que recibiría mensualmente le alcanzarían ampliamente para pagar su pieza y comida, y ya no dependería de nadie.

Se puso de inmediato a escribir una carta triunfante a su
padre, diciéndole que ya no necesitaría más de su ayuda y que
de hoy en adelante podrían estar orgullosos de él en la familia.

Cuando terminó de escribir, ya casi había oscurecido; llovía torrencialmente; no obstante, bajó las escaleras y salió corriendo afuera.

La señora de Denis corrió tras de él.

—Señor Vincent... ¿dónde va usted? ¡Se ha olvidado de su
abrigo y sombrero!

Pero él no se detuvo a contestarle. Subió sobre una planicie
desde donde se divisaba la mayor parte del Borinage, con sus
chimeneas, sus montículos de carbón, las chozas de los mineros
y los hombres que en ese instante comenzaban a salir de la hullera. A la distancia, veíase un oscuro bosque de pinos con pequeñas
casas blancas que se destacaban en él y mucho más lejos aún, la
torre de una iglesia y un molino. Las nubes oscuras que se acu-
mulaban en el cielo daban al conjunto un fantástico aspecto. Por
primera vez desde que estaba en el Borinage, aquello le recordó
los cuadros de Michel y de Ruysdael.

TERRIL

Ahora que Vincent era un verdadero evangelista autorizado,
Vincent necesitaba un lugar permanente para sus reuniones. Después de mucho buscar, encontró un gran salón adecuado para lo

que necesitaba. A fin de hacerlo más agradable, el joven colgó en sus paredes todos los cuadros y grabados que poseía, y todas las tardes, reunía allí a los niños entre cuatro y ocho años y les enseñaba a leer y les contaba sencillos episodios de la Biblia.

—¿Cómo podríamos conseguir carbón para calentar el salón? —preguntó un día el joven a Jacques Verney—. Los niños necesitan calor, y las reuniones nocturnas podrían durar más tiempo si el ambiente fuese agradable.

Jacques permaneció pensativo un momento y luego dijo:

—Venga usted aquí mañana a mediodía y yo le enseñaré a conseguirlo.

Cuando Vincent llegó al salón, encontró allí un grupo de mujeres y niños de los mineros que lo esperaban con bolsas en la mano.

—Señor Vincent, he traído una bolsa para usted —dijo la hija de Verney—. Usted también llenará una.

Todos se dirigieron hacia la pirámide de terril más cercana y comenzaron a escalarla cada cual por un punto distinto.

—Debemos llegar casi al tope antes de encontrar carbón, señor Vincent —díjole la hija de Verney que lo acompañaba—. Hace años que hemos estado sacando el que había en la parte inferior. Venga conmigo, yo le enseñaré cuál es el carbón.

Subía la especie de montaña con la facilidad de una cabra, mientras que Vincent tenía que ayudarse más de una vez con las manos, pues la consistencia fofa de la misma lo hacía resbalar. La señorita Verney era bonita y vivaz; su padre había sido nombrado capataz cuando ella contaba siete años y, por lo t o, nunca había tenido que bajar a la mina. La joven le enseñó cómo debía escoger los pequeños trozos de carbón, diferenciándolos de las piedras y otros elementos extraños que se encontraban en el terril. Poco era el carbón que escapaba a la Compañía, y lo único que las mujeres de los mineros lograban recoger allí era un combustible que por su calidad no resultaba vendible en el mercado. La tarea de recolección resultaba penosa para Vincent por su falta de costumbre, y apenas había recogido un cuarto de bolsa cuando las mujeres ya tenían las suyas llenas.

Bajaron por fin, y fueron a depositar todas las bolsas al salón, prometiendo concurrir más tarde con sus maridos a la reunión religiosa. La señorita Verney invitó al joven para que compartiera con ellos la cena, lo que aceptó gustoso. La casa de Verney constaba de dos habitaciones. En una estaba la cocina, la mesa y las sillas, y la otra servía de dormitorio. A pesar de que la situación económica de Verney era bastante buena, no había jabón en la casa, pues el jabón resultaba un lujo demasiado costoso para los habitantes del Borinage.

Vincent trató de lavarse la cara y las manos negras de carbón, lo mejor que pudo con el agua fría que la señorita Vernery le echó en una palangana, pero no obtuvo un resultado muy satisfactorio.

Durante la cena, Jacques le dijo:

—Hace casi dos meses que usted está en Petit Wasmes, señor Vincent, sin embargo aún no conoce verdaderamente el Borinage.

—Es verdad —repuso humildemente el joven—, pero poco a poco comienzo a comprender al pueblo.

—No es eso lo que quiero decir —contestó Verney—. Quiero decir que usted sólo ha visto la vida aquí arriba, y eso no es lo que interesa. Aquí arriba, sólo dormimos, y para comprender nuestra vida, tiene usted que bajar a las minas y ver cómo trabajamos desde las tres de la mañana hasta las cuatro de la tarde.

—Me gustaría muchísimo bajar —dijo Vincent— pero ¿podré obtener permiso de la compañía?

—Ya lo he pedido para usted —contestó Jacques —. Mañana debo bajar al Marcasse para una inspección de seguridad. Espéreme frente a lo de Denis a las tres menos cuarto de la mañana y bajaremos juntos.

Después de cenar, toda la familia lo acompañó al salón. En el camino, Jacques, que parecía estar bien en la tibieza de su hogar, fué atacado por un acceso tan violento de tos que tuvo que regresar.

Cuando llegaron, Henri Decrucq se hallaba ya allí empeñado en encender la estufa.

—Buenas noches, señor Vincent —dijo sonriendo—. Soy el único en Petit Wasmes que entiende esta estufa y le conoce todas las mañas.

El carbón que contenían las bolsas estaba húmedo y en gran parte no servía, no obstante Decrucq pronto consiguió hacer arder un lindo fuego en aquella vieja estufa.

Casi todos los vecinos de Petit Wasmes concurrieron esa noche a escuchar el sermón de Vincent. Todos los bancos estaban repletos de fieles, y el joven, con el corazón reconfortado por la bondad que las mujeres de los mineros habían demostrado aquella tarde, y la satisfacción de predicar en su "iglesia", habló con tanta sinceridad que supo llegar al corazón de su auditorio.

—Es una antigua y saludable creencia —comenzó diciendo a su congregación de "hocicos negros"— que somos forasteros en este mundo. Sin embargo, no estamos solos, pues nuestro Padre se halla con nosotros. Somos peregrinos, y nuestra vida representa el camino que debemos recorrer desde la tierra hasta el Cielo. Para aquellos que creen en Jesucristo, no hay pena que no esté mezclada con esperanza. Padre, te rogamos nos guardes del mal. No nos des ni pobreza ni riqueza, pero aliméntanos con el pan que necesitamos. Amén.

La señora de Decrucq fué la primera en acercarse al predicador. Sus ojos estaban llenos de lágrimas y sus labios temblorosos.

—Señor Vincent —dijo—. Mi vida ha sido tan dura que había perdido a Dios. Pero usted me ha hecho volver hacia El. Se lo agradezco muchísimo.

Cuando todos hubieron partido, Vincent, cerró con llave el Salón y se dirigió pensativamente a lo de Denis. Había comprendido, por la actitud de sus fieles, que por fin aquellos "hocicos negros" lo habían aceptado sin reservas como ministro de Dios. ¿Cuál había sido la causa del cambio? No podía ser porque tuviese una iglesia nueva, pues esas cosas no interesaban a los mineros. Tampoco sabían lo de su nombramiento, ya que nunca les había dicho que al principio su puesto no era oficial. Es verdad que su sermón había sido bueno, no obstante, había predicado otros tan buenos como ese en otras oportunidades.

Cuando llegó a la panadería, los Denis ya se habían acostado. Sacó un balde de agua del pozo y lo llevó a su pieza para lavarse. Tomó su jabón y se miró en el pequeño espejo que poseía; vió que su rostro estaba aún lleno de carbón, como lo había sospechado, y sonrió pensando que había predicado el sermón inaugural de la iglesia, con la cara sucia. ¡Qué horrorizados hubieran estado su padre y su tío Stricker!

Introdujo sus manos en el agua fría y tomando el jabón que había traído de Bruselas comenzó a fregarlas para hacer abundante espuma, y se disponía a llevárselas a la cara cuando se detuvo de pronto. Miró de nuevo a su rostro reflejado en el espejo, lleno de polvo de carbón.

—¡Ahora comprendo! —exclamó en alta voz—. ¡Es por eso que me han aceptado! ¡Ahora soy uno de ellos!

Enjuagó sus manos y se metió en la cama sin lavarse la cara. Todos los días, durante el tiempo en que permaneció en el Borinage, se frotaba un poco de polvo de carbón sobre la cara a fin de parecerse a todos los demás.

MARCASSE

A la mañana siguiente, Vincent se levantó a las dos y media; comió un pedazo de pan y esperó a Jacques frente a la puerta de los Denis.

Había nevado abundantemente aquella noche y el camino que conducía a Marcasse estaba obstruido. Mientras cruzaban por el campo en dirección a las chimeneas negras, Vincent observó a los mineros que de todos lados salían de sus chozas y se dirigían, como sombras negras, a su trabajo. Hacía un frío intenso y la noche estaba oscurísima.

Jacques lo llevó primero a una especie de galpón donde había gran cantidad de lámparas de kerosene colgadas de las paredes en perfecto orden. Cada una de ellas tenía un número.

—Cuando ocurre un accidente allí abajo —explicó Jacques— sabemos cuáles son los hombres que han sido atrapados por las lámparas que faltan.

Los mineros tomaban cada cual su lámpara y luego cruzaban hacia otro edificio de material donde estaba el ascensor con el cual descendían. Vincent y Jacques también se dirigieron hacia allí. Aquel ascensor era una especie de jaula con seis compartimientos uno encima del otro y que, además de servir para el transporte de los mineros, servía para subir el carbón a la superficie. En cada compartimiento iban cinco hombres, aunque apenas si había lugar para dos.

Como Jacques era capataz, dejaron uno de los compartimientos para él, Vincent y un asistente.

—Cuidado con sus manos, señor Vincent —díjole Jacques—. Si usted tiene la desgracia de tocar la pared con una de ellas, la perderá.

La jaula comenzó a descender a vertiginosa velocidad, y un

involuntario estremecimiento recorrió el cuerpo de Vincent, al recordar que aquel estrecho agujero por el cual se deslizaban tenía una profundidad de media milla. Se serenó algo pensando que en realidad no debía haber tanto peligro, puesto que desde los dos meses que se hallaba allí nunca había sucedido accidente alguno.

Comunicó a Jacques aquel instintivo temblor que lo molestaba y éste, sonriendo con simpatía, le dijo:

—No se aflija, todo minero lo experimenta igual.

—Pero seguramente se acostumbrarán.

—No, jamás. Hasta el día de su muerte conserva esa especie de terror para esta jaula.

—¿Y usted, señor...?

—Estaba temblando lo mismo que usted, y sin embargo hace treinta y tres años que estoy bajando por este aparato.

A mitad de camino, es decir, después de haber recorrido trescientos cincuenta metros, la jaula se detuvo un instante, para luego reanudar su descenso. Vincent notó que pequeños filetes de agua brotaban de las paredes y de nuevo se estremeció. Como estaban en el último compartimiento, miró hacia arriba y vió la luz de afuera del tamaño de una estrella.

A los seiscientos cincuenta metros, Jacques y él bajaron, pero los mineros continuaron descendiendo. Vincent, se encontró en un túnel ancho zurcado de rieles. Había supuesto que allí haría un calor infernal, en cambio hacía una temperatura bastante agradable.

—No se está mal aquí, señor Verney —exclamó gratamente sorprendido.

—No; pero a este nivel no hay ningún hombre que trabaje. Hace tiempo que las vetas están agotadas. Aquí tenemos ventilación desde arriba, pero eso no ayuda gran cosa a los mineros de abajo.

Caminaron por el túnel unos doscientos cincuenta metros, y luego Jacques dobló hacia un lado.

—Sígame, señor Vincent —dijo— pero despacio, muy despacio. Si usted resbala se matará.

Desapareció en un pozo y Vincent lo siguió, bajando por rudimentaria escalera. El agujero era apenas suficiente para que pasase un hombre delgado. Los primeros cinco metros fueron bastante regulares, pero luego comenzó a filtrarse agua de las pa-

redes y la escalera se hallaba cada vez más cubierta de barro pe-
gajoso. Vincent sentía el agua que le goteaba encima. Por fin
llegaron al fondo. Tuvieron que ponerse a cuatro patas y gatear
por un largo pasaje para llegar al lugar donde trabajaban los
mineros. Había largas hileras de celdas cuyos techos estaban rús-
ticamente apuntalados por maderas. Allí trabajaban cuadrillas de
cinco hombres. Dos de ellos extraían el carbón con sus picos, el
tercero lo juntaba, el cuarto cargaba las vagonetas y el quinto
las empujaba hacia los angostos rieles. Los que trabajaban con
los picos estaban vestidos con ropa tosca, sucia y negra; el que
amontonaba el carbón era generalmente un muchachito, desnudo
hasta la cintura y con el cuerpo renegrido, y quien se encargaba
de empujar la vagoneta era casi siempre una niña de pocos años.
La única luz que había allí adentro era la de las lamparillas de
los trabajadores, cuyas mechas mantenían bajas a fin de economizar combustible. El ambiente pesado y cargado de polvo de
carbón resultaba casi irrespirable, pues no había ventilación alguna. El calor natural de la tierra hacía transpirar a los mineros,
y negro sudor les corría por el cuerpo. En las primeras celdas
Vincent vió que los trabajadores podían trabajar de pie, pero
a medida que avanzaban las celdas se tornaban cada vez más bajas
y los mineros estaban obligados a acostarse en el suelo para trabajar con sus picos. A medida que transcurrían las horas, el
calor del cuerpo de los hombres elevaba la temperatura y el polvo de carbón levantado por su trabajo tornaba el ambiente in-
soportable.

—Estos hombres ganan dos francos y medio por día —dijo
Jacques— y eso siempre que el inspector considere aceptable la
calidad del carbón que extraen. Hace cinco años ganaban tres
francos, pero los jornales han sido disminuídos año tras año.

Jacques inspeccionó las maderas que apuntalaban el techo y
que protegían a los trabajadores de la muerte.

—Estos puntales están mal —díjoles—. En cuanto se des-
cuiden el techo se les caerá encima.

—¡Cuando nos paguen para apuntalar los arreglaremos! —exclamó uno de los hombres de mala manera—. Si perdemos nuestro tiempo ¿quién extraerá el carbón? ¡Después de todo, lo mismo
da morir aplastados aquí que de hambre en casa!

Al final de las últimas celdas encontraron otro agujero en
el suelo por el cual Jacques comenzó a descender. Allí ni siquiera

había escalera y había que arreglárselas como mejor se pudiera para bajar. Jacques tomó la lámpara de Vincent y se la colgó de la cintura.

—Despacito, señor Vincent —recomendó—. Vaya muy despacio que es muy peligroso...

Bajaron cinco metros en aquel agujero negro, lentamente, con sumo cuidado. Por fin llegaron a otra veta, pero aquí no había celdas y el carbón debía ser extraído directamente del muro. Los hombres trabajaban arrodillados, en posición sumamente incómoda. Hacía un calor infernal y la temperatura de las celdas de arriba parecía fresca y agradable comparada con la que reinaba aquí. Los hombres, anhelantes, con sus cuerpos desnudos y mugrientos, parecían prontos a desfallecer. Vincent, a pesar de no estar trabajando, temió no poder soportar el calor y el polvo por más tiempo. ¡Cómo debían sufrir aquellos hombres en su rudo trabajo! Y no lo podían interrumpir un solo instante para descansar, de lo contrario no conseguirían extraer la cantidad de vagonetas de carbón por las que les pagaban cincuenta céntimos. Las criaturas que empujaban aquí las vagonetas eran niñas de menos de diez años, y debían trabajar con todas sus fuerzas para empujar esas pesadas vagonetas.

Al final del pasaje había una especie de ascensor sostenido por cables.

—Venga, señor Vincent —dijo Jacques—, lo voy a llevar al último nivel, a setecientos metros de profundidad, ¡y verá algo que no se puede ver en ningún otro lugar del mundo!

Bajaron unos treinta metros por aquella especie de ascensor, y luego tuvieron que caminar más de media milla por un túnel negro. Llegaron a un agujero recién abierto y se deslizaron por él.

—Esta es una veta nueva —explicó Jacques—, es el lugar más terrible de una mina para trabajar.

Cuando llegaron abajo, el túnel era tan estrecho que Vincent casi no tenía lugar para pasar sus anchas espaldas. Comenzaron a gatear por él. Ese pasaje sólo tenía cuarenta y cinco centímetros de alto por sesenta y cinco de ancho. Llegaron por fin a una excavación más ensanchada. Al principio Vincent no distinguía nada, pero poco a poco notó cuatro puntitos de luz azul sobre una de las paredes. El sudor le corría por todo el cuerpo y le entraba en los ojos mezclado con polvo de carbón, haciéndoselos arder dolorosamente. Se puso de pie y trató de respirar profundamente, pero aquel aire parecía fuego líquido. Estaban en el peor lugar de la mina Marcasse, y parecía un cuarto de torturas de la Edad Media.

—Ajá... aquí está el señor Vincent —dijo la voz familiar de Decrucq —. ¿Vino usted a ver cómo nos ganamos nuestros cincuenta centavos diarios?

Jacques se acercó vivamente a las lámparas de llama azul.

—No hubiera debido bajar aquí —dijo Decrucq al oído de Vincent refiriéndose a Jacques—, seguramente le vendrá una hemorragia.

—Decrucq —llamó Jacques—, ¿estuvieron estas lámparas alumbrando de este modo toda la mañana?

—Sí —repuso éste con despreocupación— es el grisú que aumenta día a día. Cuando explote terminarán nuestras penurias.

—Pero estas celdas han sido limpiadas el domingo —dijo Jacques.

—Sí, pero ha vuelto el gas.

—Entonces deberán dejar de trabajar un día de esta semana para volver a limpiarlas.

Todos los mineros comenzaron a protestar en coro.

—¡No tenemos suficiente pan para nuestros hijos! ¿Cómo vamos a dejar de trabajar un día entero? ¡Qué limpien cuando no estamos aquí! ¡Necesitamos comer como los demás!

—Bah, está bien —dijo Decrucq riendo—. La mina no podrá matarme... moriré en mi cama de vejez... Pero hablando de comer ¿qué hora tienes, Verney?

Jacques miró su reloj a la luz de la llama azul.

—Las nueve —dijo.

—¡Bien! Es hora de comer.

Los mineros dejaron sus picos, instalándose para comer allí mismo, pues ni siquiera podían ir a un lugar más fresco, ya que hubieran perdido demasiado tiempo. Sólo se permitían quince minutos para su comida, la que consistía en pan, queso agrio y un poco de café. ¡Para eso trabajaban trece horas diarias!

Hacía seis horas que Vincent estaba allí abajo; le parecía que no resistiría mucho más y sintió verdadero alivio cuando Jacques le dijo que era tiempo de subir.

—Ten cuidado con ese grisú, Decrucq —recomendó Jacques antes de partir—. Si ves que aumenta, no continúen trabajando aquí.

—¿Y acaso nos pagarán si no trabajamos? —repuso riendo el otro.

Jacques no contestó y se introdujo en el angosto túnel por el cual habían venido, seguido por Vincent. Cuando estuvieron en el ascensor, el capataz comenzó a toser y escupir flemas negras.

—¿Por qué sigue esta gente trabajando en las minas? —preguntó Vincent—. ¿Por qué no se van a otro lugar a ganarse la vida?

—¡Ah, mi querido señor Vincent! No podemos ir a otro lado porque no tenemos dinero. No hay una sola familia de minero en todo el Borinage que tenga ahorrados diez francos. Y aún si pudiéramos irnos, señor, no nos iríamos. El marinero conoce los peligros que corre sobre su barco, sin embargo sigue navegando. Y lo mismo sucede con nosotros, amamos a nuestras minas y preferimos trabajar allí abajo que arriba. Todo lo que pedimos es que nuestros jornales nos permitan vivir y que se nos proteja contra los peligros.

Por fin llegaron a la luz del día que deslumbró a Vincent después de las profundas tinieblas del interior. Cruzó el campo semi inconsciente, preguntándose si no estaría atacado por la "fiebre estúpida", si no sufría alucinaciones. ¿Cómo era posible que Dios permitiese que sus hijos sufriesen semejantes penurias? ¡Debía haber soñado aquellas cosas terribles!

Pasó de largo por la casa de los Denis y, sin pensar en lo que hacía, continuó hasta la choza de los Decrucq. Atendió su llamado el mayor de los niños, criatura de seis años, pálido y anémico y que dentro de dos años bajaría también a las minas.

—Mamá ha ido al *terril* —dijo—. ¿Quiere esperar, señor Vincent? Yo estoy cuidando a los chicos.

Jugando en el suelo de la choza estaban las dos criaturitas más pequeñas de Decrucq. Tenían solamente una camisita encima y estaban moradas de frío.

A pesar de que el mayor de los niños ponía *terril* en la cocina, ésta no daba calor. Vincent se estremeció. Metió a las dos criaturitas en la cama y las cubrió hasta el cuello con la frazada. No sabía con exactitud qué era lo que lo había inducido a venir hasta esa choza miserable. Sentía vagamente la necesidad de demostrar a los Decrucq su simpatía y decirles que comprendía toda la extensión de su miseria.

Cuando llegó la señora de Decrucq con su cara y manos negras, en el primer momento no reconoció a Vincent debido a su suciedad. Se dirigió hacia el cajón donde guardaba sus provisiones y tomando un poco de café lo calentó sobre la cocina y se lo ofreció. El café estaba frío y amargo, pero Vincent lo bebió para complacer a la buena mujer.

—El *terril* está imposible estos días —se lamentó—. La Compañía no deja pasar un solo pedacito de carbón. ¿Qué puedo hacer para que mis chicos no tengan frío? No tengo más ropas para ellos que esas camisitas. La arpillera los lastima... y si los dejo todo el día en la cama ¿cómo van a desarrollarse?

Vincent estaba tan emocionado que no pudo contestar. Jamás había visto miseria tan grande.

Por primera vez pensó que de poco servirían las oraciones y la citas del evangelio a aquella mujer cuyos hijos se morían de frío. ¿Dónde estaba Dios en todo esto? Tenía unos francos en el bolsillo, los tomó y se los tendió a la señora.

—Le ruego que compre ropa abrigada para los niños —dijo.

Sabía que su gesto era fútil, ya que había cientos de niños que sufrían del frío en el Borinage.

Se dirigió hacia la casa de los Denis. La gran cocina de la panadería estaba tibia y confortable. La señora de Denis le calentó un poco de agua para que se lavara y le preparó un buen almuerzo con parte de un guiso de conejo que había sobrado de la noche anterior.

Cuando Vincent subió a su cuarto, había entrado en calor y tenía el estómago lleno. Su cama era limpia y confortable, con sus sábanas blancas y blanda su almohada. Sobre las paredes estaban las copias de cuadros de famosos maestros. Abrió su ropero; allí estaban sus camisas, su ropa interior, sus medias, sus dos pares de zapatos y sus dos buenos trajes. ¡El no era más que un mentiroso y un cobarde! Predicaba la pobreza a los mineros pero él vivía con confort y comodidad! ¡No era más que un hipócrita! ¡Su religión no servía para nada y los mineros debían despreciarlo y echarlo del Borinage! Pretendía compartir con ellos su suerte y sin embargo no le faltaba nada. Tenía buena ropa, un lecho cómodo y tibio y comía más en un día que ellos en una semana. Y ni siquiera necesitaba trabajar para obtener todos esos lujos. Le bastaba con decir algunas lindas mentiras y hacerse pasar por hombre bueno. Su vida era un desmentido viviente a sus palabras. ¡Había fracasado de nuevo y más miserablemente que nunca!

Sólo le quedaban dos alternativas, o bien huir del Borinage antes de que se percataran de sus mentiras, o bien aprovechar la lección recibida ese día y convertirse verdaderamente en un hombre de Dios.

Tomó toda su ropa, trajes y zapatos y los colocó en su valija, así como sus libros y sus cuadros. La cerró y la dejó sobre una silla, y salió apresuradamente de la casa.

Bajó al pueblo y se internó en el bosque donde había algunas chozas diseminadas. Después de mucho preguntar, encontró una que estaba vacía. El piso era de tierra, las planchas de las paredes, mal unidas, dejaban filtrar un viento glacial.

—¿A quién pertenece esta choza? —preguntó a la mujer que lo acompañaba.

—A un empleado que vive en Wasmes.

—¿Sabe cuánto pide por ella?

—Cinco francos, mensuales.

—Muy bien, la alquilo.

—¡Pero señor Vincent! ¡Usted no puede vivir aquí!

—¿Y por qué no?

—¡Pero... pero es la choza más destarlada en todo el pueblo!

—Es justamente por eso que la quiero.

Cuando volvió a subir a lo de Denis, lo embargaba un nuevo sentimiento de paz. Durante su ausencia la señora de Denis había subido a su cuarto y había visto la valija empaquetada.

—¡Pero señor Vincent! —exclamó al verlo—. ¿Qué sucede? ¿Por qué regresa usted a Holanda tan de repente?

—No me voy a Holanda, señora, me quedo en el Borinage.

—Entonces... ¿por qué...? —empezó diciendo sin comprender.

Cuando el joven le explicó su propósito, ella le contestó con suavidad:

—Créame, señor Vincent... Usted no puede vivir así. Usted no está acostumbrado a ello. Las cosas han cambiado desde el tiempo de Jesucristo; ahora cada cual debe vivir lo mejor que puede. Todos saben que usted es un buen hombre.

Pero Vincent no se dejó disuadir. Fué a Wasmes, se arregló con el dueño de la choza, y se mudó en seguida. Cuando llegó su primer sueldo, compró una cama de madera y una cocinita de segunda mano. Después de aquellos gastos, le sobraba apenas dinero suficiente para sus gastos de pan, queso y café durante el mes. Reparó lo mejor que pudo los desperfectos de la choza y tapó con arpillera los agujeros de las paredes. Ahora vivía como los mineros y comía como ellos. ¡Ahora tenía el derecho de llevarles la palabra de Dios!

UNA LECCION SOBRE ECONOMIA

El gerente de los Charbonnages de Belgique que administraba las cuatro minas vecinas a Wasmes no era un ogro tan terrible como Vincent había esperado encontrar. Tenía una mirada amable y comprensiva, como la de alguien que también ha sufrido. Después de escuchar atentamente el relato de la miseria de los mineros que Vincent le hizo, le contestó:

—Ya sé, señor Van Gogh, siempre es la misma historia. Los hombres creen que los matamos de hambre a propósito a fin de aumentar nuestros beneficios. Pero créame, señor, eso está muy lejos de ser la verdad. Permítame enseñarle algunos documentos de la Oficina Internacional de Minas de París.

—Mire, señor —dijo enseñándole unas cifras de esos documentos—. Las minas de carbón de Bélgica son las más pobres del mundo. El carbón es tan difícil de extraer que casi resulta imposible venderlo en el mercado con algún beneficio. Nuestros gastos son los mayores de todas las minas de carbón europeas, y nuestros beneficios los menores. Pues, como usted se imaginará, debemos vender nuestro carbón al mismo precio que los de las minas cuyos costos son bajos. Estamos al margen de la bancarrota. ¿Me comprende, señor?

—Sí, comprendo.

—Si pagáramos a los mineros un franco más por día, el costo de nuestra producción se elevaría por encima del precio del carbón en el mercado, y tendríamos que cerrar nuestra empresa. ¡Y entonces sí que se morirían de hambre!

—¿Y no podrían los dueños conformarse con un poco menos de beneficio? Así se podría favorecer algo a los trabajadores.

El gerente meneó tristemente la cabeza.

—No, señor. Esta empresa, como todas las empresas, trabaja con capital, y si ese capital no recibe su interés, lo retirarían para colocarlo en otro lado. Los títulos del Charbonnage de Belgique sólo pagan tres por ciento de dividendo, y si lo reducimos, los dueños no tardarán en buscar otra colocación para su dinero, y si lo hacen, nuestras minas tendrán que cerrar, pues no podemos trabajar sin capital. Como usted ve es un círculo vicioso, y creo que no hay que acusar de ello a nadie más que a Dios.

Vincent hubiera debido indignarse ante semejante blasfemia, pero no fué así. Estaba pensando en lo que acababa de decirle el gerente.

—Pero al menos podrían ustedes reducir en algo las horas de trabajo.

—No, señor, pues eso equivaldría a aumentarles el sueldo, pues extraerían menos carbón y, por consiguiente, el costo de nuestra produción aumentaría.

—Pero al menos podrían ustedes hacer que las condiciones de trabajo no fuesen tan peligrosas.

El gerente volvió a menear la cabeza tristemente.

—No, señor, no podemos. No podemos gastar un solo centavo en mejorar las condiciones de nuestras instalaciones. Es inútil, no se puede hacer nada, nada. Miles de veces he estudiado el problema sin encontrarle solución. Y es esto que me ha convertido de profundo católico que era en amargo ateo. No puedo comprender como Dios puede tolerar que sus hijos sufran semejante miseria, siglo tras siglo.

Vincent no supo qué contestar. Estaba anonadado.

FRAGIL

El mes de febrero era el más crudo del invierno. El viento soplaba con tanta violencia que resultaba difícil caminar por las calles. Más que nunca los mineros necesitaban del *terril* para calentar sus pobres chozas, pero el viento era tan terrible que las mujeres no podían ir a recogerlo.

Día tras día los niños tenían que quedarse en la cama para no morrirse de frío, y apenas si había el carbón necesario para calentar un poco de comida. Los hombres salían del interior ardiente de la tierra y sin ninguna transición debían afrontar una temperatura de varios grados bajo cero, y encaminarse a sus chozas en medio del viento glacial.

Todos los días alguien moría de pulmonía, y ese mes Vincent tuvo que celebrar gran cantidad de servicios fúnebres.

Había dejado de enseñar a los niños a leer, y pasaba sus días recogiendo carbón en la montaña de terril, para distribuirlo entre las chozas más necesitadas. Ya no necesitaba fregarse polvo de carbón en su rostro, ahora siempre lo tenía tan sucio como cualquiera de los "hocicos negros".

Un día, después de varias horas de trabajo, había logrado recoger casi media bolsa de combustible. Sus manos estaban amoratadas y lastimadas por las puntas filosas del hielo del suelo. Poco antes de las cuatro, decidió bajar al pueblo a fin de que al menos algunas de las mujeres pudiesen preparar un poco de café caliente para sus maridos. Cuando llegó al Marcasse, los mineros comenzaban a salir. Algunos lo reconocían y lo saludaban, pero la mayoría iban con las manos en los bolsillos, los hombros encogidos por el frío y la mirada fija en el suelo.

El último en salir fué un viejecito que tosía tanto que casi no podía avanzar. Sus rodillas temblaban y a cada ráfaga de viento luchaba para no caer. Se había cubierto los hombros con una arpillera, restos de alguna bolsa proveniente de algún comercio de Wasmes. Vincent notó que tenía algo escrito en grandes letras. Miró con más detenimiento y logró descifrar la palabra: FRAGIL.

Después de dejar su *terril* en diversas chozas, Vincent fué a la suya y extendió toda su ropa sobre la cama. Tenía cinco camisas, tres juegos de ropa interior, cuatro pares de medias, dos pares de zapatos, dos trajes y un capote de soldado. Dejó sobre la cama una camisa, un par de medias y un juego de ropa interior y lo demás lo puso todo en la valija.

Uno de los trajes lo dejó al hombre que tenía la arpillera que decía FRAGIL. La ropa interior y las camisas las dejó para que hicieran ropa para los niños. Las medias las distribuyó entre los enfermos que estaban obligados a bajar a las minas a trabajar. Y el capote lo entregó a una mujer encinta cuyo marido había sido muerto víctima de un desmoronamiento pocos días antes, y que debía reemplazarle en su trabajo para poder mantener a sus dos criaturitas de corta edad.

El salón donde Vincent solía hacer sus reuniones hacía tiempo que estaba cerrado, pues el joven no quería gastar *terril* allí cuando en las chozas tanto lo necesitaban. Cuando iba a visitar a esa pobre gente siempre trataba de hacerles un pequeño sermón, pero pronto ni siquiera tuvo tiempo para eso, pues debía ocuparse en cuidar a los enfermos, lavarlos, limpiarlos y prepararles bebidas calientes. Ahora ni siquiera llevaba su Biblia, pues nunca encontraba un momento para abrirla. La Palabra de Dios era un lujo que los mineros no podían permitirse.

Durante el mes de marzo el frío menguó algo, pero en cambio recrudeció la fiebre. Vincent gastó cuarenta francos de su sueldo de febrero en alimentos y remedios para los mineros, quedándose apenas con lo suficiente para no morirse de hambre. Día a día adelgazaba más y estaba más nervioso, y no tardó en estar afiebrado también. Sus ojos parecían dos grandes carbones encendidos, y su característica cabeza masiva parecía encogerse cada vez más.

El mayorcito de los hijos de Decrucq se enfermó de tifus. Solo había dos camas en la choza, una para los tres niños y la otra para los padres. Si las otras dos criaturas permanecían en la misma cama que el enfermito, con seguridad se enfermarían también, y si se los hacía dormir en el suelo morirían de neumonía. Por otra parte, si los padres dormían en el suelo, no podrían trabajar al día siguiente. Vincent no tardó mucho en comprender cuál era su deber.

—Decrucq —dijo al minero cuando regresó de su trabajo—, ¿quiere ayudarme un momento antes de sentarse a cenar?

El pobre hombre estaba cansado y algo enfermo, pero siguió a Vincent sin preguntarle nada, arrastrando tras de sí su pierna enferma. Cuando llegaron a la choza del joven, éste sacó una de las mantas de la cama y dijo: —Ayúdeme a llevar esta cama para su hijo enfermo.

Decrucq lo miró durante largo rato.

—Tenemos tres hijos —dijo por fin—, y si Dios así lo dispone, puede llevarse uno de ellos. Pero sólo tenemos un señor Vincent para cuidarnos y no puedo permitir que se muera por nosotros.

Y salió de la choza. Una vez solo, Vincent desarmó la cama y cargándola sobre sus hombros la llevó a lo de Decrucq, y colocó en ella al niño enfermo. Más tarde, pasó por lo de Denis para pedirles si tendrían un poco de paja que le sirviera de lecho. Cuando la señora de Denis supo lo que había hecho se quedó atónita.

—Señor Vincent —exclamó—, su cuarto está aún desocupado.
Venga a vivir con nosotros.

—Usted es muy buena, señora, pero no puedo.

—Si es por el dinero no se preocupe —dijo la buena mujer—.
Mi marido y yo nos ganamos bien la vida. Venga a vivir aquí
como si fuese hermano nuestro. ¿Acaso no nos repite usted sin
cesar que todos los hijos de Dios son hermanos?

Vincent estaba helado y hambriento. Hacía varias semanas
que se sentía afiebrado y débil por falta de alimento y de sueño.
El lecho que le ofrecían era mullido y tibio y la señora de Denis
le daría de comer haciendo desaparecer aquella horrible sensación de la boca de su estómago, además lo cuidaría, y desapare-
cería aquella fiebre persistente y aquel frío intenso que lo calaba
hasta los huesos. Se estremeció y casi cayó sobre las rojas baldosas
de la panadería. Pero se contuvo a tiempo. Esta era la última
prueba de Dios. Si fallaba ahora, todo el trabajo que había hecho
hasta entonces resultaría inútil. Ahora que todo el pueblo soportaba los más duros padecimientos y privaciones, ¿podría él ser tan
débil y cobarde como para aceptar la primera comodidad que se
le ofrecía?

—Dios es testigo de su bondad, señora —dijo—. El la recompensará. Pero usted no debe tratar de alejarme del camino de mi
deber. Si no me consigue un poco de paja, tendré que dormir
en el suelo. Pero no me traiga otra cosa, pues no podría aceptarlo.

Colocó la paja en un rincón de su choza, sobre el suelo húmedo y se cubrió con la manta. No pudo dormir en toda la
noche y a la mañana siguiente amaneció tosiendo, y sus ojos
parecían aún más ardientes y hundidos que el día anterior. La
fiebre había aumentado y casi no tenía conciencia de sus movimientos. No poseía un solo pedacito de *terril*, pues no quería pri-
var de él a los mineros. Consiguió comer algunos bocados de
pan duro y salió para comenzar su trabajo diario.

EL EGIPTO NEGRO

Pasó el mes de marzo, y en abril el tiempo mejoró algo. Des-
aparecieron los vientos y el sol calentó un poco más. La fiebre de-
creció poco a poco y las mujeres pudieron volver a las pirámides

negras en busca de *terril*. Empezaron a arder agradables fuegos
en las chozas y los niños ya podían quedarse levantados durante
el día. Vincent reabrió su salón y todo el pueblo acudió a su primer sermón. Una ligera sonrisa se reflejaba en el semblante melancólico de los mineros. Decrucq que se ocupaba de la estufa
del salón hablaba alegremente al calor del fuego.

—Han llegado tiempos mejores —dijo Vincent a sus feligreses—. Dios os ha probado para conocer lo que valíais, pero vues-
tros peores sufrimientos han pasado. El trigo madurará en los
campos y el sol os calentará cuando os sentéis delante de vues-
tras casas después de un día de trabajo. Los niños correrán al
bosque a recoger bayas y se sentirán felices. Elevad vuestra mirada hacia Dios. El es misericordioso y justo. Os recompensará de
vuestra fe. Agradecedle los tiempos mejores que se aproximan.

Una vez que hubo terminado, todos los mineros comenzaron
a charlar alegremente entre sí.

—El señor Vincent tiene razón —decían—. Nuestros sufrimientos han terminado. El invierno ha partido y se aproximan
tiempos mejores.

Pocos días más tarde, Vincent se hallaba con un grupo de
niños recogiendo *terril* cuando de pronto vió a los mineros que
salían de la mina.

—¿Qué sucede? —dijo el joven extrañado—. Aún no es hora
de la salida. ¡Debe ser algún accidente! --exclamó una de las
criaturas más grandes—. ¡Cuando salen así fuera de hora es porque algo anda mal abajo!

Descendieron rápidamente de la negra pirámide; cuando llegaron abajo todo el pueblo estaba reunido a la entrada de la mina.

—¡Es el grisú! ¡Es el grisú! —oyó que exclamaban—. ¡Han
sido atrapados en la nueva galería!

Jacques Verney que había tenido que guardar cama durante
los fríos intensos, llegó corriendo. Estaba mucho más delgado
y su pecho parecía aún más hueco que antes. Vincent lo tomó del
brazo y le preguntó

—¿Qué sucede? ¡Dígame!

—¡Es la veta de Decrucq! ¿Recuerda las luces azules? ¡Estaba seguro que esto sucedería!

—¿Y cuántos hay allí abajo? ¿No podemos llegar hasta ellos?

—Son doce celdas con cinco hombre en cada una.

—¿Y no podemos salvarlos?

—No sé. Bajaré inmediatamente con una cuadrilla de voluntarios.

—Déjeme acompañarlo. Quiero ayudar.

—No. Necesito hombres prácticos.

Corrió hacia el ascensor. Algunas de las mujeres eran presas de ataques de histerismo mientras las demás las miraban con grandes ojos asustados. Los capataces iban de un lado a otro organizando las cuadrillas de socorro. De pronto, cesó todo el ruido. Del galpón donde se hallaba el ascensor apareció un pequeño grupo trayendo un bulto envuelto en mantas. Pero el silencio fué de corta duración y todos comenzaron a hablar a la vez y agitadamente.

—¿Quién es? ¿Está muerto? ¿Quiénes quedaron abajo? ¡Díganos la verdad! ¡Mi marido estaba allí! ¡Mis hijos! ¡Mis dos criaturitas trabajaban en esa veta!

El grupo se detuvo cerca de un carrito tirado por un caballo blanco y que hacía las veces de ambulancia. Uno de los hombres dijo:

—Han sido salvados tres de los acarreadores, pero están terriblemente quemados.

—¿Quiénes son? ¡Por el amor de Dios, díganos quiénes son! ¡Abran la manta, queremos ver! ¡Mi hijo! ¡Mi hijita!

El hombre abrió la manta y aparecieron los rostros de dos niñas de unos nueve años y un varoncito de diez. Los tres estaban inconcientes. Las familias de las criaturas se acercaron a ellos con gritos de desesperación y de alegría entremezclados. El carro comenzó a moverse seguido por una gran parte del pueblo y por Vincent. Continuaban los lamentos desgarradores de aquella pobre gente. El joven, mirando la larga hilera de negras pirámides no pudo dejar de exclamar:

—¡Egipto negro! ¡Este es el Egipto negro con su pueblo esclavizado! ¡Oh Dios! ¿Cómo puedes permitir semejante cosa?

Los niños estaban quemados casi hasta la muerte. Vincent entró en la primera choza donde habían depositado uno de los moribundos. La madre se retorcía las manos de angustia, y fué Vincent quien desnudó a la criatura.

—¡Aceite! Traigan aceite, rápido —ordenó.

Por suerte la mujer tenía un poco de aceite, que se apresuró a alcanzar. El joven lo aplicó sobre las terribles quemaduras.

—Y ahora, traiga algo para vendarla —ordenó.

Pero la mujer se le quedó mirando como si no entendiera.
—¡Algo para vendarla! —gritó Vincent exasperado—. ¿O quiere que su criatura se muera?
—No tengo ni un solo pedazo de trapo blanco... —consiguió decir la mujer aterrorizada.
La criatura comenzó a quejarse débilmente. Sin perder un segundo Vincent se quitó el saco y luego la camisa y su ropa interior, y volviéndose a poner el saco, empezó a hacer tiras con su ropa blanca, y vendar con ellas a la pobre criatura de pies a cabeza. Luego tomó el aceite y las vendas que sobraban y corrió hacia donde estaba la otra niña, procediendo del mismo modo. Cuando llegó a la tercera criatura, no tenía más vendas. Era el varoncito de diez años, y se estaba muriendo. Vincent se sacó los pantalones y empezó a cortar vendas de sus calzoncillos de lana.
Una vez que hubo terminado, se dirigió de nuevo hacia la mina. Desde lejos podía oírse el ininterrumpido lamento de las esposas y madres.
Los mineros estaban reunidos a la entrada. Sólo una cuadrilla podía trabajar allí abajo por vez, y esperaban su turno para bajar. Vincent preguntó al capataz:
—¿Qué probabilidades de salvación hay?
—Ya deben estar todos muertos.
—¿No podemos llegar hasta ellos?
—Están enterrados bajo toneladas de piedra, y necesitaremos semanas y tal vez meses para llegar donde están.
—¡Entonces están todos perdidos!
—¡Todos! ¡Son cincuenta y siete hombres y criaturas!
Las cuadrillas se relevaban cada treinta y seis horas. Las mujeres cuyos esposos o hijos estaban abajo no querían alejarse del lugar, aunque sabían que ya no había esperanza de salvación. Las otras mujeres les traían un poco de café caliente y de pan pero éstas se negaban a probar bocado. A mitad de la noche, trajeron a Jacques Verney envuelto en una manta. Había sufrido una fuerte hemorragia. Falleció al día siguiente.
Después de cuarenta y ocho horas, Vincent persuadió a la señora de Decrucq a que volviera a su choza con sus hijos. Durante doce días prosiguieron los trabajos voluntarios de salvamento, y como nadie trabajaba en la extracción de carbón, no se pagaba jornal alguno. La señora de Denis continuaba haciendo pan y distribuyéndolo a fiado, pero pronto se le terminó el ca-

pital y tuvo que suspender el reparto. Después del décimo segundo día, la Compañía que no había contribuído en nada para
el salvamento, ordenó que éste cesara y que los hombres volvieran al trabajo. Los habitantes de Petit Wasmes estaban al borde
de la muerte por hambre, pero sus hombres, indignados se rehusaron a reanudar el trabajo.

Llegó el sueldo de abril de Vincent, fué a Wasmes y lo gastó
íntegro en alimentos que distribuyó entre las familias. Tuvieron
de qué comer durante seis días, luego comenzaron a recoger en
el bosque todo lo que se podía comer, y hasta se alimentaron con
ratas, lagartos, babosas, perros y gatos, hasta que no pudieron
encontrar absolutamente nada más. Vincent escribió a Bruselas,
pero no llegó ninguna ayuda. Los mineros abrumados, miraban
a los suyos morirse de hambre.

Pidieron a Vincent que oficiara un servicio para las almas
de los cincuenta y siete desaparecidos, y así lo hizo en su pequeña
choza que se vió repleta con más de un centenar de personas. Hacía muchos días que el joven sólo se alimentaba con un poco
de café, y estaba demasiado débil para tenerse de pie. Sus ojos
parecían dos carbones encendidos y sus mejillas ahuecadas estaban cubiertas de espesa barba rojiza. A fin de reemplazar su
ropa interior se había envuelto el cuerpo en arpilleras debajo de
su traje. Una sola lámpara iluminaba la choza, y Vincent, recostado sobre la paja que le servía de lecho comenzó a hablar. Cada
una de sus palabras parecía llenar el ambiente silencioso. Los "hocicos negros" flacos y debilitados por el hambre y la derrota, mantenían sus ojos fijos en él como si hubiese sido el mismo Dios.

Se oyeron voces extrañas afuera, y un niño abrió la puerta
diciendo:

—El señor Vincent está aquí, señores.

Vincent dejó de hablar, y los cien mineros volvieron sus cabezas hacia la puerta donde acababan de aparecer dos señores
bien vestidos y en cuyo semblante se reflejaba el horror.

—Sean ustedes bienvenidos reverendos de Jong y Van den
Brink —dijo Vincent sin ponerse de pie—. Estábamos oficiando
un servicio para los cincuenta y siete mineros que quedaron enterrados vivos en Marcasse. ¿Desean ustedes dirigir una palabra de
consuelo a esta pobre gente?

Tan horrorizados estaban los reverendos que no supieron qué

contestar, y cuando empezaron a hablar lo hicieron en francés, idioma que los mineros no entendían:

—¡Es vergonzoso! —gritaba el reverendo Jong golpeando su vientre prominente—. ¡Parecería que estamos en las selvas del Africa!

—Sólo Dios sabe el daño que hizo este hombre! ¡Y los años que necesitaremos para atraer de nuevo a esta gente al cristianismo!

—¡Este hombre está completamente loco!... ¡Siempre lo dije yo!

Vincent estaba demasiado débil y enfermo para darse cuenta de lo que decían.

—¡Haga retirar a estos seres inmundos! —ordenó De Jong.

—Pero no hemos terminado el servicio religioso... —alegó el joven.

—¡No importa! ¡Que se retiren!

Los mineros se retiraron, sin comprender lo que sucedía, y los dos reverendos se enfrentaron con Vincent.

—¿Qué significa eso de oficiar servicios religiosos en un lugar inmundo como éste? ¿Qué culto nuevo y bárbaro ha iniciado usted? ¿No tiene acaso el sentido de la decencia y del decoro? ¿Está usted completamente loco para portarse en esta forma? ¿Le parece que esta es la conducta que debe observar un Ministro de Dios? ¿Quiere usted deshonrar nuestra Iglesia?

El Reverendo Jong hizo una pausa y observó la paja donde se hallaba recostado el joven y el extraño aspecto de éste con sus ojos hundidos y afiebrados.

—Es una verdadera suerte para la Iglesia, señor Van Gogh, que su nombramiento es solo provisorio. Y puede usted considerar ese nombramiento cancelado. No le permitiremos que siga sirviéndonos. Su conducta es incalificable, y enviaremos a alguien para que lo reemplace inmediatamente. Si no tuviésemos la caridad de creerlo completamente loco, diríamos que usted es el peor enemigo de la Iglesia Evangélica Belga.

Hubo un largo silencio.

—Y bien, señor Van Gogh, ¿qué dice en su defensa?

El joven no pudo pronunciar una sola palabra.

—Creo que podemos irnos, hermano de Jong —dijo el reverendo Van den Brink después de un momento—. No podemos hacer nada aquí. Es un caso completamente perdido... Si no encontramos un buen hotel en Wasmes deberemos llegar esta noche hasta Mons.

EL ALEJAMIENTO DE DIOS

A la mañana siguiente, un grupo de los mineros más ancianos vino a ver a Vincent.

—Señor Vincent —le dijeron—, desde que Jacques Verney nos ha dejado usted es el único hombre en quien podemos confiar. Aconséjenos lo qué debemos hacer. No queremos morir de hambre al menos que sea necesario. Vaya usted a hablar con la Compañía, tal vez consiga algo. Y si después que usted los ha visto, nos dice de volver al trabajo, así lo haremos. Haremos lo que nos ordene.

Los escritorios del Charbonnage de Belgique tenían un aire lúgubre. El gerente recibió a Vincent con afabilidad y simpatía.

—Ya sé, señor Van Gogh que los mineros están indignados porque no seguimos los trabajos hasta rescatar el cuerpo de las víctimas. Pero, ¿de qué hubiera servido? La Compañía decidió no volver a trabajar en esa veta, pues es muy pobre y no vale la pena, entonces, ¿para qué hubieramos seguido trabajando durante semanas enteras para recuperar esos cuerpos? Total, para sacarlos de una tumba y colocarlos en otra...

—¿Y qué pueden ustedes hacer para mejorar las condiciones de trabajo? ¿Es inevitable que se enfrenten día a día con la muerte?

—No hay solución, señor. La Compañía no tiene fondos para invertir en mejoras. Los mineros tienen que reanudar el trabajo en las mismas condiciones, y tienen que hacerlo pronto, de lo contrario cerraremos la mina para siempre, y entonces, sólo Dios sabe lo que les sucederá!

Mientras Vincent regresaba tristemente a Petit Wasmes se decía:

—¡Sólo Dios sabe lo que les sucederá! —y luego, con amargura añadía: —No, Él no sabe nada.

Le parecía evidente que ya no podía ser de ninguna ayuda a los mineros, puesto que debía decirles que regresaran al trabajo abrumador de trece horas consecutivas por un sueldo de hambre y bajo constante peligro de muerte. ¡Había fracasado en su intento de ayudarlos! Ni siquiera Dios los podía ayudar. Había venido al Borinage a fin de traerles la palabra de Dios, pero ¿qué decir a aquella gente cuyo enemigo no era la Compañía para la cual trabajaban sino el mismo Padre Todopoderoso? En cuanto les aconsejara reanudar su esclavitud, cesaría de serles de utilidad. No podría nunca predicarles otro sermón —aún si el Comité se lo permitiese—, pues ¿de qué les serviría ahora el Evangelio? Dios no quería oir el llamado de los mineros y él no había sabido ablandarlo.

De pronto le pareció que la luz se hacía en su cerebro. ¡No había Dios! Dios era una invención absurda inventada por los miedosos desesperados. Sólo existía el caos. Un caos miserable, doloroso, ciego y cruel.

BANCARROTA

Los mineros regresaron a su trabajo. Theodorus Van Gogh, instruído por el Comité Evangelista, escribió a su hijo enviándole dinero y ordenándole regresara a Etten. Pero en cambio Vincent regresó de nuevo a lo de Denis. Fué al salón por última vez y descolgando todos sus cuadros los volvió a colocar en su cuarto.

Era el fracaso, la bancarrota completa. No tenía ni trabajo ni dinero, ni salud ni fuerzas, ni entusiasmo ni deseos, ni ambiciones ni ideales, ¡no sabía qué hacer con su vida! A los veintiséis años había fracasado cinco veces y no le quedaba coraje para recomenzar de nuevo.

Se miró en el espejo. Su barba rojiza le cubría casi todo el rostro, sus labios otrora llenos y sensuales, eran ahora una simple línea y sus ojos estaban semiperdidos en sus profundas cavernas.

Pidió prestado a la señora Denis un poco de jabón y se lavó de pies a cabeza, asombrándose de encontrarse tan delgado. Se afeitó cuidadosamente y se peinó. La señora de Denis le trajo ropa de su marido, y una vez vestido, bajó a la cocina de la panadería, tibia y agradable.

Cenó con los Denis; era la primera vez que comía algo sólido y caliente desde la catástrofe. Le pareció que esa comida no tenía sabor alguno.

A pesar de que no había dicho a nadie que le habían prohibido predicar, nadie le pidió que lo hiciera. El joven rara vez hablaba a los trabajadores y ellos tampoco le dirigían la palabra. Nunca más volvió a entrar en sus chozas. Parecía como si hubiese un profundo entendimiento entre ellos y que por tácito acuerdo se abstuviesen de pedir explicaciones o de discutir su actitud. Se entendían. Y la vida proseguía en el Borinage.

Supo por una carta de su casa que Vos, el marido de Kay, había fallecido inesperadamente, pero la noticia lo dejó frío. Transcurrieron varias semanas. Vincent no hacía otra cosa que comer, dormir y quedarse sentado mirando hacia adelante sin pensar en nada.

Poco a poco se repuso de la fiebre pertinaz que lo perseguía y le volvieron las fuerzas, pero sus ojos permanecían indiferentes. Llegó el verano; los campos negros y las pirámides de *terril* comenzaron a brillar bajo el sol. Vincent comenzó a caminar por el campo, pero no lo hacía por placer, sino porque estaba cansado de estar sentado o acostado.

Al poco tiempo de quedarse sin dinero, recibió una carta de su hermano Theo que se hallaba en París en la que le rogaba no perdiera más tiempo en el Borinage y empleara el dinero que le enviaba en salir de allí y establecerse de nuevo. Pero Vincent entregó todo el dinero a la señora de Denis. No permanecía en el Borinage porque le agradara, sino porque no sabía dónde ir y porque hubiera tenido que hacer un esfuerzo demasiado grande para salir de allí.

Había perdido a Dios y se había perdido a sí mismo, y ahora acababa de perder a la única persona que siempre se había interesado por él y que lo comprendía. Theo abandonó a su hermano. Durante todo el invierno le había escrito una o dos veces por semana, cartas largas, comprensivas, cariñosas y llenas de interés, y de pronto, dejó de hacerlo. Theo también había perdido la fe y la esperanza en él. Vincent estaba solo, completamente solo, sin siquiera su Maestro. Era como un hombre muerto que caminara en un mundo desierto preguntándose por qué estaba aún así.

INCIDENTE DE POCA IMPORTANCIA

Cuando llegó el otoño, Vincent pareció reaccionar un poco. Comenzó a leer sus libros. La lectura había constituído siempre uno de sus mayores placeres, y ahora parecía sentir más profundamente la lucha, el fracaso y el triunfo de los demás. Cuando el tiempo lo permitía, permanecía todo el día leyendo en el campo, y cuando llovía, o bien se quedaba recostado en la cama con un libro o bien bajo la galería de la señora Denis. Ahora ya no se decía constantemente: ¡Soy un fracasado! ¡Soy un fracasado!, sino que se preguntaba: ¿Y qué puedo hacer ahora? ¿De qué sirvo? ¿Cuál será mi verdadero lugar en este mundo? En cada libro que leía trataba de encontrar la respuesta a su pregunta.

Las cartas que recibía de su padre lo reprendían severamente, diciéndole que violaba todas las convenciones sociales decentes, con la vida de perezoso que llevaba. ¿Cuándo buscaría trabajo? ¿Cuándo se ganaría la vida? ¿Cuándo se convertiría en miembro útil de la sociedad?

¡Lo que hubiera dado Vincent por contestar aquellas preguntas!

Llegó un momento en que estaba tan saturado de lectura que le resultó imposible tocar un libro. Durante las primeras semanas de su caída había quedado tan atontado y tan enfermo que era incapaz de sentir emoción alguna. Más tarde, la literatura le había ayudado a recobrar sus sentimientos. Ahora estaba casi bien, pero el torrente de sufrimientos emotivos que habían quedado almacenados durante tanto tiempo, lo inundaba de desesperación y desdicha.

Se encontraba en el momento crucial de su vida, y lo sabía. Comprendía que había algo de bueno en él, que no era ni un tonto ni un miserable y que debía poder hacer algo en el mundo. Pero ¿qué? No servía para la rutina de los negocios, ¡y ya había intentado tantas otras cosas para las que se creía con aptitudes! ¿Estaba destinado a fracasar siempre? ¿Qué podía hacer de utilidad en la vida?

No lograba contestar a sus preguntas, y así transcurrían los días y el invierno se aproximaba. Su padre, enojado, dejaba de

enviarle fondos, pero al poco tiempo Theo se compadecía de
él y le enviaba dinero, hasta que perdía la paciencia, entonces su
padre, recordaba de pronto la responsabilidad que le incumbía
y volvía a mandarle dinero.

Así, entre ambos, Vincent conseguía no morirse de hambre.
Un claro día de noviembre, el joven estaba sentado sobre
una vieja y herrumbrosa rueda de hierro a cierta distancia de la
entrada de Marcasse, cuando vió salir de la mina a uno de los
trabajadores. Tenía su gorro sobre los ojos, sus hombros encor-
vados y sus manos en los bolsillos. Algo le llamó la atención
en aquel hombre, e introduciendo la mano en su bolsillo sacó
el sobre de una carta que había recibido de su casa y un lápiz,
y comenzó a dibujar rápidamente la negra figura que cruzaba
el campo. Luego salió otro trabajador, más joven, más erguido,
y Vincent tuvo tiempo de dibujarlo al dorso de la carta de su
padre antes que desapareciera entre las chozas del pueblo.

DE ARTISTA A ARTISTA

Cuando regresó a lo de Denis, Vincent encontró varias hojas
de papel blanco y un buen lápiz. Colocó sus dos croquis sobre el
escritorio y comenzó a copiarlos. Su mano era inhábil y no lograba traspasar al papel lo que tenía en la mente, y usaba mucho
más la goma que el lápiz, no obstante no se desanimó. Estaba
tan ensimismado con su trabajo que no advirtió que el sol estaba en el ocaso y se sobresaltó cuando la señora de Denis lo llamó
para cenar.

—Señor Vincent, la cena está servida —díjole.

—¡La cena! —exclamó el joven—. ¿Es ya tan tarde?

En la mesa charló animadamente con los Denis, y éstos cruzaron entre ellos una mirada significativa. Después de comer,
Vincent volvió a subir inmediatamente a su cuarto, encendió su
lámpara y colgó sus dos croquis en la pared, mirándolos desde
cierta distancia.

—Están mal, muy mal —se dijo haciendo una mueca—. Pero
tal vez mañana pueda hacerlos mejor.

Se acostó y colocó la lámpara de kerosene al lado de su cama.
Miró a sus dos croquis y luego a los demás cuadros que tenía col-

gados. Era la primera vez que los veía desde aquel día, siete meses antes, en que los había traído del Salón. De pronto le entró un profundo deseo de volver a ver obras de arte. Antes había sabido reconocer y apreciar un Rembrandt, un Millet, un Jules Dupré, un Delacroix y un Maris. Recordó todos los hermosos cuadros que había tenido y todos los que había enviado a Theo y a sus padres. Le vinieron a la memoria las magníficas obras que había admirado en los museos de Londres y de Amsterdam, y se olvidó de su desdicha, quedándose profundamente dormido.

A la mañana siguiente se despertó a los dos y media completamente descansado. Se levantó vivamente, se vistió y tomando papel, lápiz y un cartón que encontró en la panadería, fué a instalarse en la misma rueda herrumbrosa del día anterior, esperando que los mineros comenzaran a aparecer.

Diseñaba rápidamente, como si quisiera solamente estampar su primera impresión de cada personaje. Una hora más tarde, cuando todos los mineros habían bajado, tenía cinco figuras sin rostros. Cruzó el campo, llevó una taza de café a su cuarto y en cuanto comenzó a amanecer copió sus bosquejos.

Sabía que su dibujo era pésimo, que sus proporciones estaban mal, pero a pesar de ello, las figuras que dibujaba pertenecían al Borinage y no podían confundirse. Vincent, divertido por su propia inhabilidad, rompió los croquis, y se sentó al borde del lecho, frente a un cuadro de Allebé que representaba a una anciana en una calle, y trató de copiarlo. Consiguió copiar la mujer, pero no lograba ubicarla adecuadamente en la calle. Arrugó el papel y lo arrojó a un rincón del cuarto y se instaló delante de un estudio de Bosboom que representaba un árbol contra un cielo nublado. Todo parecía muy sencillo, pero los valores de Bosboom eran precisos y exquisitos y Vincent aprendió que es siempre en la obra de arte más sencilla en la que se ha llevado a cabo la más rígida eliminación y por lo tanto es la más difícil de reproducir.

La mañana transcurrió sin que lo sintiera. Cuando hubo usado su última hoja de papel, empezó a contar cuánto dinero le quedaba. Sólo tenía dos francos y suponiendo que le alcanzaría para comprar buen papel y lápices, emprendió camino a Mons que distaba doce kilómetros. En el trayecto de Petit Wasmes a Wasmes se encontró con varias mujeres de mineros que estaban delante de sus chozas, y las saludó afablemente, y algo más lejos, cerca de Paturages, notó a una joven que le pareció bonita.

Los campos entre Paturages y Cuesmes tenían un color verde muy hermoso y Vincent decidió que en cuanto tuviese dinero suficiente para comprarse un lápiz verde, regresaría allí para dibujarlos. En Mons consiguió un block de papel grueso y suave y algunos buenos lápices. En uno de los estantes encontró una pila de grabados antiguos, y estuvo mirándolos durante más de una hora, a pesar de que sabía que no poseía dinero para comprar ninguno. El dueño se le acercó, y ambos comentaron y discutieron el valor de cada grabado, como si hubieran sido dos antiguos amigos.

—Debo pedirle disculpas —dijo el joven por fin—, pero no tengo dinero para comprar ninguno de sus grabados.

—No importa, señor —contestó el dueño del negocio—. Y vuelva cuando guste, aunque no tenga dinero.

Vincent hizo sus doce kilómetros de regreso caminando alegremente.

Admiró al sol que se ocultaba en el horizonte dando a las nubes delicados tintes rosados, y a las casitas de Cuesmes que se dibujaban oscuras sobre la claridad del cielo. El valle verde que se extendía a sus pies daba una sensación de paz y tranquilidad. Se sintió feliz sin saber por qué.

Al día siguiente se divirtió en bosquejar a las mujeres que recogían *terril* sobre la negra pirámide, y después de cenar dijo al señor y a la señora de Denis:

—Por favor, no se muevan de sus sitios; quisiera hacer algo.

Corrió a su cuarto y volvió con papel y lápiz y en pocos trazos dibujó a sus amigos sentados delante de la mesa.

—¡Pero señor Vincent, usted es un artista! —exclamó la señora de Denis, admirando su dibujo.

El joven se sintió confuso.

—No —dijo—, sólo me estoy divirtiendo.

—Pero es muy bonito lo que hace —repuso la señora—. Casi se me parece.

—Casi... —rió Vincent—, pero no del todo.

Cuando escribió a su casa no les dijo lo que estaba haciendo, pues sabía que lo criticarían, y con razón, lamentándose de que no se decidiera a hacer algo útil.

Además, su nueva actividad tenía una cualidad especial: era suya y de nadie más. No quería hablar con nadie de sus croquis y no deseaba que nadie los viera. Para él eran sagrados, y le pertenecían en absoluto.

Volvió a tomar la costumbre de entrar en las pobres chozas de los mineros, pero ahora, en lugar de la Biblia llevaba consigo papel y lápiz. Todos lo recibieron con afecto, y se pasaba las horas enteras dibujando a los niños jugando sobre el suelo, a las mujeres preparando la comida delante del fuego y a las familias reunidas alrededor de la mesa después del día de trabajo. Dibujó Marcasse con sus altas chimeneas, los campos negros, los bosques de pino, los campesinos labrando en el Paturages.

Cuando el tiempo estaba feo, permanecía en su cuarto copiando los cuadros que poseía, o bien mejorando los bosquejos que había hecho el día anterior. Cuando se iba a dormir, le parecía que uno o dos de sus dibujos no estaban del todo mal, pero a la mañana siguiente los encontraba horribles y los rompía sin escrúpulos.

Ya no se sentía desgraciado porque no pensaba más en su desgracia. Tenía vagamente conciencia de que debería avergonzarse de que su padre y su hermano lo mantuvieran sin que él hiciera el menor esfuerzo para ganarse la vida, pero no se preocupaba mayormente por ello y continuaba dibujando.

Después de algunas semanas ya había copiado varias veces todos los cuadros que poseía, y pensó que para hacer progresos necesitaba más obras de los grandes maestros. A pesar de que hacía un año que Theo no le escribía, olvidando su orgullo, le envió la siguiente carta:

"Querido Theo: Si no me equivoco, debes tener aún "Les "Travaux des Champs" de Millet.

"¿Quisieras prestármelos y enviármelos por correo? Debo "decirte que estoy copiando los dibujos de Bosboom y Allebé, "y creo que si vieras mi trabajo no lo encontrarías del todo mal. "Envíame lo que puedas y no temas por mí. Si logro continuar "trabajando, creo que me pondré bien de nuevo.

"He interrumpido mi trabajo para escribirte, y tengo prisa "por reanudarlo, así que te digo buenas noches y te ruego me "envíes los dibujos en cuanto puedas.

"Con un afectuoso apretón. Vincent."

Poco a poco le invadía un intenso deseo de hablar con otro

artista de su trabajo para cerciorarse de sus fallas y cualidades. Sabía que sus dibujos eran malos, pero no lograba saber exactamente por qué. Lo que necesitaba era la crítica de un ojo extraño, que no estuviese cegado por el orgullo creador. ¿A quién podía acudir? El deseo se tornaba cada vez más intenso y lo hacía sufrir profundamente. Sentía necesidad de acercarse a otros artistas que se enfrentaran con los mismos problemas suyos; hombres que justificaran sus esfuerzos, demostrándole que ellos también estaban preocupados por las mismas cosas. Existían en el mundo personas que dedicaban toda su vida a la pintura, tales como Maris y Mauve. Costaba trabajo creer semejante cosa en el Borinage.

Una tarde lluviosa en que se hallaba copiando en su cuarto, recordó de pronto al Reverendo Pietersen que en su estudio de Bruselas le había dicho: "Pero no hable de esto a mis colegas". ¡Ese era el hombre a quien debía ir a ver! Eligió de entre los bosquejos del natural que tenía uno que representaba a un minero saliendo de su trabajo, otro a una mujer frente al fuego preparando la comida y otro a una joven recogiendo *terril*.

Apenas le quedaban tres francos en el bolsillo, y no le era posible hacer el viaje en tren. La distancia a la capital era de ochenta kilómetros. Vincent caminó toda aquella tarde y aquella noche, y parte del día siguiente, llegando a treinta kilómetros de Bruselas. Hubiera continuado caminando, pero sus zapatos estaban rotos y le lastimaban los pies. Colocó dentro unos pedazos de cartón, pero a pesar de ello pronto empezó a sangrar. Estaba cansadísimo, hambriento y sediento, pero se sentía feliz. ¡Tan feliz como puede ser un hombre! ¡Iba a ver y a hablar a otro artista!

Llegó a las afueras de Bruselas a la tarde del segundo día, sin un céntimo en el bolsillo. Recordaba perfectamente donde vivía el Reverendo Pietersen, y se dirigió sin vacilar hacia allí. En la calle la gente se volvía para mirarlo, pues su aspecto resultaba extraño. Tenía la cara sudorosa y sucia, el pelo enmarañado, el traje que había usado durante todo el año estaba sucio, lleno de tierra y barro, y sus zapatos, sin forma, dejaban ver sus pies lastimados.

La hija del reverendo acudió al llamado, pero a la vista del joven huyó despavorida. Apareció entonces el Reverendo Pietersen, y después de mirar un momento a Vincent sin reconocerlo, se dibujó en su semblante una afectuosa sonrisa:

—¡Vincent, hijo mío! —exclamó—. Cuánto me alegro de volverlo a ver. Adelante, adelante.

Condujo al joven hacia su estudio y lo hizo sentar en un cómodo sillón. Ahora que había llegado a su destino, Vincent sintió que toda su energía lo abandonaba y que los ochenta kilómetros que había caminado en esos dos días alimentándose sólo con un poco de pan y queso, lo habían agotado.

—Un amigo mío tiene un cuarto desocupado a poca distancia de aquí — dijo el reverendo afectuosamente—. ¿No quisiera usted descansar un poco después de su viaje?

—Sí. No me había dado cuenta de que estaba tan cansado.

Pietersen tomó su sombrero y acompañó al joven, sin preocuparse de las miradas extrañadas de sus vecinos.

—Probablemente usted querrá descansar esta noche —dijo—, pero ¿quiere aceptar almorzar con nosotros mañana a las doce? Tenemos muchos que hablar.

Vincent se lavó lo mejor que pudo, y aunque sólo eran las seis de la tarde se acostó, teniéndose con ambas manos su pobre estómago vacío. No abrió los ojos hasta las diez de la mañana siguiente, y eso debido a que el hambre lo atenazaba implacablemente. El dueño de la pieza le prestó una navaja de afeitar, un peine y un cepillo para la ropa, y el joven trató de hacer su figura más o menos presentable. Lo peor eran los zapatos, que no tenían arreglo.

Durante el almuerzo, el reverendo Pietersen charlaba amablemente de las novedades de la ciudad, mientras Vincent, sin falsa vergüenza, devoraba todo lo que le presentaban. Después de comer, ambos se dirigieron al estudio.

—¡Oh! —exclamó Vincent—, usted ha estado trabajando mucho. Todos esos estudios son nuevos.

—Sí —repuso Pietersen—. Comienzo a encontrar más placer en la pintura que en la prédica.

—¿Y su conciencia no le atormenta por substraer tanto tiempo de su trabajo real? —inquirió Vincent sonriendo.

Pietersen dejó oír una carcajada.

—¿Conoce usted la anécdota de Rubens? Estaba al servicio de Holanda como embajador en España, y acostumbraba pasar sus tardes en el jardín real frente a su caballete. Un día, un cortesano español, pasando a su lado, observó: "Veo que el diplomático se divierte a veces con la pintura, a lo que Rubens replicó: "¡No señor; es el pintor que se divierte a veces con la diplomacia!".

Ambos se pusieron a reír, y Vincent abrió su paquete diciendo:

—Estuve dibujando algo estos tiempos y traje tres de mis bosquejos para que usted los viera. ¿Quisiera usted decirme lo que piensa de ellos?

Pietersen sabía cuán ingrato resultaba criticar la obra de un principiante. No obstante, colocó los tres estudios sobre el caballete y los observó durante largo rato. Vincent, a su lado, pareció notar por vez primera cuán deficientes eran sus dibujos.

—Mi primera impresión, —dijo el reverendo después de un tiempo— es que usted debe estar trabajando muy cerca de sus modelos. ¿No es así?

—En efecto. La mayoría de mi trabajo lo hago en las chozas de los mineros y éstas son muy pequeñas.

—Comprendo. Eso explica su falta de perspectiva. ¿No podría encontrar un lugar donde pudiera estar más alejado del modelo? Estoy seguro que mejoraría mucho.

—Hay algunas chozas más grandes. Podría alquilar una durante algún tiempo e instalar una especie de estudio.

—Es una idea excelente.

Permaneció silencioso de nuevo y luego, haciendo un esfuerzo preguntó:

—¿Estudió usted dibujo? ¿Toma usted medidas?

Vincent se sonrojó. —No sé nada de todo eso —dijo—. Nunca he tomado una sola lección. Creía que no había más que dibujar.

—No —repuso Pietersen meneando la cabeza—. Hay que aprender la técnica elemental primero, y luego el dibujo viene paulatinamente. Fíjese, le indicaré qué es lo que está mal en este dibujo de mujer.

Tomó la regla, encuadró la cabeza y el cuerpo de la figura, y enseñó al joven la falta de proporción que existía entre uno y otra. Durante una hora estuvo explicándole la técnica elemental, mientras volvía a reproducir la figura sobre otro papel.

—Bien —dijo por fin— ahora hemos dibujado esa mujer correctamente. Ambos observaron detenidamente el dibujo. En efecto, la figura estaba dibujada con toda corrección, pero ya no era más una mujer del Borinage recogiendo carbón, frente a su cocina, sino una mujer cualquiera encorvada. Sin decir una palabra Vincent colocó al lado del dibujo reconstruído, el suyo propio.

—Hum... —dijo el reverendo Pietersen —. Sí... le he dado proporción a mi figura, pero le he quitado carácter...

Largo rato estuvieron ambos observando el dibujo, hasta que casi involuntariamente Pietersen dijo:

— Esa figura suya no está mal, Vincent, no está nada mal. El dibujo es pésimo, los valores equivocados... en cuanto al rostro, no tiene ninguno. Pero ese bosquejo tiene algo, algo que usted ha sabido captar. ¿Qué es Vincent?

—No sé... Yo sólo la dibujé tal como la vi.

Pietersen tomó el dibujo hecho por él, y arrugándolo lo arrojó al canasto de papeles, y luego siguió mirando al de Vincent.

—Admito que su dibujo me gusta. Y sin embargo en el primer momento lo encontré horrible. Es algo que no comprendo, a pesar de que el dibujo está mal, de que las proporciones no son exactas, esa figura dice algo, casi podría jurar que he visto antes a esa mujer.

—Tal vez la haya visto en el Borinage —repuso Vincent con sencillez.

Pietersen lo miró vivamente para cerciorarse si se chanceaba y luego le dijo:

—Creo que usted tiene razón. Esa mujer no es nadie en particular, es simplemente una mujer del Borinage. Ese algo que usted ha sabido captar, es el espíritu de la mujer del minero, y eso, Vincent, es mil veces más importante que el dibujo correcto. Sí, su bosquejo me gusta.

Vincent lo escuchaba turbado. Pietersen era un artista experimentado, un profesional y sus palabras tenían gran valor.

—¿Me la podría dar, Vincent? Me agradaría tenerla, colgarla aquí en mi estudio.

APARECE THEO

Cuando Vincent decidió regresar a Petit Wasmes, el reverendo Pietersen le dió un par de zapatos suyos, y le pagó el boleto de regreso al Borinage. Vincent lo aceptó con toda sencillez, como muestra de amistad, y convencido de que la diferencia entre dar y recibir es puramente temporal.

En el tren empezó a pensar en el recibimiento que le había dispensado el Reverendo y por primera vez se percató de que ni una sola vez se había referido a su fracaso como evangelista, tratándolo como a un compañero artista. Y su dibujo le había agradado suficientemente como para desear poseerlo.

—Si a él le agrada mi trabajo, a otra gente también le agradará —se dijo Vincent.

Cuando llegó a lo de Denis encontró que habían llegado "Les Travaux des Champs" que había pedido a su hermano, aunque sin ninguna carta que los acompañara. Su contacto con Pietersen le había hecho bien, y se enfrascó con entusiasmo en los dibujos de Millet. Acompañaban los dibujos varias hojas de buen papel blanco que Theo le había mandado y en pocos días Vincent terminó de copiar las diez páginas del primer volumen de las obras de Millet. Sentía que necesitaba trabajar el desnudo y como estaba seguro de que nadie en el Borinage posaría para él en esa forma, escribió a su viejo amigo Tersteeg, el gerente de las Galerías Goupil de La Haya, pidiéndole que le prestara los "Exercises au Fusain" de Bargue.

Recordando los consejos de Pietersen, alquiló una choza en la calle principal de Wasmes, por nueve francos mensuales. Esta vez buscó la mejor choza que pudo encontrar y no la peor. Tenía un tosco piso de madera, dos grandes ventanas por las cuales entraba buena luz, una cama, una mesa, una silla y una cocina-estufa. Era suficientemente amplia para que Vincent colocara su modelo en un extremo y él se instalara en el otro teniendo una buena perspectiva. Como Vincent había sido tan bondadoso con los mineros y los había ayudado tanto, nadie se negó a venir a posar para él en la choza. Los domingos, grupos de mineros iban a visitarlo y les divertía que el joven hiciera rápidos croquis de ellos.

Los "Exercises au Fusain" llegaron de La Haya, y Vincent, trabajando desde la mañana hasta la noche, copió los sesenta estudios en dos semanas. Tersteeg también le había enviado el "Curso de Dibujo" de Bargue que lo llenó de alegría.

Ya no se acordaba de sus cinco fracasos anteriores. Ni siquiera cuando servía a Dios había sentido tal éxtasis, tanta satisfacción como la que le procuraba su arte creador. A veces pasaba días y días sin un céntimo, y solo comía el pan que le fiaba la señora de Denis, pero nunca se quejaba. ¿Qué importaba el hambre de su estómago cuando su espíritu estaba tan bien alimentado?

Durante una semana fué todas las mañanas a las dos y media a dibujar a los mineros y a sus mujeres que entraban a la mina. En segundo plano veíanse las construcciones de la Compañía, y las pirámides de terril que se destacaban contra el cielo. Hizo una copia de aquel estudio y se lo envió a Theo en una carta.

Así transcurrieron dos meses; dibujaba desde el amanecer hasta que oscurecía y luego copiaba su trabajo a la luz de la lámpara. Nuevamente le invadió el deseo de ver y hablar con algún artista y cerciorarse si había hecho algún progreso. Pero esta vez quería la opinión de un maestro, alguien que pudiera protegerlo, enseñarle lentamente los rudimentos de su arte. En cambio de tal favor, se sentía dispuesto a hacer cualquier trabajo para ese hombre, hasta los más humildes y serviles.

Sabía que Jules Breton, cuyo trabajo había admirado siempre, vivía en Courrieres, a ciento setenta kilómetros de distancia, y decidió ir a verlo. Mientras tuvo dinero, viajó en tren, pero luego se vió obligado a seguir a pie. Caminó cinco días seguidos, durmiendo en las parvas de heno y comiendo el pan que le daban en cambio de uno o dos dibujos. Cuando llegó a Courrieres y vió el hermoso estudio que Breton acababa de hacerse construir, su valor lo abandonó. Durante dos días anduvo por la ciudad de un lado a otro sin atreverse a entrar en aquel edificio de apariencia inhospitalaria. Cansado, hambriento, sin un céntimo en el bolsillo y con los zapatos del Reverendo que comenzaban a agujerearse peligrosamente, emprendió el regreso de los ciento setenta kilómetros que lo separaban de Borinage.

Llegó a su choza enfermo y desalentado, y no encontró ni carta ni dinero que lo esperara. Se acostó, y las mujeres de los mineros vinieron a cuidarlo y a traerle la poca comida que podían.

Durante su viaje había perdido muchos kilos de peso; sus mejillas estaban hundidas y sus ojos brillaban otra vez por la fiebre. A pesar de estar tan enfermo, su cerebro conservaba la lucidez y comprendía que había llegado a un punto en que era necesario tomar una decisión.

¿Qué haría con su vida? ¿Sería maestro de escuela, vendedor, comerciante? ¿Dónde viviría? ¿En Etten con sus padres, en París con Theo o en Amsterdam con su tíos?

Un día, cuando ya se sentía con un poco más de fuerza, estaba sentado al borde de su cama copiando "El Horno en las Landes", de Theodore Rousseau, y preguntándose cuánto tiempo le sería permitido divertirse con sus dibujos, cuando de pronto se abrió la puerta y entró alguien.

Era su hermano Theo.

EL MOLINO VIEJO DE RYSWYK

El transcurso de los años habían mejorado a Theo. A pesar de tener solo veintitrés años, ya era un floreciente comerciante en obras de arte en París, respetado por sus colegas y su familia. Se vestía con elegancia y sus modales y conversación eran agradables. Llevaba un buen gabán de paño negro, cruzado sobre el pecho y con solapas de raso; alto cuello duro y una enorme corbata blanca.

Tenía la frente prominente de los Van Gogh; su cabello era castaño oscuro y sus facciones delicadas, casi femeninas. Tenía una expresión suave y bondadosa en la mirada.

Theo se apoyó contra la puerta y permaneció horrorizado mirando a su hermano. Hacía pocas horas que había dejado París, donde poseía un departamento precioso, amueblado al estilo Luis Felipe, con alfombras, cortinados suaves y lámparas, y todo el confort moderno. Vincent, barbudo y sin peinar estaba recostado sobre un colchón sucio, sin sábana y cubierto apenas con una vieja manta. Las paredes y el piso eran de madera tosca, y los únicos muebles lo constituían una mesa y una silla.

—Hola, Theo —dijo Vincent.

El joven se acercó vivamente a la cama.

—Vincent, en nombre del Cielo, ¿qué sucede? ¿Qué has hecho?

—Nada. Estuve enfermo, pero ahora estoy bien.

—Pero este antro... Con seguridad esta no es tu casa, no vives aquí.

—Sí. ¿Qué tiene? Es también mi estudio.

—¡Oh Vincent! —exclamó emocionado el joven acariciando el pelo enmarañado de su hermano.

—Cuánto bien me hace verte aquí, Theo.

—Vincent, por favor, ¿qué te ha sucedido? ¿Por qué te enfermaste?

El joven le contó su viaje a Courrieres.

—Te has agotado... ¿Has comido bien desde tu regreso? ¿Te has cuidado?

—Las mujeres de los mineros me cuidan.

—Sí, pero ¿comes bien? ¿Dónde están tus provisiones? —inquirió mirando a su alrededor.

—Las mujeres me traen lo que pueden... Un poco de pan, de café, y a veces queso o conejo.

—¡Pero querido! ¡No puedes reponerte comiendo sólo pan y café! ¿Por qué no compras huevos, verdura y carne?

—Todo eso cuesta dinero, Theo.

El joven se sentó al borde del lecho.

—Vincent, hermano mío, perdóname por el amor de Dios! ¡No sabía! ¡No comprendí!

—No te aflijas. Has hecho lo que has podido. Dentro de pocos días estaré bien de nuevo.

Theo se pasó la mano por la frente, como queriendo disipar una nube que le impedía comprender con claridad.

—No, no comprendí —volvió a repetir—. Creí que tú... ¡No comprendí!

—Vamos, no te preocupes —repuso su hermano—. ¿Cómo andan tus cosas en París? ¿Estuviste en Etten?

Theo pareció despertar. —¿Dónde están los negocios en este maldito pueblo? —preguntó—. ¿Dónde puedo comprar algo?

—Tendrás que ir a Wasmes —repuso Vincent— pero siéntate, acerca esa silla, quiero hablarte. ¿No sabes que hace casi dos años que no nos vemos?

—Ante todo te traeré de comer lo mejor que encuentre. Has estado muriéndote de hambre. Eso es lo que te pasa, Vincent. Y luego te daré un remedio para esa fiebre y dormirás sobre una almohada blanda. ¡Qué suerte que he venido hasta aquí! Ah, si hubiera tenido la menor idea... ¡No te muevas hasta que regrese!

Y abandonó la habitación apresuradamente, mientras Vincent, volviendo a tomar el lápiz entre sus dedos, continuó dibujando. En poco menos de una hora Theo regresó seguido por dos muchachitos cargados de paquetes. Traía dos sábanas, una almohada, algunas cacerolas y platos y paquetes con comestibles. Tendió la cama e hizo acostar a su hermano en ella.

—Ahora, dime cómo se hace funcionar esta cocina —preguntó mientras se quitaba el gabán y se levantaba las mangas de su camisa.

—Ahí tienes un poco de papel y unas ramitas, enciende primero eso y luego ponle carbón.

Theo miró al *terril* que había en un rincón y exclamó:

—¡A esto llamas carbón!

—Sí. Es lo que usamos aquí. Déjame, te enseñaré a encenderlo.

Y se disponía a saltar de la cama, pero su hermano se lo impidió:

—¡Quédate ahí! —exclamó—. ¡No te muevas, de lo contrario tendré que atarte!

En el semblante de Vincent se reflejó una sonrisa. Era la primera vez que sonreía desde hacía muchos meses. Su hermano puso dos huevos en una cacerola que acababa de comprar y unas chauchas a hervir. Calentó un poco de leche e hizo tostar unas rebanadas de pan blanco. Vincent lo miraba, feliz, y la presencia de su hermano le hizo más bien que toda la comida.

Por fin estuvo todo listo; Theo acercó la mesa a la cama, extendió sobre ella una toalla blanca que sacó de su valija, puso un buen pedazo de manteca en las chauchas, partió los dos huevos en una taza y tomó una cuchara.

—Ahora, abre la boca, muchacho —dijo—. Hoy te vas a alimentar como hace tiempo no lo has hecho.

—¡Pero Theo! ¡Puedo comer solo! —protestó el joven.

—Abre tu boca —insistió su hermano— de lo contrario te lo pondré en el ojo...

Cuando Vincent hubo terminado de comer, se recostó sobre la almohada con un profundo suspiro de satisfacción.

—Qué rica es la comida —dijo— hacía tiempo que lo había olvidado.

—Ahora me cuidaré de que no te vuelvas a olvidar.

—Cuéntame las novedades, hermano. ¿Cómo van las cosas en lo de Goupil? Hace tanto que no tengo noticias.

—Pues te tendrás que aguantar un tiempo más. Bebe esto que te hará dormir. Quiero que descanses para que la comida te haga bien.

—¡Pero no quiero dormir, Theo! Quiero hablar...

—Nadie te ha preguntado lo que querías... Bebe esto como un buen muchacho. Y cuando despiertes te prepararé un buen bife con papas que terminará de reponerte.

El joven durmió hasta la entrada del sol. Cuando despertó, su hermano estaba mirando sus dibujos cerca de la ventana. Durante un momento Vincent no se movió, ¡se sentía tan feliz! Cuando Theo advirtió que estaba despierto, se acercó sonriendo.

—Y bien ¿cómo te encuentras? ¿mejor? ¡Qué modo de dormir!

—¿Qué piensas de mis dibujos? ¿Te agrada alguno de ellos?

—Antes de hablar espera que ponga en marcha el bife. Las papas ya están peladas.

Hizo calentar un poco de agua y la trajo cerca de la cama en una palangana. —¿Quieres que use tu navaja o la mía? —preguntó.

—¿No puedo comer sin afeitarme? —inquirió Vincent haciendo una mueca.

—¡No, señor! Tienes que lavarte, afeitarte y peinarte... Vamos, ponte esta toalla al cuello.

Una vez que hubo terminado de arreglar a su hermano y que le hubo puesto una de sus camisas limpias, exclamó satisfecho:

—¡Ahora pareces de nuevo un Van Gogh!

—¡Theo! ¡El bife! ¡Se quema! —exclamó Vincent oliendo a quemado.

El joven preparó la mesa, colocando sobre ella las papas hervidas, la manteca, el hermoso bife y leche.

—Dios mío, Theo, supongo que no querrás que coma todo ese bife.

—No, por cierto, la mitad me lo comeré yo. Comencemos. Ahora, si cerramos los ojos, podríamos creernos en Etten.

Después de la cena, el joven llenó la pipa de su hermano de buen tabaco y dijo:

—No debería dejarte fumar, pero supongo que este tabaco te hará más bien que mal.

Mientras fumaban, Theo observaba a su hermano, y toda su infancia en el Brabante vino a su memoria. Para él, Vincent siempre había sido la persona más importante en el mundo. Aún más importante que su madre y su padre. El le había hecho su infancia feliz, agradable. Se había olvidado de ello durante ese

último año en París, pero nunca más lo olvidaría. La vida sin
Vincent, le parecía incompleta. Sentía como si él formase parte
de su hermano y que su hermano formase parte de él. Juntos,
siempre habían comprendido el mundo, habían encontrado la razón de ser de la vida, dándole su justo valor. Sólo, le parecía que
no valía la pena trabajar ni triunfar. Necesitaba de Vincent para
hacer su vida completa, y Vincent lo necesitaba a él, pues en realidad no era más que una criatura. Debía sacarlo de este inmundo agujero y hacerle comprender que había estado perdiendo el
tiempo.

—Vincent —díjole— dentro de uno o dos días, cuando hayas
recuperado tus fuerzas, te llevaré a casa, a Etten.

Antes de contestar, Vincent echó varias bocanadas de humo
en silencio. No sabía cómo explicarse, pero sin embargo tendría
que hacer comprender a su hermano muchas cosas.

—¿Para qué volvería yo a casa? —dijo por fin—. Allí me
consideran como a un ser imposible... Creo que lo más razona-
ble es quedarme alejado de ellos, como si no existiese. Soy un
hombre arrebatado, capaz de actuar bajo el primer impulso en
lugar de esperar pacientemente. ¿Querrá eso decir que soy un
hombre peligroso, incapaz de hacer nada en la vida? Yo no lo
creo. Pero es necesario conseguir que mis impulsos sean buenos.
Por ejemplo, tengo una pasión irresistible por los cuadros y los
libros, y necesito instruirme continuamente, lo necesito tanto como el pan que como. Creo que tú comprenderás eso.

—Sí, lo comprendo. Pero leer libros y admirar dibujos a tu
edad es solo una diversión, y no tiene nada que ver con el objeto
principal de la vida de un hombre. Hace casi cinco años que has
estado de un lado para otro, sin trabajar, sin hacer otra cosa que
dañarte a ti mismo.

—Es cierto que la mayoría de ese tiempo no he sabido ganarme el pan; es cierto que he perdido la confianza de muchos,
y que mi futuro se presenta sombrío. Pero eso, ¿es necesariamente
haberme dañado a mí mismo? Debo continuar en el camino que
he tomado, Theo. Si no estudio, si no continúo buscando... ¡estoy perdido!

Su hermano meneó la cabeza con tristeza.

—Evidentemente estás tratando de decirme algo, viejo —dijo— pero lamento decirte que no comprendo.

Vincent encendió su pipa que se había apagado.

—¿Recuerdas el tiempo en que andábamos por el viejo molino de Ryswyk? Entonces nos entendíamos.

—Pero Vincent has cambiado mucho.

—Eso no es muy exacto. Mi vida era más fácil entonces, pero tenía el mismo modo de ver y pensar. En eso no he cambiado.

—Quiero creerlo por tu bien.

—Sí, Theo, en medio de mi inconstancia permanezco fiel, y mi sola ansiedad es saber cómo puedo ser útil en el mundo. ¿Acaso no podré lograrlo?

Theo se puso de pie, encendió la lámpara y llenó un vaso de leche que entregó a su hermano.

—Bebe esto —díjole—. No quiero que te agotes con tus divagaciones.

Vincent bebió apresuradamente y prosiguió:

—¿Acaso pueden exteriorizarse siempre nuestros pensamientos interiores? Podemos tener un gran fuego interior que nos consume y que nadie comprende. ¿Debemos acaso descuidarlo por eso?

Su hermano se sentó a su lado sobre el lecho.

—¿Sabes el cuadro que acaba de presentárseme a la memoria?

—No.

—El del molino de Ryswyk.

—Era hermoso ¿verdad?

—Sí.

—Y nuestra infancia también lo fué.

—Gracias a ti, Vincent. Lo primero que recuerdo de mi vida eres tú.

Hubo un largo silencio entre los dos hermanos.

—Vincent, —dijo por fin Theo—, cree que mis palabras de reprobación han sido dictadas por mi familia. Fueron ellos que me persuadieron de venir aquí para tratar de hacerte avergonzar por tu pereza y obligarte a regresar a Holanda.

—Sus palabras son ciertas, Theo. Lo que no comprenden son mis motivos, ni mi vida. Pero, si yo he descendido en el mundo, tú en cambio te has elevado. Si he perdido simpatías, tú las has ganado. Y eso me hace feliz, muy feliz. Te lo digo con toda sinceridad. Pero, si fuera posible, quisiera que no vieras en mí a un haragán de la peor especie.

—Olvidemos esas palabras, hermano. Si no te he escrito durante este último año fué por negligencia pero no por reproba-

ción. He creído en ti y te he tenido fe desde los tempranos días
en que me guiabas de la mano por los campos de altos pastos en
Zudert. Ahora mi fe no es menor. Sólo necesito estar a tu lado
para saber que todo lo que haces, algún día será reconocido.
Vincent esbozó una amplia sonrisa.

—Eres muy bueno, Theo, te lo agradezco.

—Vamos a hacer un pacto y arreglar las cosas de una vez
por todas —dijo el joven con decisión—. Sospecho que detrás de
todas tus abstractas cavilaciones hay algo que deseas hacer, algo
que necesitas para tu felicidad y triunfo. Pues bien, viejo, dime
lo que es. En lo de Goupil me han aumentado dos veces el sueldo
en estos 18 meses últimos, y tengo más dinero del que puedo gastar. Sea lo que sea que quieras hacer, necesitarás ayuda al principio, por lo tanto formaremos una sociedad. Tú trabajarás y yo
pondré el dinero. Si algún día puedes, me lo devolverás. Ahora
confiesa, ¿qué es lo que quieres hacer? ¿Cuál es tu anhelo?

Vincent dirigió su mirada hacia la pila de los dibujos que
Theo había estado mirando cerca de la ventana. Su semblante
reflejaba asombro, felicidad e incredulidad. Abrió sus ojos como
si viera algo de extraordinario que lo dejara anonadado.

—¡Bendito sea Dios! —murmuró por fin—. ¡Eso es lo que
estaba tratando de decir y no lo sabía.

Theo siguió la dirección de su mirada hacia los dibujos:

—Ya lo sospechaba —dijo.

Tembloroso y lleno de alegría, parecía que Vincent acabara
de despertar de un profundo sueño.

—¡Tú lo adivinaste antes que yo! Yo no me atreví a pensar
en eso, tenía miedo. Naturalmente que hay algo que quiero hacer, toda mi vida ha tendido hacia ello sin que yo lo sospechara.
Siempre he sentido una imperiosa necesidad de dibujar, pero nunca me lo he permitido. Ya en Amsterdam cuando estudiaba, y
luego en Bruselas. ¡Pero temía interrumpir mi verdadero trabajo!
¡Mi verdadero trabajo! Qué ciego he sido. Algo pugnaba por
surgir en mí y siempre lo he ahogado. Y héme aquí, a los veintisiete años, sin haber hecho nada. ¡Qué idiota, qué ciego y qué
estúpido he sido!

—No importa, Vincent. Con tu fuerza y tu voluntad podrás realizar mil veces más que un principiante. Tienes toda la
vida por delante.

—Por lo menos tengo diez años. En ese tiempo podré hacer algún trabajo bueno.

—¡Seguramente! Y podrás vivir donde quieras, ya sea en París, en Bruselas, en Amsterdam o en La Haya. Yo te enviaré mensualmente el dinero que te haga falta. Y aunque necesites años para triunfar, Vincent, nunca perderé mis esperanzas mientras tú no las pierdas.

—¡Oh! Theo, durante estos amargos meses que he pasado estuve tratando inútilmente de conocer el verdadero sentido de mi vida. ¡Pero ahora lo conozco, estoy seguro! Nunca más me dejaré descorazonar. ¿Comprendes lo qué significa eso, Theo? Después de todos estos años perdidos *me he encontrado a mí mismo por fin!* Por eso fué que fracasé en mis demás trabajos, ¡no estaba destinado a ellos! ¡Oh, hermano mío, por fin la prisión se ha abierto y eres tú quien abrió sus rejas!

—Nada podrá separarnos jamás, ¿verdad, Vincent? Estamos unidos para siempre.

—Sí, Theo, para toda la vida.

—Bien, ahora descansa, y dentro de unos días, cuando estés mejor, te llevaré a Holanda o a París o donde quieras.

Vincent dió un brinco.

—¡Dentro de unos días! —exclamó—. No, no, nos vamos en seguida. Sale un tren para Bruselas a las nueve.

Y comenzó a vestirse apresuradamente.

—Pero, Vincent, no puedes viajar; estás enfermo.

—¡Enfermo! Eso es historia vieja, nunca me sentí mejor en mi vida. Vamos, Theo, tenemos unos diez minutos para llegar a la estación. Mete tus lindas camisas en tu valija y ¡marchando!

LIBRO SEGUNDO

ETTEN

T HEO y Vincent pasaron un día en Bruselas, y luego el primero regresó a París. Llegaba la primavera, la campaña del Brabante estaba hermosa y el hogar atraía a Vincent como un asilo mágico. Se compró un grueso traje rústico de terciopelo negro, igual a los usados por los trabajadores, y algunas hojas de papel de colores para dibujar y tomó el primer tren para Etten.

Ana Cornelia desaprobaba la vida que llevaba Vincent porque sentía que le causaba más penas que felicidad; pero los motivos de desaprobación de Theodorus eran otros. Si Vincent hubiese sido el primogénito de cualquiera otra persona, no hubiera tenido obligaciones hacia él y no le hubiera importado nada. Sabía que no debía ser del agrado de Dios el modo de vivir del muchacho, pero también sabía que el Altísimo reprobaría a un padre que abandonase a su hijo.

El joven notó que su padre había encanecido bastante y que ya no tenía la expresión de seguridad que antes prevalecía en su semblante.

En cuanto a su madre, Vincent la encontró más fuerte que antes. La edad, en vez de debilitarla parecía fortificarla. Su sonrisa bondadosa parecía querer perdonar el pecado antes de que fuese cometido.

Durante varios días la familia se esforzó en tributar todo su afecto al joven, obligándolo a comer y reponer su salud quebrantada. Todos parecían olvidar que Vincent carecía de fortuna, situación y porvenir. Pasaba sus días caminando por el campo y observando a los leñadores que trabajaban en un pequeño bosque de pinos que estaban derribando. No tardó en sentirse bien, con fuerzas, y deseoso de empezar a trabajar.

Una mañana lluviosa, cuando Ana Cornelia bajó temprano a la cocina como de costumbre se extrañó al encontrarla encendida y a Vincent sentado frente a ella con un dibujo empezado entre las manos.

—Buenos días, hijo mío —exclamó.

—Buenos días, madre —repuso el joven besándole la mejilla.

—¿Por qué te has levantado tan temprano, Vincent?

—Porque quería trabajar.

—¿Trabajar? —repitió la señora mirando primero al dibujo comenzado y luego al fuego encendido—. Así, quieres decir que' quisiste encender el fuego para mí. Pero no debes levantarte para eso, hijo.

—No, quiero decir trabajar en mis dibujos.

Otra vez Ana Cornelia miró al bosquejo que su hijo tenía entre las manos y que para ella no era más que una diversión de criatura.

—¿Piensas trabajar haciendo dibujos?

—Sí.

Le explicó la decisión que había tomado y el deseo de Theo en ayudarlo. Contrariamente a lo que esperaba, Ana Cornelia manifestó satisfacción. Y dirigiéndose rápidamente al comedor, volvió con una carta en la mano.

—Nuestro primo, Anton Mauve es pintor —dijo—, y gana mucho dinero. Hace pocos días he recibido esta carta de mi hermana... —Mauve se ha casado con su hija Jet, como recordarás— y me escribe que el señor Tersteeg de las Galerías Goupil vende todo lo que hace Anton por quinientos o seiscientos florines.

—Sí, Mauve se está convirtiendo en uno de nuestros pintores más importantes —repuso Vincent.

—¿Y cuánto tiempo lleva para hacer uno de esos cuadros, hijo mío?

—Eso depende... Algunos se hacen en unos pocos días y otros llevan años.

—¡Años! ¡Dios mío!

Permaneció un rato silenciosa y luego preguntó:

—¿Puedes dibujar a las personas... hacer retratos?

—No sé. Tengo arriba algunos dibujos, te los enseñaré.

Cuando volvió a bajar, su madre se había puesto su gorro blanco y estaba preparando el desayuno. Los azulejos blancos y azules de la cocina daban a la misma un aspecto de alegría.

—Te estoy preparando tu bizcocho de queso favorito, ¿recuerdas?

—¡Oh, madre! ¡Si me acuerdo!

Le echó los brazos alrededor del cuello, y ella lo miró sonriendo emocionada. Vincent era su primogénito y su preferido, y su falta de felicidad constituía la única pena de su vida.

El joven le enseñó los dibujos hechos de los mineros en el Borinage. Después de observarlos un rato, la señora preguntó:

—Pero, Vincent, ¿qué les pasa a los rostros?

—Nada. ¿Por qué?

—¡Es que no tienen ninguno!

—Ya sé. Sólo me interesaba la figura, el conjunto.

—Pero puedes dibujar rostros también, ¿verdad? Estoy segura que habrá gran cantidad de señoras en Etten que querrán que les hagas el retrato. Podrás ganar mucho dinero.

—Sí, tal vez, pero tendré que esperar a que mi dibujo sea correcto.

La señora, que estaba partiendo unos huevos en la sartén, se detuvo con una cáscara en cada mano.

—Quieres decir que tienes que aprender a dibujar correctamente para poder vender tus retratos.

—No —repuso el joven mientras bosquejaba rápidamente—. Tengo que aprender a dibujar correctamente, para dibujar correctamente y nada más.

—Temo no comprender, hijo —contestó Ana Cornelia volviendo a sus cacerolas.

—Yo tampoco —dijo Vincent—, pero es así.

Durante el desayuno, Ana Cornelia participó a su esposo de los proyectos de su hijo. Más de una vez habían discutido entre ellos el asunto del porvenir del muchacho.

—¿Y podrás ganarte la vida dibujando, Vincent? —inquirió su padre.

—Al principio, no. Pero Theo me ayudará, y en cuanto haya aprendido a trabajar podré ganar dinero, al menos así lo espero. Los dibujantes en Londres y en París ganan de diez a quince francos por día y los que ilustran las revistas ganan más.

Theodorus lanzó un suspiro de satisfacción. Al menos su hijo parecía querer abandonar la vida de perezoso que llevaba desde hacía tantos años.

—Espero que si comienzas este trabajo, continuarás con él —dijo—. Nunca llegarás a nada si cambias continuamente de parecer.

—Ya no cambiaré más, padre —le aseguró Vincent.

LOCO

Cesó de llover y mejoró el tiempo. Vincent, con su caballete y sus implementos de dibujo, gustaba ir al campo en exploración; le agradaba especialmente instalarse en los matorrales cerca del Seppe o bien a orillas de un bañado en el Passievaart donde se entretenía dibujando los nenúfares. Etten era una ciudad pequeña, y sus habitantes lo miraban con recelo. Nunca habían visto un traje de terciopelo como el suyo, y no les parecía propio que un hombre fuerte se pasase todo el día en los campos dibujando. A su modo, Vincent era cortés con los feligreses de su padre, pero éstos no querían tener nada que hacer con él. Para aquel pueblo provinciano, el joven resultaba algo incomprensible. Todo en él les parecía extraño, su modo de vestir, sus modales, su barba rojiza, su pasado, su continuo trajinar por los campos y su falta de ocupación. Le tenían desconfianza y hasta miedo, por el hecho de ser distinto a ellos, y sin embargo, él nunca les había hecho daño, y sólo deseaba que lo dejaran tranquilo. Vincent no tenía la menor idea de que no agradaba a la gente aquella.

Estaba empeñado en hacer un estudio del bosque de pinos que los leñadores abatían, y en el primer plano de su estudio, se destacaba un gran árbol. Uno de los leñadores solía venir todos los días a mirar su trabajo, y luego de un momento se retiraba riendo. Intrigado, Vincent un día le preguntó cortésmente:

—¿Le parece gracioso que dibuje un árbol?

El hombre estalló en una carcajada.

—¡Ya lo creo! ¡Graciosísimo! ¡Usted debe estar loco!

El joven permaneció pensativo un momento y luego preguntó:

—¿Estaría loco si plantara un árbol?

—No, por cierto —contestó el leñador con toda seriedad.

—¿Y si lo cuidara para que creciera y se desarrollara?

—Tampoco.

—¿Y estaría loco si recogiera sus frutos?

—¡Pero usted se burla de mí!

—Y dígame —insistió Vincent—, ¿estaría loco si lo cortara como ustedes hacen?

—No, los árboles deben cortarse.

—Entonces puedo plantar un árbol, cuidarlo, recoger el fruto y cortarlo, pero si lo dibujo, estoy loco, ¿no es así?

El campesino volvió a reirse.

—Sí, usted debe estar loco para permanecer así, sentado, horas enteras. Todo el pueblo lo dice.

Después de la cena, la familia Van Gogh pasaba la velada reunida alrededor de la mesa. Unos leían, otros cosían, otros escribían y Vincent dibujaba. Su hermano menor Cor, era un niño tranquilo que casi nunca hablaba. Ana, una de sus hermanas se había casado y no vivía con ellos. Elizabeth no lo quería y simulaba ignorarlo, en cuanto a Willemien, era simpática y accedía a posar para él cuantas veces se lo pidiese, pero sus relaciones no tenían nada de espiritual.

El joven trabajaba todas las noches bajo la enorme lámpara instalada en el centro de la mesa. Copiaba los estudios o bosquejos que había hecho durante el día en el campo. Theodorus lo miraba hacer y rehacer sus dibujos una docena de veces y arrojarlos siempre descontento. Finalmente, el eclesiástico no pudiendo contenerse más preguntó a su hijo:

—Dime, ¿nunca consigues hacer bien tu dibujo?

—No —repuso Vincent.

—Y entonces, ¿no estarás equivocado en empeñarte en dibujar? Creo que si tuvieses talento, si tuvieses pasta de artista, harías bien esos bosquejos desde el primer momento.

Vincent echó una mirada a su estudio que representaba a un campesino inclinado sobre una bolsa que llenaba de papas. No podía conseguir el correcto movimiento del brazo de aquel hombre.

—Tal vez, padre —contestó Vincent.

—Lo que quiero decir, es que me parece que no deberías tener necesidad de dibujar esas cosas docenas de veces. Si tuvieses habilidad natural conseguirías hacerlo la primera vez.

—La naturaleza siempre empieza por resistirse al artista, papá —repuso el joven sin dejar su lápiz—, pero trabajaré seriamente y no me dejaré desanimar por esa resistencia. Al contrario, cuanto más tenga que luchar más me sentiré estimulado para obtener la victoria final.

—No comprendo —dijo Theodorus—. El bien nunca puede provenir del mal, ni el buen trabajo del malo.

—Tal vez sea así en teología, pero no en arte. No puede ser.

—Te equivocas, hijo mío. El trabajo de un artista o es bueno o es malo. Y si es malo no es un artista. Debe comprender eso desde el principio y no perder su tiempo y sus esfuerzos.

—Pero, ¿y si su arte lo hace feliz, a pesar de ser malo?

Theodorus no supo qué contestar.

—No —prosiguió Vincent borrando la bolsa de papas—. En el fondo la naturaleza y el verdadero artista se comprenden. Tal vez para esto sean necesarios años de lucha, pero al final el trabajo malo se convertirá en bueno y se justificará.

—¿Y si no sucede así? ¿Si siempre permanece malo? Hace días que estás dibujando ese campesino y siempre está mal. Supongamos que continúas dibujándolo durante años y que siempre siga mal, ¿entonces?

Vincent se encogió de hombros.

—El artista se arriesga a eso, padre.

—¿Y si ese riesgo no le proporciona recompensas?

—¿Recompensas? ¿Qué recompensas?

—Dinero... Posición en el mundo...

Vincent elevó la vista y observó a su padre como si fuera la primera vez que lo viera.

—Creí que estábamos discutiendo el arte bueno y el malo —dijo.

EL ESTUDIANTE

Día y noche trabajaba con empeño. Si pensaba en el porvenir era solo para desear que se aproximara el momento en que dejaría de ser una carga para Theo. Cuando estaba cansado de dibujar, leía, y cuando se sentía demasiado fatigado de lo uno y de lo otro, dormía. Su hermano le envió papel Ingres, láminas anatómicas de un caballo, una vaca y un cordero; algunos de los "Modelos para Artistas" de Holbein, lápices de dibujo, plumas, la reproducción de un esqueleto humano, sepia y algún dinero, además de la exhortación de trabajar mucho y no convertirse en un artista mediocre. A este consejo Vincent le contestó: —"Haré todo lo que pueda, pero te diré que no desprecio la calificación de mediocre, y creo que no se puede llegar a sobreponerse a la mediocridad si se la desprecia. En cuanto a trabajar mucho, estoy plenamente de acuerdo. "Ni un día sin un trazo", como nos aconseja Gavarni.

Cada vez se convenía más que el dibujo de las figuras era necesario, y que indirectamente influía en el diseño de los paisajes. Si dibujaba un sauce como si fuese un ser viviente —y en realidad lo era— entonces los segundos planos tomaban su exacto valor. Le agradaban muchísimo los paisajes, pero mucho más le gustaban los estudios de la vida que con tanto realismo habían sido dibujados por Gavarni, Daumier, Doré, De Groux y Felicien Rops. Tenía la esperanza que insistiendo en el estudio de los campesinos lograría hacer trabajos ilustrativos para las revistas y periódicos. Deseaba poder ganarse la vida durante los largos años que debería pasar perfeccionando su técnica y la forma de su expresión.

Un día, su padre, que creía que leía para distraerse, le dijo:

—Vincent, siempre estás hablando de lo mucho que debes trabajar, entonces, ¿por que pierdes tu tiempo con esos estúpidos libros franceses?

El joven colocó una marca en el "Pere Goriot" que estaba leyendo y miró a su padre. Siempre abrigaba la esperanza de que algún día éste lo comprendiera cuando hablaba de cosas serias.

—Para aprender a dibujar, no sólo es necesario practicar con el lápiz —dijo—, sino que se necesita un profundo estudio de la literatura.

—Es algo que no entiendo. Si quiero predicar un buen sermón no pierdo mi tiempo mirando a tu madre preparar la comida.

El joven no se molestó en discutir la analogía, limitándose a decir:

—No puedo dibujar una figura sin conocer los huesos y los músculos de que está formada. Y no puedo dibujar una cabeza sin conocer la mentalidad y el alma de esa persona. Para pintar la vida, hemos de comprender no sólo la anatomía, sino los sentimientos de la gente y el mundo que los rodea. El pintor que sólo conoce su arte, será un artista muy superficial.

—Ah, Vincent —suspiró su padre—. Temo que te conviertas en un teorista.

Días más tarde el joven sintió enorme satisfacción al recibir algunos libros de Casaagne que Theo le enviaba a fin de corregir su perspectiva. Entusiasmado, se los enseñó a Willemien.

—Esto me será de gran provecho para corregir mi dibujo.

La joven le sonrió con los claros ojos de su madre.

—Quieres decir —preguntó Theodorus que desconfiaba de todo lo que venía de París— que aprenderás a dibujar leyendo libros de arte.

—Sí.

—Eso es en verdad extraño.

—Es decir, si pongo en práctica las teorías que contienen. Desgraciadamente la práctica no puede comprarse como los libros.

Pasaron los días y llegó el verano. Ahora ya no era la lluvia que le impedía salir, sino el calor. Dibujó a su hermana Willemien sentada ante su máquina de coser, copió por tercera vez los estudios de Bargue, dibujó cinco veces un hombre con una azada, "Un becheur", cada vez en distintas posturas, dos veces un sembrador, dos una muchacha con una escoba. Luego una mujer con un gorro blanco y pelando papas, un pastor apoyado sobre su pértiga, y, finalmente, un viejo labrador enfermo sentado ante el fogón con la cabeza entre las manos. Campesinos, labradores, hombres y mujeres era lo que debía dibujar constantemente, observando todo lo que perteneciera a la vida rural. Ya no se sentía impotente ante la naturaleza y ello le procuraba una satisfacción como jamás había conocido.

La gente del pueblo continuaba considerándolo raro y lo mantenían a distancia. A pesar de que su madre, Willemien —y su padre también, a su modo— le profesaban cariño y afecto, en el fondo de su ser, donde nadie en Etten podía penetrar, se sentía terriblemente solo.

Los campesinos, poco a poco se tornaban más amables y comenzaban a confiar en él. Vincent encontraba que su simplicidad tenía cierta homogeneidad con el suelo que trabajaban, y trataba de captar ese sentimiento en sus dibujos. A menudo, en sus bosquejos, el campesino se confundía con la tierra. El joven no comprendía cómo llegaba a dibujar de ese modo, pero sentía que estaba bien.

—No puede haber línea de separación entre ambos —dijo una noche a su madre que le pedía explicaciones—. Se pertenecen el uno a la otra, están hechos de la misma materia y de idéntica esencia.

Un día, Ana Cornelia, deseosa de contribuir al éxito de su hijo le dijo:

—Vincent, ¿podrías volver esta tarde a las dos? Quisiera que me acompañaras a un té.

Su hijo la miró atónito.

—Pero, mamá, no puedo perder mi tiempo en esa forma.

—¿Y por qué perderías tu tiempo yendo a una reunión así?

—Porque en un té no hay nada para pintar.

—He ahí donde te equivocas. Todas las señoras de importancia de Etten estarán allí.

El joven hizo un esfuerzo para serenarse, y buscando sus palabras trató de explicar a su madre lo que quería decir.

—Esas señoras no poseen carácter, mamá.

—No digas disparates. Todas son buenísimas, tienen un carácter magnífico y nadie puede decir nada contra ellas.

—No, ya sé. Lo que quiero decir es que sus vidas están cortadas por el mismo molde, y que todas se parecen.

—Pues te aseguro que yo las distingo perfectamente.

—Sí, pero sus vidas transcurren tan cómodamente que no tienen nada interesante reflejado en su semblante.

—No sé lo que quieres decir. Dibujas todo campesino que encuentras en el campo. ¿Qué provecho te reportará eso? Son pobres y no podrán comprarte nada. En cambio las señoras de la ciudad te pagarían por sus retratos.

Vincent la rodeó afectuosamente con los brazos. Esos ojos azules tan límpidos, tan profundos y tan cariñosos, ¿por qué no comprendían?

—Querido —díjole con tranquilidad—. Te ruego tengas un poco de fe en mí. Sé cómo debo trabajar, y si me das tiempo, triunfaré. Si continúo dibujando esas cosas que te parecen inútiles a ti, más adelante lograré vender mis dibujos y ganarme la vida.

Ana Cornelia deseaba comprender con tanta ansia como Vincent deseaba ser comprendido. Besó la mejilla barbuda de su hijo y su pensamiento se dirigió hacia aquel día lejano en la rectoría de Zundert en que había dado a luz a Vincent. Recordó la angustia terrible que la embargaba en aquellos momentos, pues su primer hijo había nacido muerto, y la alegría que la había invadido en medio de sus dolores, al oír el llanto del recién nacido.

—Eres un buen muchacho, Vincent —dijo—, pórtate como quieras; yo sólo quería ayudarte.

En lugar de ir a trabajar en el campo, ese día el joven pidió a Piet Kaufman, el jardinero, que posara para él. Después de discutir un rato, lo persuadió.

—Bien, después de comer lo esperaré en el jardín —dijo el buen hombre.

Cuando Vincent llegó al jardín a la hora indicada, encontró a Piet cuidadosamente vestido con su traje del domingo, con la cara y las manos bien limpias y sentado con tiesura sobre un banco.

A pesar de sí mismo, el joven largó una carcajada.

—Pero, Piet —exclamó—, ¡no puedo dibujarte con ese traje!

El hombre lo miró asombrado y luego observó su traje.

—¿Qué tiene? —preguntó—. Es nuevito, sólo lo usé unos pocos domingos.

—Es precisamente por eso —explicó Vincent—. Quiero dibujarte en tus ropas de trabajo, ocupado en rastrillar o carpir.

—Mi ropa de trabajo está sucia y remendada, si usted quiere dibujarme tendrá que hacerlo así.

Vincent regresó a los campos y dibujó a los labradores trabajando con la azada, inclinados hacia la tierra. Cuando pasó el verano comprendió que por el momento al menos, había agotado todas las posibilidades de su propia instrucción. De nuevo le acometió el deseo intenso de tratar a algún artista y seguir trabajando en un buen estudio. Sentía imperiosa necesidad de asistir al trabajo de verdaderos artistas, pues así lograría conocer sus fallas y perfeccionarse.

Theo le escribió invitándolo a trasladarse a París, pero a Vincent le pareció que aún no estaba maduro para la gran aventura. Su trabajo era todavía demasiado tosco, demasiado superficial y se notaba claramente al principiante. Pensó en La Haya para proseguir el aprendizaje de su arte; primeramente quedaba a pocas horas de distancia, luego allí estaba su amigo Mijnheer Tersteeg, gerente de la casa Gaupil, y su primo Antón Mauve que podrían ayudarlo. Escribió a Theo pidiéndole consejo, y su hermano le contestó enviándole el importe del viaje de ferrocarril.

Antes de trasladarse definitivamente a La Haya, Vincent quiso cerciorarse si Tersteeg y Mauve lo recibirían amistosamente y si estarían dispuestos a ayudarlo, pues de lo contrario, tendría que ir a otro lado. Envolvió todos sus dibujos cuidadosamente, puso una muda de ropa en su valija, y partió para la capital de su país, meta de todos los jóvenes artistas provincianos de Holanda.

MIJNHEER TERSTEEG

Mijnheer Hermn Gijsbert Tersteeg era el fundador de la escuela de pintura de La Haya y el más importante comerciante en objetos de arte de Holanda. De todo el país acudían a pedirle consejo los que querían comprar pinturas, y si Mijnheer Tersteeg decía que una tela era buena, su opinión no se discutía.

Cuando Mijnheer Tersteeg reemplazó al Tío Vincent Van Gogh como gerente de las Galerías Goupil, los jóvenes artistas holandeses se hallaban diseminados por todo el país. Anton Mauve y Josef vivían en Amsterdam, Jacob y Willem Maris estaban en provincia, y Josef Israels, Johannes Bosboom y Blommers no tenían residencia fija. Tersteeg les escribió a cada uno de ellos diciéndoles:

"¿Por qué no reuniríamos en La Haya a todas nuestras fuerzas y convertiríamos a la ciudad en la capital del arte holandés? Podemos ayudarnos los unos a los otros y enseñarnos mutuamente muchas cosas, y concertando nuestros esfuerzos lograremos hacer revivir la pintura flamenca con tanto brillo como tuvo en la época de Frans Hals y Rembrandt".

Los pintores fueron lerdos en contestar, pero, a medida que pasaron los años, todo joven artista que Tersteeg consideraba de valor, se instalaba en La Haya. Aunque no hubiese ninguna demanda de sus telas, Tersteeg presentía el valor de los jóvenes artistas y compró cuadros de Israels, Mauve y Jacob Maris, seis años antes de que el público se interesara por ellos.

Año tras año compraba pacientemente el trabajo de Bosboom, Maris y Neuhuys, colgándolos en las salas de su negocio. Comprendía que estos jóvenes necesitaban ayuda mientras luchaban para conseguir su perfección, y si el público holandés era tan ciego como para no reconocer a sus genios, él, el crítico y comerciante, debía velar porque esos muchachos no se dejaran vencer por el desaliento. Compraba sus telas, criticaba su trabajo, los ponía en contacto entre sí y los estimulaba durante los primeros años siempre difíciles. Día tras día luchaba para educar al público holandés, para abrirle los ojos a la belleza y expresión de sus compatriotas.

Cuando Vincent fué a visitarlo a La Haya, ya habían triunfado, Mauve, Neuhuys, Israels, Jacob y Willeam Maris, Bosboom y Blommers no sólo vendían todo lo que pintaban a altos precios, sino que se hallaban en camino de convertirse en clásicos. Mijnheer Tersteeg era un hermoso ejemplar de la raza holandesa; tenía rasgos fuertes y prominentes, frente alta, cabello castaño echado para atrás, hermosa barba y ojos claros y cristalinos. Vestía levita negra cruzada, pantalones a rayas, cuello alto y corbata negra anudada.

Tersteeg siempre había sido amable con Vincent, y cuando este último fué transferido a La Haya a la sucursal de Londres de la casa Goupil, le había entregado una calurosa recomendación para el gerente inglés. También hábiale enviado al Borinage los "Exercises au Fusain" y el "Curso de Dibujo de Bargue", pues sabía que le serían de utilidad.. Mientras las Galerías Goupil de La Haya pertenecieron al Tío Vincent Van Gogh, Vincent tuvo todas las razones del mundo para creer que Tersteeg simpatizaba con él por sí mismo.

La casa Goupil estaba en el número 20 de Plaats, en el barrio más aristocrático de La Haya, a pocos pasos del Castillo de S'Graven Haghe, con su patio medioeval y su hermoso lago, y no lejos del Mauritshuis donde se hallaban colgadas las obras de Rubens, Hals, Rembrandt y demás maestros flamencos.

Desde la estación Vincent se dirigió directamente al Plaats. Hacía ocho años que había estado en lo de Goupil por última vez. ¡Cuánto había sufrido desde entonces!

Ocho años antes, todos eran amables, y habían estado orgullosos de él. Era el sobrino favorito del Tío Vincent, y todos sabían que no solamente sería el sucesor de su tío sino su heredero también. Hoy, hubiera debido ser un hombre poderoso y rico, respetado y admirado por todo el mundo, y algún día hubiera debido llegar a ser el dueño de la más importante serie de galerías de arte en Europa.

¿Qué le había sucedido?

No se detuvo a contestar esa pregunta; cruzó la Plaats y entró en la Casa Goupil & Cía. No recordaba cuán lujosamente decorado estaba el negocio, y de pronto se sintió cohibido allí adentro con su tosco traje de terciopelo de trabajador. En la planta baja había un enorme salón con colgaduras beige, y subiendo algunos escalones se encontraba otro salón, más pequeño, con cielorraso de vidrio, y algo más arriba aún otro saloncito íntimo de exhibición para los iniciados. Una ancha escalera conducía al segundo piso donde Tersteeg tenía su oficina y sus habitaciones particulares. Las paredes de la escalera estaban cuajadas de cuadros. Por todas partes se advertía opulencia y cultura. Los empleados bien vestidos y cultos, se deshacían en atenciones con los clientes. Las pinturas, con sus marcos valiosos, se destacaban contra las lujosas colgaduras. Gruesas alfombras tapizaban el suelo, y las butacas diseminadas por el salón eran todas piezas de valor. Vincent pensó en sus dibujos, en sus mineros sucios, en sus mujeres recogiendo *terril,* y en sus campesinos del Brabante. ¿Se venderían algún día en ese magnífico palacio del arte?

No le pareció muy probable.

Se quedó en admiración ante una cabeza de carnero pintada por Mauve, y los empleados, viéndolo tan mal vestido ni se molestaron en preguntarle si deseaba algo. Tersteeg que se hallaba en el saloncito dirigiendo el arreglo para una exposición, bajó los pocos escalones que lo separaban del gran salón y se detuvo mirando a su ex empleado sin que éste lo advirtiera. La rusticidad de Vincent se destacaba cruelmente en medio de la elegancia del negocio.

Y bien, Vincent —dijo por fin Tersteeg acercándose—. Pareces admirar nuestras telas.

El joven se volvió vivamente:

—Son magníficas... ¿Cómo está usted, Mijnheer Tersteeg? Le traigo los saludos de mis padres.

Ambos se estrecharon las manos.

—Parece estar usted muy bien, Mijnheer. Aún mejor que la última vez que lo vi.

—Sí, sí, la vida no me trata mal, Vincent, y no me deja envejecer. ¿Quieres venir a mi oficina?

El joven lo siguió por la ancha escalera, tropezando a cada instante, pues no podía quitar los ojos de las obras de arte colgadas en la pared. Era la primera vez que veía buena pintura desde aquellas breves horas pasadas en Bruselas con Theo.

Tersteeg abrió la puerta de su oficina y lo hizo pasar.

—Siéntate, Vincent.

El joven que había estado mirando embobado un cuadro de

Weissenbruch, tomó asiento pesadamente sobre un sillón y depositó su paquete en el suelo; luego, volviéndolo a tomar, se acercó torpemente al lujoso escritorio ante el cual se hallaba sentado Tersteeg.

—Le traigo los libros que usted tuvo la bondad de prestarme, Mijnheer Tersteeg.

Abrió su paquete, puso a un lado una camisa y un par de medias y tomó el volumen de los "Exercices au Fusain".

—He trabajado mucho con estos dibujos y usted me ha hecho un gran servicio prestándomelos.

—Enséñame tus trabajos —dijo Tersteeg yendo al grano.

Vincent empezó a buscar entre la pila de dibujos que traía y extrajo la primera serie de copias hechas en el Borinage. Tersteeg las estudió en profundo silencio, y luego Vincent le enseñó las copias que había hecho al llegar a Etten. El crítico sólo emitió un gruñido sordo pero nada más, entonces el joven se apresuró en mostrarle la tercera serie de copias que había terminado poco antes de salir de su casa. Tersteeg pareció interesarse.

—La línea es mejor —dijo sin vacilar—. Y el sombreado me agrada. Casi está bien.

Vincent lo miraba ansioso mientras seguía estudiando los dibujos.

—Sí, Vincent —dijo Tersteeg—. Has progresado algo. No mucho, pero algo. Cuando vi tus primeros dibujos temí que... Pero tu trabajo demuestra que has estado luchando.

—¿Luchando? —repitió el joven—. ¿Le parece que no hay ningún arte en él?

En cuanto terminó de pronunciar la frase la lamentó. No hubiera debido hacer semejante pregunta.

—¿No te parece que aún es demasiado temprano para hablar de arte, Vincent?

—Sí, sí. Le traje también algunos croquis originales. ¿Desea verlos?

Vincent le presentó algunos de sus dibujos de mineros y campesinos. Tersteeg guardó profundo silencio. Un silencio que era famoso en toda Holanda y que presagiaba malas noticias. Tersteeg miró todos los dibujos sin emitir el más leve gruñido. Vincent se sentía desfallecer. Después de un momento el crítico dejó los dibujos sobre la mesa y dirigió su mirada hacia la ventana.

Vincent sabía por experiencia que si él no hablaba primero ese silencio sería eterno.

—¿Usted no nota ningún adelanto en mis dibujos? ¿No cree que los del Brabante son mejores que los del Borinage?

—Son mejores —contestó Tersteeg mirándolo— pero no son buenos. Hay algo fundamentalmente malo en ellos, pero no puedo decir lo que es. Creo que deberías continuar copiando y dejar el trabajo del natural para más adelante. Debes conseguir más dominio de las bases del dibujo antes de trabajar del natural.

—Quisiera permanecer en La Haya para estudiar. ¿Le parece acertado?

Tersteeg no deseaba asumir responsabilidades hacia Vincent, pues su situación le parecía extraña.

—La Haya es un lugar agradable —dijo—. Tenemos buenas exposiciones y un núcleo de pintores jóvenes. Pero no puedo asegurarte que para estudiar sea mejor que Amberes, París o Bruselas.

Cuando Vincent partió no estaba del todo desalentado. Tersteeg había notado algún progreso en su trabajo, y su opinión era la más calificada de toda Holanda. Sabía que sus dibujos del natural no eran buenos, pero esperaba vencer todas las dificultades a fuerza de perseverancia en el trabajo.

ANTON MAUVE

La Haya es posiblemente la ciudad más limpia de toda Europa. Es sencilla, austera y hermosa. Las calles inmaculadas, están bordeadas de magníficos árboles; las casas construídas de ladrillos rojos, tienen en el frente bien cuidados jardincitos adornados con rosales y geranios.

Muchos años antes, La Haya había adoptado como emblema oficial a la cigüeña, y desde entonces por todos lados se veía allí prosperar a la simpática avecilla.

Vincent esperó al día siguiente para visitar a Mauve que vivía en Uileboomen 198. La suegra de Mauve era hermana de Ana Cornelia, y por lo tanto el pintor recibió afectuosamente al joven pariente suyo.

Mauve era un hombre fuerte de anchas espaldas y pecho robusto. Su cabeza, al igual que la de Tersteeg y la mayoría de la familia Van Gogh, era grande y de rasgos característicos. Tenía ojos luminosos, algo sentimentales, nariz gruesa y recta, frente ancha, y barba grisácea que ocultaba el óvalo perfecto de su rostro. Era un hombre de gran energía, la que sabía controlar perfectamente. Pintaba sin cesar; aún cuando estuviese cansado de hacerlo, seguía pintando, hasta que recobraba fuerzas para continuar pintando.

—Jet no está en casa, Vincent —le dijo al joven—. ¿Quieres que vayamos al estudio? Estaremos más cómodos allí.

Vincent aceptó vivamente. ¡Deseaba tanto ver aquel estudio!

Se dirigieron hacia una gran construcción de madera que se hallaba en medio del jardín, lo que permitía a Mauve estar completamente aislado para trabajar.

La espaciosa habitación olía deliciosamente a tabaco, pipas y barniz. La cubría una espesa alfombra de Deventer. Los muros estaban llenos de estudios, y veíanse varios caballetes con cuadros. En un rincón había una mesa antigua con un pequeño tapiz persa enfrente de ella. La pared que daba hacia el norte tenía una amplísima ventana por la cual entraban raudales de luz. A pesar de su aspecto bohemio dominaba en el ambiente el orden que emanaba del carácter de Mauve.

Inmediatamente ambos comenzaron a hablar del tema que más les interesaba en el mundo: la pintura, y Mauve enseñó al joven el trabajo en el cual estaba empeñado en ese momento: un paisaje iluminado pálidamente por la luz del crepúsculo.

Cuando llegó la esposa de Mauve, insistió en que Vincent se quedara a comer. Después de la comida, el joven sentóse ante la chimenea con los niños, y comenzó a pensar cuán agradable sería si tuviese un hogar propio, con una amante esposa que creyese en él, e hijos para quienes sería todo el universo. ¿Llegaría para él algún día ese momento feliz?

Los dos hombres no tardaron en regresar al estudio con sus pipas bien llenas. Vincent sacó sus copias del paquete y se las enseñó a Mauve. Este las examinó con su experto ojo de profesional.

—Como ejercicios no están mal. Pero carecen de importancia. Estuviste copiando como un escolar. La obra creadora ha sido hecha para otros.

—Creí que me serviría para "sentir" las cosas.

—Nada de eso. Hay que crear y no imitar. ¿No tienes algún dibujo propio?

Recordando las palabras de Tersteeg, el joven no sabía si mostárselos o no al artista. Había venido a La Haya para pedir a Mauve que fuese su maestro, y temía que si veía que su trabajo no era bueno...

—Sí —repuso por fin— he hecho estudios de caracteres.

—Bien, enséñamelos.

—Tengo algunos croquis de los mineros del Borinage y de los campesinos de Brabante. No están muy bien, pero...

Con el corazón palpitante el joven le mostró sus croquis. Mauve los estudió durante largo rato mientras se pasaba una mano por entre el cabello. De pronto, con un dibujo que representaba a un campesino, se acercó al caballete donde estaba su último cuadro, y después de compararlos exclamó:

—¡Ahora comprendo dónde está el error!

Y tomando un lápiz corrigió varios trazos, siempre consultando el bosquejo de Vincent.

—Ahora está mejor —dijo alejándose para contemplar su obra— Ahora parece como si ese hombre perteneciera a la tierra.

Se acercó a su primo y colocándole la mano sobre el hombro le dijo:

—Tu trabajo es bueno; rústico y torpe aún, pero bueno. Hay en él cierta vitalidad que no se encuentra a menudo. Déjate de copias, Vincent, compra una caja de pinturas y empieza a trabajar con ellas, cuanto antes lo hagas será mejor. Tu dibujo es deficiente aún, pero mejorará.

Considerando el momento propicio, Vincent se atrevió a decir:

—He venido a La Haya a continuar mi trabajo, primo Mauve. ¿Serías tan amable como para ayudarme de vez en cuando? Necesito la ayuda de un hombre como tú. Te pido que sólo me dejes ver tus estudios y hablar de ellos de tanto en tanto. Todo artista joven necesita un maestro, primo Mauve y te estaría muy agradecido si me dejaras trabajar a tu lado.

Mauve echó un vistazo a todas sus telas inconclusas. El poco tiempo que le dejaba su trabajo, le agradaba pasarlo en familia. La afectuosa simpatía con que había envuelto a Vincent pareció desvanecerse. Este excesivamente sensitivo, lo sintió al instante.

—Soy un hombre muy ocupado —dijo su primo— y me es difícil ayudar a los demás. Un artista debe ser egoísta; debe dedicar todo su tiempo a su propio trabajo. Dudo de que pueda enseñarte algo.

—No pido mucho —insistió Vincent—. Sólo que me dejes trabajar aquí y mirarte cuando pintas... Y de vez en cuando podrías indicarme algún error en mis dibujos. Eso es todo.

—Crees que pides poco —repuso Mauve— pero créeme, tomar un aprendiz es asunto serio.

—Te prometo no ser ninguna carga para ti —insistió el joven.

Mauve reflexionó largo rato. Siempre se había opuesto a tomar un aprendiz; le desagradaba tener gente a su lado mientras trabajaba. No le gustaba hablar de sus creaciones y siempre había tenido disgustos cuando había querido ayudar a principiantes. No obstante, Vincent era primo suyo; el Tío Vincent Van Gogh y las Galerías Goupil le compraban todas sus obras y además había algo tan vehemente en el pedido del muchacho, tanta pasión... La misma pasión que había notado en sus dibujos, que se dejó vencer.

—Bien —dijo por fin— probaremos.

—¡Oh primo Mauve!

—Pero ten por entendido que no te prometo nada concreto. Cuando te instales en La Haya, ven aquí y trataremos de ayudarnos mutuamente. Ahora voy a pasar una temporada en Drenthe, así que te espero a principios del invierno.

—Magnífico. Justamente pensaba venir para esa época. Necesito aún de unos meses de trabajo en el Brabante.

—Perfectamente. Entonces estamos de acuerdo.

Durante el viaje de regreso a casa de sus padres, el corazón de Vincent parecía cantarle en el pecho. Jubiloso se decía para sí:

—¡Tengo un maestro! ¡Tengo un maestro! Dentro de pocos meses estudiaré con un gran pintor y aprenderé a pintar. ¡Cuánto estudiaré durante estos meses, para demostrar que he hecho progresos!

Cuando llegó a Etten, encontró allí a su prima Kay Vos.

KAY VIENE A ETTEN

La profunda pena de Kay la había espiritualizado. Había amado entrañablemente a su esposo y su muerte parecía haber matado algo en ella. Ya no poseía aquella magnífica vitalidad, ni aquel entusiasmo y alegría de antaño. Toda su persona parecía haber perdido aquel brillo que antes poseía, y haberse transformado en profunda tristeza y melancolía.

—Cuán agradable es que hayas venido por fin, Kay —díjole Vincent.

—Gracias, primo, eres muy bueno.

—¿Has venido con el pequeño Jan?

—Sí, está en el jardín.

—Es la primera vez que vienes al Brabante ¿verdad? Me alegra estar aquí para hacértelo conocer. Haremos grandes paseos por el campo.

—Me agradará mucho, Vincent.

La joven hablaba amablemente pero sin entusiasmo. Vincent notó que su voz era más profunda y menos vibrante que antes. Recordó cuán simpática había sido para con él en Amsterdam. ¿Debía o no hablarle de la muerte de su esposo? Comprendía que era su deber decirle algo, pero sentía que era más delicado no recordarle de nuevo su dolor.

Kay supo apreciar su tacto. El recuerdo de su esposo era sagrado para ella, y no quería hablar de él con nadie. También recordó las agradables veladas de Amsterdam cuando jugaba a las cartas con sus padres y Vos mientras Vincent leía algo más lejos a la luz de la lámpara. Su pena silenciosa emocionó al joven, quien le tomó afectuosamente la mano, mientras ella, elevando sus ojos tristes lo miró con profunda gratitud. Su primo notó cuán exquisita la había tornado el sufrimiento. Antes sólo había sido una muchacha feliz, ahora era una mujer cuyo apasionado sufrimiento la hacía más profunda y emotiva. Recordó el viejo dicho que dice: "Del dolor nace la belleza".

—Te agradará el Brabante —dijo a la joven—. Hoy pasaré todo el día dibujando en el campo. ¿Por qué no vienen conmigo Jan y tú?

—Te molestaríamos.

—¡Oh, no! Me agrada que me acompañen. Te enseñaré muchas cosas interesantes durante nuestro paseo.

—Y será bueno para Jan, lo fortificará.

La joven le estrechó ligeramente las manos que aún conservaba entre las suyas.

—Seremos buenos amigos, ¿verdad, Vincent?

—Sí, Kay.

Vincent, salió al jardín, llevó allí un banco para Kay y se puso a jugar con el pequeño Jan, olvidando por completo las grandes noticias que traía de La Haya.

Después de la cena recién comunicó a su familia que Mauve lo había aceptado como alumno, y como Kay estaba presente repitió las palabras elogiosas de Tersteeg y Mauve, cosa que no se hubiera permitido en otra circunstancia.

—Debes aplicarte en obedecer todas las indicaciones del primo Mauve —díjole su madre—. Es un hombre de éxito.

A la mañana siguiente temprano, Kay, Vincent y el pequeño Jan partieron para Liesbosch, donde el joven quería dibujar. A pesar de que nunca se había molestado en llevar algo para comer a mediodía, su madre preparó un lindo almuerzo para los tres. En el camino vieron sobre una acacia, un nido de urraca y Vincent, prometió al niño buscarle huevos de pájaros. Atravesaron por el bosque de pinos y llegaron a campo abierto donde había un arado detenido cerca de un carro. Vincent armó su pequeño caballete, sentó a Jan sobre el carro e hizo un rápido croquis. Kay silenciosa miraba a su hijo que se divertía. Vincent no interrumpió su silencio, se sentía feliz de tenerla a su lado mientras trabajaba. Nunca hubiera creído que la presencia de una mujer podía serle tan agradable.

Luego, siguieron caminando hasta llegar a la ruta que llevaba a Roozendaal. Rompiendo por fin su silencio, Kay dijo:

—¿Sabes Vincent? Al verte trabajar ante tu caballete recordé lo que solía pensar de ti en Amsterdam.

—¿Y qué pensabas Kay?

—¿No te lastimará si te lo digo?

—De ningún modo.

—Pues pensaba que no estabas hecho para la carrera religiosa. Sabía que estabas perdiendo tu tiempo.

—¿Y por qué no me lo dijiste?

—No tenía derecho de hacerlo.

Una piedra del camino la hizo tropezar, y Vincent la tomó del brazo para sostenerla, olvidando luego soltárselo.

—Sabía que llegarías a darte cuenta por ti mismo. Nadie hubiera podido convencerte...

—Recuerdo que una vez me preveniste de que iba a convertirme en un clérigo de mentalidad estrecha. Eran palabras extrañas en labios de la hija de un ministro de Dios.

Los ojos de la joven parecieron entristecerse.

—Es verdad —dijo— pero Vos me enseñó muchas cosas que antes no comprendía.

Vincent le dejó el brazo. La mención de Vos pareció elevar una barrera intangible entre ellos.

Después de caminar una hora, llegaron a Liesbosch y de nuevo Vincent armó su caballete cerca de una lagunita. Mientras Jan jugaba en la arena, Kay se instaló algo más lejos sobre un banquito que había traído; tenía entre las manos un libro abierto, pero no leía. Vincent dibujaba con ardor. No sabía si su entusiasmo provenía de las palabras alentadoras de Mauve o de la presencia de Kay, pero sentía nueva seguridad en el lápiz. Hizo varios croquis sucesivos. Deseaba vivamente que su trabajo fuese bueno aquel día, a fin de que Kay pudiera admirarlo.

Cuando llegó la hora del almuerzo, fueron hacia un roble cercano instalándose bajo su sombra, y Kay comenzó a sacar las provisiones del canasto. El ambiente estaba agradable y perfumado. Kay se sentó de un lado del canasto con Jan, mientras Vincent lo hacía del otro. El recuerdo de la familia de Mauve le vino a la memoria, y emocionado, le resultaba difícil tragar bocado.

Cuanto más observaba a Kay la encontraba más bonita. No podía alejar su mirada de ella, de su delicada tez, ojos profundos y labios perfectos. Era como si en él se despertara un apetito insaciable que no podía aplacarse con alimento.

Después del almuerzo Jan se quedó dormido sobre la falda de su madre. El joven la contemplaba mientras acariciaba la cabecita rubia de su hijo, y miraba tristemente el rostro inocente. Sabía que Kay estaba en pensamiento en su casa de Keizersgracht con el hombre que amaba, y no en la campiña del Brabante con su primo Vincent.

El joven dibujó toda la tarde. Jan había simpatizado mucho con él, y a cada rato venía a sentarse sobre sus rodillas para mirarlo trabajar, luego brincaba y corría alegremente de un lado para otro y volvía hacia Vincent para enseñarle alguna flor o alguna piedra que había encontrado, acosándolo de preguntas. Vincent sonreía feliz; le agradaba el cariño sencillo de ese pequeño ser.

Como el otoño estaba acercándose, los días eran más cortos, y tuvieron que pensar en el regreso. Durante el camino se detenían a menudo para contemplar la puesta de sol reflejada sobre el agua de las lagunas. Vincent le enseñó a su prima los dibujos que acababa de hacer, ésta los miró levemente encontrándolos toscos e imperfectos, pero el joven había sido bueno con Jan, y conociendo demasiado bien el dolor, no quiso provocarlo.

—Me agradan, Vincent —dijo sencillamente.

Sus palabras lo llenaron de alegría. Siempre había sido comprensiva y buena para él. Ella comprendía sus esfuerzos, era la única en el mundo que los comprendía. Con su familia no podía hablar de sus proyectos; con Tersteeg y Mauve se había visto obligado a asumir la humildad del principiante, a pesar de que no la sintiera siempre. Con Kay podía abrir su corazón. Habló largo rato, con creciente entusiasmo y palabras incoherentes. Caminaba cada vez más de prisa a tal punto que la joven tenía dificultad en seguirlo. Siempre que Vincent sentía algo profundamente se volvía violento y brusco, contrastando con su calma habitual. Ese cambio de modales y ese torrente de palabras sorprendió y asustó a Kay, que lo consideró de mala educación y fuera de lugar. No comprendió que le brindaba el cumplido más grande que un hombre puede brindar a una mujer.

Le habló de todos aquellos sentimientos que habían quedado ocultos en el fondo de su ser desde que Theo había partido para París. Le contó sus deseos y ambiciones, explicándole el espíritu que deseaba imprimir a su trabajo. Kay se preguntaba cuál sería el motivo de su agitación; no lo interrumpía pero tampoco lo escuchaba. Vivía en el pasado, siempre en el pasado, y le parecía de mal gusto que alguien pudiese vivir con tanta intensidad y alegría en el futuro. El joven estaba demasiado entusiasmado para percatarse de la indiferencia de su prima. Continuó hablando y gesticulando hasta que un nombre que pronunció, llamó la atención de Kay.

—¿Neuhuys? —preguntó—. ¿El pintor que vivía en Amsterdam?

—Sí, ese mismo, pero ahora habita en La Haya.

—Sí. Era amigo de Vos, y vino varias veces a casa.

Vincent se detuvo de pronto.

¡Vos! ¡Vos! Siempre Vos! ¿Por qué? Hacía más de un año que estaba muerto. Era tiempo que lo olvidara. Ese hombre pertenecía al pasado, como Ursula. ¿Por qué hablaba siempre de Vos? Aún en Amsterdam, Vincent nunca había simpatizado con el marido de Kay.

El otoño se acercaba a grandes pasos, y en el bosque, la alfombra de agujas de pino se hacía cada vez más espesa. Diariamente Kay y Jan acompañaban a Vincent mientras trabajaba en el campo. Aquellos paseos mejoraban a la joven que regresaba de ellos con las mejillas sonrosadas. Llevaba su canasta de costura, y bordaba mientras él dibujaba. Poco a poco salió de su retraimiento, hablando más libremente, de su niñez, de sus lecturas y de las personas interesantes que había conocido en Amsterdam.

La familia Van Gogh los observaba con aprobación. La compañía de Vincent parecía devolver paulatinamente a Kay el interés en la vida, y por otra parte, su presencia convertía a Vincent en un ser mucho más amable. Ana Cornelia y Theodorus agradecían al cielo esas relaciones que trataban de fomentar en lo posible.

Vincent amaba todo en Kay; su grácil figura enfundada en el austero traje negro; el perfume natural de su cuerpo que lo embriagaba cuando se acercaba a él; el gracioso mohín de sus labios; la mirada honrada y profunda de sus ojos azules; el sonido grave y armónico de su voz que lo perseguía cantándole en los oídos hasta después de dormido; la frescura de su cutis en el cual ardía de deseos de hundir sus labios hambrientos.

Sabía ahora que desde hacía muchos años había vivido parcialmente, sin afecto, sin amor. Unicamente se sentía feliz cuando Kay se hallaba a su lado; su presencia lo convertía en otro hombre. Cuando lo acompañaba al campo, trabajaba más y mejor, y cuando ella no estaba, se sentía incapaz de trazar una línea. Durante las veladas, se instalaba frente a ella ante la mesa familiar, y a pesar de que se entretenía en copiar su trabajo del día, el rostro delicado de la joven estaba siempre entre su mirada y el papel. Si elevaba los ojos, ella le sonreía suavemente y con melancolía, y el joven tenía que hacer un verdadero esfuerzo para no levantarse y estrecharla en sus brazos, delante de todos, hundiendo sus labios ardientes en la frescura de su boca deliciosa.

No solamente amaba su belleza sino todo en ella; su tranquilo modo de caminar, su actitud digna y serena y la distinción de sus más leves gestos.

Vincent nunca había sospechado siquiera la soledad en que había estado durante los siete largos años en que había perdido a Ursula. En toda su vida no había escuchado una palabra afectuosa de mujer ni recibido una mirada de cariño. Ninguna mujer lo había amado. Eso no era vida, sino muerte. En su adolescencia, cuando había amado a Ursula, sólo había deseado dar. Pero ahora, en este amor maduro, no solamente quería dar, sino también recibir. La vida le sería inaguantable si su cariño irrefrenable no encontraba eco en Kay.

Una noche que leía un libro de Michelet, le llamó la atención la siguiente frase: *"Il faut qu'une femme soufle sur toi pour que tu sois homme"*. (1).

Michelet tenía razón. Hasta ese momento no había sido hombre. A pesar de sus veintiocho años, aún no había nacido. La fragancia de la belleza de Kay y su amor habían soplado sobre él convirtiéndolo por fin en hombre.

Y como hombre, deseaba a Kay. La deseaba con pasión y desesperadamente. Quería a Jan también, pues el niño era parte de la mujer que amaba. Pero odiaba a Vos, lo odiaba con todas sus fuerzas, pues nada de lo que hiciera lograba alejar a ese hombre muerto del pensamiento de Kay. No lamentaba que la joven hubiese estado casada antes, como tampoco lamentaba los sufrimientos que su amor por Ursula le había producido. El y Kay conocían el dolor y por lo tanto su amor sería más puro.

Su cariño era tan intenso y tan ardiente que esperaba, con el presente, hacer olvidar a Kay el pasado. Pronto iría a La Haya a estudiar bajo la dirección de Mauve. Llevaría a Kay allí, e instalarían su hogar. Quería que Kay fuese su esposa, para tenerla siempre a su lado; quería un hogar e hijos, en cuyas facciones vería reproducidas las suyas propias. Ahora era hombre, y había llegado el momento de terminar con los vagabundeos. Necesitaba del amor en su vida, para suavizar y perfeccionar su trabajo. Nunca había sospechado de cómo el amor podía despertar a un ser, pues si lo hubiera sabido, hubiera amado apasionadamente la primera mujer que le hubiera salido al paso. El amor era la sal de la vida, y era necesario para gustar del sabor del mundo.

Estaba contento ahora de que Ursula no lo hubiera amado. ¡Cuán superficial había sido aquel amor, y cuán profundo era el que sentía ahora! Si se hubiera casado con Ursula nunca habría conocido el significado del verdadero amor. ¡Nunca hubiera podido querer a Kay! Por primera vez pensó que Ursula había sido una criatura superficial y hueca. Una hora con Kay valía una vida con Ursula. Su camino había sido arduo, pero lo había lle-

---

(1) Es necesario que una mujer sople sobre ti para que seas hombre.

vado hacia Kay y estaba justificado. En el futuro la vida sería buena; trabajaría, amaría y vendería sus dibujos. Serían felices juntos para siempre. A pesar de su naturaleza impulsiva y su estado mental apasionado, logró controlarse. Cuando se encontraba en el campo solo con Kay, mil veces hubiera deseado exclamar: "¡Dejémonos de fingimientos: te quiero estrechar en mis brazos, y besar tus labios mil y una vez! Quiero que seas mi mujer y que permanezcas siempre a mi lado. Nos pertenecemos el uno al otro, y en nuestra soledad nos necesitamos mutuamente!"

Por milagro incomprensible, conseguía retenerse. No era posible que le hablase de pronto de amor pues hubiera sido demasiado brusco. Kay nunca le daba la menor oportunidad, evitando siempre los temas del amor y del matrimonio. ¿Cuándo hablaría? Debía hacerlo pronto, pues se acercaba el invierno y debía partir en breve para La Haya.

Finalmente, un día no pudo resistir más. Habían tomado el camino que conducía a Breda. Vincent había pasado toda la mañana dibujando. Almorzaron cerca de un arroyuelo a la sombra de unos álamos. Jan dormía sobre el pasto y Kay sentada cerca de la canasta, miraba los dibujos que Vincent, arrodillado a su lado, le enseñaba. El joven hablaba rápidamente, sin saber lo que decía, pues la proximidad de su amada lo trastornaba. De pronto dejó caer los dibujos y tomando a Kay la estrechó contra su pecho mientras exclamaba apasionadamente:

—Kay, no puedo resistir más. Quiero que sepas que te amo... que te amo más que a mí mismo. Siempre te amé, desde el primer momento en que te vi, allí en Amsterdam. Necesito tenerte a mi lado para siempre. Dime que me amas un poquito. Iremos a La Haya y viviremos allí solos; tendremos nuestro hogar y seremos felices. ¿Me amas Kay? ¿Te casarás conmigo querida?

La joven no había hecho el menor movimiento para recuperar su libertad. El horror la había paralizado. No oyó las palabras que le decía, pero comprendió su significado, y un indecible terror se apoderó de ella. Mirándolo fijamente con sus profundos ojos azules exclamó horrorizada:

—¡No, no, nunca!

Se arrancó violentamente de sus brazos, alzó a la criatura dormida y echó a correr a través del campo.

Vincent la persiguió, imposibilitado de comprender lo que había sucedido.

—¡Kay! ¡Kay! —exclamó—. No huyas.

Pero sus palabras parecieron prestar aún más velocidad a sus piernas. El joven siguió tras de ella gesticulando con sus brazos. De pronto, su prima tropezó cayendo sobre el pasto y Jan se puso a lloriquear. Vincent la alcanzó y arrodillándose a su lado le tomó la mano.

—Kay ¿por qué huyes de mí si te amo? ¿No comprendes que necesito tenerte. Tú también me amas, Kay. No te asustes, querida, solo te digo que te quiero. Olvidaremos el pasado y comenzaremos una vida nueva.

La mirada de horror de los ojos de Kay se convirtió en odio. Retiró su mano y estrechó a su hijo contra ella. El niño estaba ahora completamente despierto y la expresión apasionada de Vincent y el torrente de palabras que salían de sus labios, lo asustó, y rodeando el cuello de su madre con sus bracitos empezó a llorar desconsoladamente.

—Kay querida ¿no puedes amarme siquiera un poquito?

—¡No, no, nunca!

Nuevamente comenzó a correr por el campo hacia el camino. Vincent permaneció allí completamente anonadado, luego la llamó varias veces inútilmente, y después de largo rato levantó sus dibujos, tomó la canasta y el caballete y tristemente emprendió el regreso a su casa.

Cuando llegó a la rectoría notó en seguida la tensión del ambiente. Kay se había encerrado en su cuarto con Jan. Su madre y su padre estaban sentados en la salita y en cuanto lo oyeron llegar cesaron de hablar. El joven notó que su padre contenía a duras penas la ira que lo embargaba.

—¡Vincent! ¿Cómo pudiste...? —gimió la madre.

—¿Cómo pude qué? —preguntó el joven no comprendiendo precisamente lo que le querían decir.

—¡Insultar a tu prima de ese modo!

El joven no supo qué contestar. Dejó su caballete en un rincón, y volviéndose hacia su padre que aún estaba demasiado enojado para hablar, preguntó:

—¿Les dijo Kay lo que sucedió exactamente?

El clérigo aflojó un poco su cuello duro que se le incrustaba en la carne y contestó iracundo:

—¡Nos dijo que la tomaste en tus brazos como si estuvieses completamente loco!

—Le dije que la amaba —repuso Vincent con calma—. No creo que eso sea un insulto.

—¿Eso es todo lo que le dijiste? —preguntó su padre.

—No. Le pedí que fuese mi esposa.

—¡Tu esposa!

—Sí. ¿Qué hay de tan extraordinario en eso?

—Oh, Vincent, Vincent —se lamentó su madre—. ¿Cómo pudiste pensar en semejante cosa?

—Creí que tú también pensarías...

—Nunca se me pasó por la idea que te podrías enamorar de ella.

—Vincent —terció su padre—. ¿Te das cuenta de que Kay es tu prima hermana?

—Sí. ¿Y qué hay con ello?

—¡No puedes casarte con tu prima hermana!... Eso sería... sería...

El clérigo no lograba pronunciar la terrible palabra.

—¿Qué sería?

—¡Incesto!

El joven hizo un esfuerzo para contenerse. ¿Cómo podían hablar de su amor en esa forma?

—Esas son tonterías, padre —dijo—. Me extraña de parte tuya.

—¡Te repito que sería incesto! —gritó Theodorus—. ¡Jamás permitiré esas pecaminosas relaciones en mi familia!

—El matrimonio entre primos siempre ha sido permitido.

—Oh Vincent querido —intervino su madre—. Si la amabas ¿por qué no esperaste? Hace apenas un año que perdió a su marido, y lo ama aún entrañablemente. Y además, tú no tienes dinero para mantener una mujer.

—Lo que has hecho es absurdo y grosero —dijo su padre.

El joven sacó su pipa del bolsillo, se la colocó entre los labios y luego volvió a meterla en el bolsillo.

—Padre, te ruego que no emplees esas palabras —dijo—. Mi amor por Kay es lo más bello que jamás me haya sucedido. No quiero que lo califiques de absurdo y grosero.

Tomó su caballete y sus dibujos y subió a su cuarto, donde se sentó tristemente al borde de su cama. ¿Qué había sucedido?

¿Qué había hecho? Había confesado a Kay su amor y ella había huído despavorida. ¿Por qué? ¿No lo quería?

—¡No, no, nunca!

Durante toda la noche se atormentó rememorando la escena, y aquella breve frase le martilleaba el cerebro.

A la mañana siguiente, cuando se decidió a bajar, ya era tarde. La tensión del día anterior se había disipado. Su madre estaba en la cocina y lo besó cariñosamente, acariciándole la mejilla.

—¿Has dormido, querido? —preguntó.

—¿Dónde está Kay?

—Tu padre la acompañó a Breda.

—¿Para qué?

—Para tomar el tren. Regresa a Amsterdam.

—Comprendo...

—Pensó que sería mejor así, Vincent.

—¿No dejó dicho nada para mí?

—No, querido. ¿Quieres sentarte para desayunar?

—¿Ni una palabra? ¿Estaba enojada conmigo?

—No; sólo pensó que convenía que regresase junto a sus padres.

Ana Cornelia no creyó oportuno repetir las palabras de Kay.

—¿A qué hora sale el tren de Breda?

—A las diez y veinte.

Vincent echó un vistazo al reloj azul de la cocina.

—Sale en este momento... No puedo hacer nada.

—Siéntate querido —insistió Ana Cornelia— tengo preparado un lindo pedazo de lengua.

—La buena señora pensaba que si su hijo conseguía llenarse el estómago todo marcharía bien de nuevo.

Para agradar a su madre, Vincent engulló todo lo que le servía, pero el sabor del "no, no, nunca" de Kay hacía que cada bocado le pareciera terriblemente amargo.

¡NO, NO. NUNCA!

Vincent amaba su trabajo mucho más de lo que amaba a Kay y si hubiera tenido que elegir entre uno y otro, no hubiese habido la menor duda en su mente. No obstante, de pronto el dibujo pareció perder todo interés para él. Ya no podía trabajar. Sabía que su amor le había ayudado a progresar, y comprendía que necesitaba de él para seguir mejorándolo. Su amor era tan intenso que no aceptaba la resolución de la joven como definitiva. Quería curarla de vivir en el pasado y de los escrúpulos que parecía sentir a la sola idea de un nuevo amor en su vida.

Pasaba largas horas en su cuarto escribiéndole cartas apasionadas e implorantes. Y varias semanas después supo que la joven ni siquiera las leía. También escribía a Theo casi diariamente, confiando en él y fortaleciéndose contra la duda de su corazón y los ataques concentrados de sus padres y del Reverendo Stricker. Sufría amargamente, y no le era posible ocultarlo. Su madre trataba de consolarlo en la medida de sus fuerzas.

—Vincent, querido —decíale— te estrellas contra un dique de piedra. El Tío Stricker dice que la resolución de Kay es definitiva.

—No puedo creer en sus palabras.

—Pero fué ella quien se lo dijo.

—¿Que no me ama?

—Sí, y que jamás cambiará de parecer.

—Eso lo veremos.

—Es inútil, Vincent. Tío Stricker dice que aún si Kay te amara, no consentiría en su matrimonio al menos que tú ganaras mil francos anuales. Y bien sabes cuán lejos estás de eso.

—Madre: quien ama vive, y quien vive trabaja, y quien trabaja tiene pan.

—Es muy bonito todo eso, pero Kay está acostumbrada al lujo.

—Por el momento su lujo no la hace feliz.

—Si ustedes se casaran tendrían que soportar muchas penurias —insistió la madre—. La pobreza, el hambre, el frío y la enfermedad, pues la familia no les ayudaría con un solo céntimo.

—Ya he soportado antes todas esas penurias, mamá, y no me asustan. Siempre sería mejor para nosotros estar juntos que separados.

—Pero hijo mío, ¡Kay no te quiere!

—Ah, ¡si pudiera llegar hasta Amsterdam! ¡Le haría cambiar de parecer!

Le parecía terrible eso de no poder ir a ver a la mujer que amaba por carecer de dinero para el viaje. Su impotencia lo exas-

peraba. Tenía veintiocho años y durante doce había estado trabajando penosamente, sin permitirse ninguna comodidad, y no
obstante no contaba con la ínfima suma que costaba el pasaje de
ferrocarril hasta Amsterdam.

Pensó en hacer a pie los cien kilómetros que lo separaban de
la ciudad, pero sabía que llegaría agotado, sucio y hambriento, y
no podía presentarse en lo del Reverendo Stricker como se había
presentado en lo del Reverendo Pietersen! A pesar de haber
escrito esa mañana una larga carta a Theo, volvió a escribirle
la siguiente:

"Querido Theo: Necesito desesperadamente el dinero para el
"pasaje a Amsterdam. Te envío algunos dibujos. Dime por qué
"no se venden y qué debo hacer para que sean vendibles. Nece-
"sito ganar ese dinero para el pasaje a fin de vencer el "No,
"no, nunca" que tanto me atormenta."

A medida que transcurrían los días, recobraba la energía. Su
amor lo tornaba resuelto; ya no dudaba. Estaba seguro de que
si veía a Kay conseguiría que el "No, no, nunca" se convirtiera
en "Sí, sí, para siempre". Reanudó su trabajo con nuevo entusiasmo. Sabía que su dibujo era aún muy rústico pero confiaba
en su triunfo futuro.

A pesar de la prohibición de su padre, escribió al Reverendo
Stricker una larga carta explicándole bien el caso. Una verdadera
batalla se estaba preparando en la rectoría. Theodorus no comprendía las vicisitudes del temperamento humano; para él la
vida era obediencia estricta y conducta irreprochable. Si su hijo
no se podía adaptar a ese molde quería decir que era su hijo
quien estaba equivocado y no el molde.

—Es la culpa de esos libros franceses que lees —díjole una
noche Theodorus durante la velada alrededor de la mesa—. Quien
frecuenta ladrones y asesinos no puede ser buen hijo o caballero.

Vincent elevó la vista del Michelet que estaba leyendo y dijo
asombrado:

—¿Ladrones y asesinos? ¿Llamas ladrones a Víctor Hugo y
Michelet?

—No; pero de ellos tratan en sus libros. Son obras perniciosas.

—¡Qué disparate, padre! Michelet es tan puro como la Biblia.

—¡Te prohibo blasfemar! —exclamó furioso su padre—. Esos
libros son inmorales, y son esas ideas francesas que te han echado
a perder.

Vincent se puso de pie y acercándose a su padre le colocó delante el volumen de *L'amour et la femme*.

—Lee unas páginas y te convencerás —dijo—. Michelet trata de ayudarnos a resolver nuestros problemas y nuestras miserias.

Theodorus arrojó al suelo el volumen como si se hubiera tratado del peor de los pecados.

—¡No necesito leer eso! —exclamó iracundo—. Un tío abuelo de los Van Gogh se dió a la bebida por culpa de esos libros franceses!

—Te pido disculpas, Padre Michelet —murmuró Vincent inclinándose a recoger el libro.

—¿Padre Michelet? —repitió fríamente Theodorus—. ¿Te propones insultarme?

—Nunca pensé tal cosa —contestó el joven—. Pero debo confesarte que si necesitase consejo se lo pediría más bien a Michelet que a ti...

—Oh Vincent —imploró la madre—. ¿Por qué dices semejantes cosas? ¿Por qué te empeñas en romper los lazos familiares?

—¡Sí, es lo que haces! —exclamó Theodorus—. ¡Rompes los lazos familiares. Tu conducta es imperdonable. Y harías bien en abandonar esta casa e irte a vivir a otro lado!

Vincent subió a su cuarto y se sentó al borde de la cama, pensando maquinalmente por qué sería que cada vez que recibía un golpe doloroso prefería sentarse al borde de la cama que sobre una silla. Miró sus dibujos que pendían de las paredes. Sí había hecho progresos, pero su obra no estaba terminada aún. Mauve se hallaba todavía en Drenthe y no regresaría antes de un mes. No deseaba abandonar Etten; sentíase a gusto allí, además en cualquier otro lado tendría que gastar para vivir. Necesitaba algún tiempo para captar el verdadero tipo del Brabante antes de irse para siempre. Su padre le había sugerido irse, y hasta lo había maldecido. ¿Sería realmente tan malo como para merecer que lo rechazaran del hogar paterno?

A la mañana siguiente recibió dos cartas. Una era del Reverendo Stricker en contestación a la suya; venía acompañada de una esquela de la madre de Kay. Ambos le decían que Kay amaba a otro, y que ese otro era rico y que deseaban que Vincent dejara de molestar a su hija.

—No existe en el mundo gente más dura de corazón que los clérigos —murmuró el joven estrujando la carta de Amsterdam con

el mismo placer salvaje que hubiera sentido de ser el Reverendo
el que estuviese entre sus dedos.

La segunda carta era de Theo.

"Los dibujos están bien expresados" —decía su hermano—,
"haré lo posible por venderlos. Mientras tanto te envío veinte francos para tu viaje a Amsterdam. Buena suerte, viejo".

PARA ALGUNOS, CIERTAS CIUDADES SON SIEMPRE NEFASTAS

Cuando Vincent abandonó la estación Central, comenzaba
a caer la noche. Cruzó rápidamente el Damrak hasta el Dam,
pasó frente al Palacio Real y al correo y se encaminó a la Keizergracht. Era la hora en que los empleados regresaban a sus hogares.
Cruzó el Surgel y se detuvo un momento sobre el puente de
Heerengracht para observar a unos hombres que comían su pan
y sus arenques sobre su barcaza. Luego dobló por la Keizergracht
encontrándose al poco rato ante la residencia del Reverendo Stricker. Recordó la primera vez que había estado allí, y se dijo mentalmente que para algunos, ciertas ciudades son siempre nefastas.

Ahora que acababa de llegar a la meta de su viaje, sintió que
se apoderaba de él el temor y la vacilación. Miró hacia arriba y
advirtió un hierro horizontal que sobresalía de la ventana del desván. ¡Qué magnífica oportunidad se presentaba para un hombre
que deseara colgarse!

Cruzó la calzada y se acercó a la puerta. Sabía que durante
la hora subsiguiente se decidiría el curso de su vida. ¡Si al menos
pudiese ver a Kay, hablarle, hacerle comprender! Pero quien poseía la llave de la puerta de calle era el padre y no la joven. ¿Si
el Reverendo se rehusaba a admitirlo?

Permaneció un rato aún mirando a su alrededor sin ver nada,
y por fin se decidió a subir los cinco escalones de piedra y llamar
a la campanilla.

Después de un momento apareció la doncella. Miró a Vincent
que se hallaba en la penumbra y reconociéndolo quiso volver a
cerrar la puerta.

—¿Está el Reverendo Stricker en casa? —preguntó el joven.

—No. Ha salido —repuso la muchacha cumpliendo las órdenes recibidas.

Pero Vincent que había oído voces en el interior, la empujó bruscamente hacia un lado.

La doncella trató de cerrarle el paso diciendo:

—La familia está cenando... Usted no puede entrar.

Sin hacerle caso el joven se dirigió hacia el comedor. Al entrar en la habitación notó que por la puerta del fondo desaparecía el vestido negro de Kay que le era tan familiar. Rodeaban la mesa el Reverendo Stricker, la Tía Wilhelmina y sus dos hijos más jóvenes. En el quinto lugar hallábase un plato servido y una servilleta desdoblada.

—No pude detenerlo, señor —dijo la doncella excusándose.

Dos candelabros de plata colocados sobre la mesa iluminaban la habitación con sus altas bujías de cera blanca. De uno de los muros pendía un cuadro representando a Calvino, y en el aparador brillaba la platería a la luz vacilante de las bujías.

—Cada día tienes modales peores, Vincent, —dijo su Tío con severidad.

—Quiero hablar con Kay —repuso éste.

—No está aquí. Ha ido a visitar a unos amigos.

—Estaba sentada en ese lugar cuando yo llegué.

Stricker se volvió hacia su mujer.

—Lleva a los niños de aquí —ordenó.

—Y bien, Vincent —dijo una vez que estuvieron solos—. Nos estás causando una serie de trastornos. No sólo yo, sino toda tu familia ha perdido la paciencia. Eres un vagabundo, un haragán y un desagradecido. ¿Cómo te atreves a amar a mi hija? ¡Me insultas!

—Déjeme ver a Kay, tío Stricker. Necesito hablarle.

—Ella no quiere hablarte. ¡No quiere verte nunca más!

—¿Kay dijo eso?

—Sí.

—¡No lo creo!

Stricker se quedó atónito. Era la primera vez que lo acusaban de mentir desde que había sido ordenado.

—¿Cómo te atreves a decir que no digo la verdad? —exclamó por fin.

—Nunca creeré eso hasta que no lo oiga de sus propios labios. Y aún así, tampoco lo creeré.

—¡Y pensar que he gastado tanto tiempo y dinero en ti, aquí en Amsterdam! —se lamentó el Reverendo.

Vincent se dejó caer pesadamente en la silla que Kay acababa de abandonar y colocó ambos brazos sobre la mesa.

—Tío, escúcheme un momento. Déjeme ver que aún los clérigos pueden tener un corazón humano bajo su triple armadura de acero. Amo a su hija, la amo desesperadamente. Cada hora del día y de la noche pienso en ella y ansío tenerla a mi lado. A usted que trabaja para Dios, le pido por Dios que tenga piedad de mí. No sea tan cruel. Es cierto que aún no he tenido éxito, pero deme un poco de tiempo y triunfaré. Permítame demostrar a Kay mi amor. Ayúdeme a hacerle comprender cuánto la amo. Seguramente usted ha debido estar enamorado algún día, Tío, y conoce el padecimiento terrible que se sufre. ¡Ya he sufrido tanto!..., permítame ahora un poco de felicidad. Sólo le pido que me autorice a ganar su amor. ¡No puedo soportar este sufrimiento un día más!

El Reverendo Stricker lo miró en silencio y luego dijo:

—¿Eres tan débil y cobarde que no puedes soportar un dolor? ¿Necesitas quejarte continuamente?

Vincent se puso de pie violentamente. Toda su humildad lo abandonó, y si la mesa no lo hubiera separado del clérigo, le hubiera golpeado con los puños. Largo tiempo permanecieron ambos hombres mirándose sin pestañear, hasta que Vincent acercó su mano a una de las bujías que ardía en los candelabros y dijo:

—Permítame hablarle sólo el tiempo que puedo soportar esta llama en mi mano.

Y así diciendo colocó el dorso de la mano sobre la llama. Instantáneamente la vela ennegreció la carne, y pocos segundos después se tornó roja. Vincent ni siquiera pestañeó, y siguió mirando fijamente a su Tío. Pasaron cinco segundos. Diez, y la piel comenzó a ampollarse. El Reverendo estaba atónito de horror. Parecía paralizado. Varias veces intentó hablar pero no pudo, los ojos de Vincent parecían fascinarlo. Pasaron quince segundos, la ampolla se abrió formando una llaga roja, sin que el brazo del joven temblara en lo más mínimo. Por fin el Reverendo Stricker logró reaccionar.

—¡Loco! —exclamó—. ¡Insensato!

Y arrebatando el candelabro apagó las velas con su puño, y sopló violentamente sobre las otras.

La habitación quedó en tinieblas. De cada lado de la mesa dos hombres, a pesar de no verse, se adivinaban demasiado bien. —¡Estás loco! —gritó el Reverendo—. ¡Y Kay te desprecia con todo su corazón! ¡Vete de esta casa y no te atrevas a volver nunca más!

Lentamente, en medio de la oscuridad, Vincent se dirigió hacia la calle. Siguió caminando tristemente por las calles oscuras hasta que se encontró en los suburbios de la ciudad. Se detuvo bajo un farol y vió que su mano izquierda (un secreto instinto le había hecho resguardar la mano con la cual dibujaba) tenía un profundo agujero negro. Ya no le quedaba ninguna esperanza. Kay no le pertenecería jamás. Su "no, no, nunca" había partido del fondo de su alma. Aquel grito parecía martillarle el cerebro con atormentadora persistencia. "No, no, nunca la volverás a ver". "No, no, nunca oirás su voz ni admirarás la suave sonrisa de sus labios y de sus profundos ojos azules, ni sentirás el cálido contacto de su piel sobre tu mejilla". "Nunca conocerás el amor, ni siquiera por el corto espacio de tiempo en que puedas soportar en tu carne la quemadura del fuego".

Un doloroso gruñido le subió del fondo de su ser a la garganta. Elevó su mano herida y la llevó a sus labios a fin de ahogar aquel grito de desesperación, deseoso de que nadie, ni en Amsterdam ni en el mundo entero, fuese testigo de que había sido juzgado y vencido.

Sintió sobre los labios la amargura indecible del deseo insatisfecho.

LA HAYA

EL PRIMER ESTUDIO

MAUVE se hallaba aún en Drenthe. Vincent buscó en los alrededores de Uileboomen y encontró detrás de la estación de Ryn un cuartito por catorce francos mensuales. El estudio —que hasta entonces había sido una sencilla pieza— era bastante grande, con una especie de alcoba para cocina y una gran ventana que daba al sud. Estaba empapelado con un papel de color neutro y por la ventana veíase el depósito de maderas que pertenecía al dueño de la finca, y una pradera verde que terminaba en una duna. La casa se hallaba situada en la calle Schenkweg, que era la que separaba La Haya del campo, por el sudeste. Se hallaba totalmente ennegrecida por el hollín de las locomotoras que llegaban y salían de la Estación Ryn, poco distante de allí.

Vincent compró una fuerte mesa de cocina, dos sillas sencillas, una manta para cubrirse mientras dormía en el suelo. Estos gastos fundieron su pequeño capital, pero pronto llegaría el primero de mes, y con él los cien francos que Theo había prometido enviarle mensualmente. Los fríos días de enero no le permitían trabajar afuera, y como no tenía dinero para pagarse modelos, no le quedaba otra cosa que hacer que esperar el regreso de Mauve.

En cuanto llegó el artista, Vincent fué a visitarlo. Mauve, muy excitado, estaba preparando una gran tela. Se disponía a comenzar la obra más importante del año: un cuadro para el Salón, y había elegido como tema un barco de pescadores que algunos caballos sacaban del agua sobre la playa de Scheveningen. Tanto Mauve como su mujer habían pensado que era muy problemático que Vincent viniera a La Haya. Sabían que casi todo el mundo, tarde o temprano, tiene el deseo de convertirse en artista.

—¿Así que viniste a La Haya, Vincent? —díjole su primo—.
Muy bien, trataremos de convertirte en pintor. ¿Has encontrado
dónde vivir?

—Sí, alquilé un cuarto en la calle Schenkweg 138, exactamente detrás de la estación Ryn.

—Es cerca de aquí. ¿Cómo andas de fondos?

—No poseo mucho dinero, pero compré una mesa y dos sillas.

—Y una cama —añadió Jet.

—No. Duermo en el suelo.

Mauve dijo algo en voz baja a su esposa y ésta salió de la
habitación regresando al poco rato con una cartera en la mano
que entregó a su marido. Mauve sacó de ella un papel de cien
florines.

—Quiero que aceptes esto como préstamo, Vincent —dijo—.
Cómprate una cama; necesitas descansar bien. ¿Está pago tu alquiler?

—Todavía no.

—Entonces págalo en seguida. ¿Está bien iluminada tu habitación?

—Sí, aunque la ventana mira al sud.

—Hum... eso es malo. Es necesario corregirlo. El sol cambiará la luz de tus modelos cada diez minutos. Cómprate algunas colgaduras.

—No me gusta aceptar un préstamo tuyo, primo Mauve. Demasiado haces en consentir enseñarme.

—No te preocupes, Vincent. Todo hombre debe instalar su
casa una vez en la vida, y resulta más barato tener sus propias
cosas.

—Tienes razón. Espero poder vender pronto algunos dibujos y devolverte el dinero.

—Tersteeg te ayudará. A mí me ayudó cuando era joven y
estaba estudiando. Pero debes comenzar en seguida a trabajar
con acuarela y al óleo. Los dibujos al lápiz no tienen salida.

Mauve, a pesar de su tamaño, era nervioso y ágil y lleno de
actividad.

—Ven, Vincent —dijo—, aquí tienes una caja de acuarela,
unos pinceles y una paleta. Déjame enseñarte cómo sostener esa
paleta delante de tu caballete.

Dió algunas indicaciones al joven, quien las comprendió en
seguida.

—Magnífico —exclamó Mauve—, creí que eras medio lerdo, pero veo que no es así. Ven todas las mañanas a trabajar con acuarela. Te propondré como miembro especial de *Pulchri,* allí podrás dibujar del natural varias veces por semana, pues siempre tienen un modelo. Además te relacionarás con otros pintores, y cuando empieces a vender tus cosas y tengas dinero, podrás hacerte socio activo de la entidad.

—Sí, siempre he deseado tener un modelo. Trataré de alquilar uno cada vez que pueda, pues creo que una vez que consiga dominar a la figura humana, todo lo demás será fácil.

—Eso es —asintió Mauve—. La figura es lo más difícil de todo, pero en cuanto se la domina, lo otro viene solo.

Vincent compró una cama y colgaduras para su ventana. Pagó su alquiler y colgó en los muros sus dibujos del Brabante. Sabía que no podía venderlos y que tenían numerosos defectos, pero había en ellos algo de la naturaleza. Habían sido ejecutados con cierta pasión. No podía precisar qué clase de pasión había en ellos, y no les dió todo su valor hasta que se hizo amigo de De Bock.

De Bock era un hombre encantador. Bien educado, agradable, poseía una renta segura. Habíase educado en Inglaterra y Vincent lo conoció en lo de Goupil. Ese joven era la antítesis de Vincent en todo sentido. Tomaba la vida con tranquilidad, sin agitación y sin preocuparse de nada.

—¿No quiere venir a tomar unas tazas de té conmigo? —dijo a Vincent—. Quisiera enseñarle algunos de mis últimos trabajos.

Su Estudio estaba situado en Willemspark, el barrio aristocrático de La Haya. Las paredes estaban cubiertas por colgaduras de terciopelo de colores neutros, y en todos los rincones veíanse divanes con mullidos almohadones. Había también pequeñas mesas con chucherías, estantes y armarios repletos de libros, y lujosas carpetas orientales. Al recordar la pobreza de su propio estudio, Vincent se consideró como un anacoreta.

De Bock encendió el calentador, bajó el samovar ruso y envió a buscar unas masas. Luego sacó una tela de un armario y la colocó sobre un caballete.

—Este es mi último trabajo —dijo—. ¿Quiere servirse un cigarro? Lo fumará mientras observa mi cuadro, tal vez le ayude a juzgarlo menos severamente —añadió sonriendo.

Hablaba en tono ligero y divertido. Desde que Tersteeg le
compraba sus obras, su confianza en sí mismo se había elevado
en grado sumo. Sabía que el cuadro agradaría a Vincent. Encendió uno de aquellos largos cigarrillos rusos que lo habían hecho
famoso en toda La Haya, y observó a su amigo mientras éste contemplaba el cuadro.

Vincent escudriñaba la tela en medio de la nube azul del
costoso cigarro de De Bock. Sentía en la actitud del pintor aquella ansiedad que se apodera de todo artista cuando enseña por
primera vez una de sus creaciones a un extraño. ¿Qué podía decir? El paisaje no era malo, pero tampoco era bueno. Reflejaba
demasiado al carácter de su autor: era insignificante. Recordó cómo lo exasperaba cuando algún joven principiante se permitía
criticar su obra, y no queriendo herir a su nuevo amigo dijo:

—Usted tiene el sentimiento del paisaje, De Bock. Sabe darle
encanto.

—Oh, gracias —repuso el artista agradecido por lo que consideraba un cumplido—. ¿Quiere tomar una taza de té?

Vincent aceptó, y temeroso de derramar el líquido sobre la
preciosa alfombra, sostenía la taza con ambas manos. De Bock
le era simpático, y deseaba no criticar su obra, pero su alma de
artista fué más poderosa que él, y dijo:

—Hay algo en esa tela que no termina de gustarme...

De Bock le ofreció una masa pero Vincent no aceptó, pues
no sabía cómo haría para comer una masa y sostener al mismo
tiempo su taza de té.

—¿Qué es lo que no le agrada? —inquirió el artista con indiferencia.

—Sus figuras. Falta de vida.

—Siempre he tratado de vencer a las figuras —repuso De
Bock recostándose sobre un diván—, pero nunca lo he conseguido. Trabajo unos días con un modelo, y de pronto ya no me interesa... Prefiero los paisajes. Puesto que el paisaje es mi espe-
cialidad, ¿a qué necesito molestarme en captar las figuras?

—Cuando dibujo paisajes, siempre trato de que haya en ellos
alguna figura —repuso Vincent—. Usted es un artista hecho y
aceptado, no obstante, ¿me permite una palabra de crítica amis-
tosa?

—Encantado...

—Pues bien, diría que su pintura carece de pasión.

—¿Pasión? —repitió De Bock—. ¿De cuál de las numerosas pasiones habla usted?

—Resulta difícil explicar. Pero su sentimiento parece algo vago. En mi opinión debía ser expresado más intensamente.

—Pero escúcheme, querido amigo —contestó De Bock irguiéndose y mirando su tela—. No puedo salpicar mi pintura de emoción porque la gente me lo aconseja. Pinto lo que veo y siento. Si no siento pasiones violentas, ¿cómo puedo expresarlas con mi pincel?

Después de haber estado en el lujoso estudio de De Bock, el suyo propio le pareció casi sórdido. Empujó la cama a un rincón y escondió sus utensilios de cocina. Quería que aquella habitación fuese un estudio y no un cuarto de dormir. El dinero de Theo no había llegado aún, pero todavía le quedaban algunos francos del préstamo de Mauve. Los empleó en pagar modelos. Un día vino Mauve a visitarlo.

—Apenas tardé diez minutos en venir de mi casa aquí —dijo mirando a su alrededor—. Sí, estás bien... Necesitarías la luz del norte, pero paciencia. Tu estudio impresionará bien a quienes te suponen aficionado únicamente. Veo que hoy has estado trabajando con modelo.

—Sí; todos los días trabajo así, pero resulta caro.

—Pero al final de cuentas resulta lo más económico. ¿Te falta dinero, Vincent?

—Gracias, primo Mauve, puedo arreglarme.

El joven no deseaba ser una carga para su primo. Le quedaba un solo franco en el bolsillo, pero el dinero no le importaba. Lo que deseaba de Mauve era su saber.

Durante una hora Mauve le enseñó a mezclar y emplear su acuarela, pero el joven embadurnaba más de lo que pintaba.

—No te aflijas —díjole alegremente el artista—. Estropearás por lo menos diez dibujos antes de saber manejar el pincel. Enséñame algunos de tus últimos croquis del Brabante.

Vincent accedió. Su primo era un maestro técnico buenísimo y en el primer golpe de vista advertía la falla de cualquier dibujo. Nunca se limitaba a decir: "Esto está mal", sino que agregaba: "Trata de hacerlo de este modo". Vincent lo escuchaba atentamente, pues sabía que era sincero.

—Sabes dibujar —díjole Mauve—. El año que estuviste practicando con tu lápiz te será de gran utilidad. No me sorprendería que Tersteeg comprara pronto alguna de tus acuarelas.

De poco le sirvió a Vincent este magnífico consuelo dos días después cuando no poseía un solo céntimo. Hacía varios días que el primero de mes había pasado y los cien francos de Theo no habían llegado aún.

¿Qué sucedía? ¿Estaría su hermano enojado con él? ¿Sería posible que Theo lo abandonara en el umbral de su carrera? Encontró una estampilla en el bolsillo de su saco, lo que le permitió escribir a París, rogando a su hermano que le enviara al menos una parte del dinero, a fin de que pudiera comer y pagar de tanto en tanto un modelo.

Pasó tres días sin probar bocado. A la mañana trabajaba en lo de Mauve; por las tardes iba a los bodegones a hacer croquis de los parroquianos y por la noche volvía a lo de Mauve o bien iba a *Pulchri*. Temía que su primo, a pesar de simpatizar con él, lo alejaría sin vacilación de su lado si sus desgracias amenazaban afectar su arte.

El dolor angustioso que sentía a la boca del estómago le hizo recordar sus días del Borinage. ¿Estaba condenado a sentir hambre toda la vida? ¿No podía haber para él ni un solo momento de paz y tranquilidad?

Al cabo del tercer día, echó a un lado su orgullo y fué a ver a Tersteeg. Tal vez conseguiría prestados diez francos del hombre que mantenía a la mitad de los pintores de La Haya.

Cuando llegó a las Galerías Goupil, le informaron que Tersteeg estaba en París en viaje de negocios.

El pobre Vincent se sentía tan mal y tan afiebrado que no podía sostener un lápiz entre los dedos. Se acostó, y al día siguiente a duras penas consiguió arrastrarse de nuevo hasta la Casa Goupil donde encontró al dueño del negocio. Tersteeg había prometido a Theo ocuparse de Vincent, y le prestó veinticinco francos.

—Pensaba ir a verte a tu estudio, Vincent —díjole—, uno de estos días pasaré por allí.

El joven tuvo que esforzarse para contestarle con amabilidad: lo único que deseaba era ir a comer algo. Cuando se dirigía a lo de Goupil se decía: "Si consigo dinero, todo irá bien". Pero ahora que lo tenía se sentía más desgraciado y solitario que nunca.

—La comida disipará esa sensación —se dijo para sus adentros.

Pero, si bien el alimento hizo desaparecer el dolor de su estómago, la sensación de soledad permaneció angustiosa. Compró un poco de tabaco y regresando a su habitación se recostó sobre la cama para fumar su pipa. El deseo de Kay lo atormentaba con terrible persistencia y hasta le impedía respirar normalmente. Fué hacia la ventana y la abrió, refrescando su cabeza afiebrada en el aire helado de enero. Pensó en el Reverendo Stricker y se estremeció de pies a cabeza. Cerró la ventana, tomó su abrigo y su sombrero y se dirigió a un despacho de bebidas que había visto frente a la estación Ryn.

CRISTINA

El despacho de bebidas estaba iluminado con una lámpara de kerosene que pendía sobre la puerta y otra sobre el mostrador, por lo tanto, el medio del salón se hallaba en la penumbra. Había algunos bancos contra las paredes y mesas de mármol delante de ellos. Era un despacho para obreros, y más que un lugar de regocijo parecía un refugio.

Vincent se sentó ante una mesa, y cansado, se recostó contra la pared. Es verdad que ahora tenía dinero para comer y pagar modelos, pero, ¿a quién se dirigiría para una palabra de amistad? Mauve era su maestro; Tersteeg un hombre importante y ocupado; De Bock pertenecía a la sociedad y era rico. Tal vez un vaso de vino le haría olvidar aquel mal momento, y mañana reanudaría su trabajo con más optimismo.

Trago a trago bebió el vino tinto que le sirvieron. En ese momento había poca gente en el negocio. Ante él estaba sentado un trabajador. En uno de los rincones se hallaba una pareja, y en la mesa contigua a la suya estaba una mujer sola.

El mozo se acercó a la mujer y le preguntó bruscamente:

—¿Quiere más vino?

—No tengo un sólo céntimo —repuso ésta.

Vincent, que ni siquiera la había mirado antes, se volvió hacia ella y le dijo:

—¿Quiere tomar una copa conmigo?

La mujer lo miró un instante y contestó:

—Por cierto.

El mozo trajo el vaso de vino, tomó los veinte céntimos y se alejó. Las dos mesas estaban próximas.

—Gracias —dijo la mujer.

Vincent la observó más detenidamente. No era joven ni bella y parecía ajada, como si hubiese sido muy golpeada por la vida. Tenía el rostro picado de viruela. Su cuerpo era delgado pero bien formado. Notó que la mano que sostenía el vaso no era la de una dama como la de Kay, por ejemplo, sino la de alguien que ha trabajado mucho. En la penumbra esa mujer le recordaba algunas de las figuras de Chardin o de Jan Steen. Tenía una nariz prominente, y ligero vello ensombrecía su labio superior. Sus ojos eran melancólicos.

—No hay de qué —contestó el joven—; le agradezco su compañía.

—Me llamo Cristina —repuso la mujer—. ¿Y usted?

—Vincent.

—¿Trabaja en La Haya?

—Sí.

—¿Qué hace?

—Soy artista pintor.

—¡Ah! También la vida es dura para ustedes, ¿verdad?

—A veces.

—Soy lavandera. Pero no siempre tengo fuerzas para trabajar.

—¿Y qué hace entonces?

—Correteo las calles en busca de algún hombre. Necesito ganar dinero para los chicos.

—¿Cuántos hijos tiene, Cristina?

—Cinco y uno en camino.

—¿Su marido ha muerto?

—Todos son hijos de distinto padre.

—¿Sabe quiénes son los padres?

—Sólo del primero... De los demás ni siquiera sé el nombre.

—¿Y del que lleva ahora en sus entrañas?

La joven se encogió de hombros.

—No estoy segura. Estaba demasiado enferma para trabajar, así que estuve correteando mucho en esos tiempos. Pero no tiene importancia.

—¿Quiere tomar otro vaso de vino?

—Preferiría ginebra.

Buscó en su cartera y sacó de ella un pedazo de cigarro negro que encendió.

—¿Vende muchos cuadros? —preguntó.

—No. Recién empiezo.

—Parece bastante viejo para un principiante.

—Tengo treinta años.

—Yo le hubiera dado cuarenta. ¿De qué vive entonces?

—Mi hermano me envía un poco de dinero. ¿Con quién vive usted, Cristina?

—Estamos todos con mi madre.

—¿Sabe ella que corretea por las calles?

La mujer se echó a reír estrepitosamente.

—¡Cielos! Si fué ella misma que me mandó. Ella hizo eso toda su vida. Así me tuvo a mí y a mi hermano.

—¿Y qué hace su hermano?

—Tiene una mujer en casa y le busca candidatos.

—No es un ambiente muy bueno para los niños.

—Bah, ellos harán lo mismo cuando sean grandes. No hay por qué afligirse. ¿Puedo pedir otra ginebra? ¿Qué se hizo en la mano? Tiene una herida horrible.

—La quemé.

—Debió ser dolorosísimo —dijo la mujer tomándole suavemente la mano.

—No, Cristina; lo hice porque quise.

—¿Por qué está usted aquí solo? ¿No tiene amigos?

—No. Sólo a mi hermano que está en París.

—Debe sentirse muy solitario.

—Sí, Cristina, horriblemente solitario.

—Yo también a veces me siento así. A pesar de los chicos, de mi madre y mi hermano y de mis compañeros eventuales. Toda esa gente no cuenta.

—¿No quiso nunca a nadie, Cristina?

—Al padre de mi primer hijo. Yo tenía dieciséis años y él era rico. No pudo casarse conmigo debido a su familia. Pero se ocupó de la criatura hasta que se murió y me quedé sin un céntimo.

—¿Qué edad tiene usted?

—Treinta y dos años. Soy ya demasiado vieja para tener hijos, y el médico de la Asistencia dice que éste me matará.

—Debe usted cuidarse y todo irá bien.

—¿Y qué puedo hacer? No tengo un solo céntimo ahorrado. Los médicos de la Asistencia no se interesan..., tienen demasiadas mujeres enfermas.

—¿Y no puede conseguir dinero en alguna forma?

—Tendría que andar correteando todas las noches por las calles, pero eso me matará aún más pronto que la criatura.

Hubo un silencio de varios minutos.

—¿Dónde irá cuando me deje, Cristina?

—Estuve lavando todo el día y vine aquí a tomar una copa de vino, pues estaba exhausta. Debían pagarme un franco y medio pero me dijeron de ir a cobrar el sábado. Necesito dos francos para dar de comer a mis hijos. Tendré que buscar algún hombre...

—¿Quiere que la acompañe, Cristina? Yo me siento tan solitario.

—Ya lo creo. Así me ahorro el trabajo de buscar. Además usted es más bien simpático.

—Y usted también. Cuando me tomó mi mano quemada... ¡hace tanto que una mujer no ha tenido un gesto afectuoso para mí!

—Es extraño. Usted no es mal parecido...

—Pero soy desgraciado en el amor.

—¿Sí? ¿Pedimos otra ginebra?

—No, Cristina. No es necesario que nos emborrachemos para que nos sintamos atraídos el uno hacia el otro. Tome este dinero, es lo único que puedo darle. Siento que no sea más.

—Parece usted necesitarlo más que yo. Acompáñeme si quiere y cuando se vaya buscaré a otro para ganarme los dos francos.

—No. Tome el dinero. Acabo de pedir prestados veinticinco francos a un amigo.

—Bien. Entonces vayamos.

Mientras caminaban uno al lado del otro por la calle, charlaban amigablemente, como si hubiesen sido viejos amigos. Ella le contó su vida, sin quejarse de su suerte.

—¿Ha posado alguna vez como modelo? —inquirió Vincent.

—Cuando era joven.

—¿Quiere posar para mí? Apenas podré pagarle más de un franco, pero en cuanto empiece a vender mis cuadros le pagaré dos. Siempre será mejor que lavar ropa.

—Estaría encantada. Traeré a mi muchacho y podrá pintarlo por nada. Y cuando se canse de mí podrá pintar a mi madre.
Le agradará poder ganarse uno que otro franco extra. Ella trabaja
como criada.

Por fin llegaron a la casa donde vivía la mujer.

—Pase, mi cuarto queda al frente. No necesitamos molestar
a nadie.

Era una habitación sencilla y modesta, empapelada de gris.
Sobre el piso de madera había un pedazo de carpeta roja. En un
rincón estaba una estufa y en otro una cómoda con varios cajo-
nes. En el centro se hallaba la amplia cama. Era una verdadera
habitación de mujer trabajadora.

Al día siguiente, cuando Vincent se despertó y vió a su lado
la forma de la mujer, le pareció que el mundo no era tan hosco,
y el profundo dolor de la soledad se desvaneció siendo reemplaza-
do por un sentimiento de paz y tranquilidad.

EL TRABAJO PROGRESA

Por el correo de la mañana recibió una carta de Theo con los
cien francos adjuntos. Su hermano le explicaba que no había podido enviárselos antes. Salió a la calle y encontró a una anciana
que estaba carpiendo su jardincito a pocos pasos de su casa. Le
pidió que posara para él por cincuenta céntimos, y la mujer accedió gustosa.

Instaló a la mujer al lado de la chimenea de su estudio y
comenzó a dibujar y a pintar con su acuarela. Desde hacía algún
tiempo su trabajo era duro y áspero; ahora parecía haberse sua-
vizado de pronto, y lograba expresar bien su idea. Estaba agradecido por ello a Cristina. La falta de amor en su vida le traería
infinito dolor pero no molestaría su trabajo, en cambio la falta
de relaciones sexuales secarían la fuente de su arte, matándolo.

—El sexo lubrica —se dijo satisfecho mientras trabajaba con
facilidad—. Qué extraño que el padre Michelet no lo mencione
en sus libros.

Llamaron a la puerta y el joven fué a abrir encontrándose
frente a Tersteeg elegantemente vestido como siempre.

El comerciante en obras de arte se sintió complacido al encontrar a Vincent enfrascado en su trabajo. Le agradaba que sus jóvenes artistas se labrasen su propio triunfo. Pero insistía en que ese triunfo debía llegar recorriendo caminos preestablecidos, y prefería verlos fracasar que triunfar por medios que él no admitía. Tersteeg era un hombre sumamente honorable, y exigía que todo el mundo lo fuera. No admitía que el mal pudiese convertirse en bien ni que el pecado se transformase en salvación. Los pintores que vendían sus telas en lo de Goupil sabían que debían respetar sus reglas estrictas. Si violaban los dictados de la decencia, Tersteeg se rehusaría a vender sus obras, aunque se tratase de obras maestras.

—Y bien, Vincent —dijo—, me alegro de sorprenderte en plena tarea. Es así como me gusta ver a mis artistas.

—Ha sido muy amable de venir a verme, Mijnherr Tersteeg.

—Nada de eso. Hacía tiempo que deseaba venir a tu estudio.

Vincent echó una mirada circular a la pobre habitación.

—Es aún bastante pobre —dijo.

—No te aflijas. Continúa trabajando y pronto podrás pagarte algo mejor. Mauve me dice que empezaste la pintura a la acuarela. Hay buen mercado para esa clase de trabajo. Espero pronto poder vender algunas.

—Así lo espero yo también, Mijnherr.

—Pareces mejor dispuesto que anoche cuando te vi.

—Sí... Ayer estaba enfermo, pero me repuse bien.

Vincent recordó el vino, la ginebra y Cristina, y se estremeció pensando en lo que diría Tersteeg si lo supiera.

—¿Desea usted ver algunos de mis dibujos, Mijnherr? Su opinión es muy valiosa para mí.

Tersteeg estudió durante algunos minutos los diversos dibujos y pinturas que Vincent le presentó.

—Sí, sí —dijo por fin—. Estás en el buen camino. Mauve hará un buen acuarelista de ti. Falta aún, pero llegará. Debes apurarte, Vincent, a fin de poder ganarte la vida. Eres una pesada carga para Theo y debes tratar de aliviarla lo antes posible. Dentro de poco debo poder vender algunas de tus cosas.

—Gracias, gracias Mijnherr.

—Quiero que triunfes, Vincent, no sólo por ti sino por Goupil. En cuanto comiences a vender algo, podrás tomar otro Estudio, comprarte ropa y frecuentar algo la sociedad. Eso es absolutamente necesario si quieres vender más tarde tus óleos. Bien, ahora te dejo. Tengo que ir a lo de Mauve. Quiero echar un vistazo a su trabajo para el Salón.

—¿Volverá otro día, Mijnherr?

—Sí, por supuesto. Dentro de una o dos semanas. Y trata de haber hecho progresos para entonces.

Se estrecharon las manos y el caballero partió mientras Vincent volvía a su trabajo. Ah, si pudiera ganarse pronto la vida. No pretendía mucho, sólo el dinero suficiente para vivir simplemente y dejar de ser una carga para su hermano. Entonces podría trabajar tranquilo, perfeccionarse despacio y conseguir la plenitud de su arte.

Por el correo de la tarde recibió la siguiente esquela de De Bock:

"Apreciado Van Gogh"
"Mañana por la mañana llevaré una modelo a su estudio, y " así podremos trabajar juntos.
                              De B."

La modelo era una preciosa joven que pedía un franco cincuenta para posar. Vincent estaba encantado, pues él nunca hubiera podido pagarla. Ardía un hermoso fuego en la chimenea, y la modelo se desvistió a su lado. En La Haya únicamente las modelos profesionales consentían en posar desnudas, lo que exasperaba a Vincent, pues los cuerpos que él deseaba dibujar eran los de hombres y mujeres de edad, cuerpos con carácter.

—He traído mi tabaquera —dijo De Bock— y un pequeño almuerzo que me preparó mi ama de llaves. Pensé que sería más cómodo que salir afuera a comer.

—Estoy lista —dijo la modelo—. ¿Quieren colocarme?

—¿La dibujamos sentada o de pie? ¿Qué le parece, De Bock?

—De pie para empezar —repuso éste—. Tengo algunas figuras así en mi paisaje.

Dibujaron por espacio de hora y media, hasta que la modelo se cansó.

—Ahora hagámosla sentada —propuso Vincent.

Volvieron a trabajar hasta medio día, sin cruzar palabra y fumando continuamente. Por fin De Bock desempaquetó el almuerzo y los tres se instalaron cerca de la estufa para comer. Mientras así lo hacían observaban mutuamente el trabajo del otro.

De Bock se había esmerado en dibujar el rostro de la joven pero su cuerpo, a pesar de estar perfectamente dibujado, no tenía carácter.

—Hola —exclamó el artista mirando el trabajo de Vincent—. ¿Qué has hecho con la cara de esta mujer? ¡No tiene ninguna! ¿A eso llamas poner pasión en la pintura?

—No estábamos haciendo un retrato sino una figura —repuso Vincent.

—¡Es la primera vez que oigo decir que el rostro no pertenece a la figura!

—¡Y fíjate tú como le has hecho el vientre. Parecería que estuviese lleno de aire. No se le nota para nada el intestino.

—¿Y por qué se le notaría? ¿Acaso la muchacha lo tiene colgando?

La modelo siguió comiendo sin siquiera sonreir. Para ella todos los artistas estaban locos. Vincent colocó su dibujo al lado del de De Bock.

—Mira el vientre mío —dijo—, puedes ver perfectamente que está lleno de tripas... Y casi se puede decir cuanto ha comido la muchacha.

—¿Y qué tiene que ver eso con la pintura? —inquirió De Bock—. Nosotros no somos especialistas en vísceras. Cuando la gente mira mis telas quiero que vean la niebla entre los árboles y los rayos de sol detrás de las nubes, pero no quiero que vean intestinos o tripas.

Todas las mañanas, Vincent salía temprano en busca de un modelo. A veces era un deshollinador, otras una anciana del asilo de dementes de Geest, o bien algún hombre del mercado o una abuela con sus nietos del Paddemoes o del barrio judío. Gastaba mucho dinero en modelos a pesar de que sabía que debía ahorrar para su comida para fin del mes. Pero ¿de qué le serviría estar en La Haya y estudiar con Mauve si no podía trabajar intensamente? Ya tendría tiempo de comer más tarde.

Mauve continuaba enseñándole pacientemente. Todas las noches Vincent iba a trabajar al confortable estudio. A veces se sentía desalentado debido a que no podía rendir lo que sentía con su acuarela, pero Mauve se reía.

—Tu trabajo es oscuro aún —decíale—. Pero si fuese transparente desde un principio, se tornaría pesado más adelante. Persevera y vencerás.

—Eso es muy bonito, primo Mauve, pero, ¿qué debe hacer un hombre cuando necesita ganarse la vida con sus dibujos?

—Créeme, Vincent, si triunfas demasiado pronto, sólo conseguirás matar al artista que hay en ti. El hombre del día, generalmente es el hombre de un día. En cuestión arte, el viejo dicho es cierto: "La probidad es la mejor política". Es mejor empeñarse en un estudio serio que tratar de complacer al público.

—Yo quiero ser fiel a mí mismo, primo Mauve y expresar cosas verdaderas a mi modo. Pero cuando hay necesidad de ganarse la vida... He hecho algunas cosas que pensé que tal vez Tersteeg...

—Enséñamelas —dijo su primo.

Echó una mirada a las acuarelas que Vincent le tendió y sin ningún miramiento las rompió en mil pedazos.

—Sigue siendo tú mismo, Vincent —dijo—, y no corras tras los compradores. Deja que aquellos a quien tu pintura agrada, vengan hacia ti.

Vincent miró a sus acuarelas destrozadas y dijo:

—Gracias, primo Mauve. Necesitaba esa lección.

Esa noche, Mauve tenía una pequeña reunión, y no tardaron en llegar algunos artistas. Primero llegó Weissenbruch, llamado "la espada despiadada" debido a su acerba crítica de la obra ajena; luego vinieron Breitner, De Bock, Jules Bakhuyzen y Neuhuys, el amigo de Vos.

Weissenbruch era un hombrecito de muchos bríos. Nada le detenía, y lo que le desagradaba —y eso era casi todo— lo destruía con un solo sarcasmo. Pintaba lo que le agradaba y como le agradaba, y obligaba al público a gustarlo. Una vez Tersteeg objetó algo de una de sus telas, y desde entonces jamás quiso tener nada que ver con la Casa Goupil. No obstante vendía todo lo que pintaba. Su semblante era tan duro como su lengua. Se había hecho popular debido al sencillo expediente de despreciar todo. Tomó a parte a Vincent y le dijo:

—He oído que usted es un Van Gogh. ¿Pinta con tanto éxito como sus tíos venden cuadros?

—No; no tengo éxito en nada.

—¡Magnífico! Todo artista debería morirse de hambre hasta los sesenta años. Tal vez entonces llegaría a producir algunas telas buenas.

—¡Diablos! Pero usted no tiene mucho más de cuarenta años
y hace buen trabajo.

—Si usted se cree que mi trabajo es bueno, haría bien en
abandonar la pintura y trabajar de criado. ¿Por qué cree usted
que vendo mis telas? ¡Porque no sirven! Si fuesen buenas las
guardaría para mí. No, no, muchacho, sólo estoy estudiando. Cuando tenga sesenta años empezaré a pintar. Todo lo que haga después de esa edad, no lo venderé, y cuando me muera quiero que
lo entierren conmigo. Ningún artista se desprende de una obra
que él cree realmente buena. Sólo vende al público lo que no
sirve.

Desde el otro extremo de la habitación De Bock guiñó el
ojo a Vincent, y éste sonriente dijo:

—Usted ha errado su profesión, Weissenbruch, hubiera debido ser crítico de arte.

El artista dejó oír una carcajada y exclamó dirigiéndose al
dueño de casa:

—Este primo suyo no es tan malo como parece, Mauve. Tiene
lengua y sabe emplearla.

Y volviéndose otra vez hacia el joven le preguntó cruelmente:

—¿Por qué anda vestido con esos trapos sucios? ¿Por qué
no se compra ropa decente?

Vincent llevaba un traje que había sido de Theo y que le
quedaba mal; además lo tenía lleno de pintura.

—Sus tíos tienen suficiente dinero como para vestir a toda la
población de Holanda —prosiguió Weissenbruch—. ¿Acaso no le
ayudan?

—¿Y por qué lo harían? Comparten con usted la opinión de
que los artistas deben morirse de hambre.

—Si no tienen confianza en usted deben tener razón. Los Van
Gogh huelen un artista a cien kilómetros a la redonda. Usted,
probablemente, no vale nada.

—¡Váyase al diablo! —exclamó furioso Vincent dándole la
espalda.

Pero Weissenbruch lo retuvo del brazo, y sonriendo satisfecho, dijo:

—¡Bravo! ¡Quería saber hasta cuándo aguantaría. Continúe
siendo valiente, muchacho, y llegará a algo!

Mauve era muy jocoso cuando quería y le agradaba divertir
a sus invitados. A pesar de ser hijo de un pastor, en su vida

no había más lugar que para una religión: la pintura. Mientras Jet pasaba las tazas de té y las masas, él se entretenía en hablar de la barca pescadora de San Pedro. ¿Cómo había llegado a poseer San Pedro esa barca? ¿La había heredado? ¿La había comprado a mensualidades, o bien —¡horrible cosa!— la había robado? Los pintores llenaban la habitación con su risa y el humo de sus cigarros, mientras engullían con extraordinaria rapidez todos los alimentos que se les presentaban.

—Mauve ha cambiado —se decía Vincent para sí.

No sabía que su primo estaba experimentando la metamórfosis del artista creador. Empezaba su tela apáticamente, casi sin interés. Poco a poco sus energías aumentaban a medida que las ideas le venían. Trabajaba un poco más cada día mientras crecía su agitación. Nada que no fuese su trabajo le preocupaba, ni su familia, ni sus amigos, ni su casa. No comía, ni dormía, y a medida que sus fuerzas le abandonaban, aumentaba su excitación. Y cuanto más cansado estaba, más trabajaba. La pasión nerviosa que se apoderaba de él aumentaba sin cesar y le ayudaba a concluir su tela. Parecía como si un ejército de demonios lo persiguieran y le obligaran a trabajar sin descansar un segundo. Su agitación rayaba en la demencia, y no podía soportar a nadie a su lado.

Cuando la tela estaba por fin lista, toda su agitación se desvanecía como por encanto, dejándolo aniquilado, sin fuerzas, enfermo y delirante. Jet lo cuidaba con cariño durante días enteros, hasta devolverle la salud y la normalidad. Su agotamiento era tal que no podía aguantar ni el olor ni la vista de la pintura. Lenta, muy lentamente, volvía a la normalidad. Empezaba por entrar en su Estudio y mirar a su alrededor como extrañado; limpiaba sus pinceles y sus cosas maquinalmente. Hacía largos paseos en el campo observando a su alrededor como si no viera nada, hasta que por fin alguna escena le llamaba la atención. Entonces comenzaba de nuevo todo el ciclo.

Cuando Vincent había llegado a La Haya, Mauve acababa de comenzar su tela de Scheeveningen, pero ahora su pulso aumentaba día a día, y pronto, el más magnífico y devastador de todos los delirios, el de la creación artística, se apoderaría de él.

EL HOMBRE NECESITA A LA MUJER

Varias noches más tarde, Cristina llamó a la puerta de Vincent. Estaba vestida con una pollera negra y un camisolín azul y llevaba sobre la cabeza un gorro negro. Su boca estaba entreabierta, como siempre que se hallaba cansada, y las marcas de viruela de su rostro parecían más profundas que otras veces.

—Hola, Vincent —dijo—. He venido a ver dónde vivías.

—Eres la primera mujer que me visita, Cristina. Bienvenida seas.

La mujer tomó asiento cerca del fuego y miró a su alrededor.

—No se está mal aquí —dijo— pero está vacío.

—Sí: no tengo dinero para comprar muebles.

—Bah, tienes lo que te hace falta.

—Me disponía a preparar la cena. ¿Aceptas comer conmigo Cristina?

—¿Por qué no me llamas Sien? Así me llaman todos.

—Muy bien, Sien.

—¿Qué tienes para cenar?

—Papas y té.

—Hoy gané dos francos. Iré a comprar un poco de carne.

—Toma, aquí tengo dinero. Mi hermano acaba de mandármelo. ¿Cuánto quieres?

—Creo que con cincuenta céntimos bastará.

Regresó a los pocos momentos con un trozo de carne. Vincent lo tomó pero ella le dijo:

—No; deja eso. Siéntate allí. Tú no sabes cocinar. Yo soy mujer.

Empezó a preparar las cosas inclinada sobre el fuego que le daba un resplandor rojizo al semblante y casi la hacía parecer bonita. Vincent se sentía satisfecho. Estaba en su casa, y una mujer cariñosa le preparaba la comida. ¡Cuántas veces había soñado con esa escena teniendo a Kay por compañera! Sien le echó una mirada y viendo que la silla en la que estaba sentado se hallaba en equilibrio sobre dos patas exclamó:

—Vamos, tonto, siéntate derecho. ¿Quieres romperte la cabeza?

Vincent sonrió. Todas las mujeres que había conocido —su madre, sus hermanas, sus tías y primas—, todas le habían dicho:

—Vincent siéntate derecho sobre esa silla. Te romperás la cabeza.

—Bien, bien —dijo—. Te obedeceré.

Pero en cuanto la mujer se volvió, inclinó de nuevo su silla contra el muro y siguió fumando feliz y contento.

Sien puso la mesa y sirvió la comida. Había traído dos panecillos y una vez que terminaron de comer la carne y las papas, recogieron el jugo con el pan.

—Apuesto que no sabes cocinar así —dijo Sien satisfecha.

—Es verdad. Cuando cocino yo, nunca sé lo que como, si es pescado, carne o ave. Todo tiene el mismo sabor.

Después que hubieron tomado el té Sien encendió uno de sus cigarros negros, fumándolo mientras charlaban cordialmente. Vincent se sentía más a gusto con ella que con Mauve o De Bock. Existía entre ellos cierta fraternidad que no pretendía comprender. Hablaban de cosas sencillas, sin pretensiones. Cuando Vincent hablaba, ella lo escuchaba, sin afanarse por hablar a su vez de sí misma. Ni el uno ni el otro tenían deseos de impresionarse mutuamente. Cuando Sien narraba su vida dura y triste, Vincent creía escuchar su propia historia. Sus silencios carecían de afectación y sus palabras de desafío. Eran dos almas al natural que se encontraban y que se entendían.

Vincent se puso de pie.

—¿Dónde vas? —inquirió la mujer.

—A lavar los platos.

—Siéntate. Tú no sabes hacerlo. Eso me toca a mí.

Volvió a sentarse y llenó su pipa de nuevo mientras Cristina se afanaba sobre el lebrillo. Le agradaba verle las manos llenas de espuma blanca, y tomando un papel y lápiz, la dibujó. Una vez que todo estuvo en orden, la mujer dijo:

—Estaríamos muy bien si sólo tuviéramos un poco de ginebra...

Pasaron la velada bebiendo, mientras Vincent se divertía en hacer croquis tras croquis de la joven. Ella parecía feliz de encontrarse al calor de la estufa, sentada, descansando. El resplandor de la lumbre y el placer de hablar con alguien que la entendía le daba vivacidad y belleza.

—¿Cuándo me dijiste que terminabas tu trabajo de lavado? —inquirió Vincent.

—Mañana. Y es una suerte, pues no podría aguantar mucho más.

—¿Has estado sintiéndote enferma últimamente?

—No. Pero la criatura me molesta cada vez más... El momento se acerca.

—¿Entonces podrás empezar a posar para mí la semana próxima?

—Sí. ¿No tendré otra cosa que hacer que quedarme sentada?

—Sí. A veces tendrás que estar de pie, o posar desnuda.

—Magnífico. ¡Tú harás el trabajo y yo cobraré!

Miró hacia la ventana. Afuera estaba nevando.

—Quisiera estar en casa —dijo—. Hace frío y no tengo más que mi chal. Tengo mucho que caminar.

—Mañana temprano tienes que volver por aquí, ¿verdad?

—Sí, a las seis. A esa hora aún no ha aclarado.

—Si quieres puedes quedarte, Sien.

—¿No te molestaré?

—De ningún modo. La cama es amplia.

—¿Podemos dormir dos en ella?

—Fácilmente.

—Entonces me quedo.

—Bien.

—Has sido bueno en pedírmelo, Vincent.

—Y tú en aceptar.

A la mañana, antes de retirarse, preparó el café, tendió la cama y barrió el Estudio. Luego partió para el lavadero. Cuando se hubo ido, la habitación pareció de pronto vacía.

DEBES DARTE PRISA Y COMENZAR A VENDER TUS CUADROS

Tersteeg volvió aquella tarde. Sus ojos estaban brillantes y sus mejillas enrojecidas por el aire frío del exterior.

—¿Cómo te va, Vincent?

—Muy bien, Mijnherr. Es usted muy amable de haber vuelto tan pronto.

—¿Tienes algo interesante que enseñarme? A eso vine.

—Sí, tengo algunos dibujos nuevos. ¿No desea tomar asiento?

Tersteeg echó un vistazo a la silla y la iba a sacudir con su pañuelo pero se detuvo a tiempo, pensando que sería una falta de educación. Tomó asiento y Vincent le trajo tres o cuatro acuarelas. Tersteeg las ojeó rápidamente y luego volvió a observar la primera.

—No está mal, no está mal —murmuró tras un momento—. Estas no sirven, son demasiado toscas, pero haces progresos. En breve tienes que hacer algo que pueda comprarte, Vincent.

—Sí, Mijnherr.

—Debes pensar en ganarte la vida, muchacho. No está bien que vivas del dinero ajeno.

Vincent miró sus acuarelas. Tal vez fuesen toscas, pero, como todo artista, no lograba ver la imperfección en su propio trabajo.

—Ese es mi gran deseo, Mijnherr.

—Entonces debes trabajar más aún. Quisiera poder comprarte algo. De todos modos, me alegra verte feliz y trabajando. Theo me pidió que te vigile... Trata de hacer buen trabajo, Vincent.

—Eso es lo que trato de hacer, pero mi mano no siempre obedece a mi cerebro. Sin embargo, Mauve me cumplimentó por una de estas pinturas.

—¿Qué dijo?

—Dijo: "Casi parece una acuarela".

Tersteeg comenzó a reír. Enrolló su bufanda alrededor de su cuello y se puso de pie.

—Sigue trabajando, Vincent, sigue trabajando. Así llegarás.

El joven había escrito a su tío Cor que se hallaba en La Haya, pidiéndole que lo visitara cuando viniera a la ciudad. El tío Cor acostumbraba a venir a La Haya para comprar cuadros para su negocio de obras de arte, que era uno de los más importantes de Amsterdam. Un domingo a la tarde, Vincent había reunido a varios niños de la calle a fin de dibujarlos. Les había comprado un paquete de caramelos para tenerlos entretenidos, y mientras hacía sus croquis les contaba cuentos. De pronto oyó que llamaban a su puerta y que alguien hablaba con voz potente. Su tío Cor acababa de llegar.

Cornelius Marinus Van Gogh era un hombre muy conocido y de sólida fortuna. A pesar de ello, en sus grandes ojos oscuros notábase un dejo de melancolía. Sus labios no eran tan llenos como

los de los otros Van Gogh, pero tenía la misma cabeza prominente y las mismas características de la familia.

El comerciante observó disimuladamente hasta el más recón-
dito rincón de la habitación. Era probablemente el hombre que
había visitado más estudios de artistas en Holanda.

Vincent entregó a los niños los caramelos que quedaban y
los despachó.

—¿Quieres aceptar una taza de té, tío Cor? —dijo—, debe
hacer mucho frío afuera.

—Gracias, Vincent.

El joven preparó el té y lo sirvió, admirándose de la elegancia con que su tío sostenía la taza entre las manos mientras charlaba de las noticias del día.

—Así que piensas ser artista, Vincent —dijo—. Es hora de
que tengamos uno en la familia. Hein, Vincent y yo hemos estado
comprando telas a extraños desde hace treinta años... ¡Ahora
un poco de nuestro dinero quedará en la familia!

Vincent sonrió.

—Comienzo bajo buenos auspicios, con tres tíos y un hermano en el negocio de pinturas. ¿Desea usted un poco de pan y
queso, tío Cor?

El caballero sabía que el peor insulto que podía hacerse a
un artista pobre era rehusar su comida.

—Sí, muchas gracias. Almorcé temprano —dijo.

Vincent cortó unas rebanadas de pan negro y las colocó sobre un plato con un poco de queso que guardaba en un papel.
Cornelius hizo un esfuerzo para comer lo que le presentaban.

—Tersteeg me dice que Theo te envía mensualmente cien
francos.

—Así es.

—Tu hermano es joven y debería ahorrar. Tienes que comenzar a ganarte el pan.

Vincent, que aún se hallaba bajo la impresión de las palabras de Tersteeg del día anterior, contestó vivamente y sin pensar:

—¿Ganarme el pan? ¿Qué quiere usted decir? ¿Ganarme el
pan o... merecerlo? No merecer el pan que uno come es un crimen, pero no ganárselo a pesar de merecerlo es una verdadera
desgracia. Si usted me dice: "Vincent, no mereces el pan que comes", usted me insulta, pero si simplemente comprueba que no

lo gano... tiene razón. Pero ¿de qué sirve comprobarlo si no puede hacer nada para remediarlo?

El tío Cornelius no insistió sobre el tema. Continuaron charlando tranquilamente hasta que por casualidad el joven mencionó el nombre de De Groux.

—¿Pero no sabes que De Groux tiene mala reputación en su vida privada?

El joven no pudo contenerse. Parecía que estaba destinado a discutir cada vez que se encontraba ante un Van Gogh.

—Siempre he opinado, tío Cor, que cuando un artista presenta su obra al público, tiene el derecho de guardar para sí su vida privada, la cual está directa y fatalmente ligada con las dificultades de dar a luz su producción.

—A pesar de ello —repuso Cornelius— el hecho que un hombre trabaje con pinturas y un pincel en lugar de arar o de vender libros, no le da derecho a vivir licenciosamente. Nadie debería comprar los cuadros de los artistas que no viven decentemente.

—Pues yo considero completamente fuera de lugar ocuparse de la vida privada de un hombre si su obra es perfecta. El trabajo de un artista y su vida privada pueden compararse a la mujer que está de parto y su hijo. Puede mirarse a la criatura, pero no a la madre ensangrentada. Sería falta de delicadeza.

Cornelius, que acababa de llevarse un pedacito de queso a la boca, tosió varias veces y murmuró:

—¡Vaya, vaya, vaya!

Por un instante el joven temió que su tío se enojase, pero no fué así. Fué en busca de su carpeta de pequeños dibujos y se los enseñó a Cornelius. Entre ellos había varios croquis de la ciudad.

—No están mal —dijo el caballero estudiándolos—. ¿Podrías hacerme algunos croquis más de la ciudad?

—Sí. Aquí tengo otros. Aquí está el Vleersteeg... el Geest... el mercado de pescados...

—¿Quieres hacerme una colección de doce? ¿Cuánto pides por cada uno?

—Por estos dibujos pequeños, ya sea al lápiz o a la pluma, pensé que podría pedir dos francos y medio. ¿Le parece mucho?

Cornelius sonrió ante la módica suma.

—No, no —dijo—. Y si me agradan, te encargaré doce más de Amsterdam. Pero entonces fijaré yo mismo el precio de modo que puedas ganar algo más.

—¡Tío Cor! ¡Este es mi primer encargue! ¡Si supiera cuán feliz me siento!

—Todos queremos ayudarte, Vincent. Espero que entre la familia podremos comprarte toda tu producción.

Tomó sus guantes y su sombrero y se dispuso a partir.

—Cuando escribas a Theo, salúdalo de mi parte.

Loco de alegría Vincent tomó su última acuarela y corrió hasta Uieleboomen a casa de Mauve. Lo recibió Jet, parecía preocupada.

—Sería mejor que no fuera al estudio —dijo—. Anton está imposible.

—¿Qué le sucede?

—Lo de siempre —repuso la señora con un suspiro.

—Entonces supongo que no querrá verme.

—Espere a otro momento, Vincent. Cuando se tranquilice algo le diré que usted estuvo aquí.

—¿No se olvidará?

—No, no. Se lo prometo.

Vincent esperó varios días pero Mauve no fué a verlo. En cambio Tersteeg estuvo dos veces, y siempre con la misma cantinela.

—Sí, sí, haces algunos progresos. Pero todavía falta... aún no puedo vender tus cosas en mi casa. Creo que no trabajas bastante, Vincent.

—Pero, Mijnherr, me levanto a las cinco y trabajo hasta las doce de la noche... Apenas si pierdo unos minutos para comer.

Tersteeg meneó la cabeza como si no comprendiese, y volvió a mirar la acuarela que tenía entre las manos.

—No comprendo... Siempre la misma aspereza y tosquedad que noté en tus primeros trabajos. Deberías corregirte. Eso se consigue trabajando sin descanso.

—¡Trabajando sin descanso! —exclamó Vincent.

—Dios sabe que quisiera comprarte alguna cosa, Vincent. Quisiera que comiences a ganarte la vida, me molesta pensar que Theo... Pero no puedo comprar nada si no está como debe ser. Debes darte prisa y poder vender tus cuadros, ganarte la vida...

El joven se preguntó si Tersteeg no se burlaba de él. "Debes ganarte la vida". "Pero no puedo comprar nada". ¿Cómo diablos iba a ganarse la vida si nadie le compraba nada? Un día, encontró a Mauve en la calle. El pintor caminaba rápidamente y con la cabeza gacha, y cuando su primo lo detuvo lo miró casi sin reconocerlo.

—Hace tiempo que no te veo, primo Mauve.

—Estuve muy ocupado —repuso éste con frialdad e indiferencia.

—Lo sé. Es tu nuevo cuadro. ¿Cómo marcha?

—Oh... —e hizo un gesto vago.

—¿Puedo ir a verte a tu estudio uno de estos días? Temo que mi acuarela no progrese mucho.

—No, no. ¡No vengas ahora! Estoy muy ocupado, te digo. No puedo perder mi tiempo.

—¿Entonces no quieres venir tú a mi estudio, algún día que estés de paseo? Sólo unas palabras tuyas me pondrán en buen camino.

—Tal vez, tal vez. Pero ahora estoy ocupado, debo irme.

Se alejó dejando a Vincent perplejo.

¿Qué había sucedido? ¿Había ofendido a su primo sin saberlo?

Algunos días después se extrañó al ver llegar a Weissenbruch, pues éste rara vez se molestaba en visitar a los artistas jóvenes, al menos que fuese para criticarlos acerbamente.

—Vaya, vaya —dijo mirando a su alrededor—. ¡Qué magnífico palacio! Pronto pintarás aquí los retratos del Rey y de la Reina.

—¡Si no te agrada puedes retirarte! —exclamó el joven exasperado por la ironía del tono.

—¿Por qué no abandonar la pintura Van Gogh? La vida de artista es una vida de perros.

—Sin embargo tú la soportas.

—Sí, pero yo he triunfado y tú no triunfarás jamás.

—Tal vez. Pero pintaré mejores cuadros que tú.

Weissenbruch se echó a reír.

—Mejores, no, pero casi tan buenos sí. Serás el que más se acerque a mí en La Haya. Si tu trabajo se parece a tu personanidad...

—¿Quieres verlo? Siéntate.

Trajo su carpeta y comenzó enseñándole las acuarelas. Weissenbruch las hizo a un lado.

—La acuarela es demasiado insípida para lo que tienes que expresar —dijo, y tomando los dibujos al lápiz del Borinage, del Brabante y de La Haya, comenzó a estudiarlos detenidamente.

Vincent esperaba un duro sarcasmo.

—Dibujas endiabladamente bien, Vincent —dijo—, casi podría trabajar yo en estos dibujos.

El joven se quedó confundido.

—Creí que te llamaban "la espada despiadada".

—Así es. Si no viera nada bueno en tus estudios así te lo diría.

—Tersteeg siempre me critica. Dice que son toscos y ásperos.

—¡Pamplinas! Ahí está donde reside su fuerza.

—Yo quisiera continuar con los dibujos a la pluma, pero Tersteeg dice que debo expresarme en acuarela.

—¿Para poder venderlas, eh? No, no, muchacho; si ves las cosas como dibujos a la pluma, dibújalas así. Y por encima de todo ¡nunca hagas caso a nadie!... ¡ni siquiera a mí! Sigue tu ruta solo.

—Creo que es lo que tendré que hacer —repuso Vincent meneando la cabeza.

—Cuando Mauve dijo delante de mí que eras un pintor nato, Tersteeg se ofuscó. Pero si eso vuelve a suceder, ahora que he visto tu obra, yo también te defenderé.

—¿Mauve dijo que yo era un pintor nato?

—Bah, no te dejes marear por eso, y date por satisfecho si cuando mueras eres considerado como pintor.

—¿Entonces por qué ha sido tan frío conmigo?

—Es así con todo el mundo cuando está terminando un cuadro. No te preocupes. Cuando la tela de Scheveningen esté terminada, cambiará. Mientras tanto, si necesitas alguna ayuda, puedes venir de tanto en tanto a mi estudio.

—¿Puedo hacerte una pregunta, Weissenbruch?

—Sí.

—¿Te mandó Mauve que vinieras aquí?

—Sí.

—¿Y por qué?

—Quería mi opinión sobre tu trabajo.

—¿Y por qué si me considera un pintor nato?...

—No sé. Tal vez Tersteeg puso la duda en su mente.

LA BONDAD FLORECE EN LUGARES MUY EXTRAÑOS

Si Tersteeg estaba perdiendo fe en él y Mauve se tornaba cada vez más frío, Cristina poco a poco ocupaba su lugar, y llenaba la vida del joven con esa sencilla amistad que él anhelaba. Venía a su estudio todas las mañanas temprano, y traía con ella su costura. Su voz era áspera y sus palabras ordinarias, pero Vincent pronto encontró el medio de no oírla cuando estaba concentrado en su trabajo. La mujer estaba contenta de permanecer tranquilamente sentada al calor de la estufa mirando por la ventana o bien cosiendo ropita para su futuro hijo. Como modelo era bastante torpe y aprendía con dificultad, pero tenía grandes deseos de complacer a Vincent. Pronto tomó la costumbre de preparar la cena antes de retirarse.

—No debes molestarte en eso, Sien —decíale el joven.

—No es ninguna molestia, sé hacerlo mucho mejor que tú.

—Entonces me acompañarás a comerla.

—Bien. Mamá se ocupará de los chicos.

Vincent le daba un franco diario. Sabía que era más de lo que podía, pero le agradaba su compañía y la idea de que le evitaba el duro trabajo de lavandera, le complacía. A veces seguía trabajando hasta muy entrada la noche, y entonces ella no se molestaba en regresar a su casa. Por la mañana el ambiente estaba perfumado por el aroma del café recién hecho, y la vista de aquella mujer que se ocupaba tranquilamente de los menesteres del hogar, le reconfortaba el corazón. Era la primera vez que tenía una mujer y le parecía muy agradable.

A veces Cristina decía:

—Quisiera dormir aquí esta noche. ¿Me lo permites, Vincent?

—Por cierto, Sien. Quédate cada vez que te agrade; ya sabes el placer que me haces.

A pesar de que él nunca le pedía nada, pronto la mujer tomó la costumbre de lavarle y remendarle la ropa e ir al mercado de compras.

—Ustedes los hombres no saben cuidarse solos —decía—. Necesitan de una mujer. Estoy segura que en el mercado te roban escandalosamente.

No era una buena ama de casa, pues su vida desordenada había repercutido en su orden y pulcritud. Era la primera vez que se ocupaba del hogar de alguien que le gustase, y le encantaba hacer las cosas... siempre que se recordase. Ahora ya no se sentía muerta de cansancio día y noche como antes, y su voz había perdido su aspereza, y hasta su vocabulario ya no era tan grosero. Tenía un carácter muy vivo que no sabía controlar y cuando algo le disgustaba, se enfurecía y empleaba palabras obscenas que Vincent no había oído desde los días de la escuela. En esos momentos el joven permanecía tranquilo, esperando que pasara la tormenta. Otras veces era Vincent quien se enojaba, ya sea porque sus dibujos no le complacían o porque Cristina no posaba como él le había enseñado. Gritaba furioso hasta que los muros de la habitación temblaban, pero en pocos minutos volvía a la calma. Afortunadamente nunca se enojaban en el mismo momento.

Después de haberla bosquejado muchas veces hasta que las líneas de su cuerpo se le hicieron familiares, decidió emprender un verdadero estudio. La idea del mismo le vino leyendo una frase de Michelet: *"Comment se fait-il qu'il y ait sur la terre une femme seule desesperée"* (1). Colocó a Cristina desnuda, sentada sobre un tronco cerca de la estufa. Después convirtió el tronco en un árbol caído haciendo del estudio una escena exterior. La joven tenía las manos anudadas a las rodillas y la cabeza oculta entre los brazos descarnados. El pelo le caía sobre la espalda y los pechos le pendían flácidos. Lo llamó "Dolor". Era el cuadro de una mujer de la cual había sido exprimido todo el jugo de la vida. Debajo de él escribió la frase de Michelet.

El estudio le llevó una semana y terminó con su dinero. Faltaban aún diez días para el primero de marzo, y sólo le quedaba pan negro para dos o tres días.

—Sien —dijo con tristeza—. No podrás volver aquí hasta el primero del mes.

—¿Por qué? ¿Qué sucede?

—No tengo más dinero.

—¿Quieres decir para mí?

—Sí.

—Vendré lo mismo. No tengo otra cosa que hacer.

(1) Como pasa que existe en la tierra una mujer desesperada.

—Pero tú necesitas dinero, Sien.

—Me arreglaré para conseguirlo.

—No podrás ir a lavar si estás todo el día aquí.

—... no te preocupes... ya encontraré.

La dejó volver durante tres días más, hasta que se terminó el pan. Aún faltaba una semana para el primero. Le dijo que se iba a Amsterdam a visitar a su tío y que cuando regresara la llamaría. Durante tres días se ocupó en copias, tomando solo agua. Al tercer día fué a visitar a De Bock con la esperanza de que le ofreciera té.

—Hola, viejo —exclamó el pintor al verlo—. Siéntate... ahí tienes unas revistas. Yo debo terminar este trabajo antes de salir a cenar donde me han invitado.

Pero no habló del té.

Sabía que Mauve no lo recibiría y tenía vergüenza de pedir cualquier cosa a Jet. En cuanto a Tersteeg, que había hablado mal de él a Mauve, prefería morirse de hambre antes de ir a verlo. Por más desesperado que se sintiera, no se le ocurría que pudiera ganar dinero de otro modo que con su pintura. La fiebre, su vieja enemiga, volvió a atacarle y tuvo que permanecer en cama. A pesar de que sabía que era imposible, alimentaba la esperanza de que Theo le enviara los cien francos con algunos días de anticipación.

Durante la tarde del quinto día, Cristina fué a verlo y entró sin llamar. Vincent se hallaba durmiendo. Le miró el rostro cansado y pálido y colocó su mano sobre la frente afiebrada. Buscó en el estante donde guardaba los alimentos y viendo que no había una sola migaja de pan ni un poco de café, salió a la calle.

Una hora más tarde, Vincent comenzó a soñar que se hallaba en la cocina de su madre en Etten y que le estaba preparando un plato de porotos. Cuando se despertó vió a Cristina delante de la cocina.

—Sien —murmuró.

Ella se inclinó colocándole su mano fresca sobre la mejilla ardiente.

—Déjate de ser orgulloso —díjole suavemente— y no me vengas con más mentiras. Si somos pobres no es culpa nuestra. Debemos ayudarnos el uno al otro. ¿Acaso no me ayudaste la primera noche que nos encontramos en el bodegón?

—Sien —volvió a decir el joven.

—Descansa un poco más. Fuí a casa y traje unas papas y unos porotos. Ya está todo listo.

Aplastó las papas sobre un plato y puso a su lado unos porotos y le trajo la comida servida.

—¿Por qué me diste tu dinero si no tenías bastante para ti? —reprochóle mientras le daba de comer—. No podrás hacer nada si sufres de hambre.

Hubiera podido resistir su sufrimiento hasta que llegara el dinero de Theo, pero la bondad de la mujer quebró su resistencia. Decidió ir a ver a Tersteeg. Cristina le lavó la camisa pero no pudo planchársela, pues no tenía plancha, y a la mañana siguiente, después de haberse desayunado juntos con un poco de café y pan, se dirigió a la Plaats. Su aspecto era bastnte lamentable. Sus pantalones estaban remendados y sucios, el saco de Theo le quedaba chico, su corbata vieja y ajada parecía un trapo, y sobre la cabeza tenía uno de esos gorros estrafalarios que gustaba de usar y que nadie sabía de dónde venían.

Caminó por las vías del ferrocarril bordeando los bosques y luego se internó en la ciudad. Al pasar ante la vidriera de un negocio, vió su figura reflejada en él. Y en un breve momento de clarividencia se vió tal como lo veían las gentes de La Haya: sucio, descuidado, enfermo, débil, completamente desgastado.

En la Plaats estaban reunidos los más lujosos negocios, y Vincent titubeó antes de entrar en ese barrio aristocrático. Nunca se había percatado hasta entonces de la enorme distancia que había puesto entre él y la Plaats.

Los empleados de Goupil estaban quitando el polvo del negocio, y lo miraron sin disimulada curiosidad. La familia de ese hombre controlaba el mundo artístico de Europa. ¿Por qué andaba él tan asqueroso?

Tersteeg se hallaba en su oficina del primer piso abriendo su correspondencia con un cortapapel de jade. Miró el rostro de Vincent cubierto de barba roja, sus ojos azul verdosos y su frente prominente. Aún no había decidido si encontraba ese rostro feo o hermoso.

—Eres el primer cliente de esta mañana, Vincent —díjole—. ¿En qué puedo servirte?

El joven le explicó sus apuros.

—¿Qué has hecho con tu mensualidad?

—La he gastado.

—Si has sido imprevisor, no puedes esperar que yo te ayude. En el mes hay treinta días, y no debes gastar diariamente más de lo que corresponde.

—No he sido imprevisor. La mayoría de mi dinero lo gasté en modelos.

—¿Y porqué los alquilas? Trabaja sin ellos.

—Trabajar sin modelo es la ruina del pintor de figuras.

—No pintes figuras. Haz vacas y carneros. No necesitarás pagarlos.

—No puedo dibujar vacas o carneros, Mijnherr. No me atraen.

—De todos modos no deberías dibujar gente; esos dibujos no se venden. Tendrías que dedicarte a la acuarela y nada más.

—No siento la acuarela.

—Creo que tu dibujo es una especie de narcótico que empleas para no sentir el dolor que te produce no ser capaz de pintar en acuarela.

Hubo un silencio entre los dos hombres. Vincent no supo qué contestar a eso.

—De Bock no emplea modelos y es rico. Y supongo que convendrás conmigo que sus telas son espléndidas. Sus precios siguen subiendo. Tenía la esperanza de que tú lograras un poco de su encanto en tus trabajos, pero no pareces conseguirlo. Estoy decepcionado contigo, Vincent; tu trabajo continúa tosco... De una cosa estoy seguro, y es que no eres artista.

El joven, debilitado por sus cinco días de dieta, se sintió desfallecer. Sentóse fatigado sobre una magnífica silla tallada y por fin preguntó débilmente:

—¿Por qué me dice eso, Mijnherr?

Tersteeg sacó del bolsillo un pañuelo inmaculado y después de pasárselo sobre la nariz y los labios repuso:

—Porque lo debo tanto a ti como a tu familia. Debes conocer la verdad, Vincent. Aún tienes tiempo de salvarte si obras con rapidez. No estás hecho para ser artista; deberías dedicarte a otra cosa. Yo nunca me equivoco respecto a los pintores.

—Lo sé —repuso Vincent.

—Creo que has comenzado demasiado tarde, si hubieras empezado de muchacho posiblemente hubieras llegado a algo. Pero tienes treinta años, Vincent, ya deberías haber triunfado. Yo a tu edad tenía mi situación floreciente. ¿Cómo quieres tener éxito si careces de talento? Y sobre todo ¿cómo puedes encontrar justificación para aceptar la caridad de Theo?

—Mauve me dijo una vez: "Vincent, cuando dibujas eres un verdadero pintor..." —murmuró el joven.

—Bah, tu primo ha querido ser bondadoso. Yo soy tu amigo, y mi bondad es mejor que la suya. Olvídate de la pintura antes de que hayas perdido inútilmente toda tu vida. Algún día, cuando triunfes en otra cosa, vendrás a agradecérmelo.

—Mijnheer Tersteeg, hace cinco días que no tengo un solo céntimo en mi bolsillo para comprar un pedazo de pan, pero no le pediría dinero si fuese para mí solo. Tengo una modelo, pobre y enferma. Le debo unos francos y no puedo pagárselos. Ella los necesita. Le ruego me preste diez florines hasta que reciba el dinero de Theo. Se los devolveré.

Tersteeg se puso de pie y se acercó a la ventana y miró hacia el estanque de la plaza donde se veían unos inmaculados gansos blancos. ¿Por qué Vincent habría venido a instalarse en La Haya cuando los negocios de sus tíos estaban en Amsterdam, Rotterdam, Bruselas y París?

—Crees que te haría un favor prestándote diez florines —dijo sin volverse siquiera—, pero a mí me parece que te lo haría mayor si te los rehusara.

El joven sabía cómo había ganado Sien el dinero para las papas y porotos que él había comido, y no podía tolerar que siguiera manteniéndolo.

—Mijnheer Tersteeg, probablemente usted tenga razón. Yo no poseo talento, y sería mal que usted me estimulara con dinero. Debo comenzar a ganarme la vida sin dilación. Pero en nombre de nuestra antigua amistad le pido que me preste esos diez florines.

Tersteeg sacó una cartera de su bolsillo y tomando un billete de diez florines lo entregó al joven sin decir una palabra.

—Gracias —dijo éste—, usted es muy bueno.

Mientras regresaba a su casa por las calles bien cuidadas con sus agradables construcciones de ladrillo rojo, le invadió una sensación de confort y seguridad y murmuró para sus adentros:

—No siempre se puede ser amigo; a veces es necesario reñir... No volveré a ver a Tersteeg hasta de aquí seis meses, ni le enseñaré mi trabajo.

Entró en lo de De Bock deseoso de ver qué era ese "encanto", esa cosa que hacía "vendibles" sus cuadros y que los suyos no poseían. Encontró al joven sentado en un sillón, con los pies sobre una silla y leyendo una novela inglesa.

—Hola —díjole al verlo entrar—. Estoy de malas y no puedo trazar una línea. Acerca una silla y siéntate. ¿Quieres un cigarro? ¿Has oído últimamente algún chiste bueno?

—¿Me permites ver de nuevo algunos de tus cuadros, De Bock? Quiero saber por qué tus obras se venden y las mías no.

—Talento, amigo mío, talento —dijo el joven irguiéndose perezosamente—. Es un don del Cielo, que, o bien se posee o no se posee...

Le enseñó algunas de sus más recientes telas y Vincent permaneció largo rato estudiándolas con avidez.

—Las mías son mejores —se dijo para sí—. Son más verdaderas, más profundas. Yo expreso más con un simple lápiz que él con toda una caja de pintura. Lo que él expresa es obvio, y cuando ha terminado de expresarlo no dice nada. ¿Por qué no le escatiman elogios ni dinero y a mí me rehusan los miserables centavos necesarios para comprarme pan negro y café?

Cuando salió del estudio de De Bock, el joven murmuró para sus adentros:

—En esa casa hay una atmósfera perniciosa, algo hipócrita, que me oprime. Millet tenía razón cuando decía: "Preferiría no hacer nada que expresarme débilmente". De Bock puede guardarse su encanto y su dinero. Yo prefiero seguir viviendo en la realidad y en la pobreza.

Encontró a Cristina lavando el piso de su estudio. Se había atado la cabeza con un pañuelo negro y su rostro picado de viruela brillaba de sudor.

—¿Conseguiste dinero? —preguntó levantando la cabeza hacia él.

—Sí, diez francos.

—¡Qué magnífico es tener amigos ricos!

—Sí. Aquí están los seis francos que te debo.

Sien se enjugó la cara con su delantal negro.

—No puedes darme nada ahora —dijo—. Espera a que tu hermano te envíe algo. ¿Qué harías tú con cuatro francos?

—Ya me arreglaré. Tú necesitas ese dinero, Sien.

—Y tú también. Si quieres haremos lo siguiente: me quedaré aquí hasta que venga el dinero de tu hermano. Viviremos los dos con esos diez francos como si nos pertenecieran a ambos. Yo sabré hacerlos durar más que tú.

—Pero no podré pagarte para que poses.

—Me darás casa y comida, ¿te parece poco? Estoy contenta de poder quedarme aquí al calor y no tener necesidad de salir a trabajajr hasta enfermarme.

Vincent la tomó en sus brazos y le acarició suavemente su cabello negro.

—Sien, ¡a veces casi me haces creer que hay un Dios!

SABER SUFRIR SIN QUEJARSE

Más o menos una semana más tarde, el joven fué a visitar a Mauve. Su primo lo hizo pasar al estudio, pero ocultó la tela del Scheverningen con un lienzo antes de que Vincent pudiera verla.

—¿A qué vienes? —le preguntó, como si no lo supiera.

—He traído algunas acuarelas... pensé que podrías dedicarme unos minutos...

Mauve estaba limpiando nerviosamente algunos pinceles. Hacía tres noches que no se acostaba, descansando apenas un par de horas sobre el diván de su estudio.

—No siempre estoy dispuesto a enseñarte, Vincent. A veces estoy demasiado cansado y entonces es mejor que aguardes el momento propicio.

—Lo siento, primo Mauve —repuso el joven dirigiéndose hacia la puerta—. No deseo molestarte. ¿Podré volver mañana a la noche?

Pero Mauve ya no lo oía. De pie delante de su caballete descubierto, había reanudado su trabajo.

Cuando Vincent volvió a la noche siguiente, encontró allí a Weissenbruch. Al verlo llegar Mauve comenzó a divertirse a su costa. Con unos cuantos trazos se maquilló la cara para que se pareciese a la de su primo, imitando luego su modo de andar y de hablar, con gran regocijo de Weissenbruch.

—¡Magnífico! ¡Magnífico! —exclamó riendo Weissenbruch—. ¿Ves, Van Gogh? ¡Nunca supiste que los demás te veían así! ¡Qué magnífico animal eres! ¡Vamos, Mauve, avanza tu mandíbula un poco más y ráscate la barba... Así, así... ¡eso es!

Vincent, estaba atónito. Sentóse en un rincón y dijo con amargura:

—Si ustedes hubieran pasado como yo noche tras noche bajo la lluvia en Londres o días de hambre y de fiebre en el Borinage, también tendrían huellas de sufrimiento en sus rostros y serían hoscos como yo.

Después de unos momentos Weissenbruch partió. En cuanto hubo salido de la habitación, Mauve se dejó caer exhausto sobre un sillón. Vincent no hizo un solo movimiento. Finalmente Mauve se percató de su presencia.

—¿Cómo, estás aún ahí?

—Primo Mauve —repuso el joven con energía—. ¿Qué ha sucedido entre nosotros? ¡Dime lo que he hecho! ¿Por qué me tratas así?

Mauve se puso de pie fatigado y apartó de su frente un mechón de pelo que le molestaba.

—No apruebo tu modo de ser, Vincent —dijo— deberías ganarte la vida y no deberías deshonrar el nombre de Van Gogh pidiendo dinero a todo el mundo.

El joven permaneció un momento silencioso y luego dijo:

—¿Estuvo Tersteeg a verte?

—No.

—¿Entonces no quieres enseñarme más?

—No.

—Bien. Estrechémonos las manos y olvidemos el asunto. Nada podrá alterar la gratitud que siento hacia ti por lo que has hecho por mí.

Esta vez fué Mauve quien permaneció silencioso.

—No lo tomes tan a pecho, Vincent, —dijo por fin—. Estoy cansado y enfermo. Te ayudaré todo lo que pueda. ¿Tienes algún dibujo contigo.

—Sí, pero me parece que no es la hora...

—Enséñamelos.

Los estudió breve rato diciendo luego:

—Tu dibujo está completamente equivocado. ¿Cómo es posible que no lo hayas visto antes?

—En una oportunidad me dijiste que cuando dibujaba era un pintor.

—Confundí tu rusticidad por fuerza. Si quieres aprender, tendrás que empezar todo desde el principio. Allí, cerca de la

estufa tienes unos moldes de yeso, siéntate y trabaja un poco
con ellos.

Vincent se acercó a los moldes de yeso y tomando uno que
representaba un pie lo colocó delante de sí. Largo rato estuvo mirándolo antes de decidirse a dibujarlo. ¡Se sentía tan mortificado! Miró a Mauve que trabajaba delante de su caballete y le
preguntó:

—¿Cómo adelanta tu obra, primo Mauve?

El pintor se arrojó sobre un diván y cerrando los ojos exclamó satisfecho:

—¡Tersteeg me dijo hoy que es lo mejor que he hecho!

El joven no contestó en seguida, pero tras reflexión murmuró:

—¡Entonces fué Tersteeg!...

Mauve no lo oyó, se había dormido.

Cuando se sosegó un poco el dolor que lo embargaba, Vincent comenzó a dibujar el pie de yeso, y algunas horas después,
cuando su primo se despertó, tenía siete dibujos terminados. Mauve se acercó a su lado con vivacidad, como si no hubiese estado
durmiendo.

—Déjame ver, déjame ver.

Miró a los siete croquis exclamando: ¡No! ¡No! ¡No!

Los estrujó y los arrojó al suelo.

—¡Siempre la misma crudeza, siempre la misma rusticidad!
¿No puedes hacer una copia decente en tu vida?

—Te pareces a un viejo profesor de academia, primo Mauve.

—¡Más te hubiera valido concurrir a las Academias! ¡Al
menos a esta hora sabrías dibujar! ¡Vuelve a copiar ese pie, y
esfuérzate para que se parezca a un pie!

Mauve cruzó el jardín hasta la cocina para buscar algo de
comer, y cuando regresó se instaló de nuevo ante su tela, trabajando durante largas horas a la luz de la lámpara. Vincent dibujaba pie tras pie, cuanto más dibujaba, más odiaba ese pedazo de
yeso que tenía ante los ojos. Al amanecer había acabado gran
cantidad de dibujos. Fatigado y desalentado, se levantó. Una vez
más Mauve estudió sus croquis y una vez más los estrujó en sus
manos.

—¡No sirven para nada! ¡Violas hasta la más elemental regla de dibujo! Vete a tu casa y llévate ese molde, dibújalo hasta
conseguir reproducirlo bien.

—¡Al diablo con tu molde! —exclamó Vincent exasperado.

Y arrojó el pie al suelo haciéndolo añicos.

—¡No me vuelvas a hablar más de moldes de yeso. Solamente dibujaré de yesos cuando no haya un solo ser viviente sobre la tierra!

—Haz como quieras —repuso Mauve con frialdad.

—¡No puedo permitir imposiciones absurdas, primo Mauve! ¡Debo expresar las cosas según mi temperamento y mi carácter. Debo dibujar tal cual las veo y no tal cual las ves tú o cualquier otra persona.

—Perfectamente. Pero de hoy en adelante, yo no tengo nada que ver contigo —repuso su primo con sequedad.

Cuando Vincent se despertó a medio día, Cristina y su hijo mayor Herman estaban en el estudio. El niño era un muchachito pálido de unos diez años con ojos asustados y semblante insignificante. A fin de mantenerlo tranquilo, Cristina le había dado un pedazo de papel y un lápiz.

No sabía ni leer ni escribir, y se acercó al joven tímidamente. Este le enseñó a sostener el lápiz y a dibujar una vaca, y pronto fueron grandes amigos. Cristina sirvió un poco de pan y queso y los tres comieron juntos.

Vincent recordó a Kay y a su hermoso pequeño Jan, y sintió un nudo en la garganta.

—No me siento muy bien hoy, por eso traje a Herman, para que lo dibujes en lugar mío.

—¿Qué te sucede Sien?

—No sé. Me siento muy rara por dentro.

—¿Te sentiste así para los demás niños?

—No. Este es peor que cualquier otro.

—Debes ver un médico.

—No vale la pena que vaya a la Asistencia, pues no me hacen nada.

—Deberías ir al hospital de Leyden.

—... sí, eso es lo que debería hacer.

—En tren queda a poca distancia. Te acompañaré mañana temprano. Allí va la gente de toda Holanda.

—Dicen que es muy bueno.

La mujer permaneció recostada todo el día, mientras Vincent dibujaba al muchachito. Después de la cena acompañó a Herman a casa de su abuela y a la mañana temprano él y Cristina tomaron el tren para Leyden.

—Naturalmente que usted debe sentirse mal —dijo el médico después de haberla examinado—. Esa criatura está en mala posición.

—¿Puede hacerse algo, doctor? —inquirió Vincent.

—Sí, se puede operar.

—¿Será grave?

—Por el momento, no. Habrá que dar vuelta a la criatura con el forceps. La operación es gratuita, pero hay que abonar los pequeños gastos del hospital. ¿Tiene usted algún dinero? —inquirió volviéndose hacia Cristina.

—Ni un solo franco.

—¿Cuánto costaría, doctor? —preguntó Vincent.

—No más de cincuenta francos.

—¿Y si no se hace operar?

—No podrá resistir el parto.

Vincent reflexionó un momento. Las doce acuarelas para su Tío Cor estaban casi listas. Eso le reportaría treinta francos. Los otros veinte los tomaría de la mensualidad que le enviaba Theo.

—El gasto correrá por mi cuenta, doctor —dijo.

—Bien. Tráigala el sábado a la mañana y la operaré yo mismo. Ahora quiero advertirles una cosa más. No sé la relación que existe entre ustedes dos y no es de mi incumbencia, pero les advierto que si esta joven vuelve a su vida depravada, no durará seis meses.

—Jamás volveré a esa vida, doctor, le doy mi palabra.

—Bien. Entonces hasta el sábado temprano.

Pocos días después Tersteeg vino a visitar al joven.

—Veo que insistes —dijo notando a Vincent instalado frente a sus dibujos.

—Sí.

—He recibido los diez francos que me devolviste por correo. Hubieras podido al menos venir personalmente a agradecerme el préstamo.

—El centro queda muy lejos, Mijnherr, y el tiempo estaba malo.

—No te pareció muy lejos, para venir a pedirme el dinero, ¿eh?

El joven no contestó.

—Eso se llama mala educación —prosiguió Tersteeg—. No

tienes sentido común, por eso no te tengo fe ni quiero comprar
tus cuadros.

El joven se apoyó contra el borde de la mesa, listo para la
lucha.

—Creí que dependía del valor de mi trabajo y no de mi
persona que usted comprara o no mis obras. No es justo que se
deje influenciar por su antipatía...

—Y tampoco lo hago... Si dibujaras algo vendible... con
un poco de encanto... me placería mucho venderlo en la Plaats...

—Mijnherr Tersteeg, el trabajo en el que se ha puesto carácter y sentimiento nunca puede dejar de agradar o ser invendi-
ble. Creo que tal vez sea mejor para mi obra no tratar de agradar a todo el mundo desde el principio.

Tersteeg tomó asiento, pero sin siquiera quitarse los guantes.

—¿Sabes Vincent? A veces sospecho que no deseas vender,
que prefieres vivir con el dinero ajeno...

—Me sentiría muy feliz de vender un dibujo, pero más feliz
me siento cuando un verdadero artista como Weissenbruch dice
de uno de mis dibujos: "Esto es auténtico, yo mismo podría trabajar este dibujo". A pesar de que el dinero me es muy necesario
y tiene gran valor para mí, especialmente en estos momentos,
opino que lo primordial es hacer una obra seria.

—Eso podría opinar un hombre rico como De Bock, pero
no uno como tú...

—El arte, la pintura verdadera, mi querido Mijnherr tiene
muy poco que ver con la renta que se posee.

Tersteeg se reclinó sobre la silla y tras un momento, dijo:

—Tus padres me han escrito pidiéndome que te ayude, Vincent. Puen bien, ya que en conciencia no puedo comprarte nada,
te puedo al menos dar algún consejo. Primeramente deberías comprarte un traje y tratar de conservar un poco las apariencias. Te
olvidas por completo de que eres un Van Gogh. Deberías frecuentar la buena sociedad de La Haya y no andar siempre con
trabajadores y gente baja. Pareces tener una inclinación especial
para todo lo sórdido y feo; has sido visto en los peores lugares y
con gente de la peor especie. ¿Cómo puedes tener la esperanza
de triunfar si te portas de ese modo?

—Mijnherr, le agradezco mucho su buena intención, y le
voy a hablar con toda sinceridad. ¿Cómo podría vestirme mejor
si no dispongo de un solo franco para ropas y no consigo ganar

nada? Eso de andar de un lado para otro en los mercados, en los lugares sórdidos y en las tabernas de peor especie, no es placer para nadie, *excepto para un artista*. Como tal, prefiero estar en los lugares más bajos donde hay algo que dibujar, que en una elegante reunión mundana en compañía de damas encantadoras. Le aseguro que es muy arduo el trabajo de buscar temas entre la gente trabajadora, de vivir con ellos, a fin de dibujar la vida en su misma fuente natural. Para andar entre esa gente, no puedo estar vestido como para alternar entre damas y caballeros. Mi lugar está entre los trabajadores, entre los labriegos del Geest... donde hoy pasé todo el día trabajando. Allí mi rostro feo y mi traje raído y pobre armonizan perfectamente con el conjunto y me encuentro a mí mismo, y trabajo con placer. Si llevo un traje elegante, la gente que deseo dibujar tiene miedo y desconfía de mí. El propósito de mi dibujo es hacer conocer muchas cosas dignas de ser conocidas y que no todos conocen. Si a veces debo sacrificar mis modales sociales en aras de mi arte, ¿acaso no estoy justificado? ¿Acaso desciendo por el hecho de vivir con la gente que dibujo? ¿Me rebajo cuando entro en las chozas de los trabajadores y de los pobres o cuando los recibo en mi estudio? Creo que mi profesión así lo requiere.

—Eres muy terco, Vincent, y no quieres escuchar a un hombre de más edad que tú y que podría ayudarte. Has fracasado antes y volverás a fracasar.

—Tengo mano de dibujante, Mijnheer Tersteeg y no puedo dejar de dibujar por más que usted me lo repita. Dígame si desde el momento en que empecé a dibujar he tenido un solo momento de duda o de vacilación. Bien sabe usted que siempre he seguido adelante, y que poco a poco me fortalezco en la batalla.

—Tal vez, pero combates por una causa perdida de antemano.

Se puso de pie, abrochó su guante que se había desprendido, se colocó su alto sombrero de seda sobre la cabeza y dijo:

—Mauve y yo nos arreglaremos para que no vuelvas a recibir un solo centavo de Theo, será el único modo de hacerte entrar en razón.

Vincent sintió como si algo se le hubiera desgarrado en el pecho. Si lo atacaban del lado de Theo, estaba perdido.

—¡Por Dios! —exclamó—. ¿Por qué quiere usted hacerme eso? ¿Qué le he hecho yo para que quiera arruinarme y destruirme? ¿Le parece justo matar a un hombre por el solo hecho de que sus opiniones difieren de las suyas? ¿Por qué no me deja continuar mi camino? ¡Le prometo no molestarlo nunca más! Mi hermano es lo único que me queda en el mundo. ¿Por qué quiere alejarlo de mí?

—Es por tu bien, Vincent —repuso Tersteeg y salió de la habitación.

Vincent reunió el poco dinero que tenía y salió a comprar un molde de yeso como el que había roto en lo de Mauve. Luego corrió al estudio de su primo, siendo recibido por Jet. La joven señora se sorprendió al verlo.

—Antón no está en casa —dijo—. Está enojadísimo con usted... Dice que no quiere volverlo a ver nunca más. Oh, Vincent... ¡siento tanto lo que ha sucedido!

El joven le entregó el pie de yeso.

—Le ruego se lo entregue a Anton, y dígale que lamento mucho lo que hice.

Se volvió para retirarse, pero Jet, colocándole amistosamente una mano sobre el hombro le dijo:

—El cuadro de Scheveningen está terminado. ¿Quiere verlo?

Largo rato estuvo de pie, observando el gran cuadro de Mauve que representaba un barco pesquero tirado sobre la arena por unos caballos en la playa de Scheveningen. Sabía que estaba ante una obra maestra. Los caballos flacos y viejos, parecían sumisos, pacientes y resignados con su dura suerte. Aún les faltaba la mitad del recorrido para arrastrar el pesado barco. Estaban jadeantes, cubiertos de sudor, pero no se rebelaban. Su resignación era completa ante el trabajo que les habían impuesto.

Vincent comprendió la profunda filosofía que emanaba del cuadro. Parecía decirle: "Saber sufrir sin quejarse, he ahí la profunda ciencia, la gran lección que debemos aprender, la solución del problema de la vida".

Regresó a su casa con nuevas fuerzas, pensando con divertida ironía, que el hombre que le había asestado el peor de los golpes, era el mismo que le enseñaba que debía soportarlo con resignación.

LA ESPADA DESPIADADA

La operación de Cristina tuvo buen resultado, pero era necesario pagarla. Vincent envió las doce acuarelas a Tío Cor, esperando que éste le enviara los treinta francos en pago. Aguardó muchos días, pero el Tío Cor no se apuraba en mandar el dinero. Como el doctor de Leyden era el mismo que debía atender a Cristina del parto, querían conservar su buena voluntad, y Vincent le envió sus últimos veinte francos, muchos días antes del primero de mes. Y volvieron a comenzar las penurias. Primero se alimentó con pan negro y café, luego con pan negro y agua; después empezó la fiebre, el debilitamiento y hasta el delirio. Cristina se iba a comer a su casa, pero no le quedaba nada para traerle a Vincent. No pudiendo resistir más, el joven, afiebrado y exhausto se levantó y fué a ver a Weissenbruch a su estudio.

Weissenbruch era rico, pero vivía austeramente. Su estudio estaba situado en un cuarto piso con un gran ventanal que daba hacia el norte. La habitación no tenía nada que pudiese distraer la atención. No había sofá ni sillón, ni libros ni cuadros colgados sobre las paredes, nada más que lo estrictamente necesario para pintar. Ni siquiera había un banco para el visitante. Eso alejaba a los importunos.

—¿Eres tú? —gruñó el artista dejando el pincel. No le importaba irrumpir en el estudio de los demás en cualquier momento, pero no soportaba que lo molestaran a él.

Vincent explicó el motivo de su visita.

—¡Ah, muchacho, te has equivocado al dirigirte a mí! —exclamó Weissenbruch—. ¡No te prestaría ni diez céntimos!

—¿No puedes?

—¡Ya lo creo que podría! ¿Crees acaso que soy un pobrete como tú, que no vende nada? Tengo más dinero en el banco del que podría gastar en tres vidas juntas.

—Y entonces ¿por qué no me prestas veinticinco francos? ¡Estoy desesperado! ¡No tengo una sola migaja de pan en casa!

Weissenbruch se frotó las manos satisfecho.

—Magnífico, magnífico —exclamó—. ¡Eso es lo que necesitas! ¡Es espléndido para ti! ¡Tal vez llegues a ser un buen pintor!

Vincent se reclinó contra la pared, sin fuerzas para sostenerse.

—¿Qué es lo que te parece tan espléndido en morirse de hambre?

—¡Es magnífico para ti, Van Gogh, te hará sufrir!

—¿Y por qué tienes tanto interés en que sufra?

—Porque eso te hará un verdadero artista. Cuanto más sufras, más agradecido deberías estar. Esa es la pasta con que se hacen los pintores de primer orden. Un estómago vacío es mucho mejor que uno lleno, Van Gogh, y un corazón destrozado es mucho mejor que uno feliz. ¡No lo olvides nunca!

—Eso es maldad, Weissenbruch, y lo sabes.

—El hombre que nunca ha sido desgraciado no tiene nada que pintar. La felicidad es animal, es buena para las vacas y los comerciantes. Los artistas florecen en el dolor. Dios es misericordioso contigo si te da pobreza, disgustos y penas.

—La pobreza destruye, aniquila.

—Sí, pero a los débiles. ¡Nunca a los fuertes! Si la pobreza te destruye, es porque no mereces ser salvado.

—¿Entonces no quieres ayudarme?

—No te ayudaría aunque fueses el pintor más grande de todos los tiempos. Si el hambre y el dolor pueden matar a un hombre, es porque no merece ser salvado. Los únicos verdaderos artistas son los que ni Dios ni el diablo pueden matar hasta que hayan expresado todo lo que tienen que expresar.

—Pero hace años que ando hambriento, Weissenbruch. Pasé días y días sin techo, caminando en la lluvia y en la nieve, sin ropa casi, enfermo, afiebrado y abandonado. Ya no me queda nada por aprender.

—Sólo has arañado la superficie del sufrimiento... aún te resta mucho que aprender. Te digo que el dolor es lo único infinito en este mundo. Ahora vete a tu casa y toma tu lápiz. Cuanto más hambriento y desgraciado estés, mejor trabajarás.

—Y más pronto desecharán mis dibujos...

—Naturalmente. ¡Y eso también es bueno para ti! ¡Te hará aún más desgraciado! Y tu próximo cuadro será mejor que el anterior. Si te mueres de hambre y sufres, y nadie sabe apreciar tus cuadros durante un número suficiente de años, tal vez logres pintar algo que merezca ser colgado al lado de un Jan Steen o de un...

—¡... de un Weissenbruch!

—Eso mismo, de un Weissenbruch. Si te diese dinero ahora, te robaría las probabilidades que tienes de inmortalizarte!

—¡Al diablo con la inmortalidad! Quiero seguir dibujando y no puedo hacerlo con el estómago vacío.

—Nada de eso, muchacho. Todo lo de verdadero valor ha sido pintado con el estómago vacío.

—Nunca he oído que tú hayas sufrido mucho.

—Yo soy distinto. Tengo imaginación creadora. Puedo comprender el dolor sin necesidad de experimentarlo.

—¡Embustero!

—Nada de eso. Si hubiera visto que mi trabajo era insípido como el de De Bock, me hubiera deshecho de mi dinero y vivido como un pordiosero. Pero resulta que puedo crear la perfecta ilusión del dolor sin necesidad de experimentarlo. Es por eso que soy tan gran artista.

—Es por eso que eres tan gran embustero... Vamos, Weissenbruch, pórtate como un buen compañero y préstame veinticinco francos.

—Ni veinticinco céntimos! Te digo que hablo en serio. Te estimo demasiado para debilitarte prestándote dinero. Si sigues tu destino, Vincent, llegará el día en que harás muy buen trabajo; el molde de yeso que hiciste trizas en lo de Mauve me ha convencido de ello. Ahora vete... y pide en algún fondín que te den por caridad un plato de sopa...

Vincent lo miró fijamente durante un momento, y luego se volvió para abrir la puerta, sin decir una sola palabra más.

—¡Aguarda un instante! —exclamó Weissenbruch.

—¿Qué? ¿Vas a ser tan cobarde como para dejarte vencer? —preguntó rudamente el joven.

—Escúchame, Van Gogh, no me interpretes mal. No soy ningún miserable, sino un hombre de principios. Si te creyera un tonto, te daría los veinticinco francos para desembarazarme de ti. Pero te considero como a un compañero de arte, y te daré algo que no podrías comprar con todo el oro del mundo, y que a nadie más se lo daría en La Haya excepto a Mauve. Ven aquí... Corre esa cortina para tamizar la luz... así, está mejor. Mira este estudio... Ven que te enseñe como trabajo...

Una hora más tarde Vincent abandonó alborozado el estudio de su amigo. Había aprendido más en ese corto espacio de tiem-

po que en un año en la mejor escuela de arte. Caminó un buen
trecho antes de recordar que tenía hambre, que estaba afiebrado
y enfermo y que no poseía un solo céntimo en el mundo.

AMOR

Pocos días más tarde se encontró con Mauve sobre las dunas. Si abrigaba alguna esperanza de reconciliación, se vió de-
fraudado.

—Primo Mauve —díjole—; quiero pedirte disculpas por lo
que sucedió el otro día en tu estudio. Me porté como un idiota...
¿puedes perdonarme? ¿No aceptas venir de vez en cuando a ver
mi trabajo y a charlar un poco conmigo?

—No tengo la menor intención de ir a verte —repuso Mauve
sin miramientos.

—¿Has perdido por completo la fe en mí?

—Sí. Tienes un carácter depravado.

—Si me dices lo que he hecho de depravado trataré de en-
mendarme.

—Ha dejado de interesarme lo que haces.

—No hice otra cosa más que comer, dormir y trabajar como
un artista... ¿Llamas a eso depravado?

—¿Quieres decir que te consideras artista?

—Sí.

—¡Qué absurdo! Nunca vendiste un solo cuadro en tu vida.

—¿Te parece que ser artista significa... vender? Creí que
significaba alguien que siempre busca sin encontrar... Creí que
quería decir lo contrario de: "Yo sé, he encontrado". Cuando
digo que soy artista, solo quiero decir: "Estoy buscando, estoy
luchando con todo mi corazón".

—Así y todo, tienes un carácter depravado.

—Sospechas de algo, Mauve... ¿De qué se trata? Háblame
con franqueza. Algo hay en el aire que no sé lo que puede ser.

Mauve no contestó, volvió a tomar su pincel, y Vincent se
alejó lentamente por la arena.

En efecto, "algo había en el aire". Toda La Haya conocía sus
relaciones con Cristina. De Bock fué quien le habló primero del

asunto, con un aire picaresco. Cristina estaba posando en ese momento, y por eso le habló en inglés.

—Vaya, vaya, Van Gogh —díjole encendiendo uno de sus largos cigarrillos— toda la ciudad sabe que tienes una amante. Me lo dijeron Weissenbruch, Mauve y Tersteeg. Ha producido un verdadero revuelo en La Haya.

—Ah —contestó el joven—, entonces se trata de eso...

—Hubieras debido ser más discreto, viejo. ¿Quién es ella? ¿Alguna modelo de la ciudad? Creí que yo conocía todas las que valen la pena.

Vincent echó una mirada a Cristina que se hallaba tejiendo cerca de la estufa, como una sencilla ama de casa. De Bock, sorprendido dejó caer su cigarrillo.

—¡Cielos! —exclamó—. ¡No querrás decir que esa es tu amante!

—No tengo amante, De Bock. Pero presumo que esa es la mujer de quien se habla.

De Bock hizo además de secarse el sudor de la frente y miró con detenimiento a Cristina.

—¿Cómo puedes tener el coraje de dormir con ella? —preguntó.

—¿Por qué me dices eso, De Bock?

—¡Pero viejo... si es una bruja! ¡La más ordinaria de las brujas! ¿En qué estás pensando? No me extraña de que Tersteeg esté horrorizado. Si quieres una amante, por qué no elijes alguna de las lindas modelitos que andan por ahí... No faltan, te lo aseguro.

—Ya te dije, De Bock que esta mujer no es mi amante.

—¿Entonces qué?...

—¡Es mi mujer! ¡Mi esposa!

—¡Tu mujer!

—Sí. Pienso casarme con ella.

—¡Cielos!

De Bock echó una última mirada de horror y repulsión hacia Cristina y salió como si alguien lo corriera.

—¿Qué estaban diciendo de mí? —inquirió Cristina.

Vincent la miró por un momento y luego le dijo, con calma:

—Le estaba diciendo a De Bock que quiero que seas mi esposa.

La mujer permaneció largo rato silenciosa, mientras continuaba tejiendo. Tenía la boca entreabierta y de vez en cuando su lengua humedecía sus labios resecos.

—¿Quieres realmente casarte conmigo, Vincent? ¿Y por qué?

—Si no me casara contigo, hubiera sido mejor para ti que te dejara tranquila. Quiero conocer las alegrías y las penas de la vida conyugal a fin de poder pintarlas de acuerdo a mi propia experiencia. Una vez estuve enamorado de una mujer, Cristina, pero en su casa me dijeron que le repugnaba. Mi amor era verdadero, honrado e intenso, pero lo mataron. Después de toda muerte viene la resurrección, Cristina, y tú eres esa resurrección.

—¡Pero no puedes casarte conmigo! ¿Y los niños? ¿Y si tu hermano deja de enviarte el dinero?

—Respeto a una mujer que es madre, Cristina. Guardaremos al niño por nacer y a Herman con nosotros, y los demás se quedarán con tu madre. En cuanto a Theo... sí... tal vez quiera abandonarme. Pero en cuanto le escriba contándole toda la verdad no creo que lo haga.

Sentóse sobre el suelo a los pies de la mujer. Cristina estaba mucho mejor que cuando recién se conocieron. En sus melancólicos ojos castaños brillaba un destello de felicidad. Un nuevo espíritu de vida había invadido toda su personalidad. Había tenido que empeñarse mucho para posar, pues al principio era torpe, pero poco a poco sus modales y todo su ser se habían serenado. Había encontrado nueva salud y nueva vida al lado de Vincent. El joven permaneció mirando su rostro marcado por la viruela en el cual se reflejaba ahora un poco de dulzura, y recordó la frase de Michelet: *Comment se fait-il qu'il y ait sur la terre une femme seule désespérée?*

—Sien... vamos a tratar de ahorrar lo más posible. Temo de que llegue el día en que me encuentre completamente sin recursos. Podré ayudarte hasta que vayas a Leyden, pero cuando regreses, no sé cómo me encontrarás y si tendré pan. Pero tenga lo que tenga, lo compartiré contigo y con el niño.

Cristina se deslizó suavemente de la silla y sentándose en el suelo a su lado apoyó la cabeza sobre su hombro.

—Déjame permanecer a tu lado, Vincent. Es lo único que te pido. No me quejaré aunque no tengas otra cosa que pan y café. Te amo, Vincent. Eres el único hombre que ha sido bueno conmigo. No te cases conmigo si no quieres. Posaré para ti y haré todo lo que me digas. Lo único que te pido es que me dejes

estar a tu lado. Es la primera vez que he sido feliz, Vincent...
déjame compartir tu vida y ser feliz.

El joven le acarició lentamente el rostro y el cabello negro.

—¿Me amas, Cristina?

—Sí, Vincent.

—Hace bien sentirse amado. Que el mundo piense lo que
quiera.

—¡Al diablo con el mundo! —repuso Cristina simplemente.

—Viviré como un trabajador; me agrada. Tú y yo nos com-
prendemos y no nos importa lo que dirán los demás. No pre-
tendo conservar una posición social. La clase a la cual pertenezco
hace tiempo ha renegado de mí. Prefiero comer pan duro en tu
compañía que vivir sin casarme contigo.

Largo rato permanecieron sentados en el suelo abrazados, a
la luz de la lumbre. Fué el cartero que rompió el encanto. Entregó a Vincent una carta de Amsterdam que decía así:

"Vincent: Acabo de enterarme de tu conducta desastrosa. Te
ruego canceles mi pedido de seis dibujos. No quiero interesarme
más en tu trabajo".

C. M. Van Gogh.

La única esperanza que ahora le quedaba era Theo. Al menos que consiguiera hacerle comprender la verdadera naturaleza
de sus relaciones con Cristina, probablemente se consideraría justificado cortándole el envío de los cien francos mensuales. Podía
pasarse sin Mauve, su maestro, de Tersteeg, el crítico y comerciante, de su familia, amigos y colegas, siempre que tuviese su
trabajo y Cristina, de lo que no podía prescindir era de los cien
francos aquellos.

Escribió unas cartas largas y apasionadas a su hermano, rogándole que lo comprendiera y no lo abandonara. Vivía unos
días de terrible ansiedad, temiendo lo peor. No se atrevía a comprar ni papel ni acuarelas, en fin, nada que no fuese estrictamente
necesario.

Theo hizo serias objeciones, pero sin condenarlo irremisible-
mente. Le dió algunos consejos, pero sin decir que le cortaría los
víveres si no los seguía. Finalmente, a pesar de que no aprobaba
su conducta, le aseguró que continuaría ayudándolo como hasta
entonces.

Corrían los primeros días de mayo, y el médico de Leyden había anunciado a Cristina que daría a luz en el mes de junio. Vincent decidió que sería mejor que la joven viniera a vivir definitivamente con él, después del acontecimiento, pues esperaba para ese entonces, poder alquilar la casa contigua en la calle Schenkweg. Cristina pasaba la mayoría de su tiempo en el estudio, pero tenía sus cosas aún en lo de su madre. Pensaban casarse después de que ella se hubiera repuesto.

Vincent acompañó a Cristina a Leyden, cuando llegó el momento. La mujer tuvo un parto muy penoso y debieron quitarle la criatura con el forceps, pero en cuanto vió a Vincent se olvidó de todos sus dolores.

—Pronto empezaremos a dibujar de nuevo —dijo con una pálida sonrisa.

El joven la miraba con lágrimas en los ojos. No importaba que el niño fuese de otro hombre. Aquella era su mujer y el niño, su hijo, y se sentía feliz de tenerlos.

Cuando regresó a Schenkweg, su propietario, que también lo era de la casa vecina, le estaba esperando.

—Y bien, Mijnherr Van Gogh, ¿piensa usted alquilar la casa contigua? Sólo cuesta ocho francos semanales. Pienso hacerla pintar y empapelar, y quisiera que usted eligiera el papel que más le agrade.

—Un momento, un momento —repuso Vincent—. Quisiera poder tener la casa nueva para cuando regrese mi esposa, pero antes debo escribir a mi hermano.

—Bien, bien, pero de todos modos, elija usted el papel, y si no se decide después a alquilar la casa, no importa.

Ya hacía varios meses que le había escrito a Theo respecto a la casa contigua y a las comodidades que poseía. Tenía un estudio mucho más grande, un living-room, una cocina, una alcoba y un dormitorio en el desván. Costaba cuatro francos más por semana, pero con Cristina, Herman y el bebé, era absolutamente necesario mayor espacio. Theo contestó que como acababan de aumentarle de nuevo el sueldo, su hermano podía contar con una suma mensual de ciento cincuenta francos. Vincent alquiló inmediatamente la casa, pues Cristina debía regresar dentro de ocho días y quería que encontrara todo listo a su regreso. Con ayuda de dos hombres llevó sus muebles a su nuevo hogar, y la madre de Cristina vino para arreglar todo.

LA SAGRADA FAMILIA

El nuevo estudio estaba magnífico, con su papel grisáceo, su suelo de tablas bien lavadas, sus dibujos colgando de los muros y dos caballetes, uno a cada extremo del salón. La madre de Cristina colocó cortinas de muselina a las ventanas, dándole un aspecto más confortable. Adyacente al estudio estaba una alcoba donde Vincent guardaba sus cartones para dibujar, sus carpetas con estudios, sus libros, sus colores y sus lápices. En el living-room había una mesa, algunas sillas de cocina, una estufa de kerosene y una cómoda hamaca de paja para Cristina cerca de la ventana. Al lado de la hamaca colocó una cunita de hierro y encima de ella, colgó sobre el muro el dibujo de Rembrandt que representaba a dos mujeres cerca de una cuna, una de ellas leyendo la Biblia a la luz de una vela.

Compró todo lo necesario para la cocina, a fin de que cuando Cristina viniera, pudiera preparar la cena en diez minutos. También compró un juego de cubiertos de más, destinados a Theo cuando viniese a visitarlos. En el cuarto del desván puso una cama matrimonial para él y su mujer, conservando la que tenía antes para Herman.

Cuando Cristina abandonó el hospital, el doctor que la había atendido así como la enfermera, y la enfermera jefa, vinieron a saludarla, y Vincent se sintió reconfortado de que personas serias como esas le tuviesen simpatía y afecto.

—Nunca ha estado entre gente buena ni ha sabido lo que es el bien y el mal. ¿Cómo podía ella ser buena? —se dijo.

Herman y su abuela esperaban en la casa de Schenkweg para darle la bienvenida. Todo fué una grata sorpresa para la joven, pues Vincent no le había dicho nada de sus preparativos. Corría de un lado a otro, tocando y admirando todo, sintiéndose contenta y feliz.

El dormitorio era un poco exiguo y se parecía un poco al camarote de un barco, y Vincent debía subir todas las noches la cuna de hierro y bajarla de nuevo al día siguiente. También tenía que ocuparse del trabajo de la casa, pues Cristina se hallaba aún demasiado débil para hacerlo. Tendía las camas, encendía el fuego, barría y lavaba. Le parecía que desde siempre había compartido su vida con Cristina y los niños, y comprendía que ese era su verdadero elemento.

El joven reanudó su trabajo con nuevos bríos. Era hermoso poseer un hogar propio y oír el bullicio de la vida a su alrededor. Estaba convencido de que si Theo no lo abandonaba, llegaría a ser un buen pintor.

En el Borinage había trabajado para Dios. Ahora su dios era de naturaleza más tangible, y su religión podía expresarse en una sola frase: La figura de un labrador, o un campo arado, o una extensión de arena, de mar o de cielo eran cosas tan bellas aunque difíciles de rendir, que valía la pena consagrarles la vida entera para conseguir expresar toda la poesía oculta en ellas.

Una tarde, al regresar de las dunas, se encontró con Tersteeg frente a su casa.

—Estoy contento de verte, Vincent —dijo el crítico—. Venía a ver cómo te encontrabas.

El joven se estremeció pensando en la tormenta que se avecinaba y que estallaría en cuanto Tersteeg supiera lo de Cristina.

Cuando entraron en la casa, Cristina estaba amamantando al niño, sentada en la hamaca mientras Herman jugaba en el suelo cerca de la estufa. Tersteeg miró largo rato la escena, y luego, volviéndose hacia Vincent y hablando en inglés preguntó:

—¿Qué significa esta mujer y este niño?

—Cristina es mi esposa, y el niño es nuestro.

—¡Te has casado con ella!

—Aún no se ha realizado la ceremonia, si eso es lo que quiere saber.

—¿Cómo puedes pensar en vivir con una mujer... y niños que...

—Los hombres acostumbran a casarse, ¿no es así?

—¡Pero tú no tienes dinero! ¡Es tu hermano quien te mantiene!

—De ningún modo. Theo me paga un sueldo. Todo mi trabajo le pertenece. Algún día recuperará su dinero.

—¿Te has vuelto loco, Vincent? Esas ideas sólo pueden germinar en una mente extraviada.

—La conducta humana, Mijnherr, se parece mucho al dibujo. Toda la perspectiva cambia según el punto de vista desde donde se mire.

—Escribiré a tu padre, Vincent. Le escribiré contándole todo el asunto.

—¿No le parece que sería ridículo si recibiera una carta suya indignada y poco después una mía pidiéndoles que venga a visitarme aquí?

—¿Piensas escribir tú mismo?

—Por supuesto. Pero admitirá que ahora no es el momento. Mi padre acaba de ser trasladado a Nuenen y están en plena instalación, y mi mujer se halla aún delicada y no puedo darle ningún recargo de trabajo u ocasionarle emoción alguna.

—Bien, no escribiré, pero deja que te diga que eres tan loco como el hombre que insiste en ahogarse. Sólo trataba de salvarte.

—No dudo de sus buenas intenciones, Mijnherr, y es por eso que trato de no enojarme de sus palabras. Pero créame que esta conversación es muy desagradable para mí.

Tersteeg partió con una expresión de desconcierto en el semblante. Fué Weissenbruch quien pocos días después debía asestar a Vincent el primer rudo golpe del mundo exterior. Una tarde, llegó con el propósito de cerciorarse si Vincent estaba aún con vida.

—Hola —exclamó—, veo que has sobrevivido a pesar de no haber conseguido esos veinticinco francos.

—Así es —repuso secamente el joven.

—Supongo que estarás contento ahora de que no te haya cedido...

—Creo que una de las primeras palabras que te dije la noche en que te conocí en lo de Mauve fué: ¡Vete al diablo!, ¡pues ahora te repito lo mismo!

—Si sigues así, creo que alcanzarás a ser un segundo Weissenbruch —dijo sonriendo el artista—. Estás hecho de buena pasta. ¿Por qué no me presentas a tu amante? Aún no he tenido ese honor.

—Hostígame todo lo que quieras Weissenbruch, pero a ella déjala en paz.

Cristina acunaba a su hijito; comprendía que Weissenbruch la estaba poniendo en ridículo, y elevó su mirada triste hacia Vincent. El joven se acercó a la madre y al niño como para protegerlos. Weissenbruch miró al grupo y luego al cuadro de Rembrandt, y con ironía exclamó:

—Forman ustedes un grupo magnífico..., lo llamaría *"La sagrada familia".*

Vincent se abalanzó hacia Weissenbruch con un juramento, pero éste consiguió trasponer la puerta sin tropiezos. El joven regresó al lado de su familia. En el muro, al lado del cuadro de Rembrandt había colgado un espejo, y Vincent vió reflejado en él el grupo que formaban. En un instante la lucidez, vió por los ojos de Weissenbruch..., al bastardo, a la prostituta y a su propia figura.

—¿Cómo nos llamó? —inquirió Cristina.

—La Sagrada Familia.

—¿Y qué quiere decir?

—Es el nombre de un cuadro que representa a María, Jesús y José.

Los ojos de Cristina se anegaron en lágrimas y ocultó su cabeza entre la ropita del bebé. Vincent se arrodilló a su lado para consolarla. La tarde estaba cayendo y la penumbra invadía la habitación. Otra vez le pareció a Vincent ver el cuadro que formaban, como si fuese una persona de afuera, pero esta vez vió con los ojos de su corazón.

—No llores, Sien —dijo suavemente—. No llores, querida. Levanta tu cabeza y enjuga tus lágrimas. *Weissenbruch tiene razón.*

THEO VIENE A LA HAYA

Vincent descubrió la belleza de Scheveningen y la maravilla de la pintura al óleo casi al mismo tiempo. Scheveningen era un pintoresco pueblito de pescadores situado entre dunas de arena sobre el mar. Sobre la playa alineábanse las barcas con un solo mástil y velas multicolores. Las redes de los pescadores se extendían al sol, listas para la tarea. Pequeños carritos pintados de azul con ruedas rojas transportaban el pescado al pueblo. Las mujeres de los pescadores llevaban gorros de impermeables blancos sujetos al frente con gruesas alfileres doradas, y a la hora del regreso de las barcas, todas se reunían en la playa para darles la bienvenida. También había un casino, para diversión de los turistas que gustaban del sabor salado del mar sobre los labios mientras se divertían.

Vincent que había dibujado y pintado a la acuarela tantas escenas callejeras, tuvo una fuerte impresión ante el colorido de las escenas de la playa. Pero el acuarela carecía de fuerza y carácter para expresar lo que necesitaba decir. Anhelaba pintar al óleo, pero temía iniciarse con esa pintura, pues había oído decir que muchos artistas se habían malogrado por empezar el óleo antes de saber dibujar.

Fué en esos días que llegó Theo a La Haya.

Theo Van Gogh tenía en ese entonces veintiséis años y era un próspero comerciante en pinturas. Viajaba a menudo para la casa en la cual trabajaba, y era conocido como uno de los mejores hombres jóvenes de negocio. Goupil y Cía. habían vendido su negocio en París a Boussod y Valadon (conocidos como *les Messieurs*) y a pesar de que habían conservado a Theo en su empleo, la Casa no era lo que había sido bajo la dirección de Goupil y del Tío Vincent. Ahora, los cuadros se vendían a los mayores precios posibles, sin preocuparse del mérito real que tuviesen, y sólo triunfaban los pintores que estaban bien patrocinados. El Tío Vincent, Tersteeg y Goupil siempre habían considerado como deber primodial de un comerciante en obras de arte, de descubrir y estimular a los talentos jóvenes, pero ahora sólo se solicitaban las obras de los artistas consagrados. Los recién llegados en el campo de las artes, tales como Manet, Monet, Pissarro, Sisley Renoir, Berthe Morisot, Cezanne, Degas, Guillaumin, y otros aún más jóvenes como Toulouse-Lautrec, Gaugin, Seurat y Signac, que trataban de expresar algo completamente distinto de lo expresado hasta entonces por Bougereau y los académicos, no eran escuchados por nadie. Ninguno de estos revolucionarios del arte de la pintura había logrado exponer una sola de sus telas bajo el techo de *les Messieurs*. Theo simpatizaba enormemente con la obra de los jóvenes innovadores, considerándolos los maestros del futuro, y trataba de persuadir a *les Messieurs* que permitieran la exhibición de esa pintura de nueva tendencia a fin de educar poco a poco el gusto del público, pero éstos se resistían, considerando locos a los jóvenes pintores y carentes en absoluto de técnica.

Cristina permaneció arriba en el dormitorio mientras los dos hermanos cambiaban los primeros saludos.

—Aunque he venido también por negocios —dijo Theo—, confieso que el propósito primordial de mi viaje a La Haya es disuadirte de ligarte definitivamente con esa mujer. Ante todo, ¿qué tal es?

—¿Recuerdas a Leen Verman, nuestra antigua nodriza de Zundert?

—Sí.

—Sien pertenece a esa clase de personas. Es una mujer del pueblo, no obstante tiene algo de sublime. Amar y ser amado por una persona sencilla como ella brinda verdadera felicidad, sean cuales sean los sinsabores de la vida. Fué el sentimiento de serle útil que me ha hecho revivir. Yo no la buscaba, pero cuando llegó no la rechacé. Sien acepta y comparte gustosa las penurias de la vida de un pintor, y posa con tanta buena voluntad que creo que a su lado me convertiré en un artista mejor que lo hubiera hecho al lado de Kay.

Theo caminaba de un lado para otro por el estudio. Se detuvo ante una acuarela y mientras la miraba dijo: :

—Lo que no puedo comprender es cómo te has podido enamorar de esta mujer mientras estabas tan perdidamente enamorado de Kay.

—No me enamoré inmediatamente, Theo. Pero, ¿acaso podían extinguirse todos mis sentimientos por el hecho de que Kay me hubiese rechazado? Si no me encuentras desalentado y triste, sino al contrario feliz en este hogar lleno de nueva vida, se lo debo a esa mujer.

—Bien sabes, Vincent, que jamás hice hincapié en la diferencia de clases, pero no te parece que...

—No, Theo, no creo que me haya rebajado ni deshonrado —le interrumpió su hermano—. Mi trabajo está en el corazón del pueblo y debo permanecer en íntimo contacto con él para poder realizarlo en debida forma.

—No lo discuto —repuso Theo acercándose a su hermano, y colocándole una mano sobre el hombro añadió: —Pero, ¿te parece necesario casarte con ella?

—Sí, pues se lo he prometido. No quiero que la consideres como a una amante o como a una mujer con quien mantengo relaciones sin consecuencias. Esa promesa es doble, primeramente implica el casamiento civil en cuanto las circunstancias lo permitan, y luego la obligación de ayudarnos y querernos mutuamente como si ya fuésemos marido y mujer, compartiendo todo juntos.

—Pero, ¿por qué no esperas un poco antes de realizar la ceremonia civil?

—Así lo haré, Theo, si tú me lo pides. Esperaré hasta que pueda ganar ciento cincuenta francos mensuales con el producto de mi trabajo y que no necesite más de tu ayuda. Te prometo que no me casaré con ella hasta que mi dibujo me haya hecho independiente. En cuanto empiece a ganar un poco de dinero, no necesitarás mandarme íntegros los cientos cincuenta francos, y paulatinamente me mandarás menos cada mes, hasta que no necesitaré más de tu dinero. Entonces volveremos a hablar del casamiento civil.

—Eso me parece muy acertado.

—Aquí viene, Theo. Te pido que por mí trates de ver en ella sólo a una esposa y a una madre. Pues en realidad eso es lo que verdaderamente es.

Cristina bajó las escaleras y entró en el estudio. Llevaba un sencillo traje negro y su cabello prolijamente peinado hacia atrás. El rostro levemente sonrosado, hacíala parecer casi bonita. El cariño de Vincent le había conferido una confianza y bienestar que la embellecía. Tendió su mano a Theo y le pidió que aceptara una taza de té y luego insistió para que se quedara a cenar. Sentóse luego cerca de la ventana con una costura entre las manos y meciendo de vez en cuando la cunita de su hijo. Vincent, excitadísimo, iba de un lado para otro, enseñando sus dibujos y pinturas a su hermano, deseoso de que éste constatara sus progresos.

Theo tenía confianza de que algún día su hermano sería un gran pintor, pero..., aún no estaba seguro de que le agradaba lo que hacía por el momento. El joven era un perito experto y seguro, sin embargo no conseguía calificar el trabajo de Vincent. Para él, estaba en camino de convertirse en un buen artista, pero aún no lo había logrado.

—Si sientes la necesidad de trabajar con óleo —díjole después que Vincent le hubo enseñado todo su trabajo—, ¿por qué no empiezas? ¿Qué esperas?

—La seguridad de que mi dibujo sea bueno. Mauve y Tersteeg dicen que aún no sé...

—...y Weissenbruch dice que sabes dibujar. Tú debes ser

tu propio juez. Si te parece que necesitas expresarte en colores más profundos, no vaciles.

—Pero Theo..., ¿y el gasto? ¡Esos tubos valen su peso en oro!

—Ven a buscarme al hotel mañana por la mañana a las diez. Cuanto antes comiences a vender óleos, más pronto recuperaré el dinero que invierto en este asunto —dijo sonriendo.

Durante la cena, Theo y Cristina charlaron animadamente, y cuando aquél se retiraba, dijo a su hermano que lo había ido a acompañar hasta la puerta:

—¿Sabes? Es simpática..., muy simpática. ¡No tenía la menor idea de que así fuese!

A la mañana siguiente, los dos hermanos, caminando por la Wagenstraat hacían un extraño contraste. El más joven, bien vestido y elegante, con su traje recién planchado, su camisa inmaculada, su corbata impecable, sus botas relucientes, su sombrero de última moda y su barba prolija y bien cuidada, caminaba con tranquilidad y pasos iguales, mientras que el otro con sus botas gastadas, sus pantalones remendados, y su saco disparejo, sin corbata, con un gorro de campesino sobre la cabeza y la barba roja crecida, lo seguía con agitación, meneando los brazos mientras andaba y haciendo toda clase de gestos mientras hablaba.

Ni uno ni otro se percataba del extraño cuadro que formaban.

Theo condujo a su hermano a lo de Goupil a fin de comprar los tubos de pinturas, las telas y los pinceles necesarios. Tersteeg respetaba y admiraba a Theo y hubiera deseado apreciar y comprender a Vincent. Cuando supo a lo que habían venido, insistió en buscar él mismo todo lo que hacía falta al joven, aconsejándole acerca de las distintas cualidades de los distintos pigmentos.

Luego Theo y Vincent siguieron caminando hasta la playa de Scheveningen que distaba seis kilómetros. Cuando llegaron, estaba entrando una de las barcas.

El colorido de la escena entusiasmó al artista.

—¡Esto es lo que deseo reproducir con mis nuevas pinturas! —exclamó.

—Bien —repuso su hermano—. Y en cuanto tengas algunas telas de las cuales te sientas satisfecho, envíamelas. Tal vez logre venderlas en París.

—Oh, Theo... ¡Sí, te lo ruego! ¡Trata de venderlas! ¡Debes comenzar cuanto antes a vender mis cuadros!

LOS PADRES SON EXTRAÑOS

En cuanto Theo partió, Vincent comenzó a experimentar con sus nuevos colores. Hizo tres estudios; uno representaba una hilera de sauces detrás del puente de Geest, otro un sendero solitario en medio del campo y el tercero una huerta de Meerdervoort en el cual se divisaba a un hombre vestido de azul que recolectaba papas. Cuando volvió a mirar su pintura en su estudio se sintió transportado de alegría. ¡Nadie creería que aquellos eran sus primeros esfuerzos al óleo! El dibujo era bueno y todo el esqueleto soportaba bien la pintura, dando la sensación de vida. Su sorpresa fué grande, pues siempre había supuesto que sus primeros ensayos serían rotundos fracasos.

Un día estaba pintando en los bosques tapizados de hojas de hayas que daban al suelo un espléndido colorido de todas las gamas de marrón sin contar los distintos tintes producidos por las sombras de los árboles. Mientras pintaba entusiasmado aquel magnífico conjunto, se percató por primera vez cuánta luz había aún en aquella oscuridad del atardecer. Debía conservar aquella claridad al mismo tiempo que la riqueza del colorido. En el cuadro que pintaba veíase también unos campesinos recogiendo ramas secas y en primer plano algunos árboles. La luz menguaba rápidamente y tenía que trabajar de prisa. Pintó las figuras con trazos enérgicos y seguros, y le llamó la atención lo firmes que parecían estar arraigados en el suelo los árboles del primer plano. Quiso reproducir aquello con sus pinceles, pero no lo logró. Trató una y otra vez de hacerlo, pero sin conseguirlo, y la luz se hacía cada vez más débil. Se creyó vencido: ningún pincel conseguiría lo que él quería expresar. Con ciega intuición, arrojó el pincel al suelo, y tomando el tubo de pintura lo apretó sobre la tela misma, y con el cabo de otro pincel la extendió a su gusto.

—¡Por fin! —exclamó satisfecho!, ¡ahora está bien! ¡Parece como si estuviesen allí plantados! ¡Así es como los veo!

Esa misma noche vino Weissenbruch a visitarlo.

—Acompáñame a lo de *Pulchri* —dijo—. Van a representar algunos cuadros y charadas.

Vincent, que no se había olvidado de su última visita, le repuso:

—No, gracias, no deseo dejar a mi esposa.

Weissenbruch se acercó a Cristina, le besó la mano, le preguntó por su salud y jugó un instante con el bebé. Evidentemente no recordaba cómo los había tratado la última vez que había estado allí.

—Déjame ver algunos de tus nuevos dibujos, Vincent —dijo por fin.

El joven no se hizo rogar, trayéndole sus pinturas y dibujos. Del montón, Weissenbruch apartó uno que representaba el mercado, otro el público que esperaba su plato de sopa ante la cocina popular, otro tres hombres del asilo de dementes, otro a un barco pesquero en la playa de Scheveningen y otro que Vincent había hecho durante una lluvia torrencial, sobre sus rodillas, en medio del barro de las dunas.

—¿Me quieres vender éstos? —inquirió—. Me agradaría comprarlos.

—¿Es otra de tus malhadadas bromas?

—Nunca bromeo cuando se trata de pintura. Estos estudios son magníficos. ¿Cuánto pides por ellos?

—Dime tú lo qué quieres pagar —repuso Vincent temeroso de que su amigo lo ridiculizara.

—Bien... ¿qué dices de cinco francos por cada uno? Veinticinco francos por todos.

El joven se quedó atónito.

—¡Es demasiado! Tío Cor sólo me pagó dos francos y medio.

—Pues te estafó. Todos los comerciantes hacen lo mismo. ¡Algún día valdrán cinco mil francos! Pero, ¿qué dices? ¿Aceptas?

—¡Weissenbruch..., a veces eres un ángel y otras un demonio.

—Eso es para variar y que mis amigos no se cansen de mí.

Sacó su cartera y tendió al joven los veinticinco francos.

—Ahora ven conmigo a lo de *Pulchri*. Necesitas un poco de diversión. Se va a representar una farsa y te hará bien un poco de risa.

El joven lo acompañó. El hall del club estaba lleno de hombres que fumaban y charlaban. El primer cuadro fué una copia del *"Establo de Belén"* de Nicolás Maes, muy bien logrado en cuanto a tono y colorido, pero falto de expresión. El otro *"La Bendición de Jacob por Isaac"* de Rembrandt, con una magnífica Rebecca que miraba ansiosa si su superchería tendría éxito. La falta de aire en el local encerrado dió dolor de cabeza a Vincent, quien se retiró antes de la farsa. Mientras regresaba a su casa, pensaba en las frases de la carta que iba a escribir a su padre.

Le escribió contándole todo lo que consideró prudente respecto a Cristina, y le adjuntó los veinticinco francos que acababa de darle Weissenbruch, pidiéndole que viniera a La Haya a visitarlos.

Una semana más tarde llegó Theodorus. Sus ojos azules parecían más pálidos y su andar no era tan firme. La última vez que se habían visto, el padre había echado a su hijo de su casa, pero no obstante, desde entonces habían cruzado entre ellos varias cartas afectuosas. Theodorus y Ana Cornelia habían enviado a su hijo mayor varios paquetes con ropa interior de lana, cigarros y pasteles caseros, y de vez en cuando algún billete de diez francos. Vincent ignoraba cuál sería la reacción de su padre ante el asunto de Cristina. Algunas veces los hombres eran generosos y comprensivos y otras, ciegos y arrebatados.

No creía que su padre permanecería indiferente o haría serias objeciones ante una cuna. Se vería obligado a perdonar el pasado de Cristina.

Cuando llegó Theodorus traía un gran paquete bajo el brazo que contenía un tapado abrigado para Cristina. En cuanto Vincent lo vió, comprendió que todo marcharía bien. Después que la joven hubo subido al dormitorio y que Vincent y su padre se hubieron quedado solos en el estudio, éste le preguntó:

—Dime, Vincent, hay una cosa que no me has aclarado en tu carta. ¿Es tuya la criatura?

—No. Cristina ya estaba encinta cuando la conocí.

—¿Y dónde está el padre?

—La abandonó —contestó el joven creyendo innecesario explicar el anonimato del niño.

—Pero te casarás con ella, ¿verdad, Vincent? No está bien vivir así.

—Sí, padre. Nos casaremos civilmente en cuanto sea posible. Pero Theo y yo pensamos que es mejor esperar hasta que pueda ganar con mis dibujos ciento cincuenta francos mensuales.

Theodorus emitió un profundo suspiro.

—Sí, tal vez sea mejor. Tu madre y yo quisiéramos que vinieras a visitarnos de vez en cuando. Nuenen te agradará mucho, es uno de los pueblos más lindos del Brabante. La iglesia es tan pequeñita que ni siquiera caben cien personas sentadas. Alrededor de la rectoría hay un cerco de espinos y detrás de la iglesia está el cementerio, lleno de flores y de viejas cruces de madera.

—¡Cruces de madera! —exclamó Vincent—. ¿Son blancas?

—Sí. Tienen los nombres escritos en negro, pero las lluvias los están borrando.

—¿Y tiene la iglesia un lindo campanario alto, padre?

—Sí, muy alto y delicado, Vincent, parece como que quisiera llegar hasta Dios.

—¡Cómo me gustaría pintar todo eso! —exclamó el joven con ojos relucientes.

—Cerca del pueblo hay brezos y bosques de pinos, y los campesinos trabajan las tierras... Creo que todo eso te agradaría. Debes venir pronto a visitarnos, hijo mío.

—Sí, debo ir a conocer a Nuenen, con sus cruces de madera, su campanario y sus campesinos. El Brabante es algo que siempre me atraerá.

Cuando regresó Theodorus, aseguró a su mujer que las cosas no eran tan malas como se lo habían figurado. Vincent, por su parte, reanudó su trabajo con renovado ardor. Cada vez estaba más compenetrado con el sentir de Millet: "El arte es un combate; en el arte hay que poner algo de su propio pellejo".

Theo tenía esperanzas en él; su padre y su madre no repudiaban a Cristina, y nadie en La Haya lo molestaba más. Estaba completamente libre para dedicarse por entero a su trabajo.

El dueño del corralón de madera contiguo le envió uno por uno a todos sus obreros para que le sirvieran de modelos. A medida que su bolsillo se vaciaba, se llenaba su carpeta de dibujos. También dibujó al bebé en la cuna, cerca de la chimenea y en todas las posturas imaginables. Trabajaba mucho también al aire libre, y no tardó en aprender que un colorista es aquel que viendo un colorido en la naturaleza lo analiza en seguida diciendo: "Ese gris verdoso es amarillo con negro y una pizca de azul".

Ya sea que estuviese pintando una figura o un paisaje, siempre se esforzaba en expresar el dolor profundo, y no una mera melancolía sentimental. Quería que la gente pudiera decir al contemplar sus cuadros: "Este hombre siente profundamente".

Sabía que a los ojos del mundo él era un inservible, un excéntrico y un hombre desagradable, sin posición en la vida. Y quería demostrar al universo entero lo qué había en el corazón de aquel inservible. Para él, las chozas más pobres y los lugares más sucios eran magníficos motivos para cuadros. Cuanto más pintaba, menos le interesaban las demás actividades de la existencia. Su arte requería trabajo persistente y continua observación. La única dificultad con que tropezaba era el excesivo costo de las pinturas, y su costumbre de pintar tan grueso. Pintaba con gran rapidez, y en una sentada terminaba un óleo que Mauve hubiera puesto dos meses para ejecutar. Era imposible que se propusiera pintar con poca pintura; no lo conseguía, como tampoco conseguía pintar despacio. A medida que su dinero se evaporaba, su estudio se llenaba de telas. En cuanto llegaba el dinero de Theo —que había convenido en enviarle cincuenta francos el primero, cincuenta el diez y cincuenta el veinte de cada mes—, corría a la casa de artículos de pintura a comprar grandes tubos de ocre, cobalto, azul de Prusia, y otros más pequeños de amarillo de Nápoles, tierra de Siena, y ultramarino. Trabajaba feliz mientras duraban las pinturas y el dinero, es decir, unos cinco o seis días después de la llegada del dinero de París, y luego recomenzaban sus fastidios.

Nunca había supuesto la cantidad de cosas que necesitaba un bebé. Tenía también que comprar remedios para Cristina, ropa y alimento especial para ella. Herman necesitaba libros para la escuela donde lo enviaban, y la casa era un barril sin fondo que engullía una enorme cantidad de dinero, y resultaba difícil administrar los cincuenta francos sin que sufriese su pintura ni las tres personas que dependían de él.

—Pareces un trabajador que corre a la taberna en cuanto recibe su paga —observó Cristina un día en que Vincent, que acababa de recibir los cincuenta francos, recogía presuroso sus tubos vacíos.

Le agradaba sobremanera trabajar en la playa de Scheveningen, donde trataba de rendir los diversos aspectos de la naturaleza caprichosa del cielo y del mar. A medida que avanzaba la estación, los demás pintores se abstuvieron de trabajar afuera, pero Vincent continuaba pintando en medio del viento, del frío y de la inclemencia. A veces la lluvia lo enceguecía y el frío lo helaba, pero no obstante se sentía íntimamente feliz y disfrutaba profundamente de su trabajo. Ahora, sólo la muerte sería capaz de detener su labor creadora.

Una noche, enseñó a Cristina una tela que acababa de pintar.

—Pero, Vincent —exclamó—. ¿Cómo te arreglas para que parezca tan real?

El joven se olvidó de que estaba hablando con una mujer del pueblo, y se expresó como lo hubiera hecho ante Weissenbruch o Mauve.

—No lo sé yo mismo —dijo—, me instalo con una tela en blanco delante de mí, y me propongo hacer un paisaje que me agrada. Trabajo largo rato y regreso a casa descontento de mi obra. Después de haber descansado un poco, vuelvo a mirar mi pintura con cierto temor. Aún me siento descontento, pues, está demasiado vívido en mi mente el esplendor del original, no obstante, encuentro en mi trabajo un eco de lo que me llamó la atención. Veo que la naturaleza me ha dicho algo, que me ha hablado, y que yo he puesto sobre la tela algo de lo que me ha dicho... Es posible que haya muchos errores y muchas fallas, pero sin embargo he logrado captar un poco de la naturaleza. ¿Comprendes?

—No.

EL ARTE ES UN COMBATE

Cristina comprendía muy poco el trabajo de Vincent. Consideraba su afán de pintar como a una costosa obsesión. No obstante, sabía que esa era la roca sobre la cual estaba construída su vida y no se permitía la menor oposición. Era una buena compañera para la vida doméstica, pero sólo una pequeñísima parte de la vida de Vincent era doméstica. Cuando el joven necesitaba expresarse en palabras, escribía a Theo. Casi todas las noches le enviaba cartas apasionadas, contándole todo lo que había visto y pensado durante el día. Cuando deseaba gozar de la expresión de los demás se volvía hacia las novelas, ya fueren inglesas, francesas, alemanas o flamencas. Cristina compartía con él una muy reducida porción de su vida. Pero se sentía satisfecho; no lamentaba su decisión de tomarla por esposa, ni se esforzaba en interesarla en sus inquietudes intelectuales, que nunca hubiera entendido.

Todo esto anduvo bien durante los meses de verano y otoño y aún a principios de invierno cuando Vincent partía de la casa a las 5 ó 6 de la mañana y regresaba al anochecer, pero cuando las tormentas de nieve comenzaron a impedir sus salidas y tuvo que permanecer todo el día en casa, las relaciones entre él y Cristina se hicieron más difíciles.

Volvió a dedicarse al dibujo, a fin de economizar sobre los colores, pero, por otra parte los modelos le costaban un ojo de la cara. Personas que hubieran hecho los trabajos más bajos por unos centavos, pretendían sumas elevadas por posar. Pidió permiso para dibujar en el Asilo de Dementes, pero las autoridades se lo negaron, diciendo que no había precedentes.

Su única esperanza radicaba en Cristina; en cuanto estuvo más fuerte esperaba que posaría para él como antes del nacimiento del bebé, pero ella opinaba de distinto modo. Al principio decía:

—No me siento bastante bien aún... Espera...

Luego alegó que tenía demasiado que hacer.

—Ahora no es lo mismo que antes, Vincent —decía—, debo ocuparme del bebé, de la casa..., de la comida para cuatro personas.

El joven se levantaba a las cinco de la mañana a fin de hacer todo el trabajo de la casa y que ella estuviese libre para posar durante el día.

—¡Pero yo no soy más modelo! —protestaba—. ¡Soy tu mujer!...

—Pero, Sien, debes ayudarme. No puedo pagarme modelos... Bien sabes que es uno de los motivos por el cual estás aquí...

Al oír esas palabras Cristina tuvo un arrebato de ira como los que solía tener al principio de sus relaciones con Vincent.

—¡Eso es para lo único que me quieres! ¡Para poder economizar! ¡Me consideras como tu sirvienta! ¡Y si no poso me echarás a la calle!

Vincent la escuchó en silencio y luego repuso:

—Sien, es tu madre que te ha puesto esas ideas en la cabeza... Tú sola nunca las hubieras pensado.

—¿Y qué mas da que sea ella? ¿Acaso no son ciertas?

—Sien, tendrás que dejar de ir a verla.

—¿Y por qué? No me puedes impedir que quiera a mi madre.

—No, pero su influencia es perniciosa para nosotros, bien lo sabes.

—¿Acaso no eres tú el primero en decirme que vaya allí cuando no hay de qué comer acá? ¡Gana dinero y no necesitaré ir!

Cuando por fin consiguió que posara, lo hizo con tan mala gana que el joven no pudo hacer un solo dibujo, y tuvo que desistir de su intento.

Volvió a pagar modelos, y a medida que aumentaban sus gastos, también aumentaban los días sin pan, y Cristina debía ir a lo de su madre con más frecuencia. Cada vez que volvía de allí, Vincent notaba un cambio en ella. Se hallaba aprisionado en un verdadero círculo vicioso y no sabía cómo salir de él. Si empleaba su dinero para los gastos de la casa, libraba a Cristina de la influencia de su madre y sus relaciones entre ellos se mantendrían buenas, pero si procedía así, se vería obligado a abandonar su trabajo. ¿Le había salvado la vida sólo para matarse a sí mismo? Por otra parte, si Cristina no iba a lo de su madre varias veces por mes, ella y los niños se morirían de hambre, y si iba, su hogar no tardaría en ser destruído. ¿Qué hacer?

La Cristina enferma, abandonada y acechada por la muerte era una persona muy distinta de la Cristina sana, bien alimentada y considerada. La primera agradecía la más mínima palabra de simpatía y estaba dispuesta a cualquier cosa y a las resoluciones más heroicas para conseguir tranquilidad. Pero las resoluciones de la segunda estaban muy debilitadas, y cualquier pequeñez las hacía flaquear. No en vano había llevado una vida licenciosa durante catorce años. Con la fuerza y la salud habíanle vuelto el ansia de vagabundaje que un año de afecto y vida ordenada no habían logrado disipar. Al principio, Vincent no comprendía lo que sucedía, pero poco a poco tuvo que rendirse a la evidencia.

Fué más o menos para ese tiempo, es decir, para principios de año, que recibió una singular carta de Theo. El joven contaba a su hermano que había conocido últimamente en las calles de París a una pobre mujer sola, enferma y desesperada a tal punto que pensaba suicidarse. Tenía un pie enfermo y no podía trabajar. Siguiendo el ejemplo de Vincent, la había protegido y lle-

vado a casa de unos amigos, llamando a un médico para que la
cuidara y corriendo él con todos los gastos ocasionados por la
enfermedad y vida de la mujer. En sus cartas la llamaba "su paciente".

"¿Debo casarme con mi paciente, Vincent? —preguntaba a
su hermano—. "¿Es ese el mejor medio de serle útil? Sufre mucho y es muy desgraciada. La única persona que amaba la abandonó. ¿Qué debo hacer para salvarla?"

Vincent se sintió profundamente conmovido y le escribió toda su simpatía. Pero diariamente la vida con Cristina se tornaba
más difícil. Protestaba cuando sólo había pan y café, e insistía
en que debía dejar de trabajar con modelos y emplear su dinero
para la casa. Cuando no podía comprarse un vestido nuevo, descuidaba el viejo y lo llevaba sucio y roto. Ya no se preocupaba
en zurcirle la ropa. Estaba por completo bajo la influencia perniciosa de su madre, quien la persuadía de que Vincent la iba a
abandonar de un momento a otro.

En esas circunstancias, ¿cómo podía aconsejar a Theo que
se casara con su paciente? ¿Era necesario el matrimonio legal
para salvar a esas mujeres? ¿O era más importante darles un
techo, alimento y salud y atraerlas poco a poco a la vida afec-
tiva?

—"Espera" —aconsejó a su hermano—. "¡Haz todo lo que
puedas por ella, pues es una causa noble. Pero el matrimonio no
te ayudará en nada. Si el amor nace entre ustedes, entonces será
otra cosa, pero antes, cerciórate si puedes salvarla".

Theo continuaba enviando cincuenta francos tres veces por
mes, pero ahora que Cristina descuidaba la casa, el dinero alcan-
zaba cada vez menos. Vincent anhelaba hacer estudios de distintos modelos a fin de emprender una tela de proporciones, y lamentaba cada franco que tenía que gastar en la casa, del mismo
modo que Cristina lamentaba cada céntimo que él gastaba en su
trabajo. Los ciento cincuenta francos apenas hubieran bastado para hacerlo vivir a él y pagar el costo de los materiales para su
trabajo, y resultaba un heroico pero inútil esfuerzo quererlos hacer alcanzar para la vida de cuatro personas. Empezó a deber dinero a todo el mundo, y para colmo de las desgracias Theo pasaba por un momento de apremio económico.

Vincent le escribió cartas implorantes.

—"¿Puedes mandarme el dinero un poco antes del veinte? Sólo me quedan dos hojas de papel y un pedazo de lápiz, y no tengo un franco para modelos o para pan".

Tres veces por mes enviaba cartas de tenor parecido, y cuando llegaban los cincuenta francos, ya los debía íntegros y se encontraba de nuevo sin un céntimo para los diez días restantes.

La paciente de Theo tuvo que ser operada de un tumor al pie, y el joven la llevó a un buen hospital, corriendo con todos los gastos. Además debía enviar dinero a sus padres en Nuenen, pues la congregación era pequeña y las entradas de Theodorus no alcanzaban para las necesidades de su familia. Por lo tanto, el joven tenía a su cargo, además de sus propios gastos, los de su paciente, de Vincent, Cristina, Herman, el bebé y la familia de Nuenen, y, como es de suponer, no disponía de ningún dinero para enviar a su hermano.

A principios de marzo, Vincent se encontró con un solo franco, un billete roto que ya le había sido rehusado por el almacenero. No había un solo bocado de comida en la casa y faltaban aún nueve días para que llegara el dinero de Theo. Temía enviar a Cristina por tan largo tiempo al lado de su madre, pero no le quedaba otro recurso.

—Sien —díjole—. No podemos dejar morir de hambre a los niños. Tienes que llevarlos a casa de tu madre hasta que llegue la carta de Theo.

Se miraron en silencio, sin atreverse a decir lo que pensaban.

—Sí —repuso Cristina—, será mejor.

El almacenero le dió un pan negro y un poco de café en cambio de aquel billete de un franco. Contrató modelos que sabía no podía pagar, pero le resultaba imposible quedarse sin dibujar o pintar. Cada día estaba más nervioso; no comía casi nada y las preocupaciones económicas lo desesperaban, y su trabajo se resentía de su estado de ánimo.

Al final de los nueve días, llegó la ansiada carta de Theo con los cincuenta francos. Su "paciente" se había mejorado de la operación y le había puesto casa, pero los continuos gastos lo tenían algo desalentado y escribía a su hermano: "Lamento decirte que no puedo asegurarte de nada para el futuro".

Esta frase casi enloqueció a Vincent. ¿Significaba aquello que Theo no podría continuar enviándole dinero, o bien, lo que era mucho peor, que no advertía progresos en los dibujos que su hermano le enviaba incesantemente, y que había perdido fe en el futuro?

Pasó la noche sin dormir, y escribió varias cartas seguidas a Theo rogándole le diera una explicación sobre aquella frase. Pensó desesperadamente en qué forma podría ganarse la vida, pero no encontró ninguna.

"...Y ASI ES EL CASAMIENTO"

Cuando fué en busca de Cristina, la encontró en compañía de su madre, su hermano, la amante de aquel y otro hombre. Estaba fumando uno de aquellos cigarros negros que tanto le gustaban y bebiendo ginebra. La idea de volver a casa de Vincent no pareció agradarle mucho. Los nueve días pasados en compañía de su madre habían traído de nuevo sus viejas costumbres.

—¡Puedo fumar todo lo que quiero! —exclamó a una observación de Vincent—, ¡y tú no tienes derecho a decirme nada, mientras no seas tú que pagues! Además, el médico del Hospital dijo que podía tomar ginebra...

—Sí, como remedio..., para abrirte el apetito.

La mujer dejó oír una carcajada ronca.

—¡Como remedio! ¡Qué idiota eres!

Y profirió un juramento como hacía mucho que no le sucedía. Vincent, que estaba en un estado de extrema sensibilidad, se enfureció también.

—¡No tienes por qué cuidarme! —le gritó Cristina—, puesto que ni siquiera me das suficiente de comer. ¿Qué clase de hombre eres?

A medida que transcurría el invierno, la situación de Vincent empeoraba. Sus deudas aumentaban; se sentía enfermo, y cuanto menos comía menos podía comer, pues, su estómago no aceptaba ningún alimento. Luego empezó a sufrir de las muelas, y permanecía las noches enteras sin dormir a causa del dolor. Después empezó a dolerle el oído derecho, a tal punto que no lo dejaba tranquilo ni de día ni de noche.

La madre de Cristina tomó la costumbre de venir todos los días, y se quedaba fumando y bebiendo con su hija, y hasta una vez, Vincent, al regresar a su casa, encontró al hermano de Cristina allí, que se escabulló al verlo llegar.

—¿A qué vino? —inquirió el joven—. ¿Qué es lo que quieren de ti?

—Dicen que me vas a abandonar.

—Bien sabes que nunca haré eso, Sien. Te quedarás conmigo mientras tú lo desees.

Mamá quiere que te deje. Dice que no es bueno que me quede aquí donde ni siquiera tengo de qué comer.

—¿Y dónde irías?

—A lo de mi madre.

—¿Y llevarás a los niños a esa casa?

—Siempre estarán mejor que muriéndose de hambre aquí. Trabajaré...

—¿Qué harás, Sien?

—Y... ya encontraré algo...

—¿Volverás al lavadero?...

—Tal vez...

—Vincent comprendió que estaba mintiendo, y tristemente dijo:

—Entonces..., es eso que quieren obligarte a hacer...

—Y..., después de todo, no es tan malo..., uno se gana la vida...

—Escucha, Sien, si regresas a casa de tu madre estás perdida. Sabes muy bien que tu madre te obligará a volver a la mala vida, y recuerda que el médico de Leyden dijo que eso te mataría...

—Ahora estoy muy bien.

—Estás bien porque has llevado una vida ordenada, pero si vuelves a...

—¡Por Dios, Vincent! ¿Y quién te dice que voy a volver? Al menos que tú mismo me envíes...

El joven se sentó sobre el brazo de su hamaca de paja, y colocándole una mano sobre el hombro le dijo:

—Créeme, Sien, nunca te abandonaré. Mientras estés dispuesta a compartir lo que tengo, te quedarás conmigo. Pero debes alejarte de tu madre y de tu hermano, te lo pido por tu bien... ¡prométemelo!

—Te lo prometo.

Dos días más tarde, cuando regresó después de haber estado

todo el día dibujando afuera, encontró la casa vacía, y ni rastros de cena. Encontró a Cristina en casa de su madre, bebiendo.

—¡Ya te dije que quiero a mi madre! —protestó mientras volvían juntos—. ¡No puedes impedirme de verla! Además, tengo el derecho de hacer lo que me agrade.

Las cosas andaban de mal en peor. Cristina no se ocupaba más del hogar y cuando Vincent le decía algo, contestaba: "Siempre he sido perezosa y no lo puedo remediar... Bien sabes la clase de persona que soy..., ¿qué pretendes de mí? ¡No puedo cambiar! ¡Algún día terminaré por arrojarme al río!"

Cuanto más descuidaba la casa y sus hijos, más bebía y fumaba, y se negaba a decir a Vincent de dónde provenía el dinero para sus vicios.

Llegó el buen tiempo y el joven pudo volver a reanudar su trabajo al exterior, pero eso significaba nuevos gastos de pinturas, pinceles y telas. Theo siempre hablaba de su "paciente" en sus cartas, decía que estaba completamente repuesta, pero que sus relaciones con ella constituían un serio problema, y se hallaba desorientado. ¿Qué debía hacer con esa mujer ahora que estaba bien?

Vincent cerraba los ojos a todo lo que fuese su vida personal y continuaba pintando. Sabía que su hogar se desmoronaba y se sentía impotente para impedirlo. Trataba de ahogar su desesperación en su trabajo.

Cada mañana, al empezar un nuevo cuadro, esperaba que éste sería tan magnífico y perfecto que lograría venderlo de inmediato, pero regresaba a casa con la triste persuasión de que aún le faltaban muchos años antes de lograr la maestría que anhelaba.

Su único consuelo era Antonio, el bebé. Era una criaturita de extraordinaria vitalidad. A menudo su madre lo dejaba solo con Vincent en el estudio. Gateaba por todos lados y balbuceaba incoherencia ante los dibujos de Vincent, y a veces permanecía largo rato contemplándolos en silencio. Era una criatura bonita y fuerte, y cuanto más lo descuidaba Cristina más la amaba Vincent. En Antonio veía el verdadero propósito y recompensa de su buena acción del pasado invierno.

Weissenbruch vino una vez a visitarlo. Vincent le enseñó algunos de sus dibujos del año anterior, diciéndole que estaba muy descontento con ellos.

—No pienses así —le dijo Weissenbruch—. De aquí algunos años estos primeros dibujos tuyos te parecerán muy sinceros y penetrantes. Continúa, muchacho, continúa luchando, y que nada te detenga.

Lo que lo detuvo fué un incidente muy desagradable. Durante la primavera, había llevado una lámpara a arreglar a lo de un alfarero. El comerciante insistió en que Vincent se llevara algunas fuentes nuevas para su casa.

—No tengo dinero —repuso el joven.

—No importa, me pagará en cuanto lo tenga, no hay apuro.

Dos meses más tarde, el comerciante llamó a la puerta del estudio. Era un hombre fuerte como un toro.

—¿Qué significa eso de mentirme tan descaradamente? —preguntó—. ¿Por qué ha tomado mi mercadería, y no me paga cuando tiene dinero?

—En este momento no tengo un franco, pero le pagaré en cuanto reciba algo.

—¡Mentiroso! ¡Usted acaba de pagar al zapatero, mi vecino!

—Ahora estoy trabajando y no deseo que me molesten —repuso Vincent—. Ya le dije que le pagaré en cuanto reciba dinero. Le ruego se retire de aquí.

—¡No me iré sin mi dinero! —vociferó el hombre.

Vincent, empujándolo hacia la puerta, ordenó:

—¡Váyase de mi casa!

Era lo que esperaba aquel hombre. En cuanto Vincent lo tocó, levantó el puño y lo descargó con fuerza sobre el rostro del joven, haciéndolo caer desvanecido sobre el suelo, y partió sin decir nada más.

Cristina estaba en lo de su madre. El pequeño Antonio gateó hasta Vincent y le acarició el rostro llorando.. Después de unos minutos, el joven recobró los sentidos, y se arrastró hasta el dormitorio, acostándose en la cama.

El dolor del golpe no era nada comparado al dolor que sentía dentro de sí mismo. Algo parecía haberse roto en su interior. Cuando Cristina regresó, subió al dormitorio. No había ni dinero ni comida en la casa, y a menudo se preguntaba cómo hacía Vincent para subsistir sin comer. Cuando lo vió sobre la cama le preguntó:

—¿Qué te sucede?

Reuniendo todas sus fuerzas, el joven dijo con tristeza:

—Sien... debo partir de La Haya...

—...sí... lo sé.

—Debo irme de aquí. Debemos irnos al campo, donde podamos vivir más económicamente... A Drenthe, por ejemplo.

—¿Quieres que vaya contigo? ¿Qué haremos allí cuando no haya dinero ni comida?

—No lo sé, Sien... Supongo que no comeremos.

—¿Me prometes emplear los ciento cincuenta francos para vivir y no gastarlos en modelos y pinturas?

—No puedo, Sien. Eso viene primero.

—Para ti, sí, pero yo tengo que comer para vivir.

—Y yo tengo que pintar para vivir...

—El dinero es tuyo, Vincent..., comprendo... ¿Tienes algunos céntimos? Vayamos a la taberna frente a la estación Ryn.

Estaba oscureciendo, pero aún no habían encendido las lámparas. Las dos mesas que habían ocupado dos años antes, el día en que se conocieron, estaban vacías. Cristina se dirigió hacia allí. Pidieron sendos vasos de vino.

—Bien me decían que me dejarías —murmuró ella en voz baja.

—No te quiero abandonar, Sien.

—No será abandono, Vincent. No he recibido más que bien de parte tuya.

—Si estás dispuesta a compartir mi vida, te llevaré a Drenthe conmigo.

La mujer meneó tristemente la cabeza.

—No. No tienes lo suficiente para los dos.

—¿Verdad que lo comprendes, Sien? Si pudiera te daría mucho más, pero debo elegir entre mantenerte a ti o seguir mi trabajo...

Colocando una de sus ásperas manos sobre las suyas, Cristina repuso:

—No te aflijas, Vincent. Has hecho todo lo que has podido por mí. Supongo que esto debía suceder algún día...

—Si eso te puede hacer feliz, me casaré contigo en seguida y nos iremos juntos...

—No, Vincent. Cada cual debemos seguir nuestra vida. No te preocupes por mí. Mi hermano va a ponerle una casa a su amante y viviré con ellos.

Vincent sorbió hasta la última gota de vino, que le pareció lleno de amargura.

—Sien... Traté de ayudarte. Te he dado todo el cariño que pude, pero en cambio quiero pedirte una cosa.

—¿Qué?

—Que no vuelvas a la vida de antes. ¡Te matará! ¡Te lo pido por Antonio!

—¿Podemos tomar otra copa de vino? ¿Tienes suficiente dinero?

—Sí.

Cuando se lo trajeron, la mujer lo bebió de un trago y contestó:

—Lo único que sé es que debo ganar dinero para los chicos, y lo que te puedo asegurar es que si vuelvo a esa vida será por obligación, pero no por placer

—Pero si encuentras trabajo ¿me prometes que no volverás?

—Sí.

—Todos los meses te enviaré dinero, Sien. Quiero que los gastos del bebé corran por mi cuenta. Quiero que se críe bien.

—No te aflijas, se criará... como los demás.

Vincent escribió a Theo su intención de irse al campo y terminar sus relaciones con Cristina, y su hermano le contestó enviándole cien francos extra para que pudiera pagar sus deudas, diciéndole que aprobaba por entero su resolución. "Mi paciente ha desaparecido la otra noche —le escribía—. Estaba perfectamente bien, pero no logramos un entendimiento completo. Se llevó todo y no me dejó dirección. Es mejor así. Ahora tú y yo estamos libres de nuevo".

Vincent apiló todos sus muebles en el desván. Tenía intención de regresar algún día a La Haya y deseaba volver a encontrar sus cosas. El día antes de partir para Drenthe recibió una carta y un paquete de Nuenen. En el paquete había un poco de tabaco y un pastel hecho por su madre, y en la carta, su padre le decía: "¿Cuándo vendrás a casa a pintar las crucecitas blancas del cementerio detrás de la iglesia?"

Le acometió un irresistible deseo de volver al hogar de sus padres. Se sentía enfermo, débil, nervioso y desalentado. Algunas semanas al lado de su madre le harían bien. Al pensar en el Brabante, en sus dunas y campesinos, le invadió un profundo sentimiento de paz, como hacía largos meses que no sentía.

Cristina y los dos niños lo acompañaron a la estación. Todos estaban tan emocionados que no podían hablar; cuando llegó el tren, Vincent subió a él. De pie en la plataforma, con el bebé en brazos y Herman de la mano, Cristina le sonreía. Vincent, conmovido, miraba el cuadro que formaban y no les quitó la vista de encima hasta que el tren lo llevó fuera de la estación. Nunca más debía volverlos a ver.

LIBRO CUARTO

NUENEN

UN ESTUDIO EN LA RECTORIA

L A rectoría de Nuenen era una casa de piedra de dos pisos con un gran jardín en el fondo en el cual había grandes olmos, setos, canteros floridos, un estanque y tres robles. A pesar de que el pueblo contaba con dos mil seiscientas almas, sólo había un centenar de protestantes, por lo tanto la congregación de Theodorus era reducida.

En realidad, el pueblo estaba formado por una doble hilera de casas que bordeaba el camino que conducía a Eindhoven, la metrópolis del distrito. La gente, sencilla y trabajadora, se ocupaba en su gran mayoría en tejidos, o bien en la labranza de los campos, y los campesinos vivían en chozas diseminadas por los alrededores.

La rectoría tenía un gran hall central que dividía la casa en dos. A la izquierda, separando el comedor de la cocina, estaba la escalera que conducía a los dormitorios. Vincent compartía el cuarto de su hermano Cor. Cuando se despertaba al amanecer, podía ver el sol levantarse detrás del frágil campanario de la iglesia de su padre, iluminando el paisaje con suaves tonos pastel. Al atardecer, el colorido se tornaba más intenso, y le agradaba sentarse cerca de la ventana y admirar cómo poco a poco se disolvía, a medida que la noche tendía su manto de oscuridad.

Vincent amaba a sus padres y éstos lo amaban a él, y por ambas partes se esforzaban en que las relaciones se mantuviesen cordiales y agradables. El joven se alimentaba bien, dormía mucho y de vez en cuando daba un paseo por los alrededores. Hablaba poco, y no pintaba ni leía en absoluto. Todos en la casa se esmeraban en ser atentos con él, y el joven no cesaba de repetirse: "Debo tener cuidado, no debo romper la armonía reinante".

Esa armonía duró hasta que Vincent se repuso del todo. Pero le resultaba difícil convivir con gente que no pensaba como él, y casi estalló un día en que su padre observó: "Voy a leer el "Fausto" de Goethe... ha sido traducido por el Reverendo Ten Kate y por lo tanto no debe ser tan inmoral".

Había tenido la intención de permanecer dos semanas en Nuenen, pero amaba el Brabante y deseaba quedarse allí. Quería pintar con tranquilidad aquella sencilla naturaleza. Como el padre Millet, deseaba vivir como los paisanos para comprenderlos bien y poder pintarlos. La vida sencilla lo atraía irresistiblemente, y en su subconciencia, siempre había albergado la idea de volver algún día al Brabante y quedarse allí para siempre. Pero, no podía permanecer en Nuenen si sus padres no lo deseaban.

—Tratemos de llegar a un entendimiento, padre —le dijo un día al Reverendo.

—Sí, hijo mío, lo deseo mucho yo también. Creo que tu pintura arribará a algo, y estoy satisfecho.

—Bien; dime con franqueza si crees que podemos vivir todos aquí en paz. ¿Quieres que me quede?

—Sí.

—¿Durante cuánto tiempo?

—Durante todo el tiempo que lo desees. Esta es tu casa y tu lugar está cerca nuestro.

—¿Y si no nos entendemos?

—No debemos dejarnos turbar por eso, y esforcémonos en vivir tranquilamente unos al lado de los otros sin molestarnos.

—¿Y dónde podría trabajar? Supongo que no querrás que ande con mis pinturas por toda la casa.

—Ya estuve pensando en eso, Vincent. ¿No te arreglarías con la pieza del fondo que da al jardín? Allí nadie te molestaría.

La pieza del fondo quedaba detrás de la cocina, pero no comunicaba con ella. Era una habitación pequeña, completamente independiente y con una ventana alta que daba al jardín; el suelo era de tierra y estaba siempre húmedo en invierno.

—Encenderemos un gran fuego para secarlo bien, y haré poner un piso de madera... ¿Te parece bien?

Vincent la miró satisfecho; era un lugar humilde, muy parecido a las chozas de los campesinos, y podría convertirlo en un verdadero estudio rural.

—Si la ventana es demasiado pequeña haré colocar otra...
Justamente tengo algún dinero ahorrado —dijo Theodorus.
—No, no, está bien así. Tendré la misma luz que trabajando
en la choza de un campesino.

Trajeron una tina y encendieron un enorme fuego en ella.
Cuando toda la humedad se hubo secado, colocaron el piso de
madera. Vincent, llevó allí su cama, una mesa, una silla y sus
caballetes. Colocó algunos de sus dibujos sobre los muros y sobre
la puerta escribió con grandes letras blancas: GOGH. Estaba por
fin instalado para convertirse en un Millet holandés.

LOS TEJEDORES

La gente más interesante de Nuenen eran los tejedores. Vivían en chozas hechas de barro y paja que generalmente se com-
ponían de dos piezas. En una de ellas, iluminada por una pequeñísima ventana, vivía la familia. En las paredes había una especie de nichos cuadrados donde estaban empotradas las camas; el
mobiliario se componía por lo general de una mesa y algunas sillas. En la otra habitación, más pequeña, estaba el telar. Un buen
obrero que trabajara bien, podía tejer unas sesenta yardas por semana. Mientras él tejía, su mujer tenía que ayudarle a devanar,
y el beneficio neto que les reportaba aquel trabajo era de cuatro
francos y medio semanales, y a menudo, cuando llevaban el trabajo a la fábrica, les decían que no podrían encargarles otro hasta
dentro de una o dos semanas. Vincent encontró que tenían un
espíritu muy distinto de los mineros del Borinage; eran tranquilos y sufridos, y en ninguna parte se oían frases de rebeldía. Pero,
todo su ser estaba impregnado de una profunda tristeza.

El joven no tardó en hacerse amigo de ellos; era gente sencilla que sólo pedía tener trabajo suficiente para poder ganarse
las papas, el café y el pedazo de tocino con que se alimentaban.
No les molestaba que los pintase cuando trabajaban, y el artista
acostumbraba llevar en su bolsillo alguna golosina para los niños
o un poco de tabaco para el abuelo.

En una vieja choza, encontró un telar de roble que tenía gra-
bada encima la fecha de 1730. Cerca del mismo se hallaba la silla
alta de un niño, y la criaturita no se cansaba de mirar el veloz

vaivén de la lanzadera. Era una escena tan llena de paz y de belleza que Vincent trató de rendirla en una de sus telas.

El joven se levantaba temprano y pasaba todo el día en el campo o en las chozas con los tejedores o campesinos, encontrándose completamente a gusto con ellos.

Su antiguo amor por el dibujo volvió a embargarlo, pero ahora sentía también otro amor: el del color. El trigo semimaduro en los campos tenía un tinte dorado oscuro que contrastaba admirablemente con el tono cobalto del cielo. En el fondo destacábanse casi siempre una que otra silueta de mujer, con brazos y rostros bronceados, trajes oscuros y gorros negros colocados sobre los cabellos cortos. Esas escenas lo fascinaban.

Cuando regresaba por la calle principal del pueblo, con su caballete sobre la espalda, y su tela recién terminada bajo el brazo, sentía que ojos curiosos y hostiles lo observaban con desconfianza desde todas las casas. En lo de sus padres, las relaciones con la familia eran ambiguas. Su hermana Elizabeth lo odiaba francamente, temiendo que sus excentricidades perjudicaran las probabilidades matrimoniales que tenía en Nuenen. Willemien, en cambio, lo quería, aunque lo encontraba aburrido, en cuanto a su hermano Cor, tardaron aún mucho tiempo en hacerse amigos.

Vincent no comía a la mesa familiar, sentado aparte en una silla, con su plato sobre las rodillas, escrutaba con ojo crítico su último trabajo. Casi nunca hablaba con su familia, y era muy frugal en la comida, no deseando acostumbrarse a las comodidades. A veces, si en la mesa nombraban a algún escritor de su preferencia, se mezclaba en la conversación por unos instantes. Pero en general, consideraba que cuanto menos hablara con ellos, mejor se entenderían.

MARGOT

Hacía alrededor de un mes que pintaba en los campos cuando comenzó a tener la curiosa sensación de que alguien lo espiaba. Sabía que los habitantes de Nuenen lo miraban sin comprenderlo y que los campesinos, apoyados sobre sus azadas, lo observaban a veces curiosamente mientras trabajaba. Pero lo que le pasaba ahora era distinto. Tenía la sensación no solamente de ser espiado sino seguido. Los primeros días no le dió mayor importancia, pero cada vez le resultaba más difícil librarse de esa sensación que le hacían suponer que alguien lo miraba desde atrás. Muchas veces miró a su alrededor sin ver nada, hasta que un día le pareció ver el vestido blanco de una mujer, desaparecer detrás de un árbol al volverse él bruscamente. Otra vez, al salir de casa de un tejedor, una figura se escurrió rápidamente por el camino, y otra, al regresar a su caballete que había dejado un instante para ir a beber a una laguna, encontró unos dedos marcados en la pintura fresca de su cuadro.

Dos semanas tardó para sorprender a la mujer que lo espiaba. Un día, se hallaba dibujando unos campesinos y a poca distancia había un carro abandonado. Notó que quien lo espiaba estaba escondida detrás del carro. Arregló sus cosas para irse, y la mujer partió vivamente, pero él logró seguirla y ver que entraba en la casa vecina de la rectoría.

—¿Quién vive en la casa de al lado, madre? —inquirió aquella noche a su madre.

—La familia de Begeman.

—¿Y quiénes son?

—No sabemos gran cosa de ellos. Son cinco hijas y la madre. El padre ha muerto hace varios años. Es una familia bastante retraída.

—¿Son católicos?

—No; protestantes. El padre era pastor.

—¿Son solteras las hijas?

—Sí, todas. ¿Por qué lo preguntas?

—Por nada. ¿De qué viven?

—No sé; parecen ser ricos.

—Supongo que no sabrás cómo se llaman las muchachas.

La señora lo miró extrañada.

—No —dijo.

Al día siguiente, volvió al mismo lugar, pues deseaba pintar el paisaje que desde allí se divisaba.

Hacía poco que se hallaba trabajando cuando sintió que aquella mujer estaba mirándolo de nuevo. De reojo pudo ver su traje blanco detrás del carro.

—Hoy la pescaré —se dijo— aunque tenga que dejar mi estudio a medio concluir...

Acostumbraba a pintar su cuadro de una sentada, tratando de rendir la primera impresión recibida. Lo que más le había llamado la atención en los primitivos flamencos, era que aquellos grandes maestros parecían haber pintado sin retoque alguno, como queriendo conservar la pureza de su primera impresión. En el entusiasmo de su pasión creadora, se olvidó de la mujer, y cuando una hora más tarde miró hacia atrás por casualidad, notó que había abandonado su escondite y que ahora estaba de pie delante del vehículo, mirándolo intensamente. Era la primera vez que se acercaba tanto.

Continuó trabajando con ardor, y cuanto más trabajaba, más se acercaba la mujer cuya mirada penetrante parecía querer traspasarle la espalda. Tenía el aspecto de una persona hipnotizada que caminara durante el sueño. Se acercaba paso a paso, deteniéndose de tanto en tanto, pero volviendo a avanzar como si una fuerza sobrenatural la impulsara. Cuando la sintió muy cerca suyo, Vincent se volvió y la miró en los ojos. Su semblante tenía una expresión de temor y de intensa emoción. No miraba al joven sino a la tela que estaba pintando. Esperó a que hablara, pero inútilmente, entonces Vincent se volvió de nuevo hacia su trabajo y le dió los últimos toques, terminándolo.

Era ya tarde. La mujer aquella había estado largas horas de pie en el campo. Vincent estaba agotado y sus nervios excitados por su trabajo. Se puso de pie y mirando a la mujer siempre silenciosa le dijo.

—Soy Vincent van Gogh, su vecino... Supongo que usted ya lo sabrá.

—Sí —contestó ésta con un murmullo leve, casi imperceptible.

—¿Cuál de las hermanas Begeman es usted?

La mujer se tambaleó ligeramente y para no caerse se sostuvo del brazo del joven. Humedeció sus labios resecos y después de varios intentos logró decir:

—Margot.

—¿Y por qué me ha estado siguiendo, Margot Begeman? Hace ya varias semanas que lo he notado.

La mujer dejó escapar un grito ahogado. Volvió a asirse del brazo del joven y cayó al suelo desvanecida.

Vincent se arrodilló a su lado y colocó el brazo bajo su cabeza mientras con la otra mano le quitaba el cabello de encima de la frente. El sol se estaba escondiendo en el horizonte y los campesinos comenzaban a retirarse a sus casas. Vincent y Margot se hallaban completamente solos en medio del campo. No era una mujer bonita, parecía tener bastante más de treinta años y su cutis dejaba ya ver algunas arrugas. El joven tenía un poco de agua en una cantimplora y humedeció con ella la cara de Margot, quien comenzó a abrir los ojos, unos ojos castaños de expresión profunda y buena.

—¿Se siente mejor, Margot? —inquirió el joven.

La mujer se estremeció y lo miró con expresión indefinible durante largo rato, y de pronto, con una especie de sollozo ahogado, le echó los brazos al cuello y hundió los labios en su barba rojiza.

ES MAS IMPORTANTE AMAR QUE SER AMADO

Al día siguiente volvieron a encontrarse en un lugar donde se habían dado cita, a cierta distancia del pueblo. Margot llevaba un precioso traje blanco de muselina y en la mano tenía un amplio sombrero de paja. A pesar de sentirse aún nerviosa en compañía del joven, tenía más aplomo que el día anterior. En cuanto apareció, Vincent dejó su paleta. Aquella mujer no poseía ni una centésima parte de la delicadeza de Kay, pero comparada a Cristina, resultaba muy atractiva.

Se puso de pie con cierta torpeza. Habitualmente sentía cierta prevención ante las mujeres bien vestidas, prefiriendo la sencilla indumentaria de las mujeres del pueblo. Margot se le acercó y lo besó como si hubiesen sido novios desde mucho tiempo atrás, y luego permaneció un instante temblorosa entre sus brazos. Vincent extendió su chaqueta sobre el pasto para que se sentara allí, mientras él lo hacía sobre el banquillo. La joven apoyó su cabeza contra sus rodillas y lo miró con una expresión que jamás había visto en los ojos de ninguna mujer.

—Vincent —murmuró como deleitándose con la pronunciación del nombre.

—Margot —díjole él a su vez sin saber exactamente qué actitud adoptar.

—¿Pensaste muy mal de mí anoche?

—¿Mal? No, ¿por qué pensaría mal de ti?

—Tal vez no me creas, Vincent, pero ayer, cuando te besé, era la primera vez que besaba a un hombre.

—¿Y por qué? ¿Nunca estuviste enamorada?

—No.

—Es una lástima.

—¿Verdad que sí?

Hubo un ligero silencio y luego la joven preguntó:

—¿Has amado a muchas mujeres, tú?

—Sólo a tres.

—¿Y ellas te amaban?

—No, Margot, ninguna de ellas. Siempre he sido desgraciado en amor.

La joven se acercó aún más a él y comenzó a acariciarle la barba con la mano.

—Nunca he conocido a un hombre como tú —dijo con un estremecimiento.

Vincent le tomó el rostro entre ambas manos. El amor que reflejaba lo tornaba casi bonito.

—¿Me quieres un poquito? —preguntó ansiosa.

—Sí.

—¿Quieres besarme?

El joven no se lo hizo repetir.

—No pienses mal de mí, Vincent. Me enamoré de ti... ¡y no lo puedo remediar!...

—¿Te enamoraste de mí? ¿Es bien cierto? ¿Y por qué?

Ella se limitó a abrazarlo de nuevo.

Se quedaron sentados tranquilamente uno al lado del otro. A poca distancia se hallaba el Cementerio; hacía muchísimos años que se enterraban allí a los campesinos, en medio de los campos donde habían trabajado toda su vida. Vincent había estado tratando de expresar sobre la tela lo sencillo y natural que resultaba la muerte, tan sencillo y natural como la caída de las hojas en otoño. Un pequeño montículo de tierra y una cruz de madera encima, nada más.

—¿Sabes algo acerca de mí, Vincent? —preguntó Margot suavemente.

—Poca cosa...

—¿Te dijo alguien... mi edad?

—No.

—Tengo treinta y nueve años. Dentro de pocos meses cumpliré cuarenta años. Durante los últimos cinco años no cesé de repetirme que si no llegaba a amar a alguien antes de llegar a los cuarenta, me mataría.

—Amar es muy fácil, Margot.

—¿Te parece?

—Sí. Lo difícil es ser amado por quien uno ama.

—No. En Nuenen es muy difícil. Hace veinte años que deseo amar a alguien y nunca lo conseguí.

—¿Nunca?

Ella desvió la mirada.

—Sí... una vez... cuando era muy jovencita, me enamoré de un muchacho.

—¿Y...?

—Era católico... Y lo alejaron de mí.

—¿Quién?

—Mi madre y mis hermanas. La vida de una mujer está vacía si el amor no la llena...

—Lo sé.

—Todas las mañanas, cuando me despertaba, me decía: "Hoy encontraré a alguien a quien amar. Otras mujeres encuentran, ¿por qué no encontraré yo?". Y cuando llegaba la noche, me sentía sola y desesperada. Así se sucedían interminables los días. En casa no tengo nada que hacer —tenemos varios sirvientes— y cada hora de mi vida estaba llena de la añoranza del amor. Así pasaban mis aniversarios. Llegué a los treinta y siete, treinta y ocho y treinta y nueve años. ¡No podía llegar a los cuarenta sin haber amado jamás! Y luego apareciste tú, Vincent... *¡Ahora, por fin, yo también he amado!*

Pronunció la última frase como un grito de triunfo, como si hubiese conseguido una gran victoria. Elevó su cabeza, presentando sus labios para que los besaran. Vincent le acarició suavemente el cabello negro, y ella, echándole los brazos al cuello, lo besó mil y una vez.

Luego se serenó un poco, y permaneció sentada con la cabeza apoyada contra la rodilla de Vincent. Tenía las mejillas ardientes y los ojos brillantes y apenas si parecía tener treinta años. El joven se estremeció ante la sagrada pasión de esa mujer. Después de un momento Margot dijo con tranquilidad:

—Sé que tú no me amas. Eso sería pedir demasiado. He rogado a Dios que me dejara amar, pero nunca soñé en ser amada. Es más importante amar que ser amado ¿verdad, Vincent?

Recordando a Ursula y a Kay, Vincent repuso:

—Así es, Margot.

—¿Me permitirás quedarme a tu lado, Vincent? No te molestaré ni me moveré. Sólo deseo estar junto a ti. Te prometo no distraerte de tu trabajo.

—Puedes quedarte tanto como quieras. Pero dime, Margot, ya que no había hombres en Nuenen ¿por qué no te fuiste de aquí? ¿No tenías dinero para viajar un poco?

—Oh sí, mi abuelo me dejó una buena renta.

—Entonces ¿por qué no fuiste a Amsterdam o La Haya? Hubieras conocido a hombres interesantes.

—No me lo hubieran permitido.

—¿Ninguna de tus hermanas está casada?

—No, querido, las cinco somos solteras.

Un profundo dolor lo embargó. Era la primera vez que una mujer lo llamaba "querido" con semejante entonación. Sabía cuán doloroso es amar sin ser amado, pero nunca había sospechado la dulzura del amor de una mujer buena. Hasta ese momento había considerado el amor de Margot como un accidente curioso en el cual él no tenía ninguna parte, pero esa sola palabra dicha tan sencillamente cambió por completo su estado mental. Tomó a la joven y la estrechó emocionado contra su pecho.

—Vincent, Vincent —murmuró—. ¡Cómo te amo!

—Qué extraño me parece oírte decir eso...

—No me importa ahora haber estado todos esos largos años sin amor. Valía la pena esperar que tú vinieras, mi querido. En todos mis sueños de amor, jamás me imaginé que podría sentir por alguien lo que siento por ti.

—Yo también te amo, Margot.

La joven se alejó ligeramente de su lado.

—No tienes que decir eso, Vincent. Tal vez algún día llegues a quererme un poquito... Pero por el momento, todo lo que pido es que te dejes amar por mí... Y ahora, instálate para trabajar; ya sabes que no quiero molestarte para nada. Adoro mirarte mientras pintas.

DONDE TU VAYAS...

Casi diariamente Margot lo acompañaba cuando salía al campo a pintar. A menudo caminaban 10 kilómetros antes de encontrar un lugar que agradara a Vincent; llegaban cansados y exhaustos, pero ni uno ni otro se quejaban.

Margot se había transformado extraordinariamente. Su cabello, oscuro y opaco, tenía ahora un tinte dorado y lustroso; sus labios, antes finos y resecos, estaban ahora llenos y rojos. Su tez ajada había cobrado nueva vida y sus ojos nuevo brillo. Todo su ser parecía haber rejuvenecido al contacto del amor.

A veces traía algún canasto con la merienda. Un día, hizo venir de París algunos dibujos de los que Vincent había hablado con admiración. Nunca molestaba al joven en su trabajo, y cuando él pintaba, permanecía silenciosa a su lado como en éxtasis.

Margot no entendía nada de pintura, pero poseía gran sensibilidad y la facultad de decir las cosas en el momento oportuno. Vincent descubrió que, sin saberlo, la joven comprendía. Le daba la impresión de un violín de Cremona que hubiera sido arruinado por un chapucero.

—¡Ah, si la hubiera conocido diez años antes! —se decía para sí.

Un día, cuando Vincent se disponía a iniciar una nueva tela, ella le preguntó:

—¿Cómo puedes estar seguro de que conseguirás reproducir en tu tela el paisaje o escena que has elegido?

Vincent permaneció pensativo durante un momento y luego contestó:

—Si quiero adelantar, no debo temerle a los fracasos. Cuando tengo ante mí la tela en blanco que parece mirarme estúpidamente, me acomete un deseo irresistible de estampar algo sobre ella, y comienzo a trabajar con ahinco.

—Es verdad... Terminas tus cuadros en un santiamén.

Vincent estaba encantado con el amor que le profesaba Margot. Todo lo que él hacía lo consideraba bien. No le decía nunca que sus modales eran bruscos o que su voz era áspera, ni le reprochaba de no ganar dinero ni de pasarse todo el tiempo pintando.

Cuando regresaban al pueblo, al anochecer, él le rodeaba el talle con el brazo y con voz que su simpatía suavizaba le contaba lo que había hecho en su vida y el motivo por el cual le agradaba más pintar a la gente sencilla que a la encumbrada.

El joven no lograba acostumbrarse a ese nuevo estado de cosas y esperaba que en cualquier momento Margot se tornaría cruel o desagradable, echándole en cara sus sucesivos fracasos. Pero no era sí; a medida que avanzaba el verano su amor parecía madurar más, brindándole la plenitud de su simpatía y adoración que sólo puede brindar una mujer madura. A fin de probarla, le pintaba sus fracasos con los más negros colores, pero ella siempre encontraba alguna excusa para disculparlo. Le habló de su fiasco en Amsterdam y en el Borinage.

—No podrás decir que no fué un verdadero fracaso. Todo lo que hice allí estuvo mal.

Sonriendo con indulgencia, Margot se limitó a decir:

—El rey nunca se equivoca.

Vincent la acercó a sí y la besó.

Algunos días más tarde, la joven le dijo:

—Mamá dice que eres un hombre malo. Le han contado que has vivido en La Haya con una mujer perdida. Yo le dije que eran habladurías.

Vincent le explicó su asunto con Cristina, mientras ella lo miraba con cierta melancolía.

—¿Sabes, Vincent? —dijo por fin—. Algo en ti me hace recordar a Cristo... Estoy segura que mi padre hubiera pensado también así.

—¿Eso es lo único que encuentras para decirme después que te acabo de contar que he vivido dos años con una prostituta?

—No era una prostituta, era tu mujer. Si no la has podido salvar como deseabas, no ha sido culpa tuya, lo mismo que no lo ha sido si no pudiste salvar a la gente del Borinage. Un hombre puede muy poco contra toda la civilización.

—Es verdad que Cristina era mi mujer. Cuando era más joven, una vez le dije a mi hermano Theo: "Si no puedo conseguir una buena mujer, tomaré una mala, será mejor que nada".

Hubo entre ellos un silencio ligeramente molesto. Era la primera vez que mencionaban el tema del matrimonio.

—Lo único que lamento acerca del asunto de Cristina —dijo

Margot— es que yo no haya podido disfrutar de esos dos años de tu amor.

Habían llegado a la puerta de una de las chozas de tejedores. Vincent le estrechó amistosamente la mano y ella le sonrió. Entraron en la cabaña. Los días comenzaban ya a acortar, y la habitación estaba iluminada por una gran lámpara suspendida en medio del cuarto. Sobre el telar se hallaba comenzada una gran tela roja, y el tejedor y su mujer estaban arreglando las hebras de la misma; ambas figuras inclinadas sobre el telar proyectaban extrañas sombras en la habitación. Margot y Vincent cruzaron una mirada de·inteligencia; el joven le había enseñado a comprender la belleza que existía hasta en los lugares más sórdidos.

Llegó el mes de noviembre y todo Nuenen hablaba de Vincent y de Margot. El pueblo quería a Margot, pero desconfiaba y temía a Vincent. La madre de la joven y sus cuatro hermanas intentaron poner fin a esas relaciones pero Margot insistía que sólo se trataba de una amistad sin consecuencias y que no había ningún mal en que se paseara por los campos con Vincent. Los Begemans sabían que el pintor era de carácter vagabundo y esperaban que un día de esos se alejaría de la región, por lo tanto no se preocupaban mayormente. En cambio, el pueblo murmuraba, y decía que no podía resultar ningún bien de las relaciones con ese hombre extraño, y que la familia Begeman se arrepentiría algún día de su condescendencia.

Vincent no lograba comprender por qué los habitantes de Neunen no lo querían; él siempre era atento con todos y no se inmiscuía en los asuntos de nadie. Un día, por fin, dió con la pauta del asunto. En Neunen lo consideraban un haragán. Quien le aclaró el punto fué un pequeño comerciante del pueblo que se llamaba Dien van den Beek, y que un día, mientras él pasaba, le dijo:

—Ha llegado el otoño y el buen tiempo se ha terminado, ¿eh?

—Así es, Mijnherr —repuso Vincent.

—Supongo que usted empezará a trabajar pronto.

—En efecto —repuso el joven acomodando el pesado caballete que llevaba sobre las espaldas—. Ahora mismo voy al campo a pintar.

—No quiero decir eso, quiero decir "trabajar" —dijo el hombre recalcando sobre la palabra.

—Mi trabajo es la pintura —repuso Vincent con calma—.
Así como el suyo es vender sus mercaderías.

—Sí, pero yo vendo, en cambio usted ¿vende algo de lo que
pinta?

Todas las personas con quien hablaba en el pueblo le preguntaban lo mismo. Ya estaba harto de semejante pregunta.

—A veces —dijo—. Mi hermano es comerciante en obras de
arte y compra algunas.

—Usted debería trabajar de verdad, Mijnherr. No es bueno
que haraganee en esa forma...

—¡Haraganear! ¡Trabajo el doble de tiempo de lo que usted
tiene su negocio abierto!

—¿Y usted llama a eso trabajar? Eso no es más que un juego
para niños. Trabajar es atender un negocio, arar los campos...
¡esos son trabajos de hombres!

Vincent sabía que Dien van den Beek resumía la opinión
del pueblo y que la estrecha mentalidad provinciana nunca lograría comprender que un artista podía trabajar. No se dejó afectar
por ello y siguió su camino sin preocuparse de lo que pensaran
de él. La desconfianza del pueblo aumentaba, hasta que sucedió
un acontecimiento que lo presentó bajo un aspecto más favorable.

Ana Cornelia, al bajar del tren en Helmond, se rompió una
pierna. La trajeron inmediatamente a su casa, y a pesar de que
el médico no lo dijo a la familia, temió un instante por su vida.
Vincent, sin vacilar, abandonó su trabajo para dedicarse a cui-
darla, pues su experiencia en el Borinage lo había convertido en
un enfermero muy capaz.

—Usted sirve mejor que una mujer para esto —le dijo el
médico— y su madre está en buenas manos.

Los habitantes de Nuenen vinieron a visitar a la señora y a
traerle libros y golosinas. Miraban extrañados a Vincent, quien
se ocupaba de su madre con solicitud y pericia extraordinaria,
cambiándole la cama sin moverla, dándole de comer, lavándola y
acomodándola con toda suavidad. Al cabo de dos semanas el
pueblo había cambiado por completo la opinión desfavorable que
tenía sobre él. Les hablaba su mismo lenguaje, discutiendo con
ellos el mejor modo de cuidar a los enfermos, de alimentarlos y
de conservar agradable el ambiente de la habitación. Comprendieron que era un ser humano como ellos, y cuando su madre
mejoró un poco y él pudo salir de vez en cuando a pintar a los

campos, la gente le sonreía al pasar y lo saludaba llamándolo por su nombre. Ya no existía aquella animosidad y desconfianza de antes.

Margot lo acompañó durante todo el tiempo. Era la única que no se extrañaba de su gentileza y de su suavidad. Un día, estaban hablando en voz baja en la habitación de la enferma cuando Vincent observó:

—La clave de muchas cosas es el perfecto conocimiento del cuerpo humano. Hay un hermoso libro que trata de eso, la "Anatomía para Artistas", de John Marshall, pero es muy caro.

—¿Y no puedes comprarlo? —preguntó la joven.

—No; tengo que esperar a vender algunos de mis trabajos.

—Vincent, me harías tan feliz si me permitieras prestarte algún dinero. Ya sabes que tengo más rentas de las que puedo gastar.

—Eres muy buena, Margot, pero no puedo aceptar.

Ella no insistió, pero unas dos o tres semanas más tarde, le entregó un paquete que provenía de La Haya.

—¿Qué es? —inquirió el joven.

—Abrelo y verás.

Acompañaba al paquete una tarjeta que decía: "Para el más feliz de los cumpleaños". El paquete contenía el libro de Marshall.

—¡Pero no es mi cumpleaños! —exclamó Vincent.

—No —dijo riendo Margot—. ¡Es el mío! ¡Cumplo cuarenta años! Tú me has dado el presente de mi vida. Acepta este pequeño obsequio. ¡Soy tan feliz que quiero que también tú lo seas!

Se hallaban solos en su estudio que daba al jardín. Unicamente estaban en la casa su madre y Willemien que acompañaba a la convaleciente. Caía la tarde y el sol estaba próximo a desaparecer. Vincent sostuvo entre sus manos al libro con cariño. Era la primera vez que alguien, excepto Theo, se sentía tan feliz de ayudarlo. Arrojó el libro sobre el lecho y tomó a Margot entre sus brazos. Los ojos de la joven se nublaron de lágrimas de alegría. Durante los últimos meses no habían podido prodigarse caricias, pues temían ser vistos. La joven se abandonó por completo entre sus brazos, pero él, algo nervioso no deseaba sobrepasarse, temiendo lastimarla a ella o a su amor. La miró en los ojos, en aquellos bondadosos ojos castaños y la besó; ella sonreía feliz, entreabriendo los labios para recibir su caricia. Estaban estrechamente abrazados y sus cuerpos confundidos. La cama quedaba a

pocos pasos; ambos se sentaron sobre ella, y en aquel estrecho
abrazo olvidaron los años pasados sin amor que habían hecho su
vida tan insípida.

Margot acarició suavemente el rostro del joven, y éste, comprendiendo que iba a sucumbir a la tentación se desligó con un
gesto brusco del estrecho abrazo y poniéndose de pie se dirigió
hacia su caballete donde arrugó nerviosamente el pedazo de papel sobre el cual había estado dibujando. Reinaba absoluta tranquilidad, oyéndose únicamente el grito de la urraca y el tintineo
de las campanas de las vacas que regresaban del campo. Después
de un momento, con toda sencillez Margot dijo:

—Puedes, si quieres, querido.

—¿Por qué? —preguntó él sin volverse.

—Porque te amo.

—No estaría bien, Margot.

—Ya te lo dije antes, Vincent. El rey nunca hace nada mal...

El joven se arrodilló a su lado. Margot tenía la cabeza apoyada sobre la almohada y parecía mucho más joven de lo que
era en realidad. La besó una y otra vez, y murmuró:

—Yo también te amo... No lo sabía hasta ahora, pero ahora
estoy seguro.

—Me haces feliz al decírmelo —repuso la joven con voz sua-
vísima—. Sé que me quieres un poquito... En cambio yo te
adoro con todo mi ser.

Vincent no la amaba como había amado a Ursula o a Kay,
ni siquiera como había querido a Cristina, pero sentía algo de
muy cariñoso para esta mujer que se abandonaba con tanta confianza en sus brazos. Lamentó sinceramente no querer con más
intensidad a la única mujer en el mundo que lo amaba, y recordó
cuánto había sufrido cuando Ursula y Kay no habían correspon-
dido a su cariño. Respetaba el amor desenfrenado de Margot, en-
contrándolo al mismo tiempo algo falto de gusto. Arrodillado
cerca de la cama, con el brazo bajo la cabeza de la mujer que lo
amaba como él había amado a Ursula y a Kay, comprendió por
fin por qué las dos mujeres habían huído de él.

—Margot —dijo—, mi vida vale muy poco, pero me sentiría
feliz si aceptaras compartirla conmigo.

—Sí, querido, acepto compartirla.

—Nos quedaremos aquí en Nuenen. ¿O prefieres que una
vez casados nos vayamos a otra parte?

—¿Cuáles fueron las palabras de Ruth?... —inquirió mirándolo cariñosamente—. "Donde tú vayas, iré yo"...

INQUISICION

Ni uno ni otro estaban preparados para la tormenta que se desencadenó cuando anunciaron sus intenciones a sus respectivas familias. Para los Van Gogh el problema lo constituía simplemente la cuestión dinero. ¿Cómo podría Vincent casarse mientras su hermano lo hacía vivir?

—Primero empieza a ganar dinero y luego podrás pensar en casarte —le dijo su padre.

—Recién estoy en los comienzos de mi arte, pero estoy seguro de que con el tiempo ganaré dinero.

—Pues sólo entonces podrás pensar en casarte —insistió su padre.

Pero la tormenta de la rectoría era insignificante al lado de la que se desarrollaba en la casa de los Begeman. Con sus cinco hijas solteras la señora de Begeman podía afrontar al mundo entero, pero si Margot se casaba probaría al pueblo el fracaso de sus hermanas, y la madre creía que valía más evitar la desgracia de cuatro de sus hijas que hacer la felicidad de una sola de ellas.

Ese día Margot no acompañó a Vincent al campo, pero fué a verlo a su estudio después de la caída del sol. Tenía los ojos colorados e hinchados y aparentaba sus cuarenta años. Cuando el joven la besó lo estrechó contra sí en muda desesperación.

—Nunca me imaginé que pudiera decirse tanto mal de un hombre —dijo por fin.

—Hubieras debido esperarlo, sin embargo.

—Y me lo esperaba, pero nunca supuse que su ataque contra ti sería tan violento y maligno.

El joven la rodeó cariñosamente con el brazo.

—No te preocupes, esta noche iré a verlas y las convenceré de que no soy una persona tan mala.

Pero en cuanto entró en la casa de los Begeman, Vincent comprendió que se encontraba entre verdaderos enemigos. Había algo de siniestro en la atmósfera creada por aquellas seis mujeres, nunca turbada por una voz masculina.

Lo hicieron pasar a la sala, habitación húmeda y fría y que se abría sólo de tanto en tanto.

Se hallaban presentes todas las hermanas, y la mayor fué la que inició el interrogatorio.

—Margot nos dice que usted desea casarse con ella. ¿Me permite preguntarle qué es lo que le ha sucedido a su esposa de La Haya? —dijo con voz seca.

El joven explicó el asunto de Cristina, y la atmósfera de la sala pareció descender varios grados más.

—¿Qué edad tiene usted, Mijnheer Van Gogh?

—Treinta y un años.

—¿Le ha dicho Margot que ella tiene...

—Sé perfectamente su edad —interrumpió el joven.

—¿Se puede saber cuánto gana usted?

—Cuento con una entrada de ciento cincuenta francos mensuales.

—¿Y de dónde le viene esa entrada?

—Es mi hermano que me la envía.

—¿Quiere decir que su hermano lo hace vivir?

—Me paga un sueldo mensual y en cambio todo el trabajo que yo hago le pertenece.

—¿Y vende mucho de ese trabajo?

—No puedo decirlo con exactitud.

—¡Pues yo se lo diré! Su padre me ha dicho que su hermano nunca ha vendido uno solo de sus cuadros hasta ahora.

—Pero los venderá más adelante. Le reportarán mucho más dinero entonces de lo que le reportarían ahora.

—Eso es problemático. Vayamos a los hechos.

Vincent observaba el semblante duro y feo de la hermana mayor y comprendió que no podía esperar ninguna simpatía de semejante persona.

—Si usted no gana dinero —prosiguió— ¿cómo piensa mantener a su esposa?

—Si mi hermano está dispuesto a arriesgar ciento cincuenta francos mensuales sobre el valor futuro de mi trabajo eso es asunto suyo y no de ustedes. Yo lo considero un sueldo y le aseguro que trabajo mucho para ganarlo. Margot y yo podríamos vivir con ese sueldo si sabemos arreglarnos.

—¡Pero además yo tengo dinero! —exclamó Margot.

—¡Cállate! —le ordenó su hermana.

—Recuerda, Margot —intervino su madre— que tengo el derecho de anular esa renta si con tu comportamiento deshonras a la familia.

—¿Y sería deshonra casarse conmigo? —inquirió Vincent sonriendo.

—Lo poco que sabemos de usted, Mijnherr no es muy honroso... ¿Cuánto hace que es usted pintor?

—Tres años.

—Y aún no ha alcanzado el éxito. ¿Cuánto le parece que necesita para lograrlo?

—No lo sé.

—¿En qué se ocupaba antes de ser pintor?

—Trabajé en un negocio de obras de arte, fuí maestro, vendedor en una librería, estudiante de teología y evangelista.

—¿Y fracasó en todas esas ocupaciones?

—Las abandoné por no considerarme apto para ellas.

—¿Y cuándo abandonará la pintura?

—¡Nunca la abandonará! —exclamó Margot.

—Me parece, Mijnheer Van Gogh —prosiguió con sequedad la hermana mayor— que usted es muy presuntuoso al querer casarse con Margot. No posee un solo franco ni es capaz de ganarlo; no tiene empleo y vagabundea de un lado para otro sin hacer nada. ¿Cómo quiere que nos atrevamos a dejar casar a nuestra hermana con usted?

Vincent sacó maquinalmente su pipa del bolsillo y la volvió a guardar de nuevo.

—Margot y yo nos amamos, y puedo hacerla feliz. Viviremos aquí durante un año o un poco más y luego iremos al extranjero. Puedo asegurarle que nunca recibirá de mi parte más que bondad y cariño.

—¡Usted la abandonará! —exclamó otra de las hermanas con voz chillona. Se cansará de ella y la dejará por alguna mala mujer como aquella de La Haya.

—¡Se quiere casar con ella por su dinero! —intervino otra.

—¡Pero no lo conseguirá! —dijo una tercera—. ¡Nuestra madre hará que su renta le sea suspendida.

Los ojos de Margot se llenaron de lágrimas y Vincent se puso de pie. Comprendía que estaba perdiendo el tiempo tratando de convencer a esas harpías. Tendría que casarse con Margot sin su consentimiento y partir de inmediato para París. Lamentaba tenerse que ir del Brabante en seguida, pues consideraba que su trabajo allí aún no estaba concluído, pero se estremeció ante la idea de dejar a Margot, entre aquellas implacables mujeres. Los días que siguieron Margot sufrió lo indecible. Comenzaron a caer las primeras nieves y Vincent tenía que permanecer en su estudio trabajando. Los Begerman no permitían que Margot fuese a visitarlo, y se pasaban todo el día hablando pestes contra él. La joven llegó a odiar a sus hermanas, pues sabía que estaban destruyendo su vida, pero su sentido del deber era tan poderoso que no lo podía desarraigar.

—No comprendo cómo te opones a casarte conmigo sin su consentimiento.

—No me dejarían, Vincent.

—¿Quién? ¿Tu madre?

—Mis hermanas. Mamá se limita a asentir.

—¿Y qué importancia tiene lo que digan tus hermanas?

—Siempre me han llevado la contra, Vincent. ¿Te acuerdas que te conté que cuando joven me había enamorado de un muchacho? Pues bien, ellas lo alejaron. Siempre han tratado de contrariar mis más pequeños gustos. Cuando deseaba visitar a nuestros parientes de la ciudad, no me lo permitían. Si quería leer libros serios, se oponían a que entraran en casa. Quise dedicarme a algo, estudiar música... pero no me lo permitieron. Tenía que pensar y vivir exactamente como ellas.

—Eso era antes, pero ¿y ahora?

—Pues ahora no quieren que me case contigo.

El sufrimiento la había cambiado mucho en esos pocos días, y estaba muy avejentada.

—No tengas pena, Margot. Nos casaremos y terminarán todos tus fastidios. Mi hermano siempre insiste en que vaya a París. Iremos a vivir allí.

La joven permaneció silenciosa, abatida.

—¿Tienes miedo de casarte conmigo sin su consentimiento?

—Si me separan de ti me mataré, Vincent —dijo—, después de haberte amado, no podría soportar la vida sin ti.

—Nos casaremos sin que lo sepan. Se lo diremos una vez realizada la ceremonia.

—No puedo ir contra ellas. Son demasiadas para mí. No puedo luchar.

—No necesitas luchar. Casémonos y todo habrá terminado.

—No, no habrá terminado. Será el principio... Tú no conoces a mis hermanas.

—¡Ni deseo conocerlas! Iré esta noche a verlas para tratar de convencerlas.

En cuanto entró en la sala comprendió que su tentativa resultaría infructuosa.

—Deseamos que nuestra hermana sea feliz —le contestó la hermana mayor— y no podemos permitirle que arriesgue su vida en esa forma. Hemos decidido que si dentro de dos años usted desea aún casarse con ella, retiraremos nuestras objeciones.

—¡Dos años! —exclamó Vincent.

—Para ese tiempo yo no estaré más aquí —dijo Margot, con calma.

—¿Y dónde estarás? —preguntó su hermana.

—Bajo tierra. Si ustedes no me permiten casarme con él, me mataré.

Estas palabras levantaron una tempestad de exclamaciones: "¡Cómo puedes decir semejante cosa! ¿Ven qué influencia nefasta tiene sobre ella? ¡Es espantoso!"

Aprovechando la confusión, Vincent se retiró, convencido de que no había nada que hacer.

La terrible oposición de su familia agotaba a Margot. Tal vez una mujer más joven hubiera salido airosa del ataque concentrado de esas cinco mujeres, pero ella carecía de la fuerza necesaria para tan magna lucha. Su rostro se zurcó de arrugas y sus ojos perdieron el brillo de antes, mientras que su tez ya no tenía la lozanía de tiempo atrás.

El afecto que Vincent sentía por Margot se evaporó con su belleza. Nunca la había amado realmente ni deseado casarse con ella. Estaba avergonzado de su insensibilidad y por ello se esforzaba en demostrarle más cariño del que en realidad sentía.

—¿Amas a tu familia más que a mí? —le dijo un día en que ella había logrado hacer una escapada hasta su estudio.

La joven le echó una mirada de reproche.

—¡Oh, Vincent!

—Y entonces ¿por qué no los dejas por mí?

Se reclinó sobre su hombro como una criatura cansada, y con voz triste y apagada contestó:

—Si supiese que tú me amas como yo te amo, desafiaría al

mundo entero. Pero... represento tan poco para ti... y tanto para ellas...

—Te equivocas, Margot, te amo...

Ella le puso suavemente un dedo sobre los labios.

—No querido, quisieras amarme... pero no me amas. No te aflijas. Déjame ser la que más quiere de los dos.

—¿Por qué no te desligas de ellas?

—Es fácil para ti decir eso. Eres fuerte y puedes luchar. Pero yo tengo cuarenta años... Nací en Nuenen... nunca fuí más lejos que Eindhoven. Nunca fuí en contra de nada ni de nadie... Si supiera que realmente tú me deseabas con todo tu ser, lucharía contra el mundo entero... Pero esto es una cosa que yo sola deseo... No; es ya demasiado tarde, mi vida ya se ha ido...

Hablaba en un murmullo y sus ojos estaban llenos de lágrimas.

—Mi querida Margot —díjole Vincent acariciándole el cabello—. Tenemos toda una vida por delante para disfrutar juntos. Arregla esta noche tus cosas e iré a buscarte cuando tu familia duerma. Iremos hasta Eindhoven y al amanecer tomaremos el tren para París.

—No, querido. Les pertenezco y no puedo dejarlas. Pero al final haré mi voluntad...

—Margot... no puedo soportar verte sufrir así.

La joven volvió sus ojos hacia él y le sonrió.

—No, querido, soy feliz. El amarte ha sido algo maravilloso...

El joven la besó en los labios, sintiendo en ellos la sal de sus lágrimas.

Algo más tarde, Margot le preguntó:

—¿Irás a pintar mañana a los campos? Ha cesado de nevar.

—Sí, creo que iré.

—¿A qué lugar te dirigirás? Deseo ir a acompañarte.

Con un gorro de piel y el cuello de su blusa levantado, Vincent trabajó hasta bastante tarde al día siguiente. El cielo crepuscular reflejaba un hermoso tinte alilado con toques de oro, y las cabañas y arbustos se diseñaban en oscuro sobre aquel magnífico fondo.

Margot llegó tarde, caminando apresuradamente a través del campo. Llevaba el mismo vestido blanco que el día en que se habían conocido. Sus mejillas estaban ligeramente sonrosadas y parecía haber recuperado la juventud que pocas semanas antes había florecido tan hermosa bajo los cálidos rayos del amor. En la mano traía una canastita de labores.

Echó los brazos al cuello del joven y éste pudo notar el latido acelerado de su corazón. La miró en los ojos y no viendo más melancolía en ellos preguntó:

—¿Qué sucede, querida? ¿Hay alguna novedad?

—No es nada. No pude venir antes, por eso llegué tan tarde... feliz... feliz de estar contigo.

—¿Cómo has venido con este traje tan liviano?

Sin contestar a la pregunta dijo:

—Vincent, vayas donde vayas, quiero que siempre recuerdes una cosa de mí.

—¿Cuál?

—¡Que te amé muchísimo! Como ninguna otra mujer te ha amado en tu vida.

—¿Por qué tiemblas así, Margot?

—No es nada. No pude venir antes, por eso llegué tan tarde... ¿Te falta poco para terminar tu tela?

—Apenas unos momentos.

—Entonces me sentaré detrás tuyo para mirarte trabajar, como solía hacerlo antes. Ya sabes, querido, que nunca quise molestarte... Sólo he deseado que te dejaras amar por mí...

—Sí, Margot —repuso el joven sin saber qué decir.

—Bien, entonces reanuda tu trabajo y termínalo a fin de que podamos regresar juntos... Pero antes de sentarte, bésame, Vincent —dijo con un estremecimiento—, bésame como aquella vez... en tu estudio...

El la tomó en los brazos y besándola en los labios la estrechó contra su corazón. Luego la joven se sentó sobre el pasto y Vincent se instaló frente a su caballete. La serenidad del crepúsculo invadía cada vez más el ambiente.

Oyóse de repente un ligero ruido de cristal al caer una botella contra la canasta de la joven y un grito ahogado. Sorprendido Vincent se volvió y vió que Margot yacía en tierra presa de violentos espasmos. El joven, aterrado, se acercó vivamente a ella. Después de una serie de rápidas convulsiones permaneció rígida como una muerta. Vincent levantó la botella y olió el residuo cristalino que quedaba en ella, y luego tomando a Margot en sus brazos comenzó a correr hacia el pueblo. Se encontraba a un kilómetro de Nuenen y temía que la joven se muriese antes de llegar

al pueblo. Atravesó la calle principal con su preciosa carga, ante
la mirada asombrada de los habitantes y cuando llegó a casa de
los Begerman, abrió la puerta de un violento puntapié y entrando
en la sala depositó a la moribunda sobre el sofá. La madre y las
hermanas de la joven aparecieron corriendo despavoridas.

—¡Margot se ha envenenado! —dijo anhelante—. ¡Voy en
busca del médico!

Corrió hacia la casa del doctor y mientras regresaban juntos
éste le preguntó:

—¿Está seguro de que fué estricnina?

—Al menos así me pareció.

—¿Y dice que aún vivía cuando la trajo a su casa?

—Sí.

Cuando llegaron, Margot se estaba retorciendo de dolor sobre el diván. Después de examinarla el médico dijo:

—Sí, fué estricnina, pero le mezcló algo para mitigar el sufrimiento... Por el dolor creo que debió ser láudano. Nunca su-
puso que iba a actuar de antídoto...

—¿Entonces vivirá? —inquirió la madre angustiada.

—Tal vez. Pero debemos llevarla de inmediato a Utrecht.

—¿Puede usted recomendarnos allí algún hospital o sanatorio?

—Tendremos que llevarla a una casa de salud... necesitará
estar mucho tiempo en observación. Ordene que enganchen su
coche, debemos tomar el último tren de Eindehoven.

Silencioso, Vincent permanecía de pie en uno de los rincones
de la habitación. Cuando el coche estuvo listo, el médico envolvió a la enferma en una manta y la tomó en brazos. La madre y
las cinco hermanas lo siguieron y Vincent hizo lo propio. El
pueblo entero se hallaba reunido ante la casa de los Begeman y
se hizo un profundo silencio cuando apareció el doctor con Margot
en brazos. La entró en el coche y luego subieron las mujeres. Vincent permanecía silencioso cerca de la portezuela. El médico tomó
las riendas y en el momento en que el vehículo comenzaba a
moverse, la madre de Margot advirtiendo a Vincent sobre la vereda le gritó:

—¡Esto es obra suya! ¡Usted mató a mi hija!

Todas las miradas se volvieron hacia el joven, mientras el
coche se alejaba por el camino.

"TU TRABAJO ES CASI VENDIBLE, PERO..."

Antes de que su madre se rompiera la pierna Vincent era mal visto por los habitantes de Nuenen, quienes desconfiaban de él y no comprendían su modo de vivir, pero ahora estaban abiertamente en contra suyo, y todos le volvían la cabeza cuando él se acercaba. Lo trataban como a un verdadero paria.

Esto no molestaba mayormente al joven, pues los tejedores y los campesinos aún lo aceptaban como su amigo, pero cuando la gente comenzó a dejar de visitar a sus padres, comprendió que tendría que abandonar la rectoría.

Sabía que lo mejor que podía hacer era partir del Brabante para dejar a sus padres en paz, pero ¿dónde ir? El Brabante era su tierra, anhelaba vivir siempre allí, deseaba pintar sus campesinos y tejedores, le parecía que ello justificaba su trabajo. Le gustaba trabajar en invierno en medio de la nieve y en verano entre las espigas doradas del trigo, hallarse en compañía de los segadores y de las jóvenes campesinas. En una palabra, le satisfacía profundamente estar en contacto directo con la naturaleza.

Para él, el "Angelus" de Millet era la obra creada por un ser humano que se acercaba más a la divinidad. Quería pintar escenas exteriores, captar algo de su elemental simplicidad o la vida simple de los habitantes de la región.

Resolvió el problema de una manera muy sencilla. A poca distancia, se hallaba la iglesia católica y a su lado estaba la casa del sacristán. Juan Schafrath, que era sastre de profesión, continuaba con su oficio al mismo tiempo que se ocupaba del cuidado de la iglesia. Su mujer era una buena persona y alquiló a Vincent dos habitaciones, feliz de poder hacer algo para el hombre a quien todos repudiaban.

La casa de los Schafrath estaba dividida en dos por un amplio pasillo. De un lado vivía la familia del sacristán y del otro Vincent instaló su estudio en la habitación del frente, ocupando la otra como una especie de despensa y desván. Dormía en el primer piso, en un gran cuarto bajo el techo que la familia Schafrah empleaba también para tender la ropa

Colgó sobre las paredes de su estudio sus acuarelas y varios estudios que representaban a los campesnios brabanzones fuertemente caracterizados y a los tejedores ante sus telares, o alrededor de la mesa familiar en sus chozas.

Fué en esa época que se hizo amigo con su hermano Cor, y juntos comenzaron una colección de objetos heteróclitos, pertenecientes todos a la vida campesina. Allí había desde una serie de nidos de pájaros y plantas regionales hasta ruecas, zuecos y gorros de los usados por los nativos del lugar

Y reanudó con ahinco su trabajo. Descubrió que el uso de la tinta china y el betún, que la mayoría de los pintores estaban abandonando, hacía su colorido más maduro y sazonado, así como también que necesitaba mezclar muy poco amarillo en un color para hacerlo aparecer muy amarillo, si lo colocaba al lado de un violáceo.

También aprendió que el aislamiento es una especie de prisión.

Durante el mes de marzo, su padre, al regresar de un largo recorrido por el campo donde había ido a visitar a uno de sus parroquianos enfermos, cayó presa de un ataque sobre las escaleras de la rectoría. Cuando Ana Cornelia acudió en su ayuda, ya estaba muerto. Lo enterraron en el jardín, cerca de la iglesia, y Theo vino para asistir a las exequias.

Esa misma noche, los dos hermanos, sentados en el estudio de Vincent, después de haber hablado de los asuntos de familia, comenzaron a hablar de su trabajo.

—Una casa me ofreció mil francos mensuales para que deje a Goupil y vaya con ellos —dijo Theo.

—¿Y vas a aceptar?

—Creo que no. Temo que su punto de vista sea puramente comercial...

—¿Pero no me has dicho que en lo de Goupil?...

—Sí, ya sé, *les Messieurs* también piensan mucho en el dinero y en los pingües beneficios. Pero, hace doce años que estoy con ellos ¿a qué cambiar por unos pocos francos? Tal vez algún día me pongan al frente de uno de sus negocios... Si lo hacen comenzaré a vender a los "Impresionistas".

—¿Impresionistas? Me parece haber visto ese nombre escrito en algún lado. ¿Quiénes son?

—Los pintores más jóvenes de París, es decir Eduardo Manet, Degas, Renoir, Claude Monet, Sisley, Courbet, Laturec, Gauguin, Cezanne, Seurat.

—¿Y por qué los llamas así?

—Verás: En la Exposición realizada en lo de Nadar en 1874, Claude Monet expuso una tela que tituló: "Impresión: El sol levante". Un crítico periodista calificó esa exposición una exhibición de "impresionistas", y el nombre les quedó.

—¿Trabajan con colores claros u oscuros?

—Claros. ¡Desprecian los colores oscuros!

—Entonces no creo que podría trabajar con ellos. Tengo intención de cambiar mi colorido, pero me parece que lo oscureceré en vez de aclararlo.

—Tal vez cambies de opinión cuando vengas a París.

—Tal vez. ¿Y empiezan a vender sus telas?

—Durant-Ruel vende ocasionalmente un Manet, pero nada más.

—¿Y cómo viven entonces?

—Solo Dios lo sabe. Son verdaderos bohemios. Rousseau da lecciones de violín; Gauguin pide dinero prestado a sus antiguos amigos de la Bolsa; a Seurat le ayuda la madre, que es rica y a Cezanne el padre. En cuanto a los otros, no puedo imaginarme de dónde sacan el dinero.

—¿Los conoces a todos, Theo?

—Sí, poco a poco los voy conociendo a todos. He tratado de persuadir a *Les Messieurs* que les dieran un lugarcito para sus exhibiciones en su Galería, pero no quieren saber nada con los "impresionistas".

—Necesitaría conocer a artistas como esos...

—¿Y por qué no vienes a vivir a París conmigo?

—No estoy listo aún. Necesito terminar un trabajo aquí.

—¿Y cómo quieres relacionarte con pintores si permaneces en medio del campo?

—Tienes razón. Pero, Theo, hay una cosa que no logro comprender. Nunca has vendido ni un solo dibujo o pintura mía. Estoy casi seguro de que ni siquiera has tratado de hacerlo. ¿Por qué?

—He enseñado tu trabajo a los entendidos, a los *"connaiseurs"* y dicen...

—Oh, los *"connaiseurs"* —le interrumpió Vincent encogiéndose de hombros—. Conozco todas sus sandeces. Con seguridad, Theo, debes saber que sus opiniones no tienen nada que ver con el valor de una obra maestra.

—Creo que exageras un poco. Tu trabajo es casi "vendible" pero..

—Theo, Theo... me has escrito esas mismas palabras cuando te envié mis primeros bosquejos desde Etten...

—Lo siento, Vincent, pero expresan la verdad. En cada una de tus obras pareces estar al borde de la madurez... Pero, dices que necesitas trabajar aún aquí, bien, trata de concluir pronto lo que quieres hacer y ven a París. Cuanto antes lo hagas mejor será para ti. Pero, si mientras tanto quieres que venda algo tuyo, envíame un verdadero cuadro y no un estudio. Nadie se interesa por estudios.

—Es algo difícil discernir dónde una tela deja de ser estudio para convertirse en cuadro... En fin, Theo, sigamos pintando y siendo nosotros mismos, con nuestras faltas y nuestras cualidades. Y digo "nosotros" porque el dinero que tú gastas en mí te da el derecho de considerar la mitad de mi producción como tu propia creación...

COMIENDO PAPAS...

Antes de la muerte de su padre, Vincent iba a la rectoría de tanto en tanto, ya sea para cenar o para charlar un rato pero, después de los funerales, su hermana Elizabeth le hizo comprender que no era persona grata, pues la familia deseaba mantener cierta posición en el pueblo. Su madre consideró que era su deber hacer causa común con sus hijas puesto que él tenía suficiente edad para ser responsable de su propia existencia. Por lo tanto, Vincent se encontró completamente solo en Nuenen. Dióse de lleno a su trabajo empeñándose en pintar de la naturaleza, pero ésta, esquiva, no se sometía a su pincel, por lo cual terminó por crear de su propia paleta, y entonces sucedió que la naturaleza sometióse y púsose de acuerdo con su obra creadora. Cuando en medio de su soledad se sentía desgraciado, acudía a su memoria la escena del Estudio de Weissenbruch y las mordaces palabras del pintor que aprobaba el sufrimiento. En su fiel Millet encontró la misma filosofía de Weissenbruch, pero expresada en forma más convincente: "Nunca deseo suprimir el dolor, pues a menudo contribuye a que los artistas se expresen con más eficacia".

En esos días se hizo amigo de una familia de campesinos llamada De Groot Dicha familia estaba compuesta del padre, la madre, un hijo y dos hijas y todos trabajaban en el campo. Constituían el prototipo de las familias campesinas brabanzonas; vivían en una choza de una sola habitación, con camas empotradas en los muros según la costumbre local. En medio del cuarto había una mesa, dos sillas y algunos bancos y arcones. Del techo pendía una lámpara.

La base de la alimentación de los De Groot eran las papas. Su cena se componía de papas, café negro y de vez en cuando una rebanada de tocino. Se ocupaban en plantar papas, las cuidaban, las cosechaban y las comían. Eso constituía toda su vida.

Stien de Groot era una linda muchacha de unos diecisiete años. Para trabajar usaba un ancho gorro blanco y blusa oscura con cuello blanco. Vincent tomó la costumbre de ir a visitarlos todas las tardes. El y Stien congeniaban mucho.

—¡Miren! —solía decir la joven a su familia—. ¡Soy una gran dama! ¡Están haciendo mi retrato! ¿Quiere que me ponga mi gorro nuevo, Mijnherr?

—No, Stien, estás muy bonita así.

—¡Bonita! ¡Yo! —exclamaba la joven largando una alegre carcajada.

Sus ojos eran grandes y alegres, y cuando se inclinaba hacia la tierra para recoger las papas su cuerpo tenía líneas aún más gráciles que las de Kay Vincent consideraba que la nota esencial en el dibujo de las figuras era la acción y que el gran error de las figuras en los cuadros de los antiguos maestros estribaba en que estaban inactivas. Dibujó a los De Groot en todas las posturas imaginables, trabajando en el campo, sentados alrededor de su mesa, comiendo papas. Stien solía acercarse a admirar su trabajo y bromear con él. El domingo, a veces, la joven poníase un gorro y un cuello limpios y se paseaba con Vincent por el campo y los bosques. Un día la joven le preguntó:

—¿Lo quería a usted Margot Begeman?

—Sí.

—Y entonces ¿por qué trató de matarse?

—Porque su familia no quiso dejarla casar conmigo.

—¡Qué tonta! ¿Sabe lo que hubiera hecho yo en lugar de matarme? ¡Pues lo hubiera amado!

Soltó una alegre risa y corrió por entre los pinos del bosque. Durante toda la tarde anduvieron jugando entre los árboles. Stien tenía el don de la risa y cualquier cosa que dijera Vincent la hacía reir. Era muy vehemente, y cuando no le agradaba lo que el joven dibujaba, o bien estropeaba el dibujo echándole café encima o bien lo arrojaba al fuego riendo. A menudo solía ir a su estudio para posar, y cuando partía, la habitación quedaba toda revuelta.

Así pasó el verano y el otoño, iniciándose el invierno, y la nieve obligó a Vincent a permanecer en su estudio casi todo el tiempo. La gente de Nuenen no gustaba posar, y si no hubiera sido por el dinero, nadie hubiera venido. En La Haya Vincent había dibujado casi noventa costureras a fin de hacer un cuadro con un grupo de tres, y ahora que quería pintar a la familia De Groot sentada alrededor de su mesa comiendo papas, sentía que para lograrlo, necesitaba antes dibujar a todos los campesinos de la vecindad.

El Padre católico no miraba con buenos ojos que su sacristán hubiese alquilado dos cuartos a un hombre que además de hereje era artista, pero como el joven era tranquilo y cortés, no tenía motivos para echarlo de allí. Un día, Adriana Schafrath entró agitada en el estudio y le dijo:

—¡El Padre Pauwels desea verlo inmediatamente!

El sacerdote era un hombre grande, de rostro encendido. Cuando entró en el estudio, con una sola mirada desaprobó el desorden que allí reinaba.

—¿En qué puedo servirlo, Padre? —inquirió Vincent cortésmente.

—¡Usted a mí en nada! Soy yo quien lo serviré a usted! ¡Trataré de ayudarlo en este asunto!

—¿A qué asunto se refiere, Padre?

—Ella es católica y usted protestante, pero conseguiré una dispensa especial del Obispo y podrán casarse dentro de pocos días.

Vincent se acercó al sacerdote y lo miró sorprendido.

—No comprendo de qué se trata, Padre —dijo.

—¡Usted comprende muy bien! Toda esta comedia es inútil. Stien está encinta y el honor de la familia requiere que se case con usted.

—¡Al diablo con la muchacha!

—Bien puede invocar el diablo, pues todo este asunto es obra de él.

—¿Pero está usted seguro, padre? Aquí hay un error.

—No acostumbro acusar a las personas sin tener una prueba positiva.

—¿Y fué Stien que le dijo que yo... era el culpable?

—No. Se niega a decirnos quién la sedujo.

—Y entonces ¿por qué me confiere ese honor a mí?

—Ustedes han sido vistos muchas veces juntos... Además viene a menudo a su estudio. ¿No es así?

—En efecto.

—Pues bien ¿qué otra prueba necesitamos?

Antes de contestar Vincent reflexionó un instante y luego dijo con tranquilidad:

—Siento mucho todo esto, Padre, especialmente porque traerá disgustos a Stien, pero le puedo asegurar que mis relaciones con ella han sido irreprochables.

—¿Pretende usted que lo crea?

—No —contestó el joven con sencillez.

Aquella noche Vincent esperó a la joven en la puerta de su casa a su regreso del campo. La familia entró y ellos dos permanecieron de pie ante la choza.

—¿Es cierto, Stien? —preguntó el joven.

—Sí, ¿quiere sentir? —dijo, y tomándole la mano se la colocó sobre su vientre.

—El padre Pauwels acaba de acusarme de ser yo el padre.

La joven se rió.

—¡Ojalá hubiera sido! Pero usted nunca quiso ¿verdad? ¿Así que el Padre Pauwels dice que fué usted? ¡Qué gracioso!

—¿Qué es lo que te parece tan gracioso?

—¿Me guardará el secreto si se lo digo?

—Te lo prometo.

—¡Fué el ayudante de su iglesia!

Vincent emitió un prolongado silbido y luego preguntó:

—¿Lo sabe tu familia?

—No. Jamás se los diré. Pero saben que no ha sido usted.

Ambos entraron en la choza. La atmósfera no había canbiado en absoluto; los De Groot aceptaban el embarazo de Stien como una cosa natural, y trataron a Vincent como siempre, por lo cual comprendió que creían en su inocencia.

Pero en el pueblo era distinto. Adriana Schafrath, que había escuchado detrás de la puerta las palabras del Padre Pauwels, hizo correr la voz de la culpabilidad de Vincent y de la intención del sacerdote de obligarlo a casarse con la muchacha, y el pueblo le tomó aún más aversión que antes.

Vincent pensó entonces en la partida; había pintado todo lo que tenía que pintar de la vida campesina de la región y estaba harto de sufrir la mala voluntad del pueblo. Pero ¿dónde ir?

—Mijnherr Van Gogh —le dijo un día Adriana tristemente—. El Padre Pauwels dice que debe usted abandonar esta casa.

—Perfectamente, así lo haré.

Entró en su estudio y empezó a mirar a sus pinturas y dibujos que representaban dos años de rudo trabajo. Había cientos de estudios de tejedores, de campesinos y de paisajes de la región. Se sintió desalentado. ¡Su trabajo era tan fragmentario! Había allí estudios de todas las faces posibles de la vida campesina, pero ningún trabajo que resumiera el conjunto. ¿Dónde estaba su *"Angelus"* del campesino brabanzón? ¿Cómo podía alejarse de allí sin haberlo pintado?

Echó un vistazo al calendario: faltaban doce días para el primero de mes. Llamó a Adriana y le dijo:

—Avise al Padre Pauwels que he pagado hasta el día primero y que no me iré antes de esa fecha.

Luego, tomando su caballete, una tela, papeles, pinturas y pinceles, se dirigió a la cabaña de los de Groot. No había nadie allí, pero se instaló en un rincón de la habitación y comenzó a dibujar el interior. Cuando llegó la familia y se sentó alrededor de la mesa, Vincent empezó un croquis del conjunto y siguió trabajando hasta que fué hora de irse a la cama.

Durante toda la noche siguió trabajando en su estudio y al amanecer se acostó a dormir. Cuando se despertó miró el trabajo de la noche anterior, y descontento, quemó su tela en la estufa, regresando de nuevo a lo de Groot. ¡Costara lo que costara quería expresar sobre el lienzo la vida campesina que resumía aquella sencilla familia reunida alrededor de su mesa comiendo papas después de un día de ruda labor!

Pero, a la mañana siguiente volvió a arrojar su tela al fuego.

Una especie de rabia sorda por su impotencia se apoderó de él. Sólo faltaban diez días para su partida definitiva de Nuenen y aún no había logrado realizar su intento. Noche tras noche iba a lo de De Groot y trabajaba afanosamente hasta que éstos se acostaban; noche tras noche ensayaba nuevas combinaciones de colores, distintos valores y proporciones, y a la mañana siguiente constataba que no había conseguido el efecto apetecido y que su trabajo resultaba incompleto.

Llegó el último día del mes y Vincent estaba en un estado de frenesí indescriptible. Casi no comía ni dormía, sosteniéndose a base de su energía nerviosa. Cuando más fracasaba, más aumentaba su excitación. El último día esperaba ansioso el regreso de los De Groot de su trabajo para iniciar por última vez su cuadro. Era su postrera oportunidad, ya que a la mañana siguiente partiría del Brabante para siempre. Trabajó largas horas, los De Groot parecían comprender la situación y permanecieron mucho más tiempo que de costumbre charlando en su dialecto alrededor de la mesa. Vincent no sabía ni lo qué hacía, pintaba sin descanso en medio de una inconciencia nerviosa. A eso de las diez los De Groot se caían de sueño y Vincent, exhausto, no podía dar una pincelada más. Reunió sus cosas, se despidió de todos y dando un beso a Stien partió en medio de la noche oscura.

Una vez en su estudio, colocó su tela contra una silla, encendió su pipa y comenzó a observar su trabajo. Todo estaba mal. No había logrado captar el espíritu de la escena. ¡Era un nuevo fracaso! ¡Sus dos años de trabajo en el Brabante no habían servido para nada! Siguió fumando su pipa hasta el final, arregló su valija, descolgó sus dibujos y pinturas de las paredes y los guardó en un gran cajón, y se echó exhausto sobre el diván.

Nunca supo cuánto tiempo transcurrió así; de pronto, se puso de pie, arrancó la tela del marco arrojándola a un rincón y colocando otra, empezó a mezclar sus pinturas y se sentó a trabajar.

"Se comienza una lucha titánica para copiar de la naturaleza sin lograrlo, y se termina por crear de su propia paleta y entonces la naturaleza dócil, se somete, poniéndose de acuerdo con la obra creadora del artista. Creen que invento —no es así— no hago más que recordar..."

Era como se lo había dicho Pietersen en Bruselas; había estado demasiado cerca de sus modelos.

Ahora, con ardor extraordinario, volvió a repetir la escena de la choza de los De Groot. Allí estaba la mesa con su mantel manchado, los muros ennegrecidos de humo, la lámpara colgando del centro. Stien, sirviendo a su padre las papas humeantes, la madre virtiendo el café en las tazas, el hermano bebiendo, en fin, todos los detalles de aquella escena sencilla de la vida campesina.

Cuando salió el sol, Vincent se levantó de su banquito. Una gran paz y tranquilidad lo invadió. La nerviosidad de los últimos doce días se había disipado por completo. Miró su trabajo y sonrió. ¡Había pintado su *"Angelus"!* Había captado lo imperecedero en lo perecedero. El Campesino del Brabante no moriría jamás. Lavó su cuadro con clara de huevo. Llevó el cajón con sus pinturas a la Rectoría para que su madre se lo guardara y se despidió de ella.

Regresó a su estudio y debajo del cuadro recién terminado escribió: "Comiendo papas". Lo empaquetó junto con varias de sus mejores telas y partió para París.

PARIS

¡AH SI, PARIS!

ENTONCES no recibiste mi última carta? —preguntó Theo a la mañana siguiente mientras se desayunaban.

—Creo que no —repuso Vincent—. ¿Qué me decías en ella?

—Te anunciaba mi ascenso en lo de Goupil.

—¡Oh Theo! ¡Qué magnífico! ¿Por qué no me lo dijiste ayer?

—Estabas demasiado excitado para escucharme... Me han puesto al frente de la galería del Boulevard Montmartre.

—¡Magnífico! —volvió a repetir el joven—. ¡Entonces tendrás una galería propia!

—Tanto como propia no lo será... Deberé seguir la política de los Goupil... No obstante obtuve que me dejaran exponer a los Impresionistas en el Entresuelo...

—¿Y a quiénes expones?

—A Monet, Degas, Passaro y Manet.

—Nunca los oí nombrar.

—Pues conviene que me acompañes a la galería y que observes sin pérdida de tiempo el trabajo de esos artistas... ¿Quieres más café, Vincent?

—Sírveme media taza más... Gracias... Ah, Theo, cuán feliz me siento de estar aquí contigo.

—Hace mucho tiempo que te esperaba... Sabía que tarde o temprano vendrías a París. Tal vez hubiera sido preferible que aguardaras hasta junio fecha en que me mudaré a la Rue Lepic. Allí tendremos tres amplias habitaciones, mientras que aquí no podrás hacer gran cosa por falta de espacio.

Vincent echó una mirada circular a su alrededor. El departamento de Theo se componía de una habitación, una cocinita y un gabinete. La habitación estaba amueblada con auténticos muebles estilo Luis Felipe.

—Para poner un caballete aquí habría que quitar parte del moblaje —dijo Vincent sonriendo.

—Tienes razón, Vincent, los muebles están demasiado amontonados pero los fuí comprando a medida que se me presentaba la ocasión y son exactamente los que necesito para el nuevo departamento. Pero, vamos, Vincent, te llevaré caminando hasta el boulevard para que comiences a conocer a París. Es a la mañana temprano cuando realmente se "siente" a la ciudad.

El joven se colocó su pesado y elegante abrigo negro, tomó su sombrero, sus guantes y su bastón y se dirigió hacia la puerta.

—¿Estás listo? —inquirió volviéndose hacia su hermano, y al verlo exclamó: —¡Santo Dios, qué facha! En cualquier otro lado que no fuese París te harías arrestar con semejante traje!

—¿Qué tiene? —preguntó el joven mirándose extrañado—. Hace casi dos años que lo llevo y nunca nadie me ha dicho nada...

Theo se rió alegremente.

—Bah, no importa, los parisienses están acostumbrados a la gente como tú. Esta noche, después que se haya cerrado la galería, iremos a comprarte ropa.

Bajaron las escaleras y después de pasar frente a la portería se encontraron en la Rue Laval. Era una calle bastante ancha y de aspecto próspero, con lindos negocios.

—Fíjate en las tres bellezas que tenemos en el tercer piso de nuestra casa —dijo Theo sonriendo.

Su hermano miró hacia arriba y vió tres bustos esculpidos que coronaban el edificio; bajo el primero de ellos se leía la palabra "Escultura", bajo el segundo "Arquitectura" y bajo el tercero "Pintura".

—¿Por qué habrán hecho a la Pintura tan fea? —observó Vincent.

—No lo sé, pero sea como sea, has venido a la casa adecuada.

Los dos jóvenes pasaron frente al negocio de antiguedades donde Theo había comprado su hermoso moblaje Luis Felipe, y poco después se encontraron en la Rue Montmartre que subía graciosamente enlazándose con la Avenue Clichy hasta la Butte de Montmartre, bajando luego hacia el centro de la ciudad. La calle estaba inundada por el sol matutino y los habitantes de París comenzaban a despertar. Los cafés estaban repletos de gente que tomaba su café con leche con media lunas, y los comerciantes empezaban a abrir las puertas de sus negocios para las actividades del día.

Vincent suspiró profundamente.

—¡París! ¡Por fin estoy en París después de todos estos años!

—Sí, en París, en la Capital de Europa, especialmente para un artista...

Vincent observaba todo con gran interés; las mujeres que salían de las panaderías con grandes panes sin envolver bajo el brazo, los carritos de vendedores ambulantes, las mucamas coquetonas, los hombres de negocios que se dirigían apresuradamente hacia sus oficinas. Después de pasar frente a innumerables negocios y pequeños cafés, la Rue Montmartre doblaba hasta llegar a la Place Chateaudun donde convergían seis calles. Pasaron delante de la pequeña Iglesia de Notre Dame de Lorette en cuyo frontal de piedra oscura veíanse tres ángeles flotando idílicamente en el cielo empíreo.

Vincent se fijó en la inscripción que había sobre la puerta y observó:

—¿Serán sinceros con su lema *Liberté, Egalité, Fraternité?*

—Creo que sí —repuso su hermano—. La Tercera República probablemente será permanente. Los realistas están muertos y los socialistas comienzan a apoderarse del poder. Emile Zola me decía la otra noche que la próxima revolución será contra el capitalismo en lugar de ser contra la realeza.

—¡Zola! ¿Conoces a Zola, Theo?

—Sí, Paul Cezanne me presentó a él. Nos reunimos todos una vez por semana en el Café Batignolles. Te llevaré conmigo a la próxima reunión.

Después de la Place Chateaulun, la Rue Montmartre perdía su aspecto burgués tornándose más aristocrática. Los negocios eran más importantes, los cafés más imponentes y el público más elegante, viéndose en la calle coches en lugar de carros.

—Ya que no puedes trabajar en casa —dijo Theo a su hermano—. Te propongo que vayas al estudio de Corman.

—¿Quién es Corman?

—Es un pintor "académico", como la mayoría de los maestros, pero si no deseas su crítica, te dejará tranquilo.

—¿Y es caro?

El joven se detuvo un instante y mirándolo de frente le dijo:

—¿No acabo de comunicarte mi ascenso? ¡Estoy en camino de convertirme en uno de esos plutócratas que Zola piensa arrasar en su próxima revolución!

Siguieron caminando hasta que la Rue Montmartre se ensanchó en el Boulevard Montmartre, con sus lujosos negocios y edificios. Luego llegaron al Boulevard des Italiens que conducía a la Place de l'Opera. A pesar que las avenidas estaban casi desiertas a esa temprana hora, ya se veían a los empleados atareados en levantar las cortinas y preparar los lujosos negocios para las actividades del día.

La Sucursal de la Casa Goupil que dirigía Theo, estaba situada en el edificio señalado por el número 19. Los dos hermanos cruzaron la amplia avenida y entraron en el gran salón. Todos los empleados saludaron respetuosamente a Theo mientras avanzaba, y Vincent recordó la época en que él hacía otro tanto cuando llegaba Tersteeg u Obach. En el ambiente se percibía la misma sensación de cultura y refinamiento que allí, sensación que creía haber olvidado por completo. De las paredes pendían telas de Bouguereau, Henner y Delaroche.

—Los cuadros que tienes que ver están allí arriba en el entresuelo —dijo Theo a su hermano indicándole la escalera—. Cuando lo hayas estudiado un poco, baja y me dirás lo que piensas de ellos.

Y con una amplia y enigmática sonrisa, desapareció en su despacho.

LA EXPLOSION

—¿Estoy en un manicomio? —se preguntó Vincent dejándose caer sobre la única silla que se encontraba en el entresuelo y frotándose los ojos. Desde la edad de doce años había estado habituado a ver pinturas oscuras y sombrías, pinturas en las cuales no se notaban las pinceladas y en las que cada color se fundía suavemente en el otro.

Las pinturas que estaban colgadas de los muros del entresuelo no se parecían en nada a lo que había visto o soñado hasta entonces. ¿Dónde estaba la pintura lisa, la sobriedad sentimental, y el tinte oscuro que Europa había admirado en sus pinturas durante siglos enteros? Aquí los cuadros parecían estar bañados en sol y llenos de vida exuberante. Había grupos de coristas pintadas audazmente con rojos primarios, verdes y azules, colocados irreverentemente unos al lado de los otros. Miró la firma y leyó: Degas. Había un grupo campestre en el cual el artista había captado el rico y alegre colorido del verano con su sol resplandeciente. Estaba firmado Monet. En los centenares de cuadros que Vincent había visto hasta entonces, jamás había notado tal luminosidad, tal vida y fragancia como en cualquiera de aquellas telas. El color más oscuro que usaba Monet era diez veces más claro que el más claro que podía encontrarse en los cuadros de todos los museos holandeses. Veíanse con toda claridad las pinceladas en la espesa capa de pintura de rico colorido.

Vincent se detuvo a observar un cuadro que representaba a un hombre en camiseta que sostenía el timón de una barca en su paseo dominguero y en cuyo semblante se notaba la sana alegría que le procuraba esa tarea, mientras su mujer estaba plácidamente sentada a su lado.

—¿Monet otra vez? —se dijo Vincent mirando a la firma—. Qué extraño... esta tela no se asemeja en nada a su escena campestre.

Volvió a mirar la firma y advirtió que se había equivocado. No era Monet sino Manet. Al leer el nombre le vino a la memoria una historia sobre Manet que había causado revuelo, cuando éste había expuesto su "Picnic sobre el pasto" y su "Olimpia", y que la policía se vió obligada a cercar los cuadros con cuerdas a fin de mantener alejado al público que se empeñaba en escupirles encima tratando de dañarlos con sus cortaplumas.

No sabía por qué, pero los cuadros de Manet le recordaban los libros de Emile Zola En ambas producciones estaba latente el mismo deseo de expresar la verdad sin ambages, el mismo sentimiento de que el carácter es belleza, por sórdido que éste sea. Estudió cuidadosamente la técnica de aquellas obras y notó que Manet colocaba los colores elementales unos al lado de los otros sin graduación, que muchos detalles estaban apenas sugeridos, que los colores, las líneas, luces y sombras no terminaban con precisión definida, sino que se fundían unas en otras.

—Del mismo modo que el ojo humano las ve fundirse en la naturaleza —murmuró para sí.

Y le pareció oír la voz de Mauve que le reprochaba: "—¿Te resulta tan imposible, Vincent, definir claramente una línea?"

Volvió a sentarse. Después de largo rato logró comprender uno de los sencillos expedientes que hacía que la pintura hubiese sufrido una revolución tan fundamental y completa. ¡Esos pintores llenaban el aire de sus cuadros! Y ese aire, lleno de vida y de movimiento daba un valor desconocido hasta entonces a los objetos o figuras reproducidas. Vincent sabía que para los académicos el aire no existía, pero para esos hombres... ¡Habían descubierto el aire y la luz! ¡La atmósfera y el sol! La pintura ya nunca volvería a ser lo que había sido. Las máquinas fotográficas y los académicos harían reproducciones exactas, pero los pintores verían todo a través de su propia personalidad y de la atmósfera en la cual trabajaban. Era casi como si aquellos hombres hubiesen creado un arte nuevo.

Bajó atropelladamente las escaleras. Theo se encontraba en medio del salón principal y se volvió hacia su hermano con una sonrisa en los labios.

—¿Y bien, Vincent? —preguntó.

—¡Oh Theo! —exclamó su hermano sin poder decir otra cosa, impedido por la emoción que lo embargaba. Dirigió su mirada hacia el entresuelo y luego, de pronto, se volvió hacia la puerta y salió apresuradamente a la calle.

Caminó por la ancha avenida hasta que llegó a un edificio octogonal que reconoció como la Opera. Por entre las innumerables construcciones divisó un puente y se dirigió hacia él. Bajó hasta la orilla del agua y hundió sus dedos en el Sena. Luego cruzó el puente y se encaminó por el dédalo de calles de la Margen Izquierda. Pasó un cementerio y dejó atrás suyo una enorme estación ferroviaria. Olvidando que había cruzado el Sena preguntó a un agente que le indicara dónde quedaba la Rue Laval.

—¿La Rue Laval? —repitió el agente—. Está del otro lado del río, señor. Aquí es Montparnasse. Debe usted bajar hasta el Sena, cruzarlo e ir hasta Montmartre.

Durante largas horas anduvo Vincent por las calles de París sin preocuparse hacia donde se dirigía, hasta que finalmente se encontró sobre una altura donde había un Arco de Triunfo. Miró hacia el Este y vió un amplio boulevard bordeado de árboles que terminaba en una gran plaza donde había un obelisco egipcio. Hacia el Oeste se extendía un tupido bosque.

Cuando llegó a la Rue Laval era ya bastante tarde. El sordo dolor que lo torturaba estaba algo calmado por la fatiga. Se dirigió directamente al bulto que contenía sus telas y estudios y los desparramó por el suelo.

Miraba a su obras como atontado. ¡Dios mío! ¡Cuán oscuras y tristes eran! ¡Cuán pesadas y faltas de vida! Había estado pintando con un siglo de atraso y no lo había sabido!

Cuando Theo llegó, encontró a su hermano sentado en el suelo en medio de sus pinturas, y se arrodilló a su lado. La penumbra comenzaba a invadir la habitación. Después de largo rato de silencio, Theo dijo suavemente a su hermano:

—Vincent... Comprendo lo que lo sientes... Estás aturdido, pasmado... ¿Verdad que es extraordinario? Estamos desembarazándonos de casi todo lo que la pintura ha considerado sagrado hasta la fecha.

Los ojos doloridos de Vincent miraron a su hermano.

—¿Por qué no me lo dijiste antes? ¿Por qué no me trajiste aquí antes? ¡Me has dejado perder seis largos años!

—¿Perder? ¡De ningún modo! Has aprendido tu arte. Pintas como Vincent Van Gogh y nadie más. Si hubieras venido aquí antes de cristalizar tu propia personalidad, París te hubiera moldeado.

—¿Pero qué voy a hacer ahora? ¡Mira a este horror! —exclamó empujando con el pie una de sus telas—. ¡Está muerto, Theo, sin vida, sin valor...

—¿Me preguntas lo qué tienes que hacer? Escucha: Debes aprender el colorido y la luz de los Impresionistas, pero nada más. No debes imitar. No debes dejar sumergir tu personalidad por su influencia.

—Pero, Theo, ¡debo aprender todo de nuevo! ¡Todo lo que hago está mal!

—Todo lo que haces está bien..., excepto tu luz y color —repuso su hermano con seguridad—. Has sido un Impresionista desde el día en que tomaste un lápiz por primera vez en el Borinage. Fíjate en tu trabajo, en tus pinceladas... Nadie antes de Manet pintó así... Casi nunca defines claramente tus líneas... Mira tus rostros, tus árboles, tus figuras... ¡Son tus impresiones!... Burdas, imperfectas, pero filtradas a través de tu propia personalidad. Eso es lo que significa ser un Impresionista, es decir, no pintar como los demás, no ser esclavo de reglas y métodos establecidos... Perteneces a tu época, Vincent, y eres un Impresionista, lo quieras o no.

—¡Lo quiero, Theo! ¡Lo quiero!

—Tu trabajo es conocido en París entre los jóvenes artistas de valor. No quiero decir entre los que venden, sino entre aquellos que hacen importantes experimentos... Quieren conocerte. ¡Aprenderás cosas maravillosas de ellos!

—¿Conocen los jóvenes Impresionistas mi trabajo? —inquirió Vincent asombrado, y poniéndose de rodillas para poder mirar mejor el rostro de su hermano. Por la mente de Theo pasó el recuerdo de los días lejanos de su infancia en Zadert, cuando ambos jugaban en el suelo.

—Por supuesto —repuso—. ¿Qué crees que estuve haciendo todos estos años en París? Esos jóvenes saben que tienes un ojo penetrante y un puño de artista. Ahora lo que necesitas hacer es aclarar tu paleta y aprender a pintar el aire luminoso y lleno de vida. ¿No es maravilloso Vincent que vivamos en una época en que el arte evoluciona tan magníficamente?

—¡Ah, viejo! ¡Viejo!

—Vamos, levantémonos, ahora, encendamos la luz y vistámonos. Te llevaré a cenar a la *Brasserie Universelle,* sirven allí los más deliciosos *Chateau-briand* de París. ¡Te obsequiaré con un verdadero banquete! Beberemos champagne viejo, para celebrar el gran día en que París y Vincent Van Gogh se encontraron!

¿PARA QUE SER CONDE CUANDO SE PUEDE SER PINTOR?

A la mañana siguiente, Vincent tomó sus implementos de dibujo y fué a lo de Corman. El estudio ocupaba una amplia habitación de un tercer piso, con buena luz del norte. Un hombre desnudo servía de modelo y había unos treinta bancos frente a otros tantos caballetes para los estudiantes. Vincent se presentó a Corman, quien le designó un caballete.

Después de haber pasado cerca de una hora dibujando, se abrió la puerta del hall y entró una mujer. Tenía un pañuelo atado al rostro y con una de sus manos se sostenía la mandíbula como si le doliese. Miró horrorizada al modelo desnudo y exclamando: "¡Dios mío!", huyó despavorida.

Vincent se volvió hacia el hombre que se hallaba sentado a su lado.

—¿Qué le pasó a esa mujer? —preguntó extrañado.

—Eso sucede casi todos los días —repuso el otro—. Seguramente buscaba al dentista de al lado. El susto de ver un hombre desnudo les cura el dolor de muelas. Si el dentista no se muda, irá a la bancarrota. Usted es nuevo aquí, ¿verdad?

—Sí, hace sólo tres días que estoy en París.

—¿Cómo se llama?

—Van Gogh, ¿y usted?

—Henri Toulouse-Lautrec. ¿Está emparentado con Theo Van Gogh?

—Es mi hermano.

—¡Entonces eres Vincent! ¡Encantado de conocerte! Tu hermano es el mejor comerciante de obras de arte de París... Es el único que se empeña en dar una oportunidad a los jóvenes artistas... Lucha por nosotros, y si algún día somos aceptados por el público parisiense se lo deberemos a Theo Van Gogh. Todos pensamos que es un gran muchacho.

—Así pienso yo también —repuso el joven con orgullo.

Vincent miró con más detenimiento al hombre. Lautrec tenía una cara gruesa y fofa, de rasgos poco pronunciados y barba negra, ancha y corta.

—¿Cómo se entiende que vinieras a este espantoso estudio de Corman? —inquirió Lautrec después de un rato.

—Tengo que dibujar en algún lado... ¿Y tú?

—¡Maldito si lo sé! Durante todo el mes pasado estuve viviendo en una casa de prostitutas en Montmartre. Estuve pintando a todas las muchachas. ¡Ese era trabajo de verdad! Lo que se hace en un Estudio es trabajo de niños.

—Me agradaría ver tus estudios de esas mujeres.

—¿En serio?

—Naturalmente. ¿Por qué me lo preguntas?

—Porque la mayoría de la gente considera que estoy chiflado porque pinto chicas de music-hall, clowns y prostitutas. Pero ahí encuentro verdadero carácter.

—Lo sé. Yo me casé con una de ellas en La Haya.

—¡Caracoles! ¡Esta familia Van Gogh es macanuda! Déjame ver los croquis que has hecho.

—Toma... Hice cuatro.

Lautrec miró los croquis unos momentos y luego dijo:

—Tú y yo nos vamos a entender, amigo mío. Nos parecemos. ¿Ha visto Corman estos croquis?

—No.

—En cuanto los vea, no volverás aquí. El otro día me dijo: "Lautrec, uted exagera, siempre exagera. Sus dibujos tienden a la caricatura..."

—Y tú le contestaste: "Eso, mi querido Corman, es carácter, no caricatura".

Un fulgor extraño iluminó los ojos de Lautrec.

—¿Siempre quieres ver los dibujos de mis muchachas?

—Por supuesto.

—Entonces vamos. Este lugar es una morgue.

Lautrec tenía cuello corto y hombros amplios y robustos, pero cuando se levantó de su asiento, Vincent advirtió que su nuevo amigo estaba tullido. De pie, Lautrec no era más alto que sentado. Sostenían su torso fuerte y robusto dos piernas deformes y pequeñas.

Se dirigieron por el Boulevard Clichy, caminando Lautrec apoyado sobre un fuerte bastón. A cada momento se detenía para descansar y enseñaba de paso a Vincent algún bello ornamento de la arquitectura de los edificios que los circundaban. Una cuadra antes de llegar al "Moulin Rouge" doblaron, subiendo hacia la Butte Montmartre. Lautrec tenía que detenerse cada vez con más frecuencia.

—Probablemente te estás preguntando qué le han sucedido a mis piernas. ¿Verdad, Van Gogh? Pues bien, te lo contaré.

—Oh, no. No hables de eso.

—Sí, es bueno que lo sepas. Nací con huesos frágiles. A los doce años resbalé en un piso encerado y me rompí el fémur derecho. Al año siguiente me caí en una zanja y me rompí la pierna izquierda. Desde entonces mis piernas no han crecido ni una pulgada.

—¿Y no te sientes muy desgraciado?

—No; si no hubiera estado tullido nunca hubiera sido pintor. Mi padre es Conde de Tolosa y yo debía heredar el título. Si hubiera querido hubiera podido tener un bastón de Mariscal y cabalgar al lado del Rey de Francia... Es decir, si en Francia hubiera rey... Pero ¡truenos y rayos!, ¿para qué ser conde cuando se puede ser pintor?

—Sí, me parece que los días de los condes han terminado.

—¿Seguimos caminando? El estudio de Degas queda en aquella calle. Las malas lenguas dicen que yo copio su trabajo porque él pinta coristas y yo a las chicas del "Moulin Rouge" Bah, que digan lo que quieran. Aquí estamos en mi casa, 19 bis Rue Fontaine. Como te imaginarás estoy en la planta baja.

Abrió la puerta e hizo pasar a Vincent.

—Vivo solo... Siéntate..., si encuentras lugar.

Vincent miró a su alrededor. Además de las telas, marcos, caballetes, bancos y rollos de colgaduras, dos grandes mesas llenaban literalmente el estudio. Una estaba cargada de botellas de diversos vinos y licores mientras que en la otra hallábanse apilados escarpines de bailarinas, pelucas, libros viejos, vestidos de mujer, guantes, medias, fotos y magníficos grabados japoneses. Apenas si en la habitación había un lugarcito libre para que Lautrec pudiera instalarse a pintar.

—¿Qué te pasa, Van Gogh? —preguntó el dueño de casa—. ¿No encuentras lugar? Tira al suelo lo que está sobre ese banco y acércalo a la ventana... En aquella casa pública —prosiguió— había veintisiete mujeres... Dormí con cada una de ellas ¿No te parece que es necesario dormir con una mujer para comprenderla plenamente?

—Así es.

—Aquí están los dibujos. Los llevé a un comerciante de las Capucines quien me dijo: "Lautrec, usted tiene la obsesión de la fealdad. ¿Por qué pinta siempre a la gente más baja e inmoral que puede encontrar? Estas mujeres son repulsivas, completamente repulsivas. Tienen reflejado en el semblante la depravación y el vicio. ¿Acaso el arte moderno significa crear fealdad? ¿Se han vuelto, ustedes los pintores, tan ciegos a la belleza que se empeñan en pintar la escoria del mundo?" Míralos, aquí los tienes. ¿Quieres algo de beber, Van Gogh? Tengo todos los licores que puedes desear.

Se acercó a la mesa y después de llenar sendos vasos, pasó uno a Vincent.

—¡Brindemos por la fealdad! ¡Para que ésta nunca pueda infectar a la Academia!

Vincent tomó el vaso y bebió lentamente mientras examinaba los veintisiete croquis de Lautrec. El artista había reflejado en ellos lo que había visto. Eran retratos objetivos, sin ninguna actitud moral o comentario ético. Había captado simplemente en el semblante de aquellas mujeres la expresión de sufrimiento, de concupiscencia y de corrupción bestial.

—¿Te agradan los retratos de campesinos? —inquirió de pronto Vincent.

—Sí, siempre que no estén sentimentalizados.

—Yo pinto campesinos. Y se me ocurre que estas mujeres son también campesinas. Podríamos decir que son las jardineras de la carne. La tierra y la carne son dos distintas formas de la misma materia, ¿no te parece? Estas mujeres cultivan la carne, la carne humana que debe ser cultivada para que produzca vida. Tu trabajo es buenísimo, Lautrec. Has expresado algo digno de ser expresado.

—¿Y no las encuentras feas?

—Son comentarios auténticos y penetrantes de la vida. Esa es la más alta expresión de la belleza. Si hubieras idealizado o sentimentalizado esas mujeres, entonces hubieran sido feas, porque tus retratos hubieran sido cobardemente falsos. En cambio, has estampado ahí la verdad tal cual la viste, y eso es lo que significa la palabra "belleza".

—¡Santo Dios! —exclamó Lautrec—. ¿Por qué no habrá más hombres como tú en el mundo? Sírvete otra copa, Vincent, y si te agradan algunos de esos croquis, elige..., elige cuantos quieras.

Vincent volvió a examinar los dibujos y luego exclamó de pronto:

—¡Daumier! Es a Daumier a quien me hacen recordar.

—Sí, Daumier. Es de la única persona de quien he aprendido algo... ¡Qué artista ese!... Pero veo que estás admirando mi Gauguin.

—¿De quién es esa pintura?

—De Paul Gauguin. ¿Lo conoces?

—No.

—Pues deberías conocerlo. Gauguin estuvo en la Martinica y es entonces que pintó esa mujer indígena. El deseo de volverse primitivo le ha hecho perder la cabeza, pero es un buen pintor. Tenía mujer y tres hijos y una buena situación en la Bolsa de Valores que le representaba treinta mil francos al año. Compró cuadros de Pissarro, Manet y Sisley por valor de quince mil francos y se entretenía los domingos en pintar. Una vez le enseñó una de sus telas a Manet quien le dijo que estaba muy bien. "Oh", le contestó Gauguin "sólo soy un aficionado". "No", repuso Manet.

"los aficionados son aquellos que no saben pintar". Esa observación se le subió a la cabeza y desde ese día Gauguin cambió por completo. Abandonó su empleo en la Bolsa, vivió con su familia en Rouen durante un año sobre sus ahorros y luego envió a su mujer y a sus hijos a lo de sus suegros en Estocolmo. Desde entonces vive como un bohemio.

—Parece ser un hombre interesante.

—Ten cuidado cuando te encuentres con él, pues le agrada atormentar a sus amigos. Dime, Van Gogh, ¿qué dirías si te llevara al "Moulin Rouge" y al "Elysée Montmartre"? Conozco a todas las chicas de allí. ¿Te gustan las mujeres, Van Gogh? Quiero decir para dormir con ellas... A mí me encantan. Ya proyectaremos algo para divertirnos.

—Como gustes.

—Perfectamente. Ahora supongo que debemos volver a lo de Corman. ¿No tomas otra copa? Eso es... y otra más así terminas la botella. Ten cuidado, vas a hacer caer lo que hay sobre esa mesa. Bah, no importa, la encargada levantará todo. Creo que pronto tendré que mudarme. Soy rico, Van Gogh. Mi padre teme que lo maldiga por haber traído al mundo un lisiado y por eso me da todo lo que quiero. Cuando me mudo de casa, sólo llevo conmigo mi trabajo. Alquilo un estudio vacío y voy comprando las cosas una por una. Y en cuanto corro peligro de estar nuevamente sofocado por ellas, vuelvo a mudarme. Dicho sea de paso, ¿qué clase de mujeres prefieres? ¿Las rubias o las pelirrojas? No, no te molestes en cerrar la puerta con llave. Fíjate qué hermoso se ve el Boulevard Cluchy... ¡Al diablo! no necesito disimular contigo. Si me detengo cada cuatro pasos para enseñarte las bellezas que encontramos es porque no soy más que un lisiado que no puede caminar más de unos pasos a la vez. Bien pensado, en este mundo todos somos lisiados, ya sea en una o en otra forma. Sigamos caminando...

RETRATO DE UN PRIMITIVO

Parecía tan fácil. Lo único que debía hacer era arrojar los colores antiguos, comprar algunos más claros y pintar como los Impresionistas. Al final de su primer día de ensayo, Vincent se sintió sorprendido y algo molesto, y al terminar el segundo día se sentía francamente confundido. Su confusión se tornó en pena, rabia y temor. Al cabo de una semana estaba completamente furioso. Después de sus laboriosos e interminables meses de ensayos con los colores, era aún un simple novicio. Sus pinturas resultaban oscuras y sin vida. Sentado a su lado, en el estudio de Corman. Lautrec lo observaba pintar y escuchaba sus maldiciones, pero se abstenía de ofrecerle ayuda o consejo.

Si aquella semana fué dura para Vincent, fué mil veces peor para Theo. Theo era una persona suave y delicada tanto en su modo de ser como en sus costumbres, y le agradaba el orden y el decoro, tanto en su persona como en su casa. El pequeño departamento de la Rue Laval era apenas suficiente para él y sus delicados muebles Luis Felipe. En pocos días Vincent hizo de aquel lugar un verdadero cambalache. Caminaba de un lado para otro del living, empujando los muebles que le incomodaban, arrojando por todos lados las telas, pinceles y tubos de pinturas vacíos, dejando trapos sucios de pintura sobre los delicados sillones y rompiendo los bibelots de su hermano a profusión.

—Vincent, Vincent —exclamó Theo desesperado—. ¡No seas tan salvaje!

El joven que había estado caminando de un lado para otro del pequeño departamento, se arrojó pesadamente sobre una frágil silla.

—¡Es inútil! —exclamó—. Empecé demasiado tarde. Soy demasiado viejo para cambiar. Y sin embargo, ¡cuánto he probado! Empecé más de veinte telas esta semana, pero no logro cambiar mi técnica. ¡No puedo volver a empezar todo de nuevo! Te digo que es inútil. Todo ha concluído para mí... No puedo regresar a Holanda y pintar como antes después de lo que he visto aquí. Te digo que es demasiado tarde. ¡Dios mío, qué hacer!

Se puso de pie bruscamente, fué hasta la puerta, la abrió como para respirar un poco de aire fresco, la volvió a cerrar de un portazo y dirigiéndose a la ventana y abriéndola de par en par, se quedó mirando hacia afuera. Luego la cerró con tal fuerza que casi rompió el vidrio, y sin preocuparse fué a la cocina, se sirvió un vaso de agua y lo trajo chorreando al living.

—¿Y qué dices, Theo? —preguntó ansioso—. ¿Debo desistir? ¿Te parece que he fracasado? ¿Verdad que parece que sí?

—Vincent, te portas como una criatura. Tranquilízate y escúchame. No, no camines de un lado para otro. Y por amor de

Dios, quítate esas botas si piensas seguir dando puntapiés a mis muebles en esa forma!

—Pero, Theo —repuso el joven sin hacerle caso—. Hace seis largos años que me haces vivir. ¿Y qué es lo que obtienes en cambio? Una cantidad de pinturas sombrías y sin valor alguno.

—Escúchame, viejo, cuando quisiste pintar a los campesinos, ¿lo lograste en una semana? ¿O estuviste trabajando con empeño durante cinco años?

—Sí, pero recién empezaba...

—Pues ahora recién empiezas a trabajar con color. Y probablemente necesitarás cinco años más.

—¿Pero esto no se termina nunca, Theo? ¿Debo ir a la escuela toda mi vida? Tengo treinta y tres años, ¿cuándo sabré pintar?

—Esto es lo último que tienes que aprender, Vincent. Conozco todo lo que se pinta actualmente en Europa, y los hombres de mi *entresuelo* son la última palabra. En cuanto aclares tu paleta...

—Oh, Theo, ¿te parece que lo conseguiré? ¿No me consideras un fracasado?

—Estoy más bien dispuesto a considerarte como a un tonto. ¡La más grande revolución en la historia del arte y quieres dominarla en una semana! Vamos a caminar un poco por la Butte y a refrescarnos la cabeza. Si permanezco cinco minutos más en esta habitación contigo, creo que explotaré.

A la tarde siguiente, Vincent estuvo pintando en lo de Corman hasta una hora avanzada y luego fué a buscar a su hermano a lo de Goupil. Era la hora del aperitivo; los cafés de la Rue Montmartre estaban repletos de parroquianos instalados en mesitas sobre la vereda. Del interior de los negocios llegaba el sonido de música suave. Comenzaban a encenderse las luces y en los restaurantes los mozos ya empezaban a tender las mesas. Las calles estaban repletas de gente que salía de su trabajo y que se dirigía lentamente a sus casas.

Theo y Vincent se paseaban por los bulevares antes de emprender camino a la Rue Laval.

—¿Quieres que tomemos un aperitivo, Vincent? —inquirió su hermano.

—Sí, pero sentémonos donde podamos observar a la gente.

—Vamos a lo de Bataille en la Rue des Abbesses, seguramente nos encontraremos allí con amigos.

El Restaurant Bataille estaba frecuentado por pintores. En el frente del negocio sólo había unas cuatro o cinco mesas pero en el interior contaba con dos amplios y confortables salones. Madame Bataille siempre instalaba a los artistas en uno y a los burgueses en el otro. A primera vista conocía a cuál de las dos clases pertenecían sus clientes.

—Mozo —llamó Theo—. Tráigame un Kummel Eckau oo.

—¿Qué te parece que tome yo, Theo?

—Prueba un "cointreau". Tendrás que probar varias bebidas antes de adoptar la que más te agrade.

El mozo trajo las bebidas y Theo encendió un cigarro mientras Vincent sacaba su pipa y observaba el incesante desfile en la calle.

—¡Qué espectáculo interesante!, ¿verdad Theo?

—Sí. En realidad París sólo despierta a la hora del aperitivo.

—No logro comprender qué es lo que hace a París tan maravilloso.

—Francamente yo tampoco lo sé. Es un misterio eterno. Supongo que tiene algo que ver con el carácter francés. Existe aquí un fondo de libertad y tolerancia, una tranquila aceptación de la vida que... Hola, allí va un amigo mío que quiero que conozcas. Buenas noches, Paul, ¿cómo estás?

—Buenas noches, Theo.

—¿Me permites presentarte a mi hermano, Vincent Van Gogh? Vincent, te presento a Paul Gauguin. Siéntate, Paul, y pide uno de tus acostumbrados ajenjos.

Así lo hizo y después de haber probado y saboreado su ajenjo, Paul Gauguin se volvió hacia Vincent y le preguntó:

—¿Qué tal, le agrada París, Monsieur Van Gogh?

—Muchísimo.

—Es extraño, aún hay gente a quien agrada. En cuanto a mí lo considero como a un enorme cajón de desperdicios... Y los desperdicios están representados por la civilización.

—Este "cointreau" no me safisface, Theo. ¿Qué podría tomar de otro?

—Pruebe un ajenjo, señor Van Gogh —dijo Gauguin—. Es la única bebida digna de un artista.

—¿Qué te parece, Theo?

—Haz como quieras. Mozo, un ajenjo para el señor. Pareces muy contento hoy, Paul, ¿que te sucede? ¿Vendiste algún cuadro?

—Nada de eso, pero esta mañana tuve una experiencia de lo más agradable.

Theo guiñó del ojo a su hermano y dijo:

—Cuéntanos, Paul. Mozo, otro ajenjo para el señor Gauguin.

—¿Conoces el Pasaje de Frenier que desemboca en la Rue des Forneaux? Bien, esta mañana a las cinco, oí a la madre Fourel, la mujer del carretero que gritaba: ¡socorro! ¡mi marido se ahorcó! Salté de la cama, me puse un par de pantalones, bajé y tomé un cuchillo para cortar la cuerda. El hombre estaba muerto, pero aún se hallaba caliente. Quise llevarlo a la cama pero la madre Fourel me dijo: "No, debemos esperar a la policía". Del otro lado de mi casa vive un verdulero. Por la ventana le pregunté: "¿Tiene usted un melón"? "Sí, señor, tengo uno muy maduro". Me lo trajo y con mi desayuno, me comí el melón sin pensar un instante en el hombre que se había ahorcado. Como ustedes ven, hay algo de bueno en la vida. Al lado del veneno se encuentra el antídoto. Como estaba invitado para almorzar, me puse mi mejor camisa, dispuesto a causar sensación con mi relato. Los comensales, sonrientes se limitaron a pedirme un pedazo de la cuerda con la cual el hombre se había colgado.

Vincent observaba a Gauguin con interés. El artista tenía una enorme cabeza con gruesa nariz, ojos de forma de almendra, algo saltones y con una expresión de fiera melancolía, y huesos faciales protuberantes. Era un gigante con vitalidad desbordante y brutal.

Theo sonrió débilmente.

—Paul, me parece que gozas tu sadismo un poco demasiado para que sea enteramente natural... Ahora tengo que dejarte, pues tengo un compromiso para la cena. ¿Quieres acompañarme, Vincent?

—Déjalo conmigo, Theo —repuso Gauguin—. Quiero hacer más amplio conocimiento con tu hermano.

—Perfectamente. Pero no le hagas ingerir demasiados ajenjos, pues no está habituado... Mozo, ¿cuánto es?

—Tu hermano es un rico tipo, Vincent —dijo Gauguin una vez que estuvieron solos—. Es verdad que aún tiene miedo de exponer a los "jóvenes", pero supongo que es Valadon que se lo impide.

—En su entresuelo ya tiene a Monet, Sisley, Pissarro y Manet.

—Es verdad, pero, ¿dónde están los Seurat? ¿Los Gauguin, los Cezanne y los Toulouse-Lautrec? Los otros ya se están poniendo viejos y su tiempo pasa.

—¿Entonces conoces a Toulouse-Lautrec?

—¿A Henri? ¡Por supuesto! ¿Quién no lo conoce? Es un pintor macanudo, pero está loco. Cree que si no duerme con cinco mil mujeres no será un hombre completo. Todas las mañanas se despierta con una sensación de inferioridad por la falta de sus piernas, y todas las noches ahoga esa inferioridad en la bebida y en las mujeres. Pero a la mañana siguiente vuelve a recomenzar. Si no estuviese loco, sería uno de nuestros mejores pintores. Aquí es donde debemos doblar, mi estudio se encuentra en el cuarto piso. Cuidado con ese escalón, está roto.

Gauguin pasó adelante y encendió una lámpara. La habitación donde entraron era pobre, y sólo tenía un caballete, una cama de bronce, una mesa y una silla. En la alcoba cerca de la puerta, Vincent advirtió algunas fotografías obscenas.

—A juzgar por esas fotos —dijo—, estoy por creer que no tienes una idea muy elevada del amor.

—¿Dónde quieres sentarte? ¿Sobre la cama o sobre la silla? Encontrarás un poco de tabaco sobre la mesa para tu pipa... Te diré, me gustan las mujeres con tal que sean gordas y viciosas. Su inteligencia me molesta. Siempre he deseado una amante gorda, pero nunca encontré una. Muchas veces me dejé engañar, pero no tardé en darme cuenta que su gordura no era otra cosa que un embarazo avanzado. ¿Leíste un cuento corto publicado el mes pasado por un muchacho llamado Maupassant? Es un protegido de Zola. Se trata de la historia de un hombre a quien le agradan las mujeres gordas. Para Navidad ofrece una cena a dos de ellas y sale en busca de otra más. Por fin encuentra una que le conviene perfectamente, pero antes de que sirvan el asado, da a luz un robusto varón!

—Todo esto tiene muy poco que ver con el amor, Gauguin.

El pintor se estiró sobre la cama, colocó uno de sus brazos musculares bajo su cabeza y echó nubes de humo hacia el cielorraso.

—No quiero decir que no soy susceptible a la belleza, sino simpletamente que mis sentidos no quieren saber nada de ella. Como te habrás percatado, no conozco el amor. Decir "Te amo" me rompería todos los dientes. Pero no me quejo. Repito con Jesús: "La carne es la carne y el espíritu es el espíritu". Gracias a ello, una pequeña suma de dinero satisface mi carne y deja mi espíritu en paz.

—Verdaderamente arreglas el asunto con mucha ligereza.

—No; carece de importancia con quien uno se acuesta. Con una mujer que siente placer, yo siento doblemente placer. Pero prefiero que sea un placer físico y que mis emociones no se vean mezcladas en él. Las guardo todas para mi pintura.

—Ultimamente he comenzado a mirar las cosas bajo ese mismo punto de vista. No, gracias, no quiero más ajenjo, no estoy acostumbrado, y tal vez no podría soportarlo. Mi hermano Theo tiene tu trabajo en un concepto muy alto. ¿Quieres enseñarme algunos de tus estudios?

Gauguin se puso de pie de un brinco.

—¡De ningún modo! —exclamó—. Mis estudios son personales y privados, lo mismo que mis cartas. Pero te enseñaré mis pinturas. Aunque no verás gran cosa con esta luz... Bien, bien, si insistes te los mostraré.

Gauguin se puso de rodillas y sacó un montón de telas de debajo de la cama, y las colocó una tras otra sobre la mesa contra la botella de ajenjo. Vincent estaba preparado para ver algo fuera de lo común, pero lo que le enseñó Gauguin lo dejó atónito. Vió un conjunto de pinturas bañadas de luz; árboles como ningún botánico jamás había descubierto, animales cuya existencia nunca sospechó Cuvier, hombres que sólo Gauguin podía haber creado; un mar que bien podía haberse escapado de algún volcán y un cielo que ningún dios podía habitar. Había indígenas con cándidos ojos que reflejaban misterio infinito; telas de fantasía pintadas en violentos tonos rosados violetas y rojos, escenas decorativas en las cuales la flora y la fauna salvaje estaban innundadas de calor y de luz solar.

—Eres como Lautrec —murmuró Vincent—. Odias, odias con todas tus fuerzas.

Gauguin dejó oír una carcajada.

—¿Qué piensas de mi pintura, Vincent? —inquirió.

—Francamente, no sé. Dame tiempo para pensar. Déjame volver aquí para estudiarla.

—Ven cuanto quieras. En París, hoy, sólo existe un hombre cuya pintura es tan buena como la mía. Se llama Georges Seurat; él también es un primitivo. Todos los demás de por aquí están civilizados.

—¿Georges Seurat? —repitió Vincent—. Nunca he oído ese nombre.

—Por supuesto. No hay un solo comerciante en la ciudad dispuesto a exhibir sus telas, y sin embargo es un gran pintor.

—Me agradaría conocerlo, Gauguin.

—Te llevaré allí más tarde. ¿Qué te parece si cenamos y vamos después a lo de Bruant? ¿Tienes algún dinero? Yo solo poseo unos dos francos. Llevaremos esta botella con nosotros. Baja tú primero, yo sostendré la lámpara hasta que estés a la mitad de la escalera, de lo contrario arriesgarías romperte la cabeza.

¡LA PINTURA DEBE CONVERTIRSE EN UNA CIENCIA!

Eran casi las dos de la madrugada cuando llegaron frente a la casa de Seurat.

—¿No temes despertarlo? —preguntó Vincent.

—¡Qué esperanza! Trabaja toda la noche y la mayor parte del día. Creo que nunca duerme. Aquí es donde habita. La casa pertenece a su madre. Una vez la señora me dijo: "Mi muchacho quiere pintar, pues bien, que pinte. Tengo bastante dinero para ambos. Lo único que quiero es que sea feliz". El, por su parte, un hijo modelo, no bebe, no fuma, no dice malas palabras, no corre detrás de las mujeres ni gasta dinero en otra cosa que no sean materiales para pintar. He oído decir que tiene una amante y un hijo cerca de aquí, pero él nunca los nombra.

—La casa está completamente a oscuras —dijo Vincent—. ¿Cómo vamos a entrar sin despertar a toda la familia?

—Georges trabaja en la buhardilla, probablemente veremos la luz del otro lado. Arrojaremos una piedrita a su ventana... No, déjame, lo haré yo, pues si no acertamos con la ventana, podríamos despertar a la madre que vive en el tercer piso.

Georges Seurat, bajó para abrir la puerta y los condujo hasta el tercer piso con un dedo apoyado sobre los labios para indicar

que no hiciesen ruido, y luego cerró la puerta de la buhardilla
detrás de sí.

—Georges —dijo Gaugin—. Quiero presentarte a Vincent
Van Gogh, el hermano de Theo. Pinta como un holandés, pero a
parte de eso es un muchacho macanudo.

La buhardilla de Seurat era muy espaciosa, ocupando casi la
totalidad de la superficie de la casa. Enormes telas sin terminar
ornaban las paredes, y frente a ellas veíanse unas especies de andamios. En el centro, una gran mesa cuadrada, muy alta, colo-
cada debajo de la luz, tenía encima un cuadro sin terminar.

—Encantado de conocerlo, Monsieur Van Gogh —dijo—. Le
pido me disculpe unos instantes, tengo que llenar de pintura otro
rinconcito antes de que se me seque.

Subió sobre un banco y se inclinó sobre su obra. La lámpara
de gas esparcía una luz fija y amarillenta; sobre uno de los bordes
de la mesa veíanse unos veinte potecitos de pintura en hilera.
Seurat mojó en uno de esos potes un pequeñísimo pincel, tan
pequeño que Vincen nunca había visto uno igual, y con matemática precisión comenzó a poner pequeños puntitos de color sobre
su tela. Trabajaba tranquilamente, sin emoción, como si hubiese
sido una máquina. Mantenía su pincel recto en la mano y colocaba cientos y cientos de puntitos unos al lado de otros.

Vincent lo contemplaba con la boca abierta. Por fin, Seurat
se volvió hacia ellos diciendo:

—Ya está. He llenado ese espacio.

—¿Quieres enseñar tu trabajo a Vincent? —preguntóle Gauguin—. En su país sólo pintan vacas y carneros, y nunca había
visto el arte moderno hasta hace una semana.

—Si quiere subir sobre este banco, señor Van Gogh.

Vincent obedeció, y cuando estuvo arriba observó la tela que
tenía delante. No se parecía a nada de lo que había visto hasta
entonces, ya sea en el arte o en la vida. La escena representaba la
Isla de la "Grande Jatte". Seres humanos de proporciones arqui-
tecturales y realizados con infinidad de puntos de color, se mantenían erguidos como pilares de una catedral gótica. El pasto, el
río, los botes, los árboles, todo eran masas vagas y abstractas de
puntitos de luz. La pintura tenía un colorido brillante y claro,
mucho más claro del usado por Manet o Degas, o aún por Gauguin mismo. Si tenía vida, no era la vida de la naturaleza. El
aire estaba lleno de brillante luminosidad, pero no podía encon-

trarse un soplo por ningún lado. Era una "naturaleza muerta" de la vida vibrante, de la cual se había desterrado para siempre el movimiento

Gauguin estaba al lado de Vincent, y se rió de la expresión de la cara de éste.

—El trabajo de Georges extraña a todos los que lo contemplan, por primera vez —dijo—. Dime, ¿qué piensas de él?

Vincent se volvió hacia Seurat con cierta timidez:

—Usted me disculpará, señor —dijo—, pero desde que he llegado, hace unos pocos días, han sucedido cosas tan extraordinarias que no puedo recobrar mi equilibrio. Me eduqué en la tradición holandesa. No tenía la menor idea de que existían los "Impresionistas", y ahora de repente veo que se derrumba todo aquello en que había creído hasta ahora.

—Comprendo —dijo Seurat tranquilamente—. Mi método está revolucionando todo el arte de la pintura, y no es posible comprenderlo desde el primer golpe de vista. Usted comprende, señor, hasta el presente la pintura ha constituído una experiencia personal, y mi deseo es convertirla en una ciencia abstracta. Debemos aprender a clasificar nuestras emociones y llegar a una precisión mental matemática. Toda emoción humana puede y debe ser reducida a una manifestación abstracta de color, línea y tono. ¿Ve usted esos potecitos de colores sobre mi mesa?

—Sí, los he notado.

—Cada uno de esos potes, señor Van Gogh, contiene una emoción humana específica. Con mi receta, pueden prepararse y venderse en las casas de pinturas o productos químicos. Se acabarán las engorrosas mezclas de colores sobre la paleta; ese sistema pertenece al pasado. De aquí en adelante el pintor irá a una pinturería y levantará las tapas de los potecitos eligiendo lo que necesita. Esta es la época de la ciencia y yo quiero hacer una ciencia de la pintura. La personalidad debe desaparecer y nuestro arte debe tornarse preciso como la arquitectura. ¿Me comprende, señor?

—No —repuso Vincent—, creo que no.

Gauguin empujó a Vincent con el codo.

—Oye, Georges —dijo—, ¿por qué insistes en llamar esto tu sistema? Pissarro pintaba así antes de que tú nacieras.

—¡Es una mentira!

Un vivo rubor cubrió de pronto el rostro de Seurat. Saltó de su banco, se acercó vivamente a la ventana, golpeteó varias veces contra el marco de la misma con los dedos y regresó cerca de la mesa.

—¿Quién dijo que Pissarro trabajaba así antes que yo? ¡Te digo que este sistema es mío! Fuí yo quien lo descubrió primero. Pissarro aprendió este "pointillismo" de mí. He estudiado la historia del arte desde los primitivos italianos, y te digo que nadie pensó en ello antes que yo... ¿Cómo te atreves a...?

Se mordió el labio furiosamente, y se volvió hacia uno de sus andamios dando la espalda a Vincent y a Gauguin.

Aquél estaba profundamente asombrado ante semejante cambio. El hombre que había estado trabajando tranquilamente inclinado sobre la mesa, tenía facciones serenas, casi perfectas, mirar frío e impersonal, como un sabio en su laboratorio, y voz pausada, casi pedagógica. El mismo velo de abstracción que ponía en sus pinturas, estaba patente en sus ojos. Pero el hombre que al otro extremo de la buhardilla mordía furiosamente su labio inferior y meneaba su oscura melena rizada, tan cuidadosamente peinada instantes antes, era el prototipo de la ira.

—Vamos, Georges —dijo Gauguin guiñando un ojo a Vincent—. Todo el mundo sabe que este sistema lo inventaste tú. Sin ti no habría "pointillismo" en la pintura.

Algo calmado, Seurat se acercó de nuevo a la mesa. La expresión de ira desaparecía poco a poco de sus ojos.

—Señor Seurat —dijo Vincent—. ¿Cómo podemos hacer de la pintura una ciencia impersonal puesto que lo que cuenta es esencialmente la expresión del individuo?

—¡Mire! Yo le enseñaré.

El pintor tomó una caja de lápices de la mesa y se agachó sobre el piso. La noche estaba completamente tranquila. Vincent se arrodilló a un lado del pintor y Gauguin al otro. Seurat, aún agitado, hablaba con animación.

—Opino —dijo— que todos los efectos en la pintura pueden ser reducidos a una fórmula. Supongamos que quiero dibujar una escena de circo. Aquí está un jinete, aquí el entrenador, aquí la galería y aquí los espectadores. Quiero sugerir la alegría. ¿Cuáles son los tres elementos de la pintura? Línea, tono y color. Muy bien, para sugerir alegría, llevo todas mis líneas por encima de la horizontal, así. Hago dominar mis colores luminosos, así, y lo mismo mis tonos cálidos, así. ¡Aquí tienen! ¿No sugiere esto la abstracción de la alegría?

—Tal vez sugiera la abstracción de la alegría —repuso Vincent—, pero no capta la alegría misma.

Seurat lo miró un instante. Su rostro estaba en la penumbra, pero Vincent pudo observar qué hombre hermoso era.

—No persigo la alegría en sí, sino la esencia de la alegría. ¿Conoce usted a Platón, amigo mío?

—Sí.

—Pues bien, lo que los pintores deben aprender a reproducir, no es la cosa, sino la esencia de la cosa. Cuando un artista pinta un caballo no debe ser un caballo en particular que se puede reconocer en la calle. Dejemos eso para la cámara fotográfica, nosotros debemos ir más allá. Lo que debemos captar cuando pintamos un caballo, señor Van Gogh, es, como diría Platón, el "espíritu" caballar. Y cuando representamos un hombre no debe ser uno determinado sino el espíritu y la esencia de todos los hombres. ¿Me comprende, amigo mío?

—Comprendo —dijo Vincent—, pero no estoy de acuerdo.

—Ya estará de acuerdo más adelante.

Así diciendo, Seurat se puso de pie, se quitó el guardapolvo y limpió con él el dibujo que había trazado sobre el suelo.

—Ahora representemos a la tranquilidad —prosiguió—. Estoy reproduciendo una escena de la Isla de la Grande Jatte. Trazo todas mis líneas horizontales, así. Como tono empleo una perfecta igualdad entre fríos y cálidos, así; como color, tanto oscuro como claro, así. ¿Ven?

—Prosigue, Georges, y no preguntes estupideces —dijo Gauguin.

—Ahora llegamos a la tristeza... Hacemos descender todas nuestras líneas, así. Hacemos dominar los tonos fríos y los colores oscuros, así. ¡Aquí la tienen! ¡Es la esencia de la tristeza! ¡Un niño podría realizarlo! La fórmula matemática de prorratear el espacio sobre la tela podrá encontrarse en un manual. Ya estuve trabajando en él. El pintor sólo necesitará leer el libro, comprar los colores especificados y seguir las reglas. Será un pintor científico y perfecto. Podrá trabajar a la luz del día o artificial, podrá ser un monje o un libertino, tener siete años o setenta, todas sus pinturas poseerán la misma perfección impersonal y arquitectural.

Vincent parpadeó y Gauguin dejó oír una carcajada.

—Te cree loco, Georges —dijo.

Seurat borró su último dibujo con su guardapolvo y luego lo arrojó a un rincón.

—¿Es verdad, señor Van Gogh? —inquirió.

—No, no —protestó Vincent—. Me han llamado loco demasiadas veces a mí para agradarme el sonido de la palabra. Pero debo admitir: que tiene usted ideas muy extrañas.

Oyóse un insistente llamado a la puerta.

—¡Mon Dieu! —se lamentó Gauguin—, hemos despertado a tu madre otra vez. Y eso que me previno que si volvía aquí por las noches me echaría...

La madre de Seurat entró en la habitación. Vestía un pesado batón y un gorro de dormir.

—Georges, me prometiste no trabajar más durante toda la noche. Ah, ¿es usted, Paul? ¿Por qué no paga usted su alquiler? Así al menos tendría un lugar donde ir a dormir.

—Si usted me aceptara aquí, mamá Seurat, no tendría que preocuparme del alquiler.

—No, gracias, basta con un artista en la familia. Miren, aquí les he traído café y brioches. Si tienen que trabajar, también tienen que comer. Supongo que tendré que bajar a buscar una botella de ajenjo para usted, Paul.

—¿No se la ha bebido usted toda aún, mamá Seurat?

—Acuérdese Paul que le dije que lo iba a echar... —amenazó la señora.

Vincent salió de la penumbra donde estaba.

—Madre —dijo Seurat—, te presento a un nuevo amigo mío, Vincent Van Gogh.

La señora le estrechó la mano.

—Cualquier amigo de mi hijo es bien venido aquí, aún a las cuatro de la madrugada. ¿Qué desea usted tomar, señor?

—Si a usted no le molesta, tomaré un vaso de ajenjo como Gauguin.

—¡De ningún modo! —exclamó éste—. Mamá Seurat me raciona terriblemente; sólo puedo tomar una botella por mes. Toma cualquier otra cosa. Tu paladar salvaje no conoce la diferencia entre el ajenjo y el chartreuse.

Los tres hombres y mamá Seurat permanecieron charlando

alrededor de su café y brioches hasta que la aurora comenzó a iluminar la habitación.

—Será preferible que me vaya a vestir para el día —dijo la señora—. Venga a cenar con Georges y conmigo un día de estos, señor Van Gogh. Nos sentiremos felices de recibirlo.

Frente a la puerta de calle, Seurat dijo a su nuevo amigo:

—Temo haberle descrito mi sistema algo crudamente, pero vuelva tan a menudo como lo desee y trabajaremos juntos. Cuando usted comprenda mi método verá que la pintura nunca podrá volver a ser lo que era antes. Ahora debo regresar a mi trabajo. Tengo que terminar de llenar otro lugarcito antes de irme a dormir. Le ruego salude a su hermano de mi parte.

Vincent y Gauguin caminaron por las calles desiertas y subieron hasta Montmartre. París aún no se había despertado. Las persianas estaban cerradas y las cortinas de los negocios bajadas.

—Vámonos hasta la cima de la *Butte* para ver cómo el sol despierta a París.

Después de caminar por el Boulevard Clichy, tomaron por la Rue Lepic que pasaba por el "Moulin de la Galette" y seguía su camino tortuoso hacia la cima de la Colina de Montmartre. Las casas se tornaban cada vez más escasas, aumentando los espacios libres, con flores y árboles. Cuando terminó la Rue Lepic, los dos hombres se internaron en un sendero.

—Dime francamente, Gauguin —preguntó Vincent—. ¿Qué piensas de Seurat?

—¿De Georges? Esperaba tu pregunta. Sabe más de color que cualquier hombre desde Delacroix. Tiene teorías intelectuales sobre el arte, y eso está mal. Los pintores no deben pensar en lo que hacen. Dejemos las teorías para los críticos. Georges aportará una contribución definida al color, y su arquitectura gótica probablemente apresurará la reacción primitiva en el arte. Pero es un loco, completamente loco, como habrás podido darte cuenta por ti mismo.

A pesar de que la subida era bastante abrupta, llegaron por fin a la cima y desde allí vieron a todo París extendido a sus pies. El Sena cortaba la ciudad en dos como una cinta de luz. Las construcciones cubrían la colina de Montmartre bajando hasta el valle del Sena y volvían a subir hacia Montparnasse. El sol rasgó las nubes iluminando el Bois de Vincennes. Al otro extremo de la ciudad se divisaba la mancha verde del Bois de

Boulogne que estaba aún oscuro y somnoliento. Como tres enormes mojones en la gran ciudad, veíanse en el centro a la Opera, hacia el este a Notre Dame y hacia el oeste el Arco de Triunfo.

ROUSSEAU OFRECE UNA FIESTA

La paz descendió en el pequeño departamento de la Rue Laval. Theo agradeció a su buena suerte esos momentos de tranquilidad, pero no duraron mucho. En lugar de tratar de cambiar lentamente su modo de trabajar y su paleta anticuada, Vincent comenzó a imitar a sus amigos, olvidó todo lo que había aprendido de pintura hasta la fecha, tal era su deseo de convertirse en un Impresionista. Sus temas parecían copias horribles de Seurats, Toulouse-Lautrecs y Gauguin. Estaba convencido que hacía magníficos progresos.

—Escúchame, muchacho —le dijo Theo una noche— ¿cómo te llamas?

—Vincent Van Gogh.

—¿Estás seguro que no eres Georges Seurat o Paul Gauguin?

—¿Qué diablos quieres decir, Theo?

—¿Crees realmente que puedes convertirte en un Georges Seurat? ¿No comprendes que sólo hay un Lautrec? ¿Un Gauguin... ¡a Dios gracias! Es absurdo que trates de imitarlos.

—No los imito, aprendo de ellos.

—Los imitas, te digo. Enséñame cualquiera de tus últimas telas y te diré con quién anduviste la noche anterior.

—Pero hago progresos, Theo, fíjate cuánto más claro es mi colorido.

—Retrocedes cada día más. Cada nueva pintura tuya se parece menos a un Vincent Van Gogh. Tu tarea será engorrosa y necesitarás años de duro trabajo. ¿Eres tan débil que necesitas imitar a los demás? ¿No puedes limitarte a asimilar lo que ellos pueden ofrecerte?

—¡Theo, te aseguro que estas telas son buenas!

—¡Y yo te digo que son horribles!

La lucha había comenzado. Todas las noches cuando Theo regresaba a su casa cansado y nervioso por su trabajo, encontraba a Vincent que lo esperaba impacientemente con un nuevo cua-

dro. Se presentaba ante su hermano antes de que éste pudiera siquiera quitarse el sombrero.

—¡Mira ¡Díme si éste no es bueno! ¡Díme que mi paleta no
está mejorando! ¡Fíjate el efecto de la luz solar... Mira a...

Theo tenía que elegir entre ocultar su verdadera opinión y
pasar una velada agradable con su hermano, o decirle la verdad
y verse perseguido por éste hasta el amanecer. A pesar de hallarse excesivamente cansado, no podía dejar de decir la verdad.

—¿Cuándo fuiste a lo de Edouard Manet por última vez?
—preguntó.

—¿Qué importancia tiene eso?

—Contesta mi pregunta, Vincent.

—Pues... ayer a la tarde —repuso éste.

—¿No sabes hermano mío que hay en París casi cinco mil
pintores que tratar de imitar a Edouard Manet? Y la mayoría
de ellos lo hacen mejor que tú.

Exasperado, Vincent ensayó otro sistema. Pintó una tela en
la cual podía advertirse el modo de trabajar de todos los Impresionistas.

—Magnífico —murmuró Theo esa noche—. Podríamos deno-
minar este cuadro "Recapitulación"... Ese árbol es un genuino
Gauguin... Esa muchacha del rincón indudablemente pertenece
a Toulouse Lautrec... Diría que el golpe de luz es de Sisley, el
color de Monet, las hojas de Pissarro, el aire de Seurat y la figura
central de Manet...

Vincent luchaba amargamente. Trabajaba sin descanso todo
el día y cuando su hermano regresaba a la noche, era reprendido
como un niño. Como Theo dormía en el living-room, Vincent no
podía pintar allí durante la noche. Sus disputas con su hermano
lo dejaban tan excitado que no podía conciliar el sueño, y pasaba
largas horas hablando hasta que Theo, exhausto, se dormía, dejando que su hermano siguiera gesticulando solo. Lo único que
hacía esta vida soportable para Theo, era el pensamiento de que
pronto estarían instalados en la Rue Lepic donde él tendría su
dormitorio para él solo con una buena cerradura a la puerta.

Cuando Vincent se cansaba de discutir acerca de sus pinturas, llenaba las veladas de Theo con turbulentas polémicas sobre
arte y el comercio del arte y la desgracia de ser un artista.

—No logro comprender, —decía quejumbroso a su hermano—. Tú eres gerente de una de las más importantes Galerías de

Arte de París y ni siquieras quieres exhibir uno de los cuadros
de tu hermano.

—Valadon no me lo permite.

—¿Has probado, siquiera?

—Mil veces.

—Bien, admitamos que mis pinturas no sean suficientemente
buenas, pero ¿qué me dices de las de Seurat, Gauguin y Lautrec?

—Cada vez que me traen un nuevo cuadro, insisto para que
Valadón me permita colgarlo en el Entresuelo.

—¿Eres tú dueño de esa galería o no?

—Desgraciadamente solo trabajo allí.

—Pues entonces deberías irte. Es degradante, sencillamente.
Si yo fuera tú no lo soportaría.

—Hablaremos de eso mañana por la mañana, Vincent. He
trabajado mucho y quiero dormir.

—No quiero esperar hasta mañana. Necesito hablar ahora
mismo. Dime ¿para qué expones las obras de Manet y Degas?
Son pintores aceptados y comienzan a vender. Lo que debes hacer es luchar por los nuevos.

—Dame tiempo, hermano. Tal vez dentro de unos tres años...

—¡No! ¡No podemos esperar tres años! ¡Necesitamos exhibir nuestro trabajo ahora! Hazme caso, Theo, renuncia a tu empleo y abre una galería por tu propia cuenta. ¿Te das cuenta lo
que significaría no tener más que preocuparte de Valadon ni de
Bourguereau o de Henner?

—Para eso se necesitaría dinero. No tengo nada ahorrado.

—Ya nos arreglaremos para conseguirlo.

—El desarrollo de los negocios de arte es muy lento...

—¡No importa! Trabajaremos día y noche hasta que logre-
mos establecerte.

—Sí, pero mientras tanto tendremos que comer.

—¿Me reprochas el no ganarme mi propia subsistencia?

—¡Por Dios, Vincent! ¡Vete a la cama! ¡No puedo más!

—¡No me iré a la cama! ¡Quiero saber la verdad! ¿Esa es
la única razón porque no abandonas la casa Goupil? ¿Porque
tienes que hacerme vivir? ¡Vamos, habla! Todo es culpa mía
¿verdad? Si no fuese por mí serías libre!

—Si fuese más grande y más fuerte te daría una buena zu-
rra... Dicho sea de paso, creo que encargaré a Gauguin para
que venga a ayudarme... Trabajo en la Casa Goupil, y traba-

jaré allí toda mi vida, ¿me oyes? Lo mismo que tú pintas y pintarás toda tu vida. La mitad de mi empleo en la casa Goupil te pertenece, lo mismo que la mitad de tu pintura me pertenece a mí. Y ahora, quítate de mi cama y déjame dormir, de lo contrario llamaré un vigilante.

A la tarde siguiente Theo entregó una tarjeta a su hermano diciéndole.

—Si no tienes programa para esta noche, podríamos ir a esta reunión.

—¿Quién la ofrece?

—Henri Rousseau. Fíjate en la invitación.

El joven leyó dos versos de un sencillo poema y vió unas flores pintadas a mano.

—¿Quién es ese?

—Lo llamamos "el aduanero". Ha sido cobrador de impuestos en las provincias hasta los cuarenta años. Los domingos se entretenía en pintar, como Gauguin. Hace pocos años se instaló en París, cerca de la Bastilla. Es un hombre que no ha recibido ni educación ni instrucción y sin embargo pinta, hace versos, compone música, da lecciones de violín a los hijos de los obreros, toca el piano y enseña el dibujo a unos cuantos hombres de edad madura.

—¿Y qué clase de pintura hace?

—Pinta animales fantásticos en medio de una jungla más fantástica aún... Y eso que la única "jungla" que conoce es el Bois de Boulogne. Es un campesino y un primitivo auténtico, a pesar de que Paul Gauguin se ría de él.

—¿Qué piensas de su trabajo, Theo?

—En realidad no sé. Todos lo llaman imbécil y loco.

—¿Y lo es?

—Diría que se trata más bien de una especie de niño, de niño primitivo. Iremos esta noche a su reunión y juzgarás por ti mismo. Tiene todas sus pinturas colgadas de las paredes.

—Debe tener dinero si puede dar reuniones.

—Es probablemente el pintor más pobre de todo París. Figúrate que hasta el violín sobre el cual da sus lecciones es alquilado, pues no posee dinero para comprar uno. Pero tiene un motivo particular para ofrecer estas reuniones. Ya lo descubrirás por ti mismo.

La casa en que vivía Rousseau estaba ocupada por obreros. El pintor tenía una habitación en el cuarto piso. En la calle pululaban los chiquilines y en las escaleras vagaba un fuerte olor a comida y a cloacas.

Henri Rousseau en persona vino a abrir la puerta cuando Theo golpeó. Era un hombre bajo y tosco, con dedos cortos y rechonchos y cabeza cuadrada con nariz vigorosa y grandes ojos inocentes.

—Usted me honra con su presencia, Señor Van Gogh —dijo afablemente.

Theo presentó a su hermano y Rousseau les ofreció unas sillas. La habitación en que se hallaban estaba llena de colorido y era casi alegre. Rousseau había colgado de las ventanas cortinas a cuadro rojos y blancos; los muros estaban tapizados con pinturas de animales salvajes y junglas y paisajes fantásticos.

En un rincón, cerca de un viejo piano, hallábanse cuatro muchachos jovenes con sendos violines en sus manos nerviosas. Sobre la repisa de la chimenea veíanse unos platos con bizcochos que había hecho él mismo, y alrededor de la habitación se alineaban varios bancos y sillas.

—Ustedes son los primeros en llegar, señores Van Gogh —dijo el dueño de casa— Guillermo Pille, el crítico, me hace el honor de traer consigo algunas personas.

Oyóse desde la calle un ruido de ruedas sobre el empedrado y algunos gritos y exclamaciones de los niños. Rousseau abrió su puerta, y llegaron desde abajo algunas voces femeninas.

—Adelanten, adelanten —decía una voz gruesa— Coloquen una mano sobre el pasamano y otra sobre la nariz!

Alegres risas festejaban esta ocurrencia. Rousseau que la había oído con toda claridad, se volvió hacia Vincent y sonrió. Este pensó que nunca había visto ojos tan claros y tan inocentes en el rostro de un hombre.

Irrumpió en la habitación un grupo de unas diez o doce personas. Los hombres estaban vestidos de etiqueta y las señoras llevaban trajes de fiesta con largos guantes blancos. Un delicado aroma de costosos perfumes llenó el ambiente.

—Y bien Henri —exclamó Guillermo Pille con su voz profunda y pomposa— ya ves que hemos cumplido, pero no podemos quedarnos mucho tiempo pues vamos a un baile ofrecido por la Princesa Broglie. Ahora, trata de entretener a mis amigos.

—Preséntemelo —dijo una joven de cabello rojizo que llevaba un traje imperio muy escotado—. Quiero conocer al gran pintor de quien habla todo París... ¿Desea usted besar mi mano,
señor Rousseau?

—Ten cuidado, Blanca —dijo alguien—. Ya sabes... estos
artistas...

Rousseau se sonrió y besó la mano que le tendían. Vincent
se retiró a un rincón de la habitación, Theo y Pille comenzaron
a charlar y los demás se entretuvieron en examinar las pinturas
de Rousseau y todo lo que había en el cuarto, haciendo risueños
comentarios.

—Si quieren tomar asiento, señoras y señores —dijo el dueño
de casa— mi orquesta les ejecutará una de mis composiciones.
La he dedicado a Monsieur Pille y se llama "Chanson Raval".

—¡Vamos, vamos! A sentarse todo el mundo —gritó Pille—.
Jeanie, Blanca, Jacques, siéntense, que esto será algo que vale la
pena!

Los tres muchachos temblorosos, de pie delante de un solo
atril afinaban sus violines. Rousseau se instaló delante del piano y cerró los ojos. Después de un momento dijo: ¿Listos?, y comenzó a tocar. La composición era una sencilla pastoral. Vincent
trató de escuchar, pero el murmullo de la gente ahogaba la música. Cuando terminó la pieza todos aplaudieron estrepitosamente. Blanca se acercó al piano y colocando sus manos sobre los
hombros de Rousseau le dijo:

—Ha sido magnífico, magnífico, jamás me sentí tan emocionada .

—Usted me halaga, señora.

Blanca dejó oír una aguda carcajada.

—¿Has oído Guillaume? —exclamó—. ¡Dice que lo halago!

—Les tocaré otra composición —dijo Rousseau.

—Acompáñala con uno de tus poemas, Henri.

Rousseau sonrió satisfecho.

—Muy bien, señor Pille.

Se dirigió a una mesa, tomó algunas hojas, seleccionó un
poema y volviendo al piano comenzó a tocar. Vincent pensó que
la música era buena, y los pocos versos que pudo captar le parecieron deliciosos, pero el efecto de ambos juntos resultaba estram-
bótico. Todos comenzaron a reír y a festejar la ocurrencia de Pille.

Una vez que hubo terminado, Rousseau se dirigió a la cocina y volvió trayendo una bandeja con gruesas tazas de café que comenzó a pasar entre sus huéspedes, ofreciéndoles luego los bizcochos.

—Enséñanos tus últimas pinturas, Henri, a eso hemos venido. Queremos verlas antes que el gobierno las compre para el museo del Louvre.

—Tengo algunas nuevas lindísimas —dijo Rousseau— si quieren las descolgaré para que las vean mejor.

Todos se reunieron en torno de la mesa para examinar los cuadros y cada cual decía la extravagancia más grande a guisa de cumplimiento.

—¡Esto es divino, sencillamente divino! —murmuró Blanca como en éxtasis—. Quiero poseerlo para mi "boudoir". ¡No puedo vivir un día más sin tenerlo! Querido Maestro, ¿cuánto pide por esta obra de arte?

—Veinticinco francos.

—¡Veinticinco francos! ¡Solamente veinticinco francos por una obra maestra! ¿Quiere usted dedicármela?

—Estaré muy honrado, señora.

—Prometí a Francoise llevarle una —dijo Pille— Henri, se trata de mi novia. Necesito lo mejor que hayas hecho.

—Aquí tengo un cuadro especial para usted, Monsieur Pille.

Descolgó una tela que representaba un raro animal en medio de árboles extravagantes. Todos comenzaron a gritar y a reirse.

—¿Qué es eso?

—Un león.

—No, es un tigre.

—Te aseguro que se parece a mi lavandera. ¡La reconozco!

—Como es algo más grande que el otro cuadro, le costará treinta francos, Monsieur Pille —dijo Rousseau con voz suave.

—Los vale, Henri, los vale. Algún día mis nietos venderán este cuadro exquisito por treinta mil francos!

—Yo también quiero comprar uno dijeron varias voces— Yo quiero regalarle uno a un amigo mío —dijo otro.

—Bueno, basta ahora —gritó Pille—. Llegaremos tarde al baile. Tomen sus pinturas y vamos. ¡Haremos sensación en lo de la Princesa con estas cosas! Adiós, Henri, hemos pasado un momento muy agradable, y espero que pronto ofrecerás otra reunión.

—Adiós, querido Maestro —dijo Blanca sacudiendo su perfumado pañuelo bajo sus narices—. Nunca lo olvidaré. Su recuerdo vivirá en mí para siempre.

—Déjalo tranquilo, Blanca —exclamó uno del grupo—. El pobre hombre no podrá dormir en toda la noche.

Se dirigieron todos hacia las escaleras y comenzaron a bajar ruidosamente, bromeando y riendo, dejando tras de sí un fuerte olor a costoso perfume.

Theo y Vincent se acercaron a la puerta. Rousseau, de pie cerca de la mesa observaba un montón de monedas que había sobre ella.

—¿No te molesta irte solo, Theo? —preguntó su hermano—. Quisiera quedarme para conocer mejor a este hombre.

Theo partió y Vincent apoyándose contra la puerta cerrada continuó observando a Rousseau que contaba el dinero sin percatarse de la presencia del joven.

—Ochenta, noventa, cien francos, ciento cinco...

Elevó la vista y advirtió a Vincent que lo miraba. La expresión infantil volvió a asomarse a sus ojos. Hizo a un lado el dinero y sonrió tontamente.

—Dejemos caer la máscara, Rousseau —dijo Vincent—. Yo también soy campesino y un pintor.

El artista se acercó al joven y le estrechó la mano calurosamente.

—Tu hermano me ha enseñado tus pinturas de los campesinos holandeses. Son buenas, mejores que las de Millet. Las he admirado muchas y muchas veces.

—Y yo estuve estudiando tus cuadros mientras esos... estaban haciéndose los idiotas. Y también los he admirado.

—Gracias ¿quieres sentarte? ¿Quieres llenar tu pipa? Aquí hay ciento cinco francos, con los que podré comprar tabaco, comida y pinturas.

Tomaron asiento cada uno a un lado de la mesa y comenzaron a fumar en silencio.

—Supongo que sabes que todos te llaman loco, ¿verdad Rousseau?

—Sí. Y he oído decir que en La Haya también te llamaban a tí así.

—En efecto.

—Bah, dejémoslos que digan lo que quieran. Algún día mis cuadros estarán colgados en el Luxemburgo.

—Y los míos en el Louvre —repuso Vincent.

Se miraron ambos por un momento y como si hubieran leído sus pensamientos, dejaron escapar una carcajada espontánea.

—Creo que tienen razón, Henri —dijo Vincent—. ¡Estamos locos!

—¿Quieres que bebamos para festejarlo?

UN POBRE DESGRACIADO QUE SE AHORCO

Al miércoles siguiente, más o menos a la hora de la cena, Gauguin llamó a la puerta del departamento de Theo y de Vincent.

—Tu hermano me pidió que te llevase esta noche al Café Batignolles —dijo—. Tiene que trabajar hasta muy tarde en la Galería. Qué interesante parecen esas pinturas, ¿puedo echarles un vistazo?

—Por supuesto. Algunas las pinté en el Brabante y otras en La Haya.

Largo rato estuvo Gauguin contemplando los cuadros. Varias veces hizo un gesto como si quisiera hablar, pero parecía resultarle difícil expresar su pensamiento.

—Discúlpame la pregunta, Vincent —dijo por fin—, pero ¿eres por casualidad epiléptico?

El joven que en ese momento estaba poniéndose su casaca de piel de carnero que había comprado de segunda mano y que insistía en usar a pesar de las protestas horrorizadas de Theo, miró asombrado a Gauguin.

—¿Si soy qué? —inquirió.

—Epiléptico. Si tienes ataques de nervios.

—Que yo sepa no. ¿Por qué lo preguntas?

—Pues... te diré... Esos cuadros tuyos... parecen como si quisieran salirse de la tela... Cuando miro tu trabajo, —y ésta no es la primera vez que me sucede—, siento una excitación nerviosa difícil de contener. Me parece que si ese cuadro no explota, explotaré yo. ¿Y no sabes dónde me afectan más tus pinturas?

—No, ¿dónde?

—En los intestinos. Todo mi intestino comienza a temblar. Me siento tan excitado y tan perturbado que casi no puedo contenerme.

—Tal vez podría venderlos como laxantes. Se podrían colgar en el retrete y mirarlos fijamente a cierta hora del día —dijo Vincent sonriendo.

—Hablemos seriamente, Vincent. No creo que podría vivir con tus cuadros. Me volvería loco en menos de una semana.

—¿Vamos?

Caminaron por la Rue Montmartre hasta el Boulevard Clichy.

—¿Has cenado? —inquirió Gaugin.

—No. ¿Y tú?

—Tampoco. ¿Vamos a lo de Bataille?

—Magnífica idea. ¿Tienes dinero?

—Ni un céntimo. ¿Y tú?

—Estoy seco, como de costumbre. Esperaba a Theo para que me llevase a comer.

—¡Diablos! Entonces me parece que nos quedamos sin cena.

—Vayamos de todos modos a ver cuál es el plato del día.

Tomaron por la Rue Lepic y luego doblaron por la Rue des Abesses.

El menú estaba pinchado a la vidriera.

—Hum... —dijo Vincent—. Ternera con arvejas... mi plato preferido.

—Yo detesto la ternera —repuso Gauguin—. Es una suerte que no podamos entrar a comer.

—¡No digas disparates!

Siguieron caminando por la calle hasta llegar a una plazoleta triangular.

—Hola, —dijo Gaugin de pronto—, ahí está Paul Cezanne durmiendo sobre aquel banco. Por qué se coloca los zapatos como almohada es algo que no puedo comprender. Vamos a despertarlo.

Así diciendo, se quitó el cinturón, lo dobló en dos y golpeó con él los pies descalzos de su amigo. Cezanne dió un salto y un grito de dolor.

—¡Gauguin! —exclamó—. ¡Eres infernal! ¿Qué broma es ésa? ¡Uno de estos días me veré obligado a romperte la cabeza!

—¿A qué te quedas descalzo de ese modo? ¿Por qué te pones esas asquerosas botas de almohada? Estoy seguro que estarías más cómodo sin almohada.

Cezanne se frotó gruñendo la planta de los pies y se calzó las botas.

—No las uso como almohada —dijo—. Las coloco bajo mi cabeza para que no me las roben mientras duermo.

—Al oírlo hablar cualquiera creería que es un artista muerto de hambre —dijo Gauguin volviéndose hacia Vincent—. Sin embargo, su padre es dueño de un banco y de medio Aix-en Provence. Paul, éste es Vincent Van Gogh, el hermano de Theo.

Ambos se estrecharon las manos.

—Es una lástima que no nos hayamos encontrado hace media hora, Cezanne —dijo Gauguin—. Hubiera podido acompañarnos a cenar. Bataille tiene una ternera con arvejas verdaderamente exquisita.

—¿Está buena de verdad? —preguntó Cezanne.

—¡Deliciosa! ¿No es cierto, Vincent?

—En efecto.

—Entonces creo que iré a probarla. ¿Quieren acompañarme?

—Creo que no podría comer un sólo bocado más. ¿Y tú, Vincent?

—Me parece que yo tampoco... Pero si el señor Cezanne insiste...

—Vamos, sean buenos compañeros. Ya sabes Gauguin que detesto comer sólo. Tomarán otra cosa si no quieren más ternera.

—Iremos por complacerte. Ven, Vincent.

Y los tres volvieron por la Rue des Abesses hacia el restaurant.

—Buenas noches, señores —dijo el mozo—. ¿Qué se van a servir?

—Traiga tres porciones del plato del día.

—Bien. ¿Vino?

—Elige tú el vino, Cezanne. Eres más entendido que yo.

—Veamos la lista. Saint Estephe, Bordeaux, Sauterne, Beaune...

—¿Has probado el Pommard que tienen? —interrumpió Gauguin cándidamente—. Creo que es el mejor que hay aquí.

—Tráiganos una botella de Pommard —ordenó Cezanne.

Gauguin engulló su ternera con arvejas en pocos segundos, y volviéndose hacia Cezanne. que comía lentamente. le dijo:

—He oído decir que "L'Oeuvre" de Zola se está vendiendo por millares.

Cezanne le echó una mirada indignada y alejando con desagrado su plato se volvió hacia Vincent:

—¿Ha leído usted ese libro, señor?

—Aun no tuve tiempo. Acabo de terminar "Germinal".

—"L'Oeuvre" es un libro malo —dijo Cezanne—. Es falso. Además, es la traición más grande que jamás se haya conocido en nombre de la amistad. El libro trata de un pintor, señor Van Gogh, y ¡ese pintor soy yo! Emile Zola es mi más viejo amigo, nos criamos juntos en Aix, fuimos a la misma escuela. Si vine a París fué únicamente porque él estaba aquí. Emile y yo nos queríamos más que dos hermanos. Durante toda nuestra juventud soñamos juntos en convertirnos en artistas. ¡Y ahora eso es lo que me hace!

—¿Qué le hace? —inquirió Vincent.

—Me ridiculiza, se mofa de mí. Me convierte en el hazmerreír de todo París. Día tras día le hablé de mis teorías sobre la luz, sobre mis ideas revolucionarias acerca del color... El me escuchaba, me alentaba, me instaba para que le revelara todo mi pensamiento. ¡Y todo eso para reunir material para su libro! ¡Para hacerme pasar como un idiota a los ojos de los demás!

Vació su copa de vino, se volvió de nuevo hacia Vincent y prosiguió:

—En ese libro Zola ha descrito a tres personajes, señor Van Gogh, a mí, a Bazille y a un pobre diablo que barría el estudio de Manet. El muchacho aquél tenía ambiciones artísticas, pero terminó por ahorcarse. Zola me describe como a un visionario... ¡pobre desgraciado que cree estar revolucionando el arte, pero que no escribe de otro modo por carecer de talento!... En su libro, termino por ahorcarme del andamio de mi obra maestra al comprender que lo que consideraba genio no eran más que desvaríos de un demente. En oposición a mi personalidad aparece otro artista de Aix, un escritor sentimental, vulgar, académico, a quien convierte en gran artista.

—Todo esto resulta divertido —dijo Gauguin—, si se considera que Zola fué el primer paladín de la pintura revolucionaria de Edouard Manet. Emile hizo más en pro de los Impresionistas que cualquier otro hombre.

—Sí, tenían adoración por Manet porque Edouard se sobrepuso a los académicos despreciándolos. Pero cuando yo quise ir más allá de los Impresionistas, me llamó loco e idiota. Es un amigo detestable y una inteligencia mediocre. Hace tiempo que dejé de verlo. Vive como un verdadero burgués, con espesas alfombras, magníficos adornos, sirvientes, y un escritorio ricamente esculpido sobre el que escribe sus obras. ¡Bah! Es más "clase media" de lo que Manet jamás se atrevió a ser. Esos dos son burgueses hasta la punta de las

uñas, por eso se entienden tan bien. Y Emile se cree que porque
me conoció de criatura y porque somos del mismo pueblo, no soy
capaz de hacer ningún trabajo importante.

—He oído decir que escribió un folleto para tus cuadros del
"Salón de los Rehusados", hace algunos años. ¿Qué fué de él?

—Lo rompió en mil pedazos antes de entregarlo a la imprenta.

—¿Y por qué? —inquirió Vincent.

—Temió de que los críticos pensaran que estaba apadrinándo-
me sólo porque era un viejo amigo suyo. Si ese folleto se hubiese
publicado, yo hubiera quedado establecido, pero en cambio publicó
"L'Oeuvre". ¡Para eso sirve la amistad! El noventa y nueve por
ciento del público se ríe de mis cuadros del "Salón de los Rehusados". Durand-Ruel expone cuadros de Degas, Monet y de mi amigo
Guillaumin, pero rehusa darme dos centímetros de espacio en sus
salones. Hasta su hermano, señor Van Gogh, teme aceptarme en su
entresuelo. El único comerciante en París que se atreve a colocar
mis cuadros en su vidriera es el Père Tanguy, y él, pobre desgraciado, no es capaz de vender una migaja de pan a un millonario
hambriento.

—¿Queda aún un poco de Pommard en la botella, Cezanne?
—inquirió Gauguin—. Gracias. Lo que reprocho a Zola es hacer
hablar a sus lavanderas como a verdaderas lavanderas, y cuando las
deja, se olvida de cambiar su estilo.

—Ya estoy hastiado de París. Voy a regresar a Aix y pasar allí
el resto de mi vida. Existe aún allí una colina desde donde se puede
dominar todo el valle. Hay en Provence un sol brillante y claro y
un colorido incomparable. Sé de un lote de terreno en aquella colina que está en venta. Está cubierto de pinos. Construiré allí un
estudio y plantaré un pomar. Levantaré todo alrededor de mi propiedad un grueso muro de piedra coronado de trozos de vidrio para
alejar a los intrusos. Y jamás volveré a dejar la Provence. ¡Jamás!

—¿Te convertirás en ermitaño? —murmuró Gauguin con la
nariz metida en su vaso de Pommard.

—Eso mismo.

—"El ermitaño de Aix". Qué título sugestivo… Bien, ¿qué te
parece si vamos ahora al Café Batignolles? Todo el mundo debe
ya estar allí.

EL ARTE SE TORNA MORAL

En efecto, casi todo el mundo ya se encontraba en el café. Lautrec tenía ante sí una pila de platillos que casi hubiera podido descansar su barbilla sobre ellos. Georges Seurat charlaba tranquilamente con Anquetin, joven pintor que trataba de combinar el método de los Impresionistas con el de las estampas japonesas. Henri Rousseau se hallaba muy ocupado en sacar bizcochos de su bolsillo y remojarlos en su café con leche antes de comérselos, mientras Theo estaba enfrascado en una discusión animada con dos de los más modernos críticos parisinos.

Algunos años antes, Les Batignolles habían sido un suburbio a la entrada del Boulevard Clichy, y era allí donde Edouard Manet había reunido a los espíritus afines con el suyo. Antes de la muerte de Manet, "L'Ecole des Batignolles" acostumbraba a reunirse dos veces por semana en aquel café. Legros, Fantin-Latour, Courber y Renoir habíanse encontrado, y discutido en aquel salón, sus teorías sobre arte, pero ahora l'Ecole había pasado a manos de hombres más jóvenes.

Cezanne advirtió la presencia de Emile Zola y se dirigió hacia una mesa aislada, pidiendo un café y permaneciendo indiferente a lo que lo rodeaba. Gauguin presentó a Vincent a Zola, y luego tomó asiento cerca de Toulouse-Lautrec, dejando a Vincent y al escritor solos en su mesa.

—Lo he visto entrar con Paul Cezanne, señor Van Gogh, y no dudo de que le habrá hablado de mí.

—Así fué.

—¿Y qué le dijo?

—El libro que usted ha escrito parece haberlo herido muy profundamente.

Zola suspiró.

—¿Ha oído usted hablar de la cura de Schweininger? —inquirió—. Dicen que si un hombre no bebe absolutamente nada durante las comidas, puede perder treinta libras de peso en tres meses.

—No, no he oído mencionarla.

—Me ha dolido mucho escribir ese libro acerca de Paul Cezanne, pero lo que digo de él es la pura verdad. Usted es pintor; pues bien, ¿falsificaría un retrato de un amigo por la sencilla razón de no herirlo? No. ¿Verdad? Paul es un muchacho espléndido, y durante años ha sido mi amigo más querido. Pero su trabajo es sencillamente ridículo. Cuando tengo amigos que vienen a verme a casa, debo esconder las telas de Paul para que no se rían de ellas.

—Es imposible que su trabajo sea tan malo...

—¡Malísimo, mi querido Van Gogh, malísimo! ¿Usted no ha visto ninguno de sus cuadros? Eso explica su incredulidad. Dibuja como un niño de cinco años. Le doy mi palabra de que lo creo completamente loco.

—Gauguin lo respeta, sin embargo.

—Me destroza el corazón —prosiguió Zola— ver a Cezanne perder su vida de ese modo. Debería regresar a Aix y trabajar en el Banco de su padre. Creo que por ese lado tendría éxito. Pero... tal como encara él la vida hoy en día... terminará por ahorcarse. Por otra parte, ya lo he predicho en "L'Oeuvre". ¿Ha leído usted ese libro, señor?

—No, todavía no. Acabo de terminar "Germinal".

—¿Sí? ¿Y qué piensa de él?

—Que es la obra más bella escrita desde el tiempo de Balzac.

—Sí; es mi obra maestra. Apareció en folletín el año pasado en "Gil Blas". Por cierto que me reportó bastante dinero. Y ahora se han vendido del libro más de sesenta mil ejemplares. Mis rentas nunca han sido tan importantes como ahora, y pienso construir un ala más a mi casa de Medan. Esa obra ya ha ocasionado cuatro huelgas y algunas revueltas en las regiones mineras de Francia. "Germinal" causará una revolución gigantesca, y entonces, ¡adiós capitalismo! ¿Qué clase de pintura hace usted, señor?..., ¿cómo dijo Gauguin que se llamaba?

—Vincent, Vincent Van Gogh. Soy hermano de Theo.

Zola dejó el lápiz con el cual había estado garabateando sobre el mármol de la mesa y miró fijamente a su compañero.

—Es extraño —murmuró.

—¿Qué?

—Su nombre... Lo he oído antes.

—Tal vez Theo le haya hablado de mí.

—Sí, pero no es eso. ¡Espere! Fué en... en... ¡Germinal! ¿Estuvo usted en las regiones mineras?

—Sí. Viví en el Borinage belga durante dos años.

—¡El Borinage! ¡Petit Wesmes! ¡Marcasse!

Los grandes ojos de Zola parecían querérseles saltar de su rostro barbudo.

—¡Entonces usted es el segundo Cristo!

Vincent se sonrojó.

—¿Qué quiere decir con eso?

—Pasé cinco semanas en el Borinage recogiendo material para "Germinal". Los "hocicos negros" me hablaron de un "hombre-Cristo" que trabajó entre ellos como evangelista.

—¡Baje la voz, se lo ruego!

—No tiene porqué avergonzarse, Vincent —dijo—. Lo que usted ha tratado de cumplir allí valía la pena. Pero se ha equivocado de ambiente. La religión nunca llevará al pueblo a ningún lado. Sólo los pobres de espíritu aceptan las miserias de este mundo bajo promesa de buenaventura en el otro.

—Lo comprendí demasiado tarde.

—Usted pasó dos años en el Borinage, Vincent. Dió todo lo que poseía: comida, dinero y vestimenta. Trabajó hasta matarse, casi. ¿Y qué consiguió? Nada. Que lo llamaran loco y que lo expulsaran de la Iglesia. ¿Cree usted que cuando partió las condiciones de vida eran mejores?

—Al contrario, eran peores.

—Donde la acción fracasa, la palabra escrita triunfará. Todo minero que sabe leer en Francia y en Bélgica ha leído mi libro. No hay un sólo café o cabaña miserable donde no exista un ejemplar de "Germinal". Aquéllos que no saben leer se lo hacen leer una y otra vez. Ya ha producido cuatro huelgas y producirá una docena más. Toda la región se está levantando. "Germinal" creará una sociedad nueva donde la religión no lo ha logrado. Y por todo esto, ¿qué consigo yo como recompensa? Francos. Miles y miles de francos. ¿Quiere tomar algo conmigo?

La discusión alrededor de la mesa de Lautrec se animaba y la atención de todo el mundo se volvía hacia aquel lugar.

—¿Cómo sigue "mi método", Seurat? —preguntó Lautrec haciendo sonar sus nudillos uno por uno.

Seurat ignoró la pulla. Sus rasgos perfectos y su expresión tranquila parecían la esencia misma de la belleza masculina.

—Apareció un libro nuevo sobre la refracción del color cuyo autor es un americano llamado Ogden Rood. Creo que sobrepasa a Helmboltz y Chevral, aunque no es tan estimulante como el trabajo de Superville. Podrías leerlo con provecho.

—No leo libros sobre pintura —repuso Lautrec—, dejo eso para los legos.

Seurat se desabrochó la casaca a cuadros blancos y negros que llevaba, se enderezó la corbata a pintas azules, y contestó:

—Es que eso eres, un lego. Y seguirás siéndolo mientras adivines el color que necesitas usar.

—No lo adivino, lo sé por instinto.

—La ciencia es un método, Georges —intervino Gauguin—. Nos hemos vuelto científicos en el arte de aplicar nuestros colores, debido a largos años de dura labor y experimentos.

—Eso no basta, amigo. El sino de nuestra época es la producción objetiva. Los días de la inspiración, de la prueba y del error han desaparecido para siempre.

—Yo no puedo leer esos libros —dijo Rousseau—. Me dan dolor de cabeza, y después tengo que pintar todo el día para reponerme.

—Todos soltaron la carcajada. Anquetin se volvió hacia Zola diciendo:

—¿Ha visto el ataque que le hacen a "Germinal" en este diario?

—No. ¿Qué dicen?

—El crítico lo llama a usted el escritor más inmoral del siglo XIX.

—Siempre lo mismo. ¿No encuentran otra cosa que decir de mí?

—Tienen razón, Zola —intervino Lautrec—. Encuentro tus libros carnales y obscenos.

—No cabe duda de que tú puedes opinar acerca de la obscenidad.

—¡Te embromaron esta vez, Lautrec!

—Mozo, —llamó Zola—, una vuelta de bebidas.

—Estamos listos, ahora —murmuró Cezanne a Anquetin—. Cuando Emile paga una vuelta quiere decir que tendremos que soportar su perorata durante una hora.

El mozo trajo la bebida y los pintores encendieron sus pipas y se acercaron en semicírculo. La lámpara de gas iluminaba el salón con espirales de luz, y el murmullo de las conversaciones de las mesas vecinas hacía un acompañamiento sordo y monótono.

—Llaman mis libros inmorales —dijo Zola—, por la misma razón que atribuyen inmoralidad a las pinturas de ustedes, Henri. El público no puede entender que no hay lugar para juicios mora-

les en el arte. El arte es amoral y así es la vida. Para mí no existen
ni pinturas ni libros obscenos, sólo existen libros mal concebidos y
cuadros mal pintados. Una ramera pintada por Toulouse-Lautrec
es moral porque sabe destacar la belleza que se oculta bajo su apariencia externa. Una campesina virgen ejecutada por Bouguereau
es inmoral porque está sentimentalizada y tan empalagosamente
dulce que el sólo mirarla da ganas de vomitar.

—Así es, —asintió Theo con la cabeza.

Vincent notó que los pintores respetaban a Zola, no porque
tenía éxito, —pues despreciaban el éxito ordinario—, sino porque
trabajaba en un medio que a ellos les parecía misterioso y difícil.
Escuchaban atentamente sus palabras.

—La generalidad del cerebro humano piensa en dualidad de
términos: luz y sombra, dulce y agrio, bueno y malo. Esa dualidad
no existe en la naturaleza. En el mundo no existe el bien o el mal,
sino lo que se hace y lo que se es. Cuando describimos una acción.
describimos la vida; cuando damos nombres a esas acciones —
como depravación u obscenidad— nos internamos en el reino del
prejuicio subjetivo.

—Pero, Emile —dijo Theo —, ¿qué haría la masa del pueblo
si se le quitara su "standard" de moralidad?

—La moralidad es como la religión —dijo a su vez Toulouse-
Lautrec—, un soporífero para cerrar los ojos de la gente a la fealdad de su vida.

—Tu amoralidad no es otra cosa que anarquismo, Zola —dijo
Seurat—, anarquismo nihilista. Ya se ha tratado de emplearlo otras
veces sin resultado.

—Naturalmente tenemos que tener ciertos códigos —convino
Zola—. El bienestar público necesita sacrificios individuales. Yo
no objeto a la moralidad sino al pudor que escupe sobre el Olympia y quiere suprimir a Maupassant. Dejemos que cada cual duerma con quien quiera; hay una moralidad más alta que todo eso.

—Abandonaremos la ética por un momento y volvamos a la
inmoralidad en el arte —dijo Vincent—. Nadie jamás ha calificado
mis pinturas de obscenas, pero me acusan invariablemente de una
inmoralidad más grande: de fealdad.

—Sí, para el público esa es la esencia de la nueva moralidad,
—convino Gaugin—. ¿No vieron cómo el "Mercure de France"
nos llama este mes? Los cultores de la fealdad

—La misma crítica me hacen a mí, —dijo Zola—. El otro día,

una condesa me decía: "Mi querido señor Zola, ¿por qué un hombre de su extraordinario talento se ocupa de remover piedras para ver los insectos asquerosos que viven allí abajo?"

Lautrec tomó un recorte de diario de su bolsillo.

—Escuchen lo que un crítico dijo sobre mis telas expuestas en el último Salón de los Independientes: "Puede reprocharse a Toulosse-Lautrec el placer con que representa a la alegría trivial, a la diversión burda y a los personajes más bajos. Parece ser insensible a la belleza de las facciones, a la elegancia de la forma y a la gracia del movimiento. Es verdad que pinta con verdadero amor los seres deformes y repulsivos, pero ¿a qué sirve tal perversión?

—Sombras de Frans Hals —murmuró Vincent.

—Y tiene razón —dijo Seurat—. Si ustedes no están pervertidos, al menos están en mal camino. El arte trata de cosas abstractas como el color, el dibujo y el tono. No debiera emplearse para mejorar las condiciones sociales o para buscar la fealdad. La pintura debería ser como la música, estar divorciada del mundo de todos los días.

—Víctor Hugo falleció el año pasado —dijo Zola—, y con él ha muerto toda una civilización. Una civilización de gestos amables, de romance, de mentiras ingeniosas y de evasiones sutiles. Mis libros pertenecen a la nueva civilización, a la civilización sin moral del siglo XX. Y lo mismo sucede con las pinturas de ustedes. Bougureau aun arrastra sus huesos por París, pero se enfermó el día en que Edouard Manet exhibió su "Pic-nic sobre el pasto" y murió el día en que Manet terminó "Olympia". Es cierto que Manet ya se fué, y también Daumier, pero aun tenemos a Degas, Lautrec y Gauguin para proseguir el trabajo emprendido por ellos.

—Y puedes agregar el nombre de Vincent Van Gogh a la lista —dijo Toulousse-Lautrec.

—Sí, y ponlo a la cabeza de la lista —dijo Rousseau.

—Perfectamente —asintió Zola sonriendo—. Vincent, ha sido usted nombrado para el culto de la fealdad. ¿Acepta el nombramiento?

—¡Ay! —dijo el aludido—. Creo que he nacido en él.

—Formulemos nuestro manifiesto, caballeros, —dijo Zola—. Primero, consideramos bella toda verdad, por más horrible que sea. Aceptamos todo de la naturaleza, sin repudio alguno. Creemos que existe más belleza en una cruda verdad que en una linda mentira, más poesía en la tierra que en todos los salones de París. Creemos que el dolor es bueno porque es el más profundo de todos los sentimientos humanos. Creemos que el sexo es hermoso, aunque esté representado por una prostituta y un cualquiera. Colocamos al carácter por encima de la fealdad, el dolor por encima de la belleza y la cruda realidad por encima de todas las riquezas de Francia. Aceptamos la vida en su integridad, sin hacer juicios morales. Creemos que una prostituta vale tanto como una condesa, que un conserje vale tanto como un general o un campesino tanto como un ministro de gabinete, pues cada cual encaja en el patrón de la naturaleza y forma parte de la trama de la vida.

—¡Levantemos nuestros vasos, señores! —exclamó Toulousse-Lautrec—. Bebamos a la amoralidad y al culto de la fealdad. ¡Qué éstos embellezcan y vuelvan a crear el mundo!

EL "PERE TANGUY"

A principio de junio, Theo y Vincent se mudaron a su nuevo departamento de la calle Lepic, 54, Montmartre. La casa quedaba a poca distancia de la Rue Laval. Ocupaban un departamento del tercer piso, de tres habitaciones, un gabinete y una cocina. El living-room era confortable y lo amueblaron con los hermosos muebles estilo Luis Felipe, de Theo. El joven tenía un arte especial en hacer agradable cualquier ambiente. Su dormitorio quedaba al lado del living y Vincent dormía en el gabinete detrás del cual se encontraba su estudio, en una habitación bastante espaciosa y con una amplia ventana.

—Ya no necesitarás trabajar en lo de Corman, Vincent, —le dijo su hermano mientras arreglaban el departamento.

—No, a Dios gracias. Sin embargo, necesitaría hacer todavía algunos desnudos.

Theo colocó el sofá en un ángulo y observó el efecto que producía.

—Hace tiempo que no has trabajado en color, ¿verdad? —preguntó.

—Así es.

—¿Y por qué?

—¿Y para qué lo haría? Mientras no sepa mezclar convenientemente los colores..., ¿dónde quieres que coloque este sillón, Theo?

—¿Debajo de la lámpara o cerca de la ventana? Pero ahora que tengo un estudio propio...

A la mañana siguiente, Vincent se levantó con el sol, instaló su caballete en su estudio nuevo, colocó un pedazo de tela sobre un bastidor, sacó la paleta flamante que su hermano le había comprado y comenzó a ablandar sus pinceles. Cuando llegó la hora que Theo acostumbraba levantarse, preparó el café con leche y bajó a la panadería a comprar medias lunas.

Sentado frente a su hermano ante la mesita del desayuno, Theo notó la excitación que embargaba al joven.

—Y bien, Vincent — le dijo—, hace tres meses que has estado en la escuela... No, no quiero significar la escuela de Corman, sino la escuela de París. Has visto toda la pintura más importante que se ha realizado en el mundo en estos últimos trescientos años, y ahora estás listo para...

Vincent empujó su taza sin terminar y se puso de pie bruscamente:

—Creo que empezaré...

—Siéntate y termina tu desayuno. Tienes tiempo. No tienes nada que te preocupe, nunca dejaré que te falten pinturas o telas. También quiero que te hagas arreglar la boca, pues necesitas estar en perfecta salud. Pero, por amor de Dios, trabaja despacio y con cuidado.

No digas disparates, Theo. ¿Acaso puedo yo hacer algo despacio y con cuidado?

Aquella noche, cuando Theo regresó a su casa encontró a su hermano exasperado. Había estado trabajando durante seis años bajo las condiciones más adversas, y ahora que todo se le aplanaba para él, debía confesar humildemente su impotencia.

Eran pasadas las diez cuando Theo pudo tranquilizarlo algo. Salieron a cenar afuera y poco a poco Vincent recobró su confianza, pero su hermano estaba pálido y deshecho por el esfuerzo.

Las semanas que siguieron fueron de verdadera tortura para ambos. Cuando Theo regresaba de la Galería encontraba infaliblemente a Vincent en uno de sus extraordinarios ataques de desesperación. La fuerte cerradura que había hecho colocar en la puerta de su dormitorio no servía para nada. Vincent permanecía sentado al pie de su cama hasta muy avanzada la madrugada, discutiendo constantemente, y cuando su hermano se dormía, lo despertaba sacudiéndolo de un brazo.

—Déjate de caminar de un lado para otro de ese modo —suplicó una noche Theo—. Y déjate de beber ese maldito ajenjo. No creas que es eso que ha convertido a Gauguin en un buen pintor. Y escúchame, tonto: debes aguardar lo menos un año antes de permitirte juzgar con ojo crítico tu trabajo. ¿A qué sirve enfermarte de desesperación? Cada día estás más delgado y nervioso. ¿Cómo pretendes trabajar bien en esas condiciones?

Llegó por fin el verano. El sol parecía quemar las calles. Todo París se instalaba en los cafés sobre las veredas de los grandes boulevares y permanecía allí hasta las dos de la madrugada ingiriendo bebidas heladas. La naturaleza esparcía sus bellezas por doquier y los árboles cubiertos de hojas formaban manchas verdes al borde del Sena.

Todas las mañanas. con su caballete a cuestas, Vincent partía en busca de algún rincón para pintar. Nunca había conocido un verano tan caluroso ni con tanto sol en su patria, y todos los colores le parecían más vívidos que en Holanda. Casi todas las noches llegaba al Entresol de Goupil a tiempo para participar de las discusiones que allí se mantenían.

Un día, Gauguin vino para ayudarle a mezclar sus colores.

—¿Dónde compras esos colores? —preguntó.

—Theo los adquiere al por mayor.

—Deberías surtirte en lo del Père Tanguy. Sus precios son los más bajos de París, y fía a los artistas cuando se encuentran sin dinero.

—¿Quién es ese Père Tanguy? Ya lo he oído nombrar antes.

—¿No lo conoces? ¡Vamos allí en seguida Tú y él son los dos únicos hombres que he conocido cuyo comunismo viene realmente del corazón. Ponte tu hermoso gorro de piel de conejo y vamos a la Rue Clauzel.

Mientras se dirigían allí, Gauguin le refirió la historia del Père Tanguy.

—Antes de venir a París fué yesero, luego trabajó en lo de Edouard como moledor de colores, después fué "concierge" de una casa en la Butte, y mientras su mujer cuidaba la casa, él vendía colores en el barrio. Así conoció a Pissarro, Monet y Cezanne, quienes simpatizaron con él, y poco a poco todos nosotros le compramos nuestras pinturas. Se unió a los comunistas durante la última insurrección y un día fué apresado y condenado a dos años de galeras, en Brest, pero nosotros conseguimos sacarlo de allí. Como

tenía algunos francos ahorrados abrió un negocito en la Rue Clauzel. Lautrec le pintó el frente en azul. Fué el primer hombre en
París que exhibió un cuadro de Cezanne, y desde entonces todos
hemos tenido nuestros cuadros en su negocio. No es que venda
ninguno, ah, no, el Père Tanguy es un gran amante del arte,
pero como es pobre no puede comprarse cuadros, entonces los
exhibe en su pequeño negocio y se siente feliz de vivir entre ellos.

—¿Quieres decir que aun recibiendo una buena oferta no vendería ninguno?

—Eso mismo. Acepta únicamente los cuadros que a él le agradan y una vez que están ahí resulta difícil volverlos a recuperar.
Un día que estaba yo allí, entró un señor muy bien vestido y después de admirar un Cezanne preguntó cuánto valía. Cualquier
otro comerciante de París hubiera estado encantado de venderlo
por sesenta francos. El Père Tanguy tomó el cuadro y lo miró
largo rato. Era una tela especialmente buena de Cezanne. "No
puedo dejárselo a menos de seiscientos francos" —dijo—. Naturalmente, el hombre partió sin comprar, y el Père Tanguy siguió
contemplando el cuadro con lágrimas en los ojos, como si lo hubiese salvado de un gran peligro.

—Y entonces, ¿a qué sirve exponer nuestro trabajo allí?

—El Père Tanguy es un tipo raro. Lo único que sabe de arte
es moler colores, y, sin embargo, posee un sentido infalible para
lo auténtico. Si te pide una de tus telas, entrégasela. Será tu ini-
ciación oficial en el Arte Parisino. Doblemos por aquí, ésta es la
Rue Clauzel.

La Rue Clauzel tenía sólo una cuadra y llevaba de la Rue
des Martyres a la de Henri Monnier. Había en ella infinidad de
pequeños negocios.

Cuando llegaron, el Père Tanguy estaba examinando unas estampas japonesas que comenzaban a hacer furor en París en ese
entonces.

—Père, he traído a un amigo, Vincent Van Gogh. Es un ardiente comunista.

—Me siento feliz en darle la bienvenida en mi negocio —
dijo el dueño con una voz suave, casi femenina.

Tanguy era un hombrecito con cara regordeta y ojos fieles
como los de un perro. Llevaba un sombrero ancho de paja que
tenía siempre encajado casi hasta los ojos.

—¿Es usted de verdad comunista, señor Van Gogh? —inquirió tímidamente.

—No sé lo que usted entiende por comunismo, Père Tanguy. Mi opinión es que cada cual debiera trabajar lo más posible en lo que más le agrade y obtener en cambio lo que necesita para vivir.

—Es muy sencillo, ¿verdad? —dijo riendo, Gauguin.

—Ah, Paul —repuso el Père Tanguy—. Usted ha trabajado en la Bolsa y sabe qué es el dinero que convierte a los hombres en animales.

—Sí, y la falta del dinero también.

—No, eso nunca, no es la falta de dinero, sino la falta de alimento.

—Tiene razón, Père Tanguy —asintió Vincent.

—Nuestro amigo Paul —prosiguió Tanguy—, desprecia a los hombres que ganan dinero, y nos desprecia a nosotros porque no lo ganamos. Sin embargo, prefiero pertenecer a esta última clase. Cualquier hombre que gasta para vivir más de cincuenta céntimos por día es un canalla.

—Entonces yo soy virtuoso por la fuerza —dijo Gauguin—. Père Tanguy, ¿quiere usted fiarme algunos colores? Ya sé que mi cuenta es ya grande, pero no puedo seguir trabajando al menos...

—Sí, Paul, le fiaré. Si yo tuviese un poco menos confianza en la gente y ustedes un poco más en mí, todo iría mejor. ¿Dónde está el nuevo cuadro que me prometió? Tal vez pueda venderlo y cobrarme así lo que me debe.

Gauguin guiñó un ojo a Vincent.

—Le traeré dos. Père, para que los cuelgue uno al lado del otro. Y ahora, si quiere darme un tubo de negro, uno de amarillo...

—¡Pague su cuenta antes de llevarse más pinturas!

Los tres hombres se volvieron simultáneamente. La señora de Tanguy cerró de un portazo la puerta de la trastienda y se adelantó hacia el negocio. Era una mujer pequeña y delgada de expresión dura y mirada penetrante. Se encaró con Gauguin.

—¿Cree usted que trabajamos para hacer la caridad a los demás? ¿Cree usted que podemos comer las ideas comunistas de Tanguy? ¡Pague su cuenta, bribón; de lo contrario llamaré a la policía!

Gauguin sonrió afablemente, como sabía hacerlo, y tomando la mano de la señora se la llevó galantemente a los labios.

—¡Ah, Xantipa, qué hermosa está usted esta mañana!

La señora de Tanguy no comprendía porqué Gauguin siempre la llamaba "Xantipa", pero le agradaba esa apelación y se sentía halagada.

—No crea que me va a usted a enternecer, bribón, —dijo. Paso mi vida moliendo colores y no estoy dispuesta a que usted me los robe.

—Mi preciosa Xantipa, no sea usted tan dura conmigo. Usted tiene el alma de una artista. Lo veo reflejado en su hermoso rostro...

La señora de Tanguy llevó su delantal a su cara, como para borrar de ella el alma de artista.

—¡Basta con un artista en la familia! —exclamó—. Supongo que ya les habrá expuesto su teoría de vivir con cincuenta céntimos diarios. Pero ¿de dónde sacaría esos cincuenta céntimos si yo no los ganara para él?

—Todo París habla de su encanto y de su habilidad, mi querida señora.

E inclinándose de nuevo volvió a besar la mano áspera.

—Bah, usted no es más que un pillo adulador —dijo la señora suavizándose—. Si quiere puede llevarse algunos colores por hoy, pero ¡no se olvide de pagar su cuenta!

—Como agradecimiento a tanta bondad, mi preciosa Xantipa, le pintaré su retrato... Algún día estará colgado en el Louvre y nos inmortalizará a ambos.

Oyóse la pequeña campanilla de la puerta del frente y apareció un señor.

—Esa naturaleza muerta que está en la vidriera, ¿de quién es? —inquirió.

—De Paul Cezanne.

—¿Cezanne? Nunca oí nombrarlo. ¿Está en venta el cuadro?

—Lo siento mucho, señor, pero...

La señora de Tanguy dió un empellón a su marido e intervino.

—Por cierto, señor, está en venta. ¿Verdad que es una naturaleza muerta magnífica? ¿Ha visto usted alguna vez manzanas semejantes? Se lo venderemos barato, señor, ya que a usted le agrada tanto.

—¿A cuánto?

—¿A cuánto, Tanguy? —repitió la señora con una ligera amenaza en la voz.

El pobre hombre tragó con dificultad y repuso:

—Trescien...

—¡Tanguy!

—Doscien...,

—¡TANGUY!

—Este..., cien francos.

—¿Cien? —repitió el cliente—. Es algo caro para un pintor desconocido. No pensaba gastar más de veinticnco francos.

La señora de Tanguy sacó el cuadro de la vidriera.

—Mire, señor —dijo—. Es un cuadro grande... Tiene cuatro manzanas. Cuatro manzanas valen cien francos, pero si usted sólo quiere gastar veinticinco francos, ¿por qué no se lleva una sola manzana?

El señor estudió la tela durante un momento, y dijo:

—Sí, tal vez podría hacer eso... Corte la tela por aquí y me llevaré esta manzana.

La señora de Tanguy corrió a buscar un par de tijeras y cortó la última manzana del cuadro. Envolvió la tela en un pedazo de papel y recibió los veinticinco francos en pago.

—¡Mi Cezanne favorito! —exclamó Tanguy desesperado una vez que el señor hubo partido—. ¡Lo había puesto a la vidriera para que la gente lo admirara y se sintiera feliz!...

La señora colocó el cuadro mutilado sobre el mostrador y dijo:

—Ya sabes, la próxima vez que un cliente quiera un Cezanne y no tenga mucho dinero, véndele una manzana. Acepta cualquier cosa que quieran darte, total no tienen valor, ¡pinta tantas manzanas! Y usted no se ría, Gauguin, lo mismo haremos con sus cuadros. Voy a descolgar todas esas horribles telas de las paredes y venderé sus espantosas mujeres desnudas a cinco francos cada una.

—Mi querida Xantipa —repuso éste—, es una verdadera lástima que nos hayamos encontrado demasiado tarde en la vida. Si usted hubiera sido mi compañera cuando yo trabajaba en la Bolsa, hoy seríamos dueños del Banco de Francia.

Cuando la señora se hubo retirado a la trastienda, el Père Tanguy preguntó a Vincent:

—Usted es pintor también, ¿verdad, señor? Espero que comprará sus colores en mi casa... Y tal vez quiera usted hacerme ver algunos de sus trabajos...

— Con mucho placer. Esas estampas japonesas son preciosas. ¿Están en venta?

—Sí. Desde que los hermanos Goncourt las coleccionan, se han puesto de moda. Están influenciando bastante a nuestros jóvenes pintores.

—Me agradan estas dos. Quiero estudiarlas. ¿Cuánto cuestan?

—Tres francos cada una.

—Las llevo. ¡Dios! Me olvidé que gasté mi último franco esta mañana. ¿Tienes seis francos, Gauguin?

—No seas ridículo, Vincent.

El joven depositó las estampas sobre el mostrador con evidente pesar.

—No puedo llevármelas, Père Tanguy.

El Père Tanguy colocó las dos estampas en las manos de Vincent, y mirándolo tímidamente dijo:

—Usted necesita esto para su trabajo. Le ruego que se las lleve. Me pagará otro día.

EL PEQUEÑO BOULEVARD

Theo decidió ofrecer una reunión para los amigos de Vincent. Prepararon cuatro docenas de huevos duros, compraron un barrilito de cerveza y gran cantidad de masas y bizcochos.

El humo de las pipas eran tan espeso en el living que cuando Gauguin movía su pesada figura de un lado a otro, hubiérase dicho que era un transatlántico que emergía de entre la niebla. Lautrec, encaramado sobre el brazo del sillón favorito de Theo, cascaba los huevos duros contra el respaldo del mismo y los pelaba con toda tranquilidad, dejando caer las cáscaras sobre la alfombra. Rousseau se hallaba excitadísimo y contaba con animación que había recibido una esquela perfumada de una dama pidiéndole una cita. Estaba tan excitado que repetía la historia sin cesar. Seurat había acaparado a Cezanne, y llevándole a la ventana trataba de explicarle una nueva teoría que se le acababa de ocurrir. Vincent sonreía mientras servía la cerveza del barril; festejaba los cuentos obscenos de Gauguin, trataba de adivinar, con Rousseau, quién sería la dama de la esquela perfumada, discutía con Lautrec respecto a la mayor o menor eficacia de los puntos o líneas para captar impresiones, y finalmente se dirigió a rescatar a Cezanne de las garras de Seurat.

En aquella habitación reinaba un tumulto infernal. Los hombres que allí se hallaban poseían todos vigorosas personalidades, eran feroces egoístas y vibrantes iconoclastas. Theo los llamaba monomaníáticos. Adoraban discutir, luchar, blasfemar, defender sus propias teorías y condenar todo lo demás. Sus voces eran fuertes y ásperas. Las cosas que abominaban en el mundo formaban legión. Una habitación veinte veces mayor que la de Theo hubiera resultado aún pequeña para contener las fuerzas dinámicas de esos pintores.

Toda esa turbulencia que excitaba a Vincent hasta tornarlo elocuente y entusiasta, producía un profundo dolor de cabeza a su hermano. Todo aquello era completamente opuesto a su naturaleza. Quería sinceramente a los hombres que se hallaban en esa habitación. ¿Acaso no era por ellos que había emprendido esa batalla interminable contra Goupil? Pero encontraba que sus personalidades fuertes y toscas no se avenían con su naturaleza tranquila. Theo tenía un carácter marcadamente femenino y delicado, lo que cierta vez dió oportunidad a Toulouse-Laustrec para observar con su humor vitriólico:

—Es una lástima que Theo sea el hermano de Vincent. Hubiera sido una magnífica esposa para él.

Para Theo resultaba tan desagradable vender los cuadros de Bouguereau como hubiera sido para Vincent pintarlos. Y sin embargo, los vendía, pues sabía que si así lo hacía, Valadon le permitiría exponer un Degas. Tenía esperanzas de persuadirlo más tarde a que le dejara colgar un Cezanne, un Gauguin o un Lautrec, y, finalmente, tal vez algún día un Vincent Van Gogh...

Echó una última mirada a aquel ambiente abigarrado y lleno de humo y salió sin ser visto a tomar un poco de aire.

Gauguin estaba discutiendo con Cezanne. En una mano sostenía un huevo duro y un brioche y en la otra un vaso de cerveza. Se jactaba de ser el único hombre en París capaz de beber cerveza con una pipa en la boca.

—Tus cuadros son fríos, Cezanne —gritaba—. Terriblemente fríos. Nada más que de mirarlos me dan escalofríos. No hay una pizca de emoción en los kilómetros de tela que has pintado.

—No trato de pintar emoción —retrucó Cezanne—. Dejo eso para los novelistas. Me limito a pintar manzanas y paisajes.

—No pintas emoción porque no puedes. Pintas con los ojos; eso es lo que haces.

—¿Y con qué pintan los demás?

—Con toda clase de cosas —repuso Gauguin echando un vistazo a su alrededor—. Lautrec pinta con su *spleen*. Vincent con su corazón. Seurat pinta con su cerebro, lo que resulta casi tan malo como pintar con los ojos. Y Rousseau pinta con su imaginación.

—¿Y con qué pintas tú, Gauguin?

—¿Quién? ¿Yo? No sé. Nunca lo pensé.

—Yo se los diré —dijo Lautrec—. ¡Pinta con su genital!

Cuando las carcajadas que recibieron estas palabras se hubieron apagado, Seurat, encaramado sobre el brazo de un diván, gritó:

—Pueden burlarse todo lo que quieran de un hombre que pinta con su cerebro, pero gracias a eso es que he descubierto el modo de hacer nuestra pintura doblemente efectiva.

—¿Tendremos que volver a oír ese cuento otra vez? —se lamentó Cezanne.

—¡Cállate, Cezanne! Gauguin, siéntate en algún lado y quédate tranquilo. Y tú, Rousseau, acaba de una vez con tu historia de la esquela perfumada. Lautrec, pásame un huevo, y tú, Vincent, una brioche. ¡Y ahora, escuchen todos!

—¿Qué sucede, Seurat? Nunca te he visto tan excitado desde el día en que aquel individuo escupió sobre tu cuadro en el Salón de los Rehusados...

—¡Escuchen! ¿Qué es la pintura hoy en día? Luz. ¿Qué clase de luz? Luz graduada. Puntos de color deslizados unos en los otros...

—Eso no es pintura; es "pointillismo"...

—¡Por amor de Dios, Georges! ¿Vuelves a molestarnos de nuevo con tu intelectualismo?

—¡Cállense! Pintamos un cuadro; luego, ¿qué hacemos? Lo entregamos a algún idiota que lo coloca en un horrible marco dorado, matando así hasta el último efecto de nuestra pintura. Lo que quiero proponerles ahora es no abandonar jamás ninguna de nuestras obras hasta haberle puesto el marco adecuado que formará una parte integral de la pintura.

—Pero, Seurat, te conformas con poco. Todos los cuadros

deben colgarse en una habitación. Y si esa habitación no es del color apropiado estropeará por completo el cuadro y el marco.

—Tienes razón; ¿por qué no pintaríamos la habitación para que concuerde con el marco?

—Es una buena idea —repuso Seurat.

—¿Y qué me dicen de la casa en la cual está la habitación?

—¿Y la ciudad en la que se encuentra la casa?

—¡Oh, Georges, tienes las ideas más diabólicas!

—Eso es lo que sucede cuando se pinta con el cerebro.

—Si ustedes, idiotas, no pintan con sus cerebros, es porque carecen de él.

—¿Por qué están riñendo siempre? —inquirió Vincent—. ¿Por qué no tratan más bien de trabajar juntos?

—Tú que eres el comunista del grupo —dijo Gauguin—, dinos a qué arribaríamos si trabajáramos juntos.

—Perfectamente; se los diré —repuso Vincent introduciéndose en la boca la yema entera de un huevo duro—. He estado pensando en ello. Somos unos desconocidos: Monet, Degas, Sisley y Pissarro han abierto el camino por el cual debemos pasar. Han sido aceptados y su trabajo es expuesto en las Galerías más importantes. Ellos son los pintores de los grandes boulevares, pero nosotros podemos ser los de las calles adyacentes de los pequeños Boulevares. ¿Por qué no exponemos nuestras obras en los pequeños restaurantes? ¿En las fondas de los trabajadores? Cada uno de nosotros podría contribuir, digamos, con cinco telas. Y todas las noches cambiaríamos de lugar y venderíamos nuestras obras al precio que pudieran pagarnos por ellas los trabajadores. Esta combinación tendría doble ventaja, pues no solamente nos permitiría exponer constantemente nuestro trabajo ante los ojos del público. sino que haría posible a los obreros de París admirar y comprar hermosas obras de arte por casi nada.

—¡Pero esto es magnífico! —exclamó Rousseau con sus ojos grandes abiertos de entusiasmo.

—Necesito un año para terminar una tela —gruñó Seurat—. ¿Se creen que consentiré en venderla a un carpintero cualquiera por unos céntimos?

—Podrías contribuir con estudios pequeños.

—¿Y si los restaurantes no aceptan nuestros cuadros?

—Los aceptarán. No les costará nada y contribuirá a embellecer sus salas.

—¿Cómo podríamos llevar a cabo esta idea? ¿Quién se encargaría de buscar los restaurantes?

—Ya lo he pensado —dijo Vincent—. Nombraremos al Père Tanguy nuestro empresario. Él nos encontrará los restaurantes, colgará los cuadros y cobrará cuando se vendan.

—¡Tienes razón! ¡Es el hombre apropiado!

—Rousseau, sé bueno; vete a lo del Père Tanguy. Dile que lo necesitamos para un asunto importante.

—Pueden descartarme de este asunto —dijo Cezanne.

—¿Qué te pasa? ¿Temes acaso que tus hermosos cuadros sean mancillados por los ojos de los trabajadores?

—No es eso. Es que regreso a Aix para fin de mes.

—Prueba al menos una vez, Cezanne —rogó Vincent—. Si no resulta, no pierdes nada.

—Bien; como quieras.

—Y cuando terminemos con los restaurantes, seguiremos con las casas públicas —dijo Lautrec—. Conozco a las dueñas de casi todas las de Montmartre. Tienen una clientela mejor de lo que muchos suponen, y podríamos conseguir precios más altos.

En eso llegó Père Tanguy agitadísimo. Rousseau le había dicho cuatro palabras del plan y estaba lleno de entusiasmo. Cuando le hubieron explicado detalladamente lo que querían, exclamó:

—Sí, sí; conozco precisamente un lugar donde podremos hacer nuestra primera exhibición. Se trata del Restaurant Norvin. El dueño es amigo mío. Los muros de su salón están desnudos y estoy seguro que aceptará que los adornemos. Cuando terminemos allí, conozco otro restaurante en la Rue Pierre. ¡Hay miles de de restaurantes en París!

—¿Y·cuándo se llevará a cabo la primera exposición del Club del Pequeño Boulevard? —inquirió Gauguin.

—¿A qué esperar? —repuso Vincent—. Empecemos mañana.

Tanguy se quitó su sempiterno sombrero de paja, se rascó la cabeza y se lo volvió a colocar.

—Eso es, eso es: mañana. Tráiganme sus cuadros por la mañana y yo los colgaré por la tarde en el restaurante Norvin. Y cuando los clientes lleguen a cenar, causaremos sensación. ¡Venderemos los cuadros como pan! ¿Qué es lo que me dan? ¿Cerveza? ¡Bien! Señores, bebamos por el Club Comunista de Arte del Pequeño Boulevard. ¡Que su primera exposición sea todo un éxito!

ARTE PARA LOS TRABAJADORES

A la tarde siguiente, el Père Tanguy llamó a la puerta del departamento de Vincent.

—No podemos exhibir en lo de Norvin, a menos que nos comprometamos en ir a comer allí —dijo—; ya avisé a los demás.

—Perfectamente —repuso Vincent.

—Los otros también están de acuerdo. Recién a las cuatro y media podremos empezar a colgar los cuadros. ¿Puede usted encontrarse a las cuatro en mi negocio? Pensamos ir todos juntos al restaurant.

—Estaré sin falta allí.

Cuando Vincent llegó al negocio pintado de azul de la Rue Clauzel, el Père Tanguy ya se hallaba cargando las telas sobre un carro de mano, mientras los pintores fumaban en el local y discutían acerca de las cualidades de las estampas japonesas.

—¡Vamos! —gritó Tanguy—. ¡Ya está todo listo!

—¿Puedo ayudarle a empujar el carro, Père? —preguntó Vincent.

—¡No! ¡Yo soy el empresario!

Comenzó lentamente a empujar el carrito calle arriba mientras los pintores seguían detrás de dos en dos. Primero venían Gauguin y Lautrec, que se complacían en estar juntos siempre que podían, divirtiéndoles el contraste que formaban con sus figuras tan distintas. Luego caminaban Seurat y Rousseau, este último excitadísimo por una segunda carta perfumada que acababa de recibir esa tarde, y por último caminaban Vincent y Cezanne, serios y dignos.

—Oye, Père Tanguy —gritó Gauguin de pronto—, ese carro debe ser pesadísimo, cargado como está con obras inmortales. Déjame ayudarte a empujarlo.

—De ninguna manera —repuso Tanguy—. ¡Yo soy el portaestandarte de esta revolución y no cedo mi lugar a nadie!

Formaban un conjunto verdaderamente extraordinario aquellos artistas caprichosamente vestidos que caminaban por el medio de la calzada detrás de aquel carrito de mano. Los transeúntes los miraban asombrados, pero a ellos no se les importaba, y seguían charlando con animación.

—Vincent —exclamó Rousseau—, ¿te he contado que he recibido otra carta perfumada esta tarde?

Corrió al lado del joven y comenzó a narrarle el asunto de las cartas perfumadas, presa de gran entusiasmo. Cuando hubo terminado, volvió a reunirse con Seurat, y Lautrec llamó a Vincent.

—¿No sabes quién es la dama de Rousseau? —dijo.

—No. ¿Cómo lo sabría?

—¡Es Gauguin! —dijo riéndose—. Le está tomando el pelo a Rousseau; el pobre nunca tuvo una mujer. Gauguin piensa mandarle cartas perfumadas durante un par de meses y luego darle una cita. Se vestirá de mujer y se encontrará con Rousseau en una de las casas de Montmartre. Nos avisará para que los espiemos desde una pieza vecina. ¡Será algo estupendo ver a Rousseau hacer el amor por primera vez!

—Eres un malvado, Gauguin.

—Vamos, Vincent —repuso éste—, no seas tan severo. A mí me parece una broma excelente.

Por fin llegaron al restaurant Norvin. Era un lugar modesto, pintado por fuera de amarillo y por dentro de azul claro. Había unas veinte mesas cubiertas por manteles a cuadros rojos y blancos, y en el fondo, cerca de la cocina, estaba un mostrador donde reinaba el dueño.

Durante más de una hora los pintores discutieron ferozmente para decidir la colocación de los cuadros. Tanguy estaba desesperado, y el dueño del restaurant comenzaba a impacientarse, pues se acercaba la hora de la cena y el local se hallaba hecho un caos. Seurat se oponía a que colgaran sus cuadros sobre aquellas paredes azules, alegando que ese color mataba el tono de sus cielos. Cezanne protestaba, no queriendo permitir que sus naturalezas muertas fuesen colocadas al lado de "los miserables cartelones" de Lautrec, y Rousseau estaba ofendido porque querían colocar sus obras en el muro que daba a la cocina. Lautrec insistió para que colgasen una de sus telas más grandes en el water-closet.

—Ese es el momento más contemplativo del día de un hombre —decía.

No sabiendo qué hacer, el Père Tanguy se acercó a Vincent.

—Tome estos dos francos —díjole—, y añada algo más si puede, e invite a todos a tomar una copa en el bar de enfrente. Si pudiese tener quince minutos de tranquilidad, terminaría de arreglar todo en seguida.

El ardid surtió efecto, y cuando los artistas regresaron, todos los cuadros estaban colgados. Dejaron de reñir y se instalaron en una larga mesa cerca de la entrada. El Père Tanguy había colocado varios carteles que decían: "Estos cuadros están en venta. Precios módicos. Dirigirse al dueño del restaurant".

Eran las cinco y media y la cena se servía a las seis. Los artistas estaban nerviosísimos, y cada vez que la puerta se abría todos dirigían sus miradas hacia ella.

—Mira a Vincent —murmuró Gauguin al oído de Seurat—. Está tan nervioso como una prima donna un día de estreno.

—Oye, Gauguin —dijo Lautrec—, te apuesto el precio de la cena a que yo vendo un cuadro antes que tú.

—Aceptado.

—Cezanne, a ti te apuesto tres contra uno...

Era otra vez Lautrec quien había hablado. Cezanne se puso rojo bajo el insulto y todos se rieron de él.

—Ya saben —dijo Vincent—; el único que se ocupará de la venta es el Père Tanguy. Ninguno de nosotros debe intervenir.

—Pero, ¿por qué no vendrán los clientes? —se impacientó Rousseau.

A medida que las manecillas del reloj se acercaban a las seis, los seis hombres se tornaban de más en más nerviosos. Ya no apartaban sus miradas de la puerta de entrada y una profunda tensión se había adueñado de ellos.

—Ni siquiera cuando expuse mi cuadro en los Independientes ante los ojos de los críticos de París, me sentí así —murmuró Seurat.

—Fíjense —murmuró Rousseau de pronto —, ese hombre que está cruzando la calle... Debe ser un cliente.

Pero el hombre siguió de largo sin detenerse en el restaurant. El reloj dió las seis campanadas, y por fin la puerta se abrió, entrando un obrero. Estaba pobremente vestido y parecía cansado.

—Ahora veremos —murmuró Vincent.

El trabajor se dirigió hacia una mesa del otro lado del salón, seguido por los seis pares de ojos. Se quitó el gorro y tomó asiento, comenzando a estudiar el menú, y poco después empezó a comer su sopa sin siquiera levantar la vista.

—Es extraño —murmuró Vincent.

Entraron dos trabajadores más, y después de dar las buenas tardes al dueño, instaláronse frente a una mesita y se enfrascaron en una discusión acalorada. Poco a poco el salón comenzó a llenarse. Vinieron también algunas mujeres. Cada cual parecía tener su mesa acostumbrada. Lo primero que hacían era consultar el menú, y cuando les servían, comían con tanto ardor que se olvidaban de todo lo que les circundaba, y no elevaban la vista para nada. Después de la cena encendían sus pipas y charlaban entre ellos o bien leían los diarios vespertinos.

—¿Desean los señores que les sirvan? —inquirió el mozo a los pintores a eso de las siete.

Nadie le contestó y el mozo tuvo que retirarse. En eso entró un hombre y una mujer. Al colocar su sombrero en la percha, el hombre notó uno de los tigres de Rousseau en medio de su jungla fantástica. Con un gesto designó el cuadro a su compañera. En la mesa de los pintores todos contuvieron el aliento, y Rousseau casi se puso de pie. La mujer dijo algo en tono bajo y se rió, y luego tomaron asiento y comenzaron a devorar el menú con los ojos.

A las ocho menos cuarto el mozo sirvió la sopa a los artistas, pero nadie la tomó. Cuando se hubo enfriado, trajo el plato del día. Lautrec se entretuvo en hacer dibujos con el tenedor en el jugo grasiento. Sólo Rousseau tuvo el coraje de comer; los demás se contentaron con vaciar sus copas de vino tinto. Hacía un calor sofocante en ese restaurant, lleno del tufo de la comida y del olor a sudor de los trabajadores que habían transpirado durante su rudo trabajo.

Uno por uno de los clientes pagaron sus adiciones, y después de dar las buenas noches al dueño se retiraron.

—Lo siento —dijo el mozo—, pero son las ocho y media y es hora de cerrar el negocio.

El Père Tanguy descolgó los cuadros y los acomodó de nuevo en el carro, empujando éste lentamente hacia su casa mientras caía el crepúsculo.

LA COLONIA DE ARTE COMUNISTA

El espíritu del viejo Goupil y del Tío Vincent Van Gogh
habíase desvanecido para siempre de las Galerías. En su lugar
existía la política de vender cuadros como si se tratara de cualquier otra mercancía, tal como zapatos o arenques. Theo se veía
constantemente asediado para que vendiera a los más altos precios telas sin valor alguno.

—¿Y por qué no abandonas la casa Goupil? —le repetía sin
cesar Vincent.

—Las otras casas son iguales —contestaba su hermano—. Además, hace tiempo que estoy con ellos, y es mejor que no cambie.

—¡Debes cambiar, Theo! Insisto sobre ello. Cada día pareces
más triste. No te preocupes por mí, pues ya me arreglaré. Escucha, eres el más conocido y más apreciado de los jóvenes comerciantes de arte de París; ¿por qué no instalas un negocio propio?

—Te lo ruego, no vuelvas a empezar —repuso su hermano
con cansancio.

—Tengo una idea maravillosa, Theo; instalemos un negocio
comunista de arte. Nosotros te daremos nuestros cuadros y todo
el dinero que recibas por ellos nos servirá para vivir en comunidad.
Nos será fácil reunir algunos francos para abrir un negocito en
París, y alquilaremos una gran casa en el campo donde viviremos
y trabajaremos todos juntos. El otro día, Portier vendió un Lautrec y el Père Tanguy vendió varios Cezannes. Estoy seguro que
atraeríamos a los jóvenes compradores de París, y te aseguro que
no necesitaríamos mucho dinero para vivir en esa casa en el campo. Viviríamos todos juntos sencillamente en lugar de tener cada
cual nuestra instalación en París.

—Vincent, me duele terriblemente la cabeza. ¿Quieres dejarme dormir?

—No; podrás dormir el domingo. Escúchame, Theo: ¿dónde
vas? Bien, desvístete si quieres, pero seguiré hablándote. Me sentaré a la cabecera de tu cama. Ya que tú no te sientes a gusto
en lo de Goupil y que todos los jóvenes pintores de París están
dispuestos a unirse, podremos reunir un poco de dinero y...

A la noche siguiente, Vincent llegó con el Père Tanguy y con
Lautrec.

Theo había esperado que su hermano pasaría la velada afuera.

—Señor Van Gogh, señor Van Gogh —exclamó el Père Tanguy—, es una idea maravillosa. Usted nos debe ayudar. Yo abandonaré mi negocio y me iré al campo con los pintores. Les moleré los colores, les armaré las telas sobre los bastidores...; lo único que pediré en cambio es casa y comida.

—¿Y de dónde sacaremos el dinero para iniciar este proyecto? —preguntó Theo dejando el libro que estaba leyendo—. Se necesita dinero para abrir un negocio, alquilar una casa y dar de comer a la gente.

—¡Aquí lo traje conmigo! — exclamó el Père Tanguy—. Son doscientos veinte francos. ¡Todas mis economías! Tómelas, señor Van Gogh.

—Lautrec, usted que es un hombre sensato, ¿qué dice de te los estos desatinos?

—Que es una idea macanuda. En lugar de luchar cada cual por nuestro lado, podríamos presentar un frente único...

—Perfectamente; usted es rico; ¿nos ayudará?

—Ah, no. Si tiene que ser una colonia subvencionada, perderá su efecto. Contribuiré con doscientos veinte francos, como el Père Tanguy.

—¡Es una idea tan descabellada! ¡Si ustedes supieran lo que son los negocios!

—Mi querido señor Van Gogh —insistió el Père Tanguy tomándole la mano—, le ruego que no trate esa idea de descabellada. Es magnífica! ¡Insistimos todos para que nos ayude!

—No te puedes zafar, Theo —dijo Vincent—. Conseguiremos más dinero y te nombraremos nuestro director. Puedes decir adiós a Goupil. Ahora serás el gerente de la Colonia Comunista de Arte.

Theo se pasó una mano sobre los ojos.

—No puedo imaginarme cómo podría manejar una sarta de salvajes como ustedes.

Cuando el joven regresó a su casa a la tarde siguiente, la encontró totalmente ocupada por los pintores. La atmósfera estaba llena de humo de sus pipas y cigarros, y todos hablaban a un tiempo. Vincent, sentado sobre la frágil mesa del centro, presidía la reunión.

—No, no —gritaba—, no habrá paga. No veremos para nada el dinero. Theo venderá nuestros cuadros y nosotros recibiremos en cambio, casa, comida e implementos de trabajo.

—¿Y qué haremos con los hombres cuyos cuadros no se vendan? —inquirió Seurat—. ¿Cuánto tiempo los vamos a mantener?

—Todo el tiempo que quieran permanecer con nosotros trabajando.

—Magnífico —gruñó Gauguin—. No tardarán en llegar a nuestra casa todos los aficionados de Europa...

—¡Aquí está el señor Van Gogh! —exclamó el Père Tanguy advirtiendo la presencia de Theo—. ¡Un viva para nuestro director!

—¡Viva! ¡Viva! —gritaron todos.

La agitación era indescriptible. Rousseau quería saber si podía seguir dando lecciones de violín en la colonia. Anquetin dijo que debía tres meses de alquiler, y que convenía que encontraran la casa cuanto antes para poder mudarse. Cezanne insistía en que los que poseían dinero fuesen autorizados a gastarlo, a lo que contestó Vincent con energía:

—¡De ninguna manera! ¡Eso arruinaría nuestro comunismo! Todos debemos vivir del mismo modo.

Lautrec quería saber si sería permitida la entrada de mujeres a la casa, y Gauguin insistía en que cada cual debía comprometerse a contribuir lo menos con dos telas por mes.

—Entonces no me uniré a ustedes —gritó Seurat—. Sólo puedo terminar una tela importante por año.

—¿Y tendré que dar la misma cantidad de pinturas y de telas por semana a cada uno? —preguntó el Père Tanguy.

—No —contestó Vincent—. Se entregará a cada cual lo que necesite, ni más ni menos. Lo mismo que para la comida.

—¿Y si hay excedente de dinero? ¿Quién gozará de los beneficios?

—Nadie —repuso Vincent—. En cuanto tengamos algún dinero de más, abriremos una casa en Bretaña y luego otra en Provence. Pronto tendremos casas en todo el país y podremos ir de una a otra.

—¿Y los pasajes de ferrocarril? ¿Se pagarán con los beneficios?

—¿Y cuánto podrá viajar cada cual? ¿Quién decidirá de todo eso?

—Y si hay demasiados pintores en una casa durante el buen tiempo, ¿quién tendrá que quedarse en el clima frío?

—Theo, Theo, usted es nuestro director; decida estas cuestiones. ¿Podrá afiliarse cualquiera a nuestra sociedad? ¿Habrá algún límite para sus miembros? ¿Tendremos que pintar de acuerdo con algún sistema determinado? ¿Nos facilitarán modelos?

Recién al amanecer terminó la reunión. Los inquilinos del piso bajo estaban cansados de golpear el techo con escobas y cepillos en demanda de silencio. Theo se acostó alrededor de las cuatro, pero Vincent, el Père Tanguy y algunos de los más entusiastas se reunieron en torno de su lecho para suplicarle que dejara la casa Goupil a fin del mes.

A medida que pasaban las semanas la agitación aumentaba en intensidad. El mundo artístico de París se hallaba dividido en dos campos. Los pintores aceptados se referían a los hermanos Van Gogh tratándolos de locos.

Vincent hablaba y trabajaba furiosamente día y noche. ¡Había tantos detalles que poner a punto! La ubicación del local, la fijación del precio de los cuadros, cuáles serían los pintores que formarían parte de la comunidad, quién administraría la casa de la colonia y en qué forma. Theo, casi a pesar suyo, poco a poco se veía ganado por la excitación febril. Su departamento de la Rue Lepic estaba invadido noche tras noche por los artistas entusiastas. Los reporteros no tardaron en aparecer, así como los críticos de arte que venían a discutir el nuevo movimiento. Pintores de toda Francia acudían a París para incorporarse a la nueva sociedad.

Si Theo era el soberano, Vincent era el organizador real. Redactó infinidad de proyectos, constituciones, presupuestos, reglamentos, manifiestos para los periódicos y panfletos destinados a informar a la Europa entera del propósito de la Colonia Comunista de Arte.

Estaba tan ocupado que se olvidaba de pintar.

La organización logró reunir casi tres mil francos. Los pintores contribuían con todo lo que podían. Organizaron una feria callejera en el Boulevard Clichy, y cada artista se encargó de vender sus propias obras. Llegaban cartas de toda Europa y algunas contenían billetes de banco destinados a la colonia. Las personas amantes del arte concurrían al departamento, y, contagiados por el entusiasmo reinante, dejaban su aporte en la caja general. Vin-

cent era secretario y tesorero a un tiempo. Su hermano insistía
en que debían reunir por lo menos cinco mil francos antes de
iniciar la realización del proyecto. Había encontrado un negocio
en la Rue Tronchet, cuya situación le pareció conveniente y Vincent descubrió una magnífica mansión antigua en el bosque de
St. Germain, en Laye, que podía obtenerse por una bagatela. Día
a día aumentaban los cuadros que los pintores enviaban al departamento de la Rue Lepic, hasta que literalmente no hubo lugar
para moverse en él. Cientos y cientos de personas entraban y salían de aquel departamento. Discutían, reñían, blasfemaban, comían, bebían y gesticulaban frenéticamente, a tal punto que Theo
recibió orden del propietario de desalojar el departamento.

Al final del primer mes los muebles Luis Felipe estaban des-
trozados.

Vincent no tenía tiempo de pensar siquiera en su paleta.
Tenía que escribir cartas, entrevistar una cantidad de personas y
ganar para la causa a todo pintor que encontraba. Hablaba tanto
que estaba completamente afónico. Una afiebrada energía se reflejaba en su mirada. Comía cuando podía, y casi nunca encontraba tiempo para dormir. Estaba constantemente en movimiento.

A principios de la primavera ya habían reunido los cinco mil
francos. Theo pensaba presentar su renuncia a la casa Goupil
para principios de mes. Habíase decidido a alquilar el local de la
Rue Tronchet, y Vincent acababa de depositar una pequeña suma a fin de retener la casa de St. Germain. Theo, Vincent, el
Père Tanguy, Gauguin y Lautrec confeccionaron juntos la lista
de los miembros con los cuales se abriría la colonia, y Theo, por
su parte, eligió del montón de cuadros que le habían remitido,
aquellos que pensaba exponer en su primera exhibición. Rousseau
y Antequin tuvieron una violenta discusión para saber cuál iba
a decorar el interior del negocio y cuál el exterior. Theo ya se
había acostumbrado a no dormir, y esto ya no le molestaba. Estaba tan entusiasmado como lo había estado Vincent al principio, y trabajaba febrilmente a fin de que la Colonia pudiese inau-
gurarse para el verano. Discutía largamente con su hermano para
decidir si la segunda casa se instalaría sobre el Atlántico o sobre
el Mediterráneo.

Una mañana Vincent se acostó alrededor de las cuatro, completamente aniquilado. Theo no lo despertó, dejándolo dormir
hasta mediodía. Cuando se levantó se sintió renovado. Anduvo de

un lado para otro en su estudio y se detuvo ante el caballete sobre el cual se hallaba un cuadro empezado desde hacía varias semanas y cubierto de polvo. La pintura sobre la paleta estaba seca y duros los pinceles. Una voz interior parecía preguntarle: "Vincent, ¿eres pintor u organizador comunista?"

Tomó las pilas de cuadros de todas clases que se amontonaban por todos lados y los llevó sobre la cama de su hermano, dejando en su estudio únicamente sus pinturas. Unas tras otra las colocó sobre el caballete observándolas con detenimiento.

Sí, había hecho progresos. Lentamente, muy lentamente, su colorido se había aclarado. Ya no imitaba; ya no se notaba en ellos la influencia de sus compañeros. Por primera vez advirtió que su técnica era muy personal, muy distinta de todo lo que había visto hasta entonces. No sabía cómo había logrado semejante resultado. El impresionismo se había filtrado en su propia naturaleza dando por resultado un nuevo medio de expresión.

Colocó sobre el caballete su cuadro más reciente. Y casi lanzó una exclamación de alegría. Sus pinturas comenzaban a denotar un método definido, propio.

El descanso de las últimas semanas le permitió observar con más clarividencia su obra. No cabía duda de que había desarrollado una técnica impresionista muy particular.

Se miró al espejo. Su barba necesitaba arreglo, su cabello estaba demasiado largo, su camisa y sus pantalones parecían casi harapos. Planchó su traje, se puso una camisa limpia de Theo, tomó un billete de cinco francos de la caja de la Colonia, y se dirigió al barbero. Cuando estuvo listo fué a ver a su hermano a la Casa Goupil.

—Theo —le dijo—, ¿puedes venir conmigo un momento?

—¿Qué sucede? —inquirió éste extrañado.

—Toma tu sombrero —repuso Vincent—, y vayamos a un café donde nadie pueda molestarnos.

Una vez que estuvieron instalados frente a una mesita en un rincón, Theo dijo:

—¿Sabes, Vincent, que ésta es la primera vez que puedo hablarte a solas desde hace un mes?

—Lo sé, Theo. Creo que he sido un imbécil.

—¿Qué quieres decir?

—Hermano mío, dime con franqueza: ¿soy pintor o soy un organizador comunista?

—Pero, ¿qué quieres decir? —repitió Theo.

—He estado tan atareado organizando esa colonia que no he tenido tiempo para pintar. Y cuando la colonia esté inaugurada jamás dispondré de un momento para mi arte. Theo, ¡lo que yo quiero es pintar! No he luchado durante estos siete años para terminar siendo organizador de una casa para otros pintores. ¡Estoy hambriento de pintura! Tan hambriento que sería capaz de tomar el primer tren que sale de París e irme donde pudiera estar tranquilo para pintar.

—Pero Vincent, después de todo lo que hemos...

—Ya te dije que he sido un imbécil. ¿Me permites que te confiese algo?

—¿Qué?

—Que estoy harto de los demás pintores. Estoy cansado de su charla, de sus teorías, de sus interminables disputas. No, no sonrías; sé que he tomado buena parte en ellas. He ahí justamente el punto. Mauve solía decir: "Un hombre puede pintar o hablar de pintura, pero no puede hacer ambas cosas a la vez". Dime, Theo, ¿me has mantenido durante siete años únicamente para oírme enunciar ideas?

—Has hecho muy buen trabajo para la colonia, Vincent.

—Sí, pero ahora que todo está listo para su inauguración, me doy cuenta de que no deseo ir allí. No podría vivir sin trabajar, sin pintar. ¿Me comprendes? Cuando estaba solo en el Brabante y en La Haya, creía ser una persona importante; era un hombre solo luchando contra el mundo. Era un artista. el único artista viviente. Todo lo que pintaba me parecía de valor. Sabía que tenía gran habilidad y que tarde o temprano el mundo diría de mí: "Este pintor es magnífico".

—¿Y ahora?

—¡Ay!, ahora soy uno de tantos. Hay cientos de pintores alrededor mío. Piensa un poco en todas las pinturas que están amontonadas en nuestro departamento y que han sido enviadas por pintores ansiosos de unirse a nuestra colonia. Ellos también están convencidos de que llegarán a ser grandes pintores. Tal vez yo sea como ellos. ¿Cómo puedo saberlo? ¿Qué tengo ahora para sostener mi coraje? Antes de venir a París no sabía que existía esa sarta de tontos que se creen grandes artistas. Ahora lo sé, y es doloroso.

—Pero eso no tiene nada que ver contigo.

—Tal vez no. Pero nunca más podré borrar del todo esa pequeña duda. Cuando estaba solo en el campo, me olvidaba que todos los días se pintan en el mundo miles de cuadros. Me imaginaba que el mío era el único, y que poseía yo un hermoso don. Aun seguiría pintando aunque supiera que mi trabajo era atroz; pero esa... ilusión es de gran ayuda... ¿Comprendes, Theo?

—Sí.

—Además, no soy un pintor de la ciudad. Este no es mi ambiente. Soy un pintor rural, y quiero volver a mis campos. Quiero ir en busca de un sol tan ardiente que queme todo en mí, excepto el deseo de pintar.

—Entonces..., ¿quieres... abandonar París?

—Sí. Debo hacerlo.

—¿Y la colonia?

—Me retiraré de ella; pero tú debes seguir.

Theo sacudió su cabeza.

—No seguiré sin ti.

—¿Y por qué no?

—No lo sé. Yo sólo acepté esto porque tú lo deseabas.

Permanecieron silenciosos durante unos momentos.

—¿No presentaste tu renuncia aún, Theo?

—No; pensaba hacerlo el primero de mes.

—¿Te parece que podríamos devolver el dinero a quien pertenece?

—Sí... ¿Y cuándo piensas irte?

—Cuando mi paleta se haya aclarado del todo. Iré hacia el sur, no sé adónde; pero en algún lugar en que pueda estar solo y dedicarme a pintar sin descanso.

Colocó uno de sus brazos alrededor de los hombros de su hermano, en un gesto afectuoso, y le dijo:

—Theo, ¿verdad que no me desprecias? ¿No estás enojado porque abandone todo después de haberte metido en este lío?

—¿Despreciarte? —repitió el joven, sonriendo con infinita tristeza y acariciando la mano que estaba sobre su hombro—. No... no Te comprendo. Creo que tienes razón. Y ahora, muchacho... termina tu copa. Debo regresar a lo de Goupil.

¡HACIA EL SUD! ¡HACIA EL SOL!

Vincent trabajó durante otro mes, pero a pesar de que su paleta era ahora casi tan clara como la de sus amigos, no lograba alcanzar la forma de expresión que considerara satisfactoria. Al principio creyó que se debía a la crudeza de sus dibujos, y se empeñó en mejorarlos trabajando con serenidad. El proceso meticuloso de colocar la pintura lo torturaba, pero la contemplación, luego, de su obra era aún peor. Trató de esconder sus pinceladas trabajando con pintura delgada, pero no le dió ningún resultado. Una y otra vez luchó para llegar a aquel medio de expresión que no solamente sería único, sino que le permitía expresar todo lo que tenía que decir.

—Hoy casi he conseguido lo que quería —dijo un día a su hermano—. Pero aun no lo logré del todo. ¡Si al menos supiera qué es lo que se pone en mi camino!

—¡Creo que podría decírtelo —repuso Theo tomando el cuadro de manos de su hermano.

—¿Sí? ¿Y qué es?

—París.

—¿París?

—Sí. París fué tu campo de prueba, y mientras permanezcas aquí no serás otra cosa que un alumno. ¿Recuerdas nuestra escuela en Holanda, Vincent? Nos enseñaron allí todo lo que los demás habían hecho, pero nosotros nunca hicimos nada.

—¿Quieres decir que aquí no encuentro tema simpático?

—No. Lo que te quiero decir es que mientras permanezcas aquí nunca te independizarás de tus maestros. Voy a encontrarme muy solo sin ti, Vincent; pero sé que debes partir. Tendrás que buscar tú mismo el lugar que te agrade, y hacerlo antes de llegar a la madurez...

—¿No sabes en qué país estuve pensando mucho últimamente?

—No.

—En Africa.

—¿Es posible?

—Sí. Durante todo el invierno he añorado el sol radiante. Es allí donde Delacroix encontró su colorido. Tal vez también yo me encuentre a mí mismo.

—Africa queda muy lejos —murmuró Theo pensativamente.

—Es que necesito sol, Theo, necesito su calor y su fuerza. Me atrae como si fuese un imán. Hasta que dejé Holanda no supe que existía una cosa tan magnífica como el sol. Y ahora me parece que no podría pintar si no pongo sol en mis cuadros. Tal vez necesite de su calor para llegar a la madurez. El invierno de París me ha dejado helado hasta los huesos, y creo que ese frío se ha introducido hasta en mi paleta y mis pinceles. Si consiguiera que el sol africano me quitara ese frío y pusiera un poco de su fuego en mi paleta...

—¡Hum!... —murmuró su hermano—. Lo pensaremos. Tal vez estés en lo cierto.

Paúl Cezanne ofreció una reunión de despedida para todos sus amigos. Con la ayuda de su padre había conseguido comprar el lote de terreno sobre la colina que dominaba Aix, y partía para allí para construir su estudio.

—Vete de París, Vincent —dijo a su amigo— y ven a Provence. No a Aix, por supuesto, pues ése es mi territorio, pero a algún lugar cercano. El sol es allí más caliente y más puro que en cualquier otro lugar del mundo. Encontrarás un colorido y una luminosidad en Provence como no has visto en ningún otro lugar. Yo pienso permanecer allí el resto de mis días.

—Creo que el próximo que abandonará París seré yo —dijo Gauguin—. Vuelvo a los trópicos. Si crees que tienes verdadero sol en Provence, Cezanne, es porque no conoces las Marquesas. Allí la luz solar y el color son tan primitivos como la gente.

—Ustedes deberían ser adoradores del sol —dijo Seurat.

—En cuanto a mí —terció Vincent—, creo que partiré para el Africa.

—¡Ajá! —murmuró Lautrec—. Tenemos otro Delacroix en ciernes.

—¿Hablas en serio, Vincent? —preguntó Gauguin.

—Sí. Tal vez no me vaya allí directamente, pues creo que me convendría detenerme en algún rincón de Provence para acostumbrarme poco a poco al sol.

—No te puedes quedar en Marsella, pues esa ciudad pertenece a Monticelli —dijo Seurat.

—Y tampoco puedo ir a Aix —repuso el joven—, pues pertenece a Cezanne. Monet ya hizo Antibes, y estoy de acuerdo que Marsella es sagrada a "Fada". ¿Dónde me aconsejarían entonces que me detuviera?

—¡Espera !—exclamó Lautrec—. ¡Conozco un lugar ideal! ¿No pensaste nunca en Arles?

—¿Arles?

—Sí; se encuentra a orillas del Ródano, a pocas horas de Marsella. El colorido de los alrededores hace parecer anémicas las escenas africanas de Delacroix.

—¿Es cierto? ¿Hay buen sol?

—¿Sol? Te embriagarás de sol allí. Y si vieras a las arlesianas, son las mujeres más espléndidas del mundo. Aun conservan las facciones puras de sus antepasados griegos combinadas con la robustez de sus conquistadores romanos. Sin embargo, por curioso que sea, su aroma es netamente oriental. Supongo que se debe a la invasión sarracena del siglo VIII. Fué en Arles que se encontró la verdadera Venus, Vincent. ¡Una arlesiana sirvió de modelo!

—Tus palabras me fascinan —dijo el joven.

—¡Y espera a que sientas el mistral!

—¿Y qué es el mistral? —inquirió Vincent.

—Ya lo sabrás cuando estés allí —repuso Lautrec con una mueca.

—¿Es la vida cara allí?

—No hay en qué gastar el dinero, si se exceptúa la comida y la casa. Ya que quieres dejar París, ¿por qué no pruebas Arles?

—¡Arles! —repitió soñadoramente el joven—. ¡Arles y las arlesianas! Me agradaría pintar esas mujeres.

París había excitado a Vincent. El joven había bebido demasiados ajenjos, fumado demasiadas pipas y hecho cantidad de otros desarreglos. Ahora sentía una imperiosa necesidad de partir hacia algún lugar tranquilo donde pudiera volcar toda su energía nerviosa en su trabajo. Necesitaba de un sol cálido para fructificar. Sentía como si el "climax" de su vida, el poder creador hacia el cual había luchado durante ocho años, no se encontrase muy lejano. Sabía que nada de lo que había pintado hasta entonces tenía valor. Tal vez le faltaba poco para crear esos pocos cuadros que justificarían su vida.

—¿Qué era lo que decía Monticelli? "Debemos trabajar rudamente durante diez años para que finalmente seamos capaces de pintar dos o tres retratos buenos".

En París, su vida estaba asegurada. No le faltaban ni amistades ni cariño, y siempre tendría un hogar bajo el techo de Theo. Su hermano nunca lo dejaría sufrir hambre ni le obligaría a pedir dos veces material para pintar.

Sabía que desde el instante en que abandonara París sus penurias recomenzarían. No sabría arreglarse con el dinero que Theo le enviaría, y la mayor parte del tiempo tendría que pasar sin comer. Sufriría al no poder comprar los colores que le harían falta y sus palabras tendrían que ahogarse en su garganta, ya que no tendría a su lado ningún ser amistoso con quien hablar.

—Arles te agradará —díjole Toulouse Lautrec al día siguiente—. Es tranquilo, y nadie te fastidiará El calor es seco y el colorido magnífico. Es el único lugar de Europa donde se puede gozar de la claridad japonesa. Es el paraíso de un pintor. Si París no me atrajese tanto, me iría allí.

Esa noche Theo y Vincent fueron a un concierto de música de Wagner. Volvieron a su casa temprano y permanecieron una hora más charlando de sus recuerdos de infancia en Zundert. A la mañana siguiente Vincent preparó el café para Theo, y cuando su hermano partió para la Casa Goupil, hizo la limpieza a fondo del pequeño departamento. Colocó sobre los muros algunos de sus cuadros. Uno representaba unos mariscos rosados, otro el retrato del Père Tanguy con su sombrero de paja, otro el Moulin de la Gallete, otro un desnudo de mujer, y por último un estudio de los Campos Elíseos.

Cuando Theo regresó esa noche, encontró sobre la mesa del *living* una nota que decía:

"Querido Theo:

"He partido para Arles y te escribiré en cuanto llegue allí. Colgué algunas de mis pinturas en el departamento para que no te olvides de mí.

"Un fuerte apretón espiritual de manos.—*Vincent*."

LIBRO SEXTO

A R L E S

¿TERREMOTO O REVOLUCION?

EL sol arlesiano deslumbró a Vincent. El terrible calor y la claridad intensa del aire fueron para él un mundo desconocido. Llegó por la mañana, en medio de un sol abrasador; descendió del vagón de tercera clase y se encaminó por la ruta tortuosa que llevaba de la Estación a la Place Lamartine, plaza limitada por un lado por el dique del Ródano y por el otro por cafés y hotelitos de tercer orden. Arles se extendía sobre la ladera de una colina, amodorrada por el sol tropical.

El joven, que era indiferente en lo referente a su alojamiento, entró en el primer hotel que encontró. Alquiló un modesto cuarto con una cama de bronce, un lavatorio sobre el cual había una palangana con su jarra resquebrajada y una silla. Para completar el moblaje el dueño trajo una rústica mesa de madera. No había lugar para instalar el caballete, pero Vincent no se afligió, pues pensaba trabajar todo el día al aire libre.

Arrojó la valija sobre la cama y partió sin perder un instante a visitar la ciudad. Podía llegarse al centro de la misma por dos caminos distintos. El de la izquierda servía especialmente para vehículos y circundando la ciudad subía lentamente hacia la cima de la colina pasando por el antiguo foro y anfiteatro romanos. Vincent tomó el otro, que pasaba a través de un laberinto de estrechas callejuelas pavimentadas con piedras puntiagudas. Después de haber subido durante algún tiempo, llegó a la Place de la Mairie, inundada de sol. Pasó en medio de ruinas romanas que parecían no haber sido tocadas desde los lejanos días de la conquista. Las callejuelas eran tan estrechas que se podían tocar ambos lados de las construcciones con solo extender los brazos, habiendo sido hechas así a fin de precaverse en lo posible del sol enloquecedor, y

para amenguar un tanto la tortura del mistral seguían un rumbo
extraordinariamente tortuoso y rara vez se encontraba un trecho
recto de más de 10 yardas. Las aceras estaban llenas de desper-
dicio y niños sucios jugaban en ellas.

Vincent abandonó la Place de la Mairie y se dirigió por una
estrecha calle hasta el camino principal que bordeaba el pueblo.
Atravesó un pequeño parque y luego se encontró ante la antigua
arena romana. Siguió subiendo por la colina como una cabra,
saltando de piedra en piedra hasta que finalmente llegó a la cima.
Sentóse sobre una roca, y dejando sus piernas pendientes en el
vacío, encendió su pipa y se puso a contemplar el dominio que se
había asignado.

La ciudad a sus pies parecía querer precipitarse en el Ródano
como una cascada. Los techos de las casas, unos contra otros, formaban un intrincado dibujo. Todos eran de tejas que originaria-
mente habían sido rojas pero que el sol había cocinado y que
ahora presentaban toda una gama de colores desde el amarillo
claro hasta un marrón arcilloso.

El ancho y torrentoso Ródano formaba una pronunciada curva
al pie de la colina en que se hallaba Arles, para seguir luego directamente hacia el Mediterráneo. A ambos lados del río veíanse varios diques de piedras, y sobre la otra margen, Trinquetaille brillaba como una ciudad pintada. Detrás de Vincent estaban las
montañas que se destacaban netamente en la claridad de la luz.
Delante suyo se extendían los campos trabajados, los huertos en
flor y los valles fértiles estriados por infinidad de zurcos que parecían todos convergir al mismo punto.

Pero fué el deslumbrante colorido de la campaña que le hizo
pasarse la mano sobre sus ojos asombrados. El cielo era tan intensamente azul que le parecía increíble que fuese verdadero. El
verde de los campos que se extendían a sus pies era la misma
esencia del color verde, y el amarillo del sol y el rojo del suelo eran
tan intensos que parecían sobrenaturales. ¿Cómo pintar semejantes
colores? Aun en el caso de que fuese capaz de rendirlos, no haría
creer a nadie que eran auténticos.

Vincent descendió por la ruta de los vehículos hasta la Place
Lamartine. Tomó su caballete, su paleta, sus pinturas y una tela y
se dirigió a orillas del río. Por todos lados comenzaban a florecer
los almendros. El reflejo del sol en el agua le hacía doler la vista.
Habíase olvidado el sombrero en el hotel, y el sol, calentando sus

cabellos rojos pareció absorber todo el frío de París, todo el cansancio, todo el desaliento y toda la saciedad que la vida de la ciudad había volcado en su alma.

Anduvo más o menos un kilómetro a orillas del río hasta que encontró un puente levadizo sobre el cual pasaba un carro y que se destacaba contra el azul del cielo. El río también era azul y las barrancas color naranja con unos toques verdes. Un grupo de lavanderas con gorros de distintos colores lavaban debajo de la sombra del único árbol existente.

Vincent instaló su caballete, respiró profundamente y cerró los ojos. Pareció desvanecerse de sí la influencia de las charlas de Seurat respecto al "pointillismo", de las arengas de Gauguin sobre la decoración primitivista, del sistema de Cezanne y del de Lautrec, para permanecer únicamente una personalidad: la de Vincent.

Regresó al hotel más o menos a la hora de la cena. Se instaló en una mesita del bar y pidió un ajenjo. Estaba demasiado excitado para pensar en comer. En una mesa vecina a la suya, un hombre observó las manos y la cara sucia de pintura del joven y entabló conversación con él.

—Soy periodista parisino —dijo—, hace tres meses que estoy aquí reuniendo material para un libro sobre el idioma Provenzal.

—Yo acabo de llegar de París esta mañana —repuso Vincent.

—Así lo he notado. ¿Piensa quedarse mucho tiempo en Arles?

—Así lo espero.

—Pues si quiere usted hacerme caso, no se quede. Arles es el lugar más malsano del mundo entero.

—¿Y qué le hace pensar eso?

—No lo pienso, sino lo sé. Estuve observando la gente de aquí desde hace tres meses y le aseguro que todos están chiflados. No tiene más que mirarlos. Observar sus ojos. En toda la región de Taracon no hay una sola persona que sea normal.

—Es extraño lo que usted dice —observó Vincent.

—Dentro de una semana usted estará de acuerdo conmigo. La campiña de Arles es la más castigada de toda Provence. Usted que ha estado afuera en ese sol ¿puede imaginarse lo que esa luz infernal día tras día hace a esta gente? Le digo que les quema el cerebro. ¡Y el mistral! ¿No tuvo aún ocasión de sentirlo? ¡Ay Dios! Ya verá lo que es. Azota frenéticamente la ciudad doscientos días del año. Es imposible andar por las calles sin ser aplastado contra los edificios. Si uno se encuentra en el campo, lo tumba revolcándolo sobre la tierra. Le retuerce los intestinos hasta tornarse inaguantable. He visto ese viento infernal arrancar ventanas, tumbar árboles y cercos, hostigar a los hombres y a los animales hasta creer que va a destrozarlos. Hace solo tres meses que estoy aquí y me parece que yo mismo ya estoy un poco loco. ¡Mañana mismo me voy!

—Usted debe exagerar —repuso Vincent—, lo poco que he visto de los arlesianos me parece normal.

Aguarde un poco más hasta que llegue a conocerlos mejor. ¿No sabe cuál es mi opinión personal?

—No ¿cuál? ¿Quiere aceptar un ajenjo?

—No, gracias. Bien, creo que Arles está epiléptica. Llega a un grado tal su excitación que parece que estallará en un violento ataque espumando por la boca.

—¿Y sucede así?

—No. Eso es lo extraño. Hace tres meses que estoy esperando ver estallar una revolución o una erupción volcánica en la Place de la Mairie. Una docena de veces he creído que los habitantes se iban a enloquecer repentinamente y degollarse unos a otros, pero cuando su excitación llega al punto en que la explosión es inminente, el mistral se calma por uno o dos días, el sol se esconde detrás de las nubes y no sucede nada.

—Entonces, ya que el ataque no se produce —dijo Vincent riendo— ¿por qué califica usted a Arles de epiléptica?

—En realidad le convendría más el nombre de "epileptoidal".

—¿Y qué diablos quiere decir eso?

—Estoy escribiendo una nota para explicarlo en mi diario de París. Fué este artículo aparecido en un periódico alemán que me sugirió la idea — dijo sacando un semanario de su bolsillo y pasándolo a Vincent.

—Los médicos han estudiado los casos de varios cientos de hombres que sufren de una enfermedad muy parecida a la epilepsia, pero nunca tienen ataques. Parece que sufren de una nerviosidad que va en continuo aumento. En cada uno de estos casos esa agitación ha ido aumentando hasta que los enfermos llegan a los 35 ó 38 años, época en que sufren un violentísimo ataque epiléptico. Luego tienen media docena de espasmos más y en uno o dos años, todo ha terminado.

—Eso es demasiado joven para morir —dijo Vincent—. A

esa edad un hombre recién comienza a tener control sobre sí mismo.

El periodista guardó el semanario en su bolsillo.

—¿Piensa permanecer por mucho tiempo en este hotel? —preguntó—. Mi artículo está casi terminado, y en cuanto se publique le enviaré un ejemplar. Mi punto de vista es éste: Arles es una ciudad epileptoitial. Su pulso ha ido en continuo aumento desde hace siglos, y su crisis final está próxima. Cuando llegue, presenciaremos una horrible catástrofe. Se cometerán asesinatos y toda clase de desmanes. Este país no puede continuar indefinidamente en un estado tal de excitación. Algo sucederá, y pronto. Por eso me voy, antes de que la gente empiece a espumar por la boca. Le aconsejo que siga mi ejemplo.

—Gracias —repuso Vincent— el lugar me agrada. Pero es tarde y me voy a retirar. ¿Lo veré mañana por la mañana? ¿No? Entonces buena suerte, y no se olvide de enviarme un ejemplar de su artículo.

LA MAQUINA DE PINTAR

Todas las mañanas Vincent se levantaba antes de que amaneciera y caminaba varios kilómetros a la orilla del río o bien por el campo en busca de un lugar que le agradara. Todas las noches regresaba con un cuadro terminado debajo del brazo, y después de la cena se acostaba en seguida.

Se convirtió en una especie de máquina de pintar. Los huertos de la región estaban en flor, y sentía una necesidad enfermiza de reproducirlos todos. Ya no pensaba en lo que pintaba, se limitaba a pintar, pintar sin descanso. Sus ocho años de intensa labor se estaban por fin expresando en un arranque de triunfal energía. A veces, cuando comenzaba a trabajar al amanecer, terminaba su cuadro para medio día. Regresaba entonces a la ciudad, bebía una taza de café y volvía a salir en otra dirección con otra tela nueva.

No sabía si su pintura era buena o mala, ni le importaba. Estaba ebrio de color. Nadie le hablaba ni él hablaba a nadie. La poca fuerza que le dejaba su pintura la empleaba luchando contra el Mistral. Por lo menos tres días a la semana tenía que amarrar su caballete a la tierra con tacos de madera para poder pintar. Y a la noche se sentía dolorido y aniquilado como si hubiera recibido una paliza. Nunca llevaba sombrero. Poco a poco el sol le estaba quemando el pelo en lo alto de su cabeza. Cuando permanecía acostado en la cama de bronce de su cuartucho de hotel durante las noches, le parecía que su cabeza estaba encerrada en una bola de fuego. La brillantez del sol lo enceguecía a tal punto que no podía distinguir el verde de los campos del azul del cielo. No obstante, cuando volvía al hotel y miraba su cuadro se percataba de que era una radiante expresión de la naturaleza.

Un día trabajó en un huerto de tierra labrada limitado por un cerco rojo y donde dos duraznos en flor se destacaban sobre el cielo azul y blanco.

—Es probablemente el paisaje mejor que he hecho —murmuró para sí mismo.

Cuando llegó al hotel encontró una carta que le anunciaba la muerte de Mauve en La Haya. Bajo sus duraznos en flor escribió: "Recuerdo de Mauve, Vincent, y Theo", y los envió inmediatamnete a Uieleboomen.

A la mañana siguiente encontró un huerto con ciruelos floflorecidos. Mientras estaba trabajando se levantó un fuerte viento que sacudía los árboles haciendo caer sus flores. Siguió pintando, no obstante el peligro de que su trabajo fuese echado a tierra a cada minuto. Ese vendaval le hacía recordar a Scheveningen, cuando pintaba en medio de la lluvia y de las tormentas de arena. En su cuadro dominaba el blanco y también había gran cantidad de amarillo, lila y azul. Cuando terminó de pintar, vió en él algo que no había intentado reproducir: el Mistral.

—La gente pensará que estaba ebrio cuando pinté esto —se dijo riendo.

Una frase de la carta cotidiana de Theo que había recibido el día anterior le vino a la memoria. Mijnherr Tersteeg, de visita en París, había dicho a Theo al contemplar un cuadro de Sisley: "No puedo dejar de pensar que el artista que pintó esto estaba un poco tomado".

—Si Tersteeg viera mis cuadros arlesianos —pensó Vincent— diría que sufro de "delirium tremens".

La gente de Arles se apartaba de Vincent. Lo veían salir al amanecer con su pesado caballete y demás implementos sobre su espalda y con mirada de alucinado en los ojos, y lo veían regresar con ojos aún más afiebrados, el cráneo rojo como un pimiento y su cuadro terminado bajo el brazo. Lo habían apodado el "fourou", el "loco-rojo".

—Tal vez sea un chiflado de cabeza roja —se decía para sí— pero ¿qué puedo hacerle?

El dueño del hotel lo estafaba escandalosamente y casi no le daba de comer. Los restaurantes eran carísimos y Vincent los probó casi todos, pero en ningún lado encontraba comida más o menos pasable. Finalmente trató de conformarse comiendo lo que le daban. El sol parecía impartirle una vitalidad extraordinaria, y su físico no sufría a pesar de no tener la alimentación adecuada. Constantemente tomaba ajenjo y fumaba sin parar, y como alimento espiritual leía los cuentos de Tartarin y Tarascón de Daudet. Las innumerables horas que pasaba ante su caballete le ponían los nervios de punta. Necesitaba estimulantes y el ajenjo, el sol y el mistral se los daban.

A medida que el verano avanzaba todo tomaba un aspecto tostado. Por doquier veíanse tonos de oro viejo, bronce y cobre cubiertos por un cielo azul verdoso. En todos lados pegaba el sol, impartía un color amarillo sulfuroso. Los cuadros de Vincent eran masas de amarillo brillante Sabía que el amarillo no se empleaba en la pintura europea desde el Renacimiento, pero eso no lo acobardaba. Sus telas contenían raudales de sol.

Estaba convencido de que era tan difícil pintar un buen cuadro como encontrar un brillante o una perla. Estaba descontento consigo mismo y con lo que hacía, pero tenía una débil esperanza de mejorar algún día. Pintaba sin descanso, sin preocuparse de otra cosa que no fuese su pintura. Y todo eso ¿para qué? ¿para vender? ¡No! Sabía que nadie quería comprar sus cuadros. Entonces ¿por qué se daba tanta prisa? ¿Por qué pintaba docenas y docenas de cuadros cuando ya no tenía más espacio debajo de su cama para guardarlos?

El deseo del éxito lo había abandonado; trabajaba porque tenía que hacerlo, porque le impedía sufrir demasiado, mentalmente, porque distraía su mente. Podía pasar sin esposa, sin hogar y sin hijos; podía pasarse sin amor, amistad y salud; podía arreglarse sin comodidades y sin alimentos casi, y aún se podía pasar sin Dios. Pero no podía privarse de algo que era más grande que él

mismo, de algo que era su razón de vivir: el poder y la habilidad
de crear.

EL PICHON

Trató de alquilar modelos, pero la gente de Arles no estaba
dispuesta a posar para él. Creían que los representaría mal y que
sus amigos se reirían de sus retratos. Vincent, sabía que si pintaría
en forma "bonita" como Bouguereau, la gente no se avergonzaría
de que los pintara. Tuvo que desistir de la idea de utilizar modelos, dedicándose por entero a las escenas exteriores. A medida que
avanzaba el verano, aumentaba el calor del sol y menguaba la
furia del viento. La luz en la cual trabajaba pasaba por todas las
gamas desde el amarillo sulfuroso al amarillo dorado. A menudo
pensaba en Renoir y en sus líneas puras y claras. Así veía él toda
la atmósfera clara de Provence.

Una mañana vió a una muchacha con el cutis bronceado y
el pelo de un color rubio ceniciento. Sus ojos eran grises y llevaba
una bata rosada bajo la cual se dibujaban firmemente sus senos.
Era una mujer tan simple como los mismos campos y cada línea
de su figura denotaba a la virgen. Su madre era una extraña figura de amarillo sucio y azul descolorido que se destacaba fuertemente contra un cantero de brillantes flores amarillas y blancas.
Ambas posaron para él durante varias horas a cambio de una
pequeña suma.

Cuando regresó al hotel esa noche, Vincent no pudo alejar
su pensamiento del recuerdo de esa muchacha de tez bronceada.
No lograba conciliar el sueño. Sabía que había casas públicas en
Arles pero la mayoría cobraban cinco francos y estaban patroci-
nadas por los zuavos que traían del Africa para adiestrarlos en el
ejército francés.

Hacía muchos meses que Vincent no había hablado a una
mujer excepto para pedirle una taza de café o un paquete de ta
baco. Recordó las palabras amantes de Margot y la caricia de sus
besos.

Se vistió, atravesando apresuradamente la Place Lamartine y
llegó frente a una casa de Tolerancia. Apenas había dado unos
pasos hacia ella, oyó una batahola infernal y vió aparecer dos gen-

darmes que sacaban los cadáveres de dos zuavos ensangrentados que acababan de ser asesinados por dos italianos ebrios. Otros gendarmes traían a los italianos apresados, mientras el público vociferaba indignado:

—¡Que los cuelguen! ¡Que los cuelguen!

Aprovechando la confusión del momento, Vincent entró en la Casa de Tolerancia Nº 1 de la Rue des Ricolettes. Luis, el propietario, lo saludó amablemente y lo llevó a un saloncito a la izquierda del hall donde había varias parejas bebiendo.

—Tengo una muchacha llamada Raquel que es muy bonita —dijo Luis—. ¿Desea el señor que la llame? Si no le agrada podrá elegir otra cualquiera.

—¿Puedo verla?

El joven se sentó a una mesita y encendió su pipa. Oyóse afuera una risa y apareció una linda muchacha que tomó asiento frente suyo.

—Soy Raquel —dijo.

—¡Pero usted es muy jovencita! —no pudo retenerse de exclamar Vincent.

—¡Ya tengo dieciséis años! —repuso la joven con orgullo.

—¿Y cuánto tiempo hace que está aquí?

—¿En lo de Luis? Un año.

—Déjeme que la mire.

La joven elevó ligeramente la cabeza para que el cliente pudiera observarla a gusto.

Tenía el rostro redondo y agradable, con ojos celestes y cuello blanco y lleno. Su cabello negro estaba recogido hacia la parte superior de su cabeza dándole al semblante una apariencia aún más acentuada de redondez. Llevaba únicamente un vestido liviano de tela floreado y unas sandalias. Sus pechos puntiagudos apuntaban hacia el joven provocativamente.

—Eres linda, Raquel —dijo Vincent.

Una sonrisa infantil de satisfacción se reflejó en sus ojos, y tomándole de la mano dijo:

—Estoy contenta de agradarte. Prefiero que así sea, pues resulta más fácil...

—Sí. ¿Y yo te agrado?

—Te encuentro gracioso, fou-rou.

—¡Fou-rou! ¿Entonces me conoces?

—Te he visto en la Place Lamartine. ¿Por qué siempre caminas tan de prisa con ese pesado bulto sobre las espaldas? ¿Y por qué nunca usas sombrero? ¿No te quema el sol? Tus ojos están todos rojos; ¿no te duelen?

Vincent rió de la ingenuidad de la criatura.

—Eres muy simpática, Raquel. ¿Quieres llamarme por mi nombre verdadero?

—¿Cuál es?

—Vincent.

—No; prefiero fou-rou. ¿Te molesta si te llamo así? ¿No quieres tomar algo? El viejo Luis me está observando desde el hall.

—Pide una botella de vino, pero que no sea del caro pues no tengo mucho dinero.

Cuando trajeron el vino, Raquel dijo:

—¿No preferirías que lo bebiéramos en mi cuarto? Estaremos más a gusto allí.

—Me agradaría mucho.

Subieron al primer piso y entraron en la habitación reservada para Raquel. Había en ella una cama angosta, un escritorio, una silla y varios medallones pintados sobre los muros. Encima del escritorio veíanse dos muñecos ajados.

—Los he traído de casa —dijo la joven tomando los juguetes y colocándolos en los brazos de Vincent—. Este es Diego y esta Catalina. Cuando era chica jugaba con ellos. ¡Ay, Fou-rou, qué gracioso estás con ellos en los brazos!

Vincent sonrió tontamente hasta que la joven tomó los muñecos y los arrojó descuidadamente sobre el escritorio. Luego se quitó las sandalias y el vestido.

—Siéntate, Fou-rou, jugaremos al papá y a la mamá. ¿Quieres?

Era una muchacha regordeta con senos puntiagudos y vientre redondo e inmaculado.

—Raquel —dijo Vincent— ya que tú me llamas Fou-rou, yo también te daré un apodo.

La joven batió las palmas con entusiasmo y se sentó sobre su falda.

—Oh, díme ¿cómo me llamarás? Me encanta que me den nombres nuevos.

—Te llamaré Pichón.

Una expresión de decepción y de perplejidad se reflejó en sus ojos.

—¿Y por qué pichón?

Vincent acarició suavemente el vientre blanquísimo.

—Porque te pareces a un pichón con tus ojos tiernos y tu barriguita redonda.

—¿Te parece lindo ser un pichón?

—Sí. Los pichoncitos son preciosos y muy amantes... como tú.

Raquel se inclinó y lo besó en una oreja, y poniéndose de pie vivamente tomó dos vasos y los llenó de vino.

—Qué orejitas más graciosas tienes, Fou-rou —dijo mientras bebía a sorbos.

—¿Te agradan? —preguntó Vincent.

—Sí; son suaves y redondas. Se parecen a las de un perrito.

—Entonces te las regalo.

Raquel dejó escapar una carcajada.

—Eres simpático, Fou-rou —dijo—. Todos hablan de ti como si estuvieses loco, pero no lo estás, ¿verdad?

Vincent hizo una mueca.

—Sólo un poco —dijo.

—¿Quieres ser mi amante? —le preguntó Raquel— hace más de un mes que no tengo ninguno. ¿Vendrás a verme todas las noches?

—Creo que no podré, Pichón.

La joven esbozó una mueca de desagrado.

—¿Y por qué? —preguntó.

—Entre otras cosas porque no tengo dinero.

Raquel le retorció la oreja juguetonamente.

—Si no tienes cinco francos, Fou-rou, ¿quieres cortarte la oreja y regalármela? Me agradaría tenerla; la colocaría sobre mi escritorio y jugaría con ella todas las noches.

—¿Y me la devolverás si consigo los cinco francos más tarde?

—¡Qué gracioso eres, Fou-rou! ¡Ojalá todos los hombres fuesen como tú!

—¿No te agrada estar aquí?

—A veces lo paso bien, pero... ¡a los zuavos no los puedo ver!...

Dejó su vaso de vino sobre la mesa y echó sus brazos al cuello de Vincent. El joven sintió contra su cuerpo el vientre suave y los pechos firmes de la muchacha, y hundió con fruición sus labios en los de ella.

—¿Volverás a verme, Fou-rou? ¿No me olvidarás y te irás con otra?

—Volveré, Pichón.

—¿Quieres que juguemos al papá y a la mamá ahora? ¿Te agrada?

Cuando Vincent partió media hora más tarde, lo consumía una sed que sólo podía ser saciada por innumerables vasos de agua helada.

EL CARTERO

Vincent llegó a la conclusión de que cuanto más finamente estaba molido un color más se saturaba de aceite, y esto no le agradaba, ya que prefería que sus cuadros tuviesen un aspecto tosco. En lugar de comprar los colores molidos durante quién sabe cuántas horas en París hasta convertirlos en un polvo impalpable, decidió molerlos él mismo. Theo pidió al Père Tanguy enviara a su hermano, en bruto, todos los colores que necesitaba, y luego Vincent los molía en su cuartucho de hotel. En esta forma, no solamente le salían más baratos, sino que eran más frescos y le duraban más.

Luego se sintió descontento con las telas sobre las que pintaba, y Theo le envió un rollo de tela sin preparación que él preparaba a su agrado. Georges Seurat le había enseñado a ser exigente acerca del marco que debía colocarse al cuadro, y cuando envió su primer tela arlesiana a Theo le envió instrucciones precisas acerca del marco que le debía colocar y el color en que debía ser pintado. Terminó por fabricar él mismo sus propios marcos con varillas de madera que luego pintaba de acuerdo al colorido del cuadro. En resumidas cuentas, hacía sus colores, preparaba sus telas y las armaba, pintaba sus cuadros y les fabricaba el marco.

—¡Es una lástima que no pueda comprar mis propias obras! —se dijo un día—. ¡Pues si así fuera, me bastaría por completo a mí mismo!

El Mistral volvió a hacerse sentir. La naturaleza parecía estar en un paroxismo de furor. El cielo no tenía una sola nube, y el sol brillante estaba acompañado de una intensa sequedad y un frío penetrante. Vincent aprovechó para hacer una naturaleza muerta en su habitación que representaba una cafetera enlozada azul, una taza azul y oro, una jarra de mayólica con dibujos rojos y verdes, dos naranjas y tres limones.

Cuando el viento amenguó, salió otra vez e hizo un cuadro del Ródano y el puente de Trinquetaille. En el deseo de expresarse con mayor fuerza, empleaba el color arbitrariamente en lugar de reproducir con exactitud lo que tenía ante los ojos. Comprendió que lo que Pissarro le había dicho en París era cierto: "Hay que exagerar audazmente los efectos, ya sean armónicos o discordantes". En el prefacio de "Pierre et Jean" de Maupassant encontró un sentimiento similar: "El artista tiene la libertad de exagerar para crear en su novela un mundo más hermoso, más sencillo y más consolador que el nuestro".

Pintó, también en un solo día, un trigal inundado por el sol donde predominaba en forma extraordinaria el tono amarillo.

Vincent sabía de que los críticos de París considerarían que pintaba demasiado rápidamente, pero él no estaba de acuerdo con ellos. ¿Acaso no lo impelía su emoción y sus sentimientos hacia la naturaleza? Si a veces su emoción era tan fuerte que trabajaba sin darse cuenta, si sus pinceladas parecían regidas por una fuerza avasalladora, incontenible, ¿cómo no aprovechar esos momentos de inspiración?

Un día, con su caballete sobre la espalda, caminaba de regreso a su casa por la ruta de Montmajour. Andaba tan de prisa, que alcanzó a un hombre y un muchacho que caminaban delante de él. Reconoció al hombre; era el viejo Roulin, el cartero de Arles. A menudo había visto a Roulin sentado ante una mesita del café y siempre había deseado entablar conversación con él sin que jamás se presentara oportunidad.

—Buenos días, señor Roulin —le dijo.

—Ah, es usted, el pintor —repuso éste—. Buenos días. Vengo de llevar de paseo a mi hijo, aprovechando el domingo.

—¿Qué día hermoso ha hecho hoy ¿verdad?

—Sí, es magnífico cuando el Mistral no sopla. ¿Pintó algún cuadro hoy?

—Sí.

—Soy un ignorante, señor, y no sé nada de arte, pero me sentiría honrado si usted me enseñara su pintura.

—Con mucho placer.

El niño corría adelante jugando, y Vincent y Roulin caminaban lado a lado. Mientras Roulin miraba al cuadro, Vincent estudiaba al hombre. Llevaba su gorro azul de cartero, tenía ojos suaves y penetrantes y una barba larga, cuadrada y ondeada que le cubría completamente el cuello. Su aspecto suave le hacía recordar al Père Tanguy.

—Soy un hombre ignorante —repitió Roulin— y usted disculpará mis palabras, pero sus campos de trigo están llenos de vida como los que acabamos de pasar.

—¿Entonces le agradan?

—En realidad no lo sé. Unicamente le puedo decir que me producen una extraña sensación aquí —terminó diciendo colocando una mano sobre el pecho.

Se detuvieron un instante al pie de Montmajour. El sol se ponía detrás de la antigua abadía, y sus rayos se filtraban a través del follaje de pinos dándoles un tinte anaranjado mientras otros árboles, a la distancia, se destacaban en azul prusiano contra el cielo suave de un color ceruleo azul verdoso.

—Esto tiene vida también, ¿verdad, señor? —dijo Roulin.

—Y seguirá teniéndola aunque nos vayamos, Roulin.

Siguieron caminando, charlando como dos antiguos amigos. La mentalidad del cartero era a la vez sencilla y profunda. Vivía con su mujer y sus cuatro hijos, con ciento treinta y cinco francos mensuales. Hacía 25 años que era cartero sin haber sido jamás ascendido.

—Cuando era joven, señor —dijo— pensaba mucho en Dios, pero poco a poco se ha hecho más distante. Sin embargo, se nota su presencia en el trigal que usted ha pintado así como en la puesta de sol de Montmajour, pero cuando empiezo a pensar en los hombres... y en el mundo que han hecho...

—Comprendo, Roulin, pero cada vez estoy más convencido de que no debemos juzgar a Dios por el mundo que ha creado. Es como si se tratase de un estudio que ha salido mal. Pero ¿qué le vamos a hacer si el autor del estudio nos es querido? Es más conveniente no criticar, a pesar de tener derecho a pedir algo mejor.

—Sí, eso es —exclamó Roulin— aunque sea un *poquito* mejor.

—Antes de juzgar tendríamos que ver algunas otras de sus obras. Este mundo evidentemente ha sido hecho de prisa en uno de sus días malos, cuando el artista no estaba inspirado. El crepúsculo había caído en el camino tortuoso. Aparecieron las primeras estrellas. Los suaves e inocentes ojos de Roulin buscaron los de Vincent.

—¿Entonces cree usted que existen otros mundos además de éste, señor?

—No lo sé, Roulin. He dejado de pensar en esas cosas desde que me he dedicado a mi trabajo. Pero esta vida parece tan incompleta. A veces pienso que así como los trenes y los coches son medios de locomoción para llevarnos de un lado a otro en este mundo, la tifoidea y la tisis son los medios de locomoción que nos llevan de un mundo a otro.

—¡Cuántas cosas piensan ustedes los artistas!

—Roulin, ¿quiere hacer un favor? Permítame hacerle su retrato. La gente de Arles no quiere posar para mí.

—Me sentiría muy honrado, señor. Pero ¿por qué me quiere pintar? Soy un hombre feo.

—Si hubiera un Dios, Roulin, creo que tendría barba y ojos como los suyos.

—Usted se burla de mí, señor.

—De ningún modo; hablo en serio.

—¿Acepta compartir nuestra cena mañana a la noche? Somos muy humildes pero nos sentiremos felices de recibirlo.

La señora de Roulin era una campesina que le recordaba algo a la señora de Denis. La mesa estaba tendida con un mantel a cuadros rojos y blancos encima del cual se veía un guiso de papas, pan casero y una botella de vino. Después de la cena Vincent dibujó a la mujer, charlando con el marido, mientras trabajaba.

—Durante la revolución era republicano — dijo Roulin— pero ahora veo que no hemos ganado nada. Que seamos gobernados por reyes o por ministros, nosotros los pobres, tenemos tan poco como antes. Creí que cuando estuviésemos en república todo se repartiría por igual.

—Ah no, Roulin.

—Toda mi vida he tratado de comprender por qué un hombre posee más que su prójimo y por qué otro tiene que matarse trabajando mientras que su vecino haraganea. Tal vez sea yo demasiado ignorante para comprenderlo. ¿Cree usted que si fuese más educado lo comprendería mejor?

Vincent echó un vistazo al cartero para cerciorarse si el hombre hablaba cínicamente, pero advirtió la misma mirada inocente e ingenua en sus ojos.

—Sí, amigo mío —le contestó—. La gente educada parece comprender mejor estas cosas, mucho mejor. Pero yo soy tan ignorante como usted y jamás podré comprenderlas ni aceptarlas.

LA CASA AMARILLA

Se levantaba a las cuatro de la mañana, caminaba tres o cuatro horas hasta encontrar el punto que le agradaba pintar y luego se instalaba ante su caballete hasta que oscureciera. El regreso se le hacía pesado en la ruta solitaria pero sentía una satisfacción indecible de llevar bajo su brazo un cuadro terminado.

En siete días pintó siete grandes telas, quedándose exhausto al fin de la semana. Había sido un verano glorioso y lo había sabido aprovechar. Se levantó un violento mistral, viéndose obligado Vincent a permanecer adentro. Durmió dieciséis horas de un tirón.

Siempre sufría de dificultades económicas. Su dinero se le había terminado el jueves de esa semana y la carta con los cincuenta francos de Theo no debía llegar hasta el lunes. No era la culpa de su hermano, pues éste siempre seguía enviándole los cincuenta francos cada diez días además de todos los implementos de pintura, pero Vincent, deseoso de ver sus últimos cuadros en marcos, había ordenado más de los que podía pagar. Durante esos cuatro días se alimentó solamente con veintitrés tazas de café y un pan que le fió el panadero.

Una intensa reacción se apoderó de él. No creía que sus pinturas valían todas las bondades que recibía de Theo y deseaba ganar dinero para devolvérselo a su hermano. Miró sus cuadros uno por uno, reprochándose que ni siquiera valieran lo que habían costado. Le pareció que todo lo que había pintado ese verano era malo, muy malo.

Sin embargo, estaba convencido que si permanecía en Arles llegaría a libertar su individualidad. La vida era corta, y ya que su oficio era la pintura, tenía que seguir pintando.

Anotó una larga lista de colores para enviarle a Theo, y de pronto se percató de que ninguno de esos colores se encontrarían en una paleta holandesa, tal como las de Mauve, Maris o Weissenbruch. Arles le había obligado a romper totalmente con la tradición holandesa.

Cuando llegó el lunes su dinero, se dirigió a un lugar donde podía comer por un franco. Era un restaurante extraño. Todo en él era gris. El techo, las paredes, el suelo, las cortinas, todo. Un rayo de sol deslumbrante se filtraba por una rendija de la puerta semicerrada.

Después de haber descansado durante una semana decidió hacer algunas pinturas nocturnas. Pintó el interior del restaurante gris mientras los clientes comían. Hizo luego un estudio de un camino de cipreses bajo la luz de la luna. Pintó el café de Nuit, que permanecía abierto toda la noche y donde los vagos podían pasar la noche cuando no tenían dinero para pagarse alojamiento o cuando estaban demasiado ebrios para retirarse.

Una noche representó el interior del café y la otra el exterior. Trató de expresar las terribles expresiones de la humanidad, empleando rojos y verdes. El interior lo realizó en rojo sangre y amarillo oscuro, con la mesa verde del billar en el centro. Destacó en amarillo limón las cuatro lámparas circundadas por un lado anaranjado y verde. En todos lados reinaba un fuerte contraste de colores. Trataba de expresar la idea de que el café era un lugar donde uno se podía arruinar, volverse loco y criminal.

Los habitantes de Arles sonreían al encontrar a su fou-rou pintando en sus calles todas las noches.

Cuando llegó el primero del mes, el hotelero no sólo le aumentó el alquiler del cuarto sino que quiso cobrarle por una alacena en la que guardaba sus cuadros. Vincent, que ya aborrecía el hotel, se indignó por la codicia de su dueño. En el restaurante gris comía pasablemente, pero sólo tenía dinero para ir allí dos o tres veces durante diez días. El invierno se aproximaba y no disponía de estudio donde trabajar, pues en su pieza de hotel no había espacio suficiente. Por lo tanto, decidió buscarse otro alojamiento.

Una tarde en que cruzaba la Place Lamartine con el viejo
Roulin notó un cartel de alquiler en una casa amarilla, frente a
la plaza.

La casa se componía de dos alas y un patio central.

—Es una lástima que sea tan grande —dijo Vincent mirándola con tristeza—. Me agradaría tanto tener una casa así.

—No necesita alquilar la casa entera, señor —le dijo Roulin—. ¿Por qué no toma el ala derecha solamente?

—¿Le parece que se puede hacer eso? ¿Cuántas piezas cree
usted que tendrá? ¿Y cuánto pedirán por ella?

—Debe tener unas tres o cuatro piezas, y le costará muchísimo menos que el hotel. Si quiere, mañana a la hora de la comida
vendré a verla con usted. Tal vez pueda conseguírsela barata.

A la mañana siguiente Vincent estaba tan nervioso que no
podía hacer otra cosa que pasearse por la Place Lamartine observando la casa amarilla por todos los costados. Estaba bien construída y recibía sol por todos los lados. Observándola con más
detenimiento, Vincent advirtió que poseía dos entradas independientes y que el ala izquierda estaba ocupada.

Después del almuerzo llegó Roulin y ambos entraron juntos
en la casa. Se entraba por un zaguán que llevaba a una gran habitación que tenía otra más pequeña contigua. Las paredes estaban blanqueadas simplemente. Una escalera conducía al piso de
arriba donde se encontraba otra habitación amplia y un gabinete.
Los pisos eran de ladrillos colorados y las paredes blancas.

Roulin había avisado al propietario, que los esperaba en el
primer piso. El cartero entabló con él una animada conversación
en dialecto provenzal que Vincent casi no comprendía.

—Quiere saber por cuánto tiempo la alquilará —dijo Roulin
al joven.

—Indefinidamente.

—¿Puedo decirle que por lo menos durante seis meses?

—Oh, sí, sí.

—Entonces dice que se la dejará por quince francos mensuales.

¡Quince francos por toda una casa! ¡Una tercera parte de lo
que pagaba por su cuartucho de hotel! ¡Era aún más barato que
su estudio en La Haya! Sacó el dinero de su bolsillo y dijo apresuradamente:

—Tome, déselos en seguida. La casa está alquilada.

—Quiere saber cuándo se va usted a mudar —dijo Roulin.

—Hoy, ahora mismo.

—Pero, señor, usted no tiene muebles. ¿Cómo se va a mudar?

—Compraré un colchón y una silla. Roulin, usted no sabe lo que es vivir en un hotel miserable. ¡Tengo que venir aquí inmediatamente!

—Como guste, señor.

El propietario partió y Roulin regresó a su trabajo. Vincent, anduvo de un cuarto para otro, arriba y abajo, inspeccionando hasta el último rinconcito de su nuevo domicilio. Los cincuenta francos de Theo habían llegado el día anterior, por lo tanto aún tenía unos treinta francos en el bolsillo. Corrió a comprar un colchón barato y una silla y los llevó él mismo a la casa amarilla. Decidió que la pieza del piso bajo le serviría de dormitorio y la del piso alto de estudio. Arrojó el colchón sobre las baldosas rojas, subió la silla a su estudio y fué al hotel por última vez.

El hotelero se arregló de modo a cargar la cuenta de Vincent de 40 francos de más, y se negó a dejarle llevar sus cuadros hasta recibir el último franco. El artista tuvo que ir a la policía para recuperar sus pinturas, y aún así debió pagar más de la mitad de lo que le habían cargado de más.

Luego encontró un comerciante que le fió una cocinita de kerosene, dos jarros y una lámpara. El joven sólo tenía tres francos en el bolsillo. Con ellos compró café, pan, papas y un poco de carne, quedándose sin un céntimo. Instaló su cocinita en el cuartito del piso bajo, y cuando llegó la noche comenzó a preparar su cena, constituída por una sopa y una taza de café. Como no tenía mesa, extendió un papel sobre el colchón y sirvió la comida, sentándose en el suelo, con las piernas cruzadas, y como se había olvidado de comprar tenedor y cuchillo, utilizó el cabo de su pincel para sacar la carne y las papas del jarro.

Cuando terminó de comer, tomó la lámpara de kerosene y subió al piso de arriba. La habitación estaba desnuda, teniendo en ella sólo el caballete y la silla. Por la ventana abierta se veía la oscuridad del jardín de la Place Lamartine.

Se acostó a dormir sobre el colchón y cuando se despertó a la mañana siguiente abrió las ventanas y vió ante sí el jardín verde, el sol levante y la ruta tortuosa que llevaba al centro de la ciudad. Observó con satisfacción el piso de ladrillos rojos de sus habitaciones y las paredes cuidadosamente blanqueadas. Se preparó una taza de café y mientras la bebía, andaba de un lado para otro planeando cómo amueblaría su casa y cuáles cuadros colgaría de las paredes, sintiéndose feliz de poseer un hogar propio.

Al día siguiente recibió una carta de su amigo Paul Gauguin quien le decía que estaba prisionero, enfermo y pobre en un miserable café en Pont-Aven en Bretaña. "No puedo salir de este agujero —escribía— porque no puedo pagar mi cuenta y el dueño tiene todos mis cuadros bajo llave. De todas las desgracias que afligen a la humanidad, nada me pone más fuera de mí que la falta de dinero. Y sin embargo siento que estoy destinado a sufrir siempre de miseria".

Vincent reflexionó la suerte de los pintores en el mundo, cansados, enfermos, desamparados, ridiculizados por sus semejantes, hambrientos y torturados hasta el fin de sus días. ¿Y por qué? ¿Cuál era su crimen? ¿Por qué eran proscriptos y parias? ¿Cómo podían hombres perseguidos de tal suerte hacer buen trabajo? El pintor del futuro no tendría que vivir en cafés miserables ni ir a las casas frecuentadas por los zuavos para divertirse.

¡Pobre Gaugin! Aprisionado en un inmundo agujero de la Bretaña, demasiado enfermo para trabajar, sin un amigo para ayudarle o un franco en su bolsillo para comprar comida o ir a ver un médico. Vincent lo tenía por un gran pintor y un gran hombre. ¿Y si se moría? ¿Si abandonaba la pintura? ¡Qué tragedia sería para el arte!

Metió la carta en su bolsillo y saliendo de la casa amarilla se dirigió hacia el embarcadero del Ródano. Un lanchón cargado de carbón estaba amarrado al muelle. Como había llovido, el carbón estaba brillante y renegrido. El agua tenía un tinte amarillento y grisáceo; el cielo, alilado y estriado de anaranjado, servía de fondo a la ciudad que se destacaba en violeta. Sobre el lanchón algunos trabajadores vestidos de azul iban y venían, descargándolo.

Parecía una estampa de Hokusai, y le hizo recordar a Vincent los días de París y las estampas japonesas del Père Tanguy. Recordó a Gauguin, quien de entre todos sus amigos, era el que más quería.

De pronto le vino una idea: la casa amarilla era suficientemente amplia para dos hombres. Cada cual podía tener su dormitorio y su estudio. Si comían juntos, se preparaban sus colores y tenían mucho cuidado, podrían vivir los dos con sus ciento cincuenta francos mensuales. El alquiler sería el mismo y para comer gastarían muy poco de más. ¡Y qué magnífico sería tener un amigo de nuevo, un pintor a quien hablar y que le comprendería! ¡Y cuántas cosas maravillosas Gauguin le enseñaría sobre la pintura! Hasta ese momento no se había percatado cuán solo estaba. En el supuesto caso de que no les alcanzaran los ciento cincuenta francos, tal vez Theo podría enviarles cincuenta francos más a cambio de un cuadro mensual de Gauguin. Sí, sí, debía hacer venir a Gauguin a Arles. El ardiente sol de Provenza lo sanaría como lo había sanado a él. Pronto tendrían un estudio en plena tarea. Sería el primer estudio del Sud, y seguirían la tradición de Delacroix y Monticelli. Inundarían al mundo de cuadros llenos de sol y de colorido.

¡Había que salvar a Guaguin!

Vincent dió media vuelta y regresó casi corriendo a la Place Lamartine. Entró en la casa amarilla y comenzó a planear el arreglo de las habitaciones.

—Paul y yo tendremos cada cual nuestros dormitorios en el piso alto, y usaremos las piezas de abajo como estudios. Compraré camas y colchones y también ropa de cama. Buscaré algunas sillas y mesas y nos formaremos un verdadero hogar. Decoraré toda la casa con girasoles y huertos en flor. ¡Oh, Paul, Paul! ¡Qué magnífico sería tenerte a mi lado!

MAYA

Las cosas no sucedieron tan fácilmente como lo había supuesto. Theo consentía en agregar cincuenta francos mensuales a cambio de un cuadro de Gauguin, pero había que pensar en el costo del viaje por ferrocarril, costo que ni Theo ni Gauguin podían afrontar. El pintor se hallaba demasiado enfermo para moverse siquiera y demasiado endeudado para pensar en salir de Pont-Aven. Se encontraba tan abatido que ningún proyecto lo entusiasmaba. Las cartas iban y venían entre Arles, París y Pont-Aven.

Vincent estaba cada día más entusiasmado con su casa amarilla. Se compró una mesa y una cómoda en cuanto recibió el dinero de su hermano.

—Para fin de año —escribía a Theo—, seré un hombre completamente distinto. Pero no creas que voy a dejar esto. Pienso pasar todo el resto de mi vida en Arles. Me convertiré en el pintor del sud. Debes considerar que posees una casa de campo en Arles, y deseo arreglar todo de modo que puedas pasar tus vacaciones aquí.

Gastaba lo menos posible en su subsistencia empleando casi todo el dinero para engalanar la casa. Todos los días debía elegir entre él y su casa. ¿Comería carne para la cena o bien compraba la jarra de mayólica? ¿Compraría un par de zapatos o bien iría a buscar la colcha verde que había visto para la cama de Gauguin? Siempre la casa estaba en primer término.

Esa casa le daba una sensación de tranquilidad, pues trabajaba para asegurarse el futuro. Hacía demasiado tiempo que andaba rodando de un lado para otro. Ahora no pensaba moverse nunca más de allí. Cuando él ya no existiera, otro pintor ocuparía su lugar. Quería establecer una especie de estudio permanente que podría ser utilizado por varias generaciones de pintores. Lo obsesionaba la idea de adornar las habitaciones con decorados que valieran todo el dinero que su hermano había gastado en él durante todos aquellos años.

Se enfrascó en su trabajo con renovada energía. Pintaba desde las siete de la mañana hasta las seis de la tarde sin detenerse, produciendo un cuadro diario.

—Mañana hará un día bochornoso —dijo Roulin una noche al final del verano—. Y luego vendrá el invierno.

Estaban sentados frente a unos vasos de cerveza en el café Lamartine.

—¿Y qué tal es el invierno en Arles? —inquirió Vincent.

—Malo. Llueve muchísimo, hay un viento espantoso y un frío terrible. Pero por suerte es corto. No dura más de un par de meses.

—Entonces mañana será nuestro último día bueno, según dice usted. Si es así, ya sé el lugar donde iré a pintar. Imagínese un jardín otoñal, Roulin, con dos cipreses verde botella y tres castaños de tonos marrones y anaranjados. A un costado un arbolito con follaje color limón y tronco violeta y dos arbustos rojo sangre con hojas escarlatas y púrpuras. En el suelo un poco de arena y de pasto verde, con el cielo azul encima de todo.

—Ah, señor, cuando usted me describe esas cosas, comprendo que toda mi vida estuve ciego.

A la mañana siguiente Vincent se levantó con el sol. Estaba animadísimo. Se arregló la barba con un par de tijeras, se alisó el poco pelo que el sol arlesiano le había dejado, vistió su único traje completo y con un gesto gracioso de adiós al sol, se encasquetó su gorro de piel.

La predicción de Roulin resultó cierta. El sol se levantó como una bola amarilla ardiente. El jardín otoñal quedaba a dos horas de marcha sobre la ruta de Arles a Tarascon. Vincent plantó su caballete frente al jardín, arrojó su gorro al suelo, se quitó el gabán y colocó la tela sobre el caballete. A pesar de que era muy temprano, el sol le quemaba la cima de la cabeza y le daba la impresión que tenía una cortina de fuego ante los ojos.

Estudió la escena cuidadosamente, analizó los colores y bosquejó en su mente el cuadro. Cuando se convenció de que había comprendido la escena, empezó a suavizar sus pinceles, destornilló las tapas de los tubos de sus pinturas y limpió el cuchillo con el cual acostumbraba esparcir la pintura sobre la tela. Volvió a mirar el jardín y comenzó a mezclar los colores. Iba a colocar la primera pincelada cuando lo oyó una voz que le decía detrás suyo:

—¿Tienes que empezar tan temprano, Vincent?

El joven se volvió repentinamente.

—Es muy temprano, querido. Tienes todo el día para trabajar.

Vincent permaneció boquiabierto de asombro ante la mujer que le hablaba. Era muy joven, tenía los ojos tan azules como el cielo cobalto de una noche arlesiana, y su cabello, que flotaba en su espalda, era del mismo color que el sol. Tenía facciones aun más delicadas que las de Kay Vos, pero con la madurez de las mujeres del sud. Vestía una larga túnica blanca que dibujaba las curvas de su cuerpo, sujeta únicamente por un broche cuadrado de plata a un lado. Calzaba un sencillo par de sandalias.

—Hace tanto tiempo que estoy lejos, Vincent —dijo.

Se colocó entre Vincent y el caballete, reclinándose contra la tela virgen y obstruyéndole la vista del jardín. El sol iluminó su cabello lanzando destellos de oro. La joven sonrió cariñosamente y Vincent se pasó la mano sobre los ojos para cerciorarse de que no estaba dormido.

—No comprendes, querido mío —dijo la mujer—. Pero ¿cómo comprenderías? ¡Hace tanto tiempo que estoy lejos!

—¿Quién eres?

Tu amiga, Vincent. La mejor amiga que tienes en el mundo.

—¿Y cómo sabes mi nombre? Yo nunca te he visto antes.

—No, pero yo sí que te he visto.

—¿Y cómo te llamas?

—Maya.

—¿Y por qué me seguiste hasta aquí?

—Por la sencilla razón de que te he seguido por toda Europa... Para estar cerca tuyo.

—Debes confundirme por otra persona. No soy el hombre que buscas.

La mujer colocó su mano blanca y fresca sobre la cabeza ardiente del artista.

—Sólo hay un Vincent Van Gogh. No puedo equivocarme.

—¿Cuánto hace que crees conocerme?

—Ocho años.

—Pero hace ocho años estaba en...

—...en el Borinage, sí, querido.

—¿Y me conocías entonces?

—Te vi por primera vez una tarde que estabas sentado en una rueda herrumbrosa frente a Marcasse...

—... ¡mirando cómo salían de la mina los marineros!

—Sí. Fué allí que te vi por primera vez. Me disponía a pasar cuando sacaste un viejo sobre y un lápiz de tu bolsillo y comenzaste a dibujar. Miré por encima de tu hombro, y cuando vi lo que habías hecho me enamoré de ti.

—¿Te enamoraste? ¿Te enamoraste de mí?

—Sí, mi querido, mi buen Vincent.

—Tu voz, Maya... me suena extraña... Sólo una mujer me ha hablado antes con esa voz...

—Sí, Margot. Ella te quería, como yo te quiero.

—¿Conociste a Margot?

—Estuve en el Brabante dos años. Te seguí diariamente a los campos. Te observé mientras trabajabas en tu pequeño estudio del fondo del jardín. Y me sentía feliz de que Margot te amara.

—¿Entonces tú no me amabas?

—Sí, y mucho —repuso sonriendo—. Nunca he cesado de quererte un solo instante.

—¿Y no estuviste celosa de Margot?

—No; su amor era bueno para ti. Lo que no me agradaba era tu amor por Kay... Te perjudicada.

—¿Y me conocías cuando estaba enamorado de Ursula?

—No. Eso fué antes de mi tiempo.

—No te hubiera gustado entonces. Era un tonto.

—A veces hay que ser tonto para comenzar, y convertirse luego en sabio.

—Pero, ya que me amabas cuando estábamos en el Brabante ¿por qué no viniste a mí?

—Aún no había llegado el momento.

—¿Y llegó ahora?

—Sí.

—¿Me amas aún? ¿En este momento?

—Ahora, en este momento y para la eternidad.

—¿Cómo puedes amarme? Estoy casi calvo, tengo los ojos tan rojos como los de un sifilítico, todos mis dientes son falsos... No se ven más que huesos en mi rostro... ¡Soy feo! El hombre más feo que existe. Mis nervios están a la miseria y mi cuerpo agotado. ¿Cómo puedes amar a un hombre así?

—¿Quieres sentarte, Vincent?

El artista tomó asiento sobre su banco y la mujer se arrodilló a su lado sobre la tierra.

—Te vas a ensuciar toda —exclamó Vincent—. Déjame extender mi chaqueta sobre el suelo.

La mujer lo detuvo con un gesto suave.

—Muchas veces he ensuciado la blancura de mi traje por seguirte, Vincent, pero siempre se ha blanqueado de nuevo.

Le acarició el rostro con sus delicados dedos y prosiguió:

—No eres feo, Vincent. Al contrario, eres hermoso. Has torturado y atormentado tu pobre cuerpo en el cual está envuelta tu alma, pero no has podido dañar a ésta. Es tu alma la que amo. Y cuando tu cuerpo esté destruído por tu trabajo apasionado... tu alma seguirá existiendo...

El sol se tornaba cada vez más ardiente y sus rayos caían despiadados sobre Vincent y la mujer.

—Deja que te lleve donde haga más fresco —dijo Vincent—. Un poco más adelante hay unos cipreses... estarás más cómoda a la sombra.

—Me siento feliz aquí contigo. No me molesta el sol, estoy acostumbrada a él.

—¿Hace mucho que estás en Arles?

—Vine contigo de París.

Vincent tuvo un gesto de ira y dió un puntapié a su banco.

—¡Me engañas! ¡Alguien te ha mandado aquí para ridiculizarme! ¡Vete! ¡No quiero dirigirte una sola palabra más!

La mujer hizo frente a su enojo con una sonrisa suave.

—No te engaño, querido. Soy lo más real que existe en tu vida. Jamás podrás destruir mi amor por ti.

—¡Mientes! ¡No me amas! ¡Te burlas de mí! ¡Te lo voy a demostrar!

La tomó bruscamente en sus brazos, pero la mujer no hizo un gesto para apartarse.

—¡Te voy a lastimar si no terminas de torturarme! — dijo.

—Lastímame si quieres, Vincent. Ya me has lastimado muchas veces. Eso forma parte del amor.

—¡Perfectamente, entonces!

La apretó ferozmente contra sí, y buscando sus labios la besó hasta lastimarla. Ella abrió sus suaves labios ofreciéndoselos, dándose por entero a él, en un abandono completo.

De pronto Vincent la arrojó de su lado y cayó pesadamente sobre su banco La mujer se deslizó sobre el suelo y colocando su brazo sobre el muslo del artista descansó sobre él la cabeza. Vincent le acarició lentamente el hermoso cabello dorado.

—¿Te has convencido? —preguntó Maya.

Después de un largo rato Vincent dijo:

—Ya que estás en Arles desde que yo vine ¿estás enterada de lo de Pichón?

—Raquel es una criatura muy dulce...

—¿Y no tienes nada que objetar?

—Eres hombre, Vincent, y necesitas mujeres. Ya que aún no había llegado el momento de que yo me entregara a ti, tenías que saciar tu ansia en otro lado. Pero ahora... Ahora ya no necesitas...

—¿Quieres decir que tú...?

—Sí, querido. Te amo.

—¿Y por qué me amas? Las mujeres siempre me han despreciado.

—No has sido hecho para el amor. Tenías que trabajar.

—¿Trabajar? Bah, he sido un tonto. ¿De qué sirven esos cientos de cuadros que hice? ¿Quién los quiere? ¿Quién los comprará? ¿Quién dirá que he comprendido la naturaleza o fijado su belleza?

—El mundo entero lo dirá algún día, Vincent.

—¡Algún día! ¡Qué ilusión! Como la ilusión de pensar que algún día seré un hombre sano, con un hogar y una familia y que ganaré suficiente dinero con mis pinturas como para vivir. Hace ocho largos años que pinto, y jamás nadie ha deseado comprar uno solo de mis cuadros. ¡He sido un tonto!

—Tal vez, pero un tonto magnífico. Después que no existas más, Vincent, el mundo comprenderá lo que has tratado de decir. Los cuadros que hoy no puedes vender por cien francos, se venderán algún día por un millón. Sí, sonríes, pero lo que te digo es la verdad. Tus cuadros colgarán en los museos de Amsterdam y de La Haya, de París y de Dresde, de Munich y de Berlín, de Moscú y de Nueva York. No tendrán precio porque nadie los querrá vender. Libros enteros se escribirán sobre tu arte, Vincent. Tu vida sevirá de tema para novelas y piezas de teatro. Cuando se encuentren dos hombres que amen la pintura, pronunciarán el nombre de Vincent Van Gogh como algo sagrado.

—Si no sintiera el sabor de tu boca sobre la mía, diría que estoy soñando o que me he vuelto loco.

—Ven, siéntate a mi lado, Vincent. Coloca tu mano en la mía.

El sol estaba en el cenit, e inundaba la colina y el valle. Vincent se recostó junto a la mujer en el campo. Hacía seis largos meses que no hablaba a nadie más que a Raquel o a Roulin. Sentía una necesidad imperiosa de xpresarse en palabras. La mujer lo miraba profundamente en los ojos y él comenzó a hablar. Le contó su amor por Ursula y los días en que era empleado de Goupil. Le habló de sus luchas y decepciones, de su amor por Kay y de la vida que había tratado de formarse con Cristina. Le habló de las esperanzas que había abrigado en su pintura, de los golpes que había recibido, y de lo que deseaba realizar en bien de su arte y de los pintores; de cómo su cuerpo estaba arruinado por el agotamiento y la enfermedad.

Cuanto más hablaba más se agitaba. Gesticulaba sin cesar para dar fuerza a sus palabras. La mujer lo escuchaba en silencio, sin perder un sola de sus palabras, deseosa de comprenderlo y compenetrarse con su pensamiento.

De pronto se detuvo bruscamente. Sus ojos y su rostro estaban rojos y su cuerpo temblaba espasmódicamente.

—Bésame, Vincent —dijo Maya.

El la besó en la boca y ella le devolvió las caricias cubriéndole todo el rostro con sus besos apasionados. Vincent sintió un deseo carnal que no podía ser satisfecho por la carne sola. Nunca jamás una mujer se había entregado a él con los besos del amor. Estrechó contra él su cuerpo vibrante.

—Un momento —dijo Maya, y desprendiéndose el broche de plata de su túnica se la quitó con un gesto. Su cuerpo tenía el mismo tinte dorado que su rostro, era virgen y exquisitamente perfecto.

—Estás temblando, querido —murmuró—. Tómame contra ti... estréchame entre tus brazos como me quieres.

La emoción de Vincent iba en aumento. La mujer abrió sus brazos y se entregó por entero, con una pasión avasalladora y tumultuosa tan grande como la de él.

Agotado, Vincent se durmió en sus brazos.

Cuando se despertó estaba solo. El sol se había ido. Sobre su mejilla tenía un parche de barro seco, formado por la tierra que se había pegado contra su rostro sudoroso durante su sueño. Miró a su alrededor atontado, se colocó su chaqueta, su gorro de piel, y cargando su pesado caballete sobre sus espaldas, tomó su tela y se dirigió por el camino oscuro hasta su casa.

Una vez allí, arrojó el caballete y la tela sobre el colchón y salió a tomar una taza de café. Sentado ante la mesita de mármol colocó su cabeza entre sus manos y recapituló lo que había sucedido ese día.

—"Maya" —murmuró—. Maya... ¿no oí antes ese nombre? Significa... Significa... ¿qué significará?

Tomó una segunda taza de café. Después de una hora regresó a la casa amarilla. Se había levantado un viento frío y el olor a lluvia flotaba en el aire.

Encendió un fósforo y prendió la lámpara que colocó sobre la mesa. La llama amarilla iluminó la habitación. Su mirada tropezó con un parche de colores sobre la cama. Sobresaltado, se acercó a la tela que había llevado esa mañana consigo.

Allí estaba el jardín otoñal, con sus dos cipreses verde botella y tres castaños de tonos marrones y anaranjados. A un costado un arbolito con follaje color limón y tronco violeta y dos arbustos rojo sangre con hojas escarlatas y púrpuras. En el suelo un poco de arena y de pasto verde, y por encima de todo el cielo azul con un sol que parecía una bola de fuego.

Largo rato estuvo observando su cuadro y luego lo colgó a
la pared, y recostándose sobre el colchón murmuró sonriente siempre a su obra:

—Es bueno... Está bien logrado.

LLEGA GAUGUIN

Vino el invierno; Vincent pasaba sus días en su estudio calentito y agradable. Theo le escribió que Gauguin había ido a
París por un día, estaba en un estado de ánimo deplorable y se
resistía a la idea de ir a Arles. En el pensamiento de Vincent, la
casa amarilla no sólo debía ser el hogar de dos hombres, sino un
Estudio permanente para todos los artistas del sud. Hizo minu-
ciosos proyectos para agrandar su alojamiento en cuanto llegara
Gauguin, de modo a que cualquier pintor que lo deseara pudiese
recibir allí hospitalidad, a cambio de la cual comprometería a enviar un cuadro mensual a Theo. Quería que su hermano abriese
una Galería de Independientes en cuanto tuviese suficientes telas
de Impresionistas entre las manos.

En sus cartas Vincent explicaba con toda claridad que Gauguin debía ser el director del estudio y el maestro de todos los
pintores que trabajaran allí. Entusiasmado con su idea, seguía aho-
rrando todos los francos que podía a fin de amueblar su dormitorio. Pintó los muros de la habitación color violeta pálido; compró la ropa de cama color verdoso, pintó la cama de madera y
las sillas de color crema, la mesa de toilet anaranjada, la palangana azul y la puerta lila. Colgó de los muros varias de sus telas,
y luego hizo un cuadro del conjunto para Theo a fin de que su
hermano se diera cuenta de lo apacible que resultaba ese aposento.

Con la habitación de Gauguin fué otro asunto. No quería
comprar muebles tan baratos para quien debía ser el maestro del
Estudio. La señora de Roulin le aseguró que la cama de nogal
que quería comprar para su amigo costaba arriba de trescientos
cincuenta francos, suma exorbitante para él. Por lo tanto, comenzó comprando todo lo demás, privándose hasta de comer.
Cuando no le quedaba dinero para alquilar modelos, se colocaba
delante del espejo y hacía su retrato una y otra vez. Raquel vino
a posar para él, así como la señora de Roulin, y una tarde trajo

también a sus hijos. Pintó un día a la esposa del dueño del café, sentada en un sillón luciendo su traje arlesiano. Un zuavo de rostro enjuto y cuello de toro consintió en posar por una pequeña suma. Su uniforme azul y rojo y su vez bronceada hacían fuerte contraste con el tono verde del fondo, pero el conjunto resultó bueno y muy de acuerdo con el carácter del sujeto.

Pasaba horas enteras delante de la ventana con un papel y un lápiz en la mano tratando de dominar la técnica del dibujo para poder dibujar con escasos trazos la figura de un hombre, una mujer, un niño o un animal cualquiera. Se dedicó también a copiar muchos de sus cuadros hechos durante el verano, pues pensaba que si podía realizar cincuenta estudios a doscientos francos cada uno en un año, no habría perdido vanamente su tiempo.

Durante ese invierno aprendió muchas cosas, por ejemplo, que nunca había que hacer el cutis con azul prusiano, pues le daba mucha dureza. Que el elemento más importante en las pinturas de las regiones del Sud era el contraste del rojo y verde, del anaranjado y azul, del azufre y lila; que en un cuadro se podía expresar algo tan consolador como en la música; que quería representar a los hombres y a las mujeres con algo de divino, lo que debía lograr por su colorido radiante.

En esos días falleció uno de los tíos de Van Gogh, quien dejó a Theo un pequeño legado. Este, sabedor de lo deseoso que estaba Vincent de tener a Gauguin consigo, decidió emplear la mitad de esa suma para amueblar su dormitorio y enviarlo a Arles. Vincent estaba encantado y comenzó a planear las decoraciones para la casa amarilla. Quería hacer una docena de paneles con los magníficos girasoles arlesianos que eran una verdadera sinfonía de amarillo y azul.

Pero Gauguin no parecía muy entusiasmado con la idea de su viaje a Arles; por alguna razón oculta parecía preferir haraganear en Pont-Aven. Llegó la primavera. El cerco de adelfas detrás del patio de la casa amarilla floreció deslumbrosamente, cargándose de flores rosadas.

Vincent tomó su caballete y partió en busca de los girasoles para adornar los doce paneles de la casa amarilla. Algunas veces los pintaba en medio de los campos donde los encontraba y otras llevábase las flores y las reproducía en su casa, colocadas en un jarrón verde.

Ante la gran diversión de los arlesianos, pintó el exterior de su casa con una nueva capa de amarillo.

Apenas terminó los trabajos emprendidos para embellecer su hogar, llegó el verano, con su sol rajante, su mistral furioso y su ambiente de excitación enfermiza.

Fué precisamente en ese momento en que llegó Paul Gauguin. Arribó a Arles antes del amanecer y esperó a que se levantara el sol en el pequeño café nocturno. El dueño lo miró y exclamó:

—¡Usted es su amigo! ¡Lo reconozco!

—¿De qué diablos está hablando?

—El señor Van Gogh me mostró el retrato que usted le envió, y lo he reconocido...

Gauguin partió a despertar a Vincent. Su encuentro fué jubiloso. Vincent hizo visitar a su amigo toda la casa, le ayudó a desempaquetar su valija y le pidió mil noticias de París. Hablaron animadamente por varias horas.

—¿Piensas trabajar hoy, Gauguin?

—¿Te crees acaso que soy un Carolus-Duran que puedo bajar del tren, tomar mi paleta y captar un efecto solar sin más ni más?

—Era solo una pregunta que te hacía.

—Pues entonces déjate de preguntar sandeces.

—Yo tampoco trabajaré. Ven, te mostraré la ciudad.

Condujo a Gauguin hasta la ardiente Place de la Mairie, siguiendo por la ruta que circundaba la ciudad. Los zuavos hacían sus ejercicios frente a los cuarteles y su feces rojos deslumbraban al sol. Continuaron a través del pequeño parque hasta el foro romano, cruzándose con muchas mujeres arlesianas. Vincent, que había estado hablando a su amigo tanto de esas mujeres, le preguntó:

—¿Y qué piensas de ellas Gauguin? No me refiero a la forma, sino al tono... ¿No ves el hermoso color bronceado de su cutis?

—¿Qué tal son las casas públicas aquí? —respondió su amigo.

—Solo existen casas de a cinco francos para los zuavos.

Regresaron a la casa amarilla a fin de terminar su instalación. Clavaron una caja en la pared de la cocina y colocaron en ella la mitad del dinero que poseían. Tanto para tabaco, tanto para el alquiler, y tanto para imprevistos. Encima de ella colocaron una hoja de papel y un lápiz con el propósito de marcar cada franco que retiraran de allí. En otra caja colocaron el resto de su dinero, dividido en cuatro partes, destinadas a los gastos de comida.

—Eres buen cocinero, ¿verdad Gauguin?

—Excelente. He sido marinero.

—Entonces tú serás el encargado de la cocina, pero esta noche yo prepararé la sopa en tu honor.

Cuando la sirvió, su amigo no pudo comerla.

—¿Cómo has hecho esta porquería? Supongo que has mezclado todo del mismo modo que mezclas los colores en tus cuadros.

—¿Y qué tienen los colores de mis cuadros? —preguntó Vincent agresivo.

—Pero amigo mío ¿no te das cuenta que aún andas tropezando en el neo-impresionismo? Harías bien en abandonar tu método presente. No corresponde a tu naturaleza.

Vincent, apartó de un gesto su plato de sopa.

—Ya —dijo sarcásticamente—. ¡Qué buen crítico eres! ¡Puedes decir eso al primer golpe de vista!

—No tienes más que mirar por ti mismo. No eres ciego ¿verdad? Esos amarillos rabiosos desconciertan.

—¿Eso es lo único que encuentras para decir de mis girasoles?

—No viejo, podría decirte muchas cosas más.

—¿Por ejemplo?

—Por ejemplo que tus armonías son monótonas e incompletas.

—¡Es una mentira!

—Cálmate, Vincent. Parece como si quisieras matarme. Soy bastante mayor que tú, escúchame... Puedo darte provechosas lecciones.

—Lo siento, Paul, pero no quiero de tu ayuda.

—Pues entonces lo primero que tendrías que hacer es olvidarte de todas las pamplinas que llenan tu mente. El día entero estás hablando de Meissonier y de Monticelli. Ambos carecen de valor. Mientras admires esa clase de pintura no serás capaz de hacer nada bueno.

—Monticelli fué un gran pintor. Sabía más sobre color que cualquier hombre de tu tiempo.

—Era un idiota borracho.

Vincent se puso de pie de un brinco haciendo caer el plato de sopa que se hizo mil pedazos en el suelo.

—¡No hables de ese modo de "Fada"! ¡Lo quiero casi tanto
como a mi propio hermano! Todo lo que se dice sobre su borra-
chera y su locura es incierto! Ningún borracho hubiera podido
pintar los cuadros que pintó Monticelli. El trabajo mental que
requiere equilibrar los seis colores elementales y todos los demás
detalles que hay que pensar para pintar como él, no puede ser
realizado más que por una mente sana y en la plenitud de sus
facultades. Al repetir esas habladurías sobre "Fada" te conviertes
en un ser tan vicioso como la asquerosa mujer que las inició!

—¡Tara-ta-ta! ¡Tara-ta-ta! —exclamó Gauguin con tono burlón.

La ira casi sofocó a Vincent, y no queriendo llegar a ningún
extremo, se fué indignado a su dormitorio cerrando la puerta tras
de sí de un golpe.

REYERTAS FURIOSAS

A la mañana siguiente ya habían olvidado su disputa. Tomaron juntos el café y luego partieron cada cual por su lado en busca
de algún motivo para pintar. Cuando Vincent regresó aquella noche, agotado por el esfuerzo de lo que él llamaba "equilibrar los
seis colores esenciales", encontró a Gauguin preparando la cena.
Charlaron tranquilamente durante un instante y luego comenzaron a hablar de pintura y de pintores, único tema que los apasio-
naba a ambos. Y la batalla prosiguió.

Los pintores que Gauguin admiraba, eran despreciados por
su amigo, y Gauguin no podía nombrar los ídolos de Vincent.
Cuando se trataba de su arte estaban en pleno desacuerdo; hubieran podido discutir tranquilamente sobre cualquier tema excepto sobre pintura. Cada cual luchaba por sus ideas hasta la
última parcela de su energía. Gauguin era dos veces más fuerte
físicamente que Vincent, pero éste poseía una fortaleza nerviosa
que aparejaba las fuerzas.

—Nunca serás un artista mientras no seas capaz de volver a
tu estudio fríamente después de haber estado en contacto con la
naturaleza —le dijo un día Gauguin.

—¡No seas idiota! ¡No quiero pintar fríamente! ¡Quiero pintar en el calor de la excitación! ¡A eso vine a Arles!

—Todo tu trabajo no es más que una copia servil de la naturaleza. Debes aprender a improvisar.

—¡Improvisar! ¡Santo cielo!

—Y te diré otra cosa, viejo. Hubieras hecho bien de escuchar a Seurat. La pintura es abstracta. No hay lugar en ella para la moral que señalas.

—¿Yo señalo moral? ¡Desvarías!

—Si quieres predicar, Vincent, vuelve al ministerio. La pintura es color, línea y forma, eso es todo. El artista puede reproducir lo decorativo de la naturaleza pero nada más.

—Arte decorativo —se burló Vincent—. Si eso es lo único que logras de tu naturaleza, puedes regresar a la Bolsa de Valores.

—Si lo hago, iré todos los domingos a oirte predicar... Pero dime ¿qué lograrás tú de la naturaleza?

—La emoción y el ritmo de la vida. Cuando pinto el sol, quiero hacer sentir a la gente su enorme potencia, sus raudales de luz, sus olas de calor y su tremendo poder. Cuando represento un trigal quiero que se advierta en él hasta los átomos que forman los granos de trigo y que pugnan por crecer y desarrollarse. Cuando dibujo una manzana, quiero que todos puedan *sentir* el jugo de esa fruta contra su piel, las semillas de su corazón que a su vez se desarrollarán y fructificarán.

—Vincent, Vincent, ¿cuántas veces te he dicho que un pintor no debe tener teorías?

—Fíjate en ese viñedo, Gauguin —prosiguió su amigo— parece como si las uvas quisieran estallar bajo la presión de su jugo. Mira esta garganta, quiero hacer sentir todos los millones de toneladas de agua que han pasado por ella. Cuando pinto el retrato de un hombre quiero que se refleje en él toda su vida, todo lo que ha visto. luchado y sufrido.

—¿A dónde diablos quieres llegar?

—A ésto, Gauguin: Los campos en que crece el trigo, el agua que corre torrentosa por las gargantas, el jugo de la fruta y la vida que se desliza del hombre son todos la misma cosa. La única unidad en la vida es la unidad de ritmo. Un ritmo al son del cual todos bailamos, hombres, manzanas, agua, campos, casas, caballos y sol. La materia de que estás hecho, Gauguin, es la misma que forma a la uva, pues tú y la uva no son más que uno. Cuando pinto a un labrador en su campo. quiero hacer sentir la unidad que existe entre el uno y el otro. Quiero que se sienta el sol que vivifica al campesino, a su campo, al trigo y a los caballos por igual. Recién cuando sientas ese ritmo universal en medio del cual se mueve todo el mundo, recién entonces comenzarás a comprender la vida. Eso es Dios.

—Maestro: ¡tienes razón! —exclamó Gauguin alegremente.

Esas palabras pronunciadas en semejante tono fueron como un balde de agua fría para Vincent que se hallaba en un estado de excitación superlativo. Permaneció con la boca tontamente abierta durante unos instantes mirando a su amigo.

—¿Qué quieres decir? —pronunció por fin.

—Que es hora que vayamos al café a tomar un ajenjo.

Al fin de la semana, Gauguin dijo una noche:

—¿Qué te parece si vamos esta noche a la casa aquella... Tal vez encuentre alguna mujer gorda que me agrade.

—Bien, pero te prevengo que Raquel me pertenece. No te metas con ella.

Caminaron por el laberinto de calles sinuosas y llegaron frente a la Casa de Tolerancia. Cuando Raquel oyó la voz de Vincent bajó corriendo al hall y le echó los brazos al cuello. Vincent presentó a Gauguin al dueño.

—Señor Gauguin —dijo Luis— usted que es artista ¿no se dignaría darme su opinión sobre dos cuadros que compré el año pasado en París?

—Estaría encantado. ¿Dónde los compró?

- En la Galería Goupil de la Place de l'Opera. Están en la sala del frente ¿quiere pasar?

Raquel condujo a Vincent a la habitación de la izquierda y haciéndolo sentar sobre un silla se instaló en sus rodillas.

—Hace seis meses que vengo por aquí —gruñó Vincent— y Luis jamás me pidió mi opinión sobre sus cuadros.

—No te cree un verdadero artista, Fou-rou.

—Tal vez tenga razón...

—No me quieres más, Fou-rou? —preguntó Raquel haciendo un mohín.

—¿Por qué dices eso, Pichón?

Hace varias semanas que no te he visto...

—Es que estuve muy ocupado arreglando la casa para mi amigo.

—¿Entonces me quieres aunque no vengas a verme?

—Sí, pichoncito.

La joven jugueteó con las orejas del artista y luego las besó.

—Para probármelo, Fou-rou, ¿serías capaz de regalarme una de tus orejitas? Recuerda que me lo prometiste.

—Si me la puedes quitar, son tuyas.

En ese momento oyóse un grito agudo que tanto podía ser un estallido de risa como de dolor. Vincent quitó a Raquel de su falda y corrió hacia la sala de la derecha de donde provenía el grito. En medio de la habitación advirtió a Gauguin que se retorcía de risa mientras Luis lo miraba azorado.

—¿Qué sucede, Paul? —inquirió alarmado.

Este quiso hablar pero no pudo. Cuando se hubo calmado algo logró decir:

—¡Vincent!... por fin... estamos justificados... mira... ¡los cuadros que Luis compró para su casa pública son dos... Bouguereau!

Volvió el verano con terrorífico calor y con su vibrante gama de colores. Llegó con él el Mistral que azotó a su paso según su costumbre. No obstante, ambos pintores salían todas las mañanas cada cual para su lado regresando al caer la tarde. A la noche estaban demasiado agotados para dormir y demasiado nerviosos para permanecer tranquilos, y gastaban su sobreexcitación discutiendo ferozmente entre ellos, exacerbándose mutuamente.

—No es extraño que no puedas pintar, Vincent. Fíjate en el desorden de este estudio. Se parece al desorden de tu caja de pinturas... Si tu mente holandesa no estuviese desvariada por Daudet y Monticelli tal vez podrías poner un poco de orden tanto en este Estudio como en tu vida.

—¿Qué te importa como está mi estudio? ¡Arregla el tuyo como quieras!

—Ya que estamos con este tema, aprovecho para decirte que tu cerebro está tan caótico como tu caja de pinturas. Admiras cualquier pintorzuelo de Europa, acaso eres capaz de comprender que Degas...

—¡Degas! ¿Pretendes acaso compararlo a Millet?...

—Bah... ¡Ese no era más que un sentimentalista! ¡Un...

—Pero Vincent no lo dejó terminar. Corrió hacia él con gesto amenazador, no pudiendo soportar que nadie hablara mal de quien consideraba su Maestro y su padre espiritual. Gauguin huyó de la habitación pero su amigo lo corrió por toda la casa amenazándolo con los puños cerrados, ciego de ira.

Día tras día se renovaban estas escenas. Durante el día luchaban cada cual por su lado para vencer a la naturaleza tratando de volcar en sus telas toda su exuberancia, y noche tras noche discutían entre ellos y reñían como si hubiesen sido los peores enemigos. Cuando llegaba el dinero de Theo lo gastaban inmediatamente en tabaco y ajenjo. Hacía tanto calor, que casi no se alimentaban y creían que el ajenjo les aplacaba los nervios, mientras que al contrario, los excitaba más y más.

Una vez, comenzó a soplar insistentemente el Mistral, a tal punto que ambos amigos tuvieron que permanecer confinados en la casa amarilla. Gauguin no podía trabajar, y se divertía hostigando a Vincent, divirtiéndose ante la vehemencia con que éste defendía sus ideas.

Al final del quinto día del Mistral, le dijo, después de haberlo estado molestando sin cesar:

—Sería mejor que te serenaras, amigo mío.

—Me parece que quien debe serenarse eres tú —repuso Vincent provocativo.

—Te digo eso porque varias personas que se atrevieron a discutir conmigo se han vuelto locas...

—¿Debo interpretar tus palabras como una amenaza?

—No; únicamente como un aviso.

—¡Guarda tus avisos para ti! —repuso de mal modo el artista.

—Perfectamente, pero si te sucede algo no me lo reproches.

—Paul, Paul déjate de discutir. Ya sé que eres mejor pintor que yo. Ya sé que me puedes enseñar mucho. Pero ¡no puedo permitir que me desprecies! ¡Hace nueve largos años que trabajo como un bruto y te aseguro que tengo algo que decir con mis pinturas! ¡Admítelo! ¡Habla!

—¡Maestro, tienes razón!

Esas palabras pronunciadas con un tono especial, tenían el don de irritar sobre manera a Vincent, y Gauguin lo sabía y las decía con un placer perverso.

—Por fin el Mistral amenguó y los arlesianos pudieron salir de nuevo de sus casas, pero una incontenible excitación parecía haberse apoderado de la ciudad y sus habitantes. La policía se vió obligada a refrenar muchos abusos y actos de violencia y hasta se cometieron varios crímenes. Todos tenían una expresión extraviada en la mirada, por cualquier futesa se trenzaban en riña. El valle del Ródano parecía pronto a estallar, y Vincent recordó al periodista parisino que había conocido el día de su llegada.

—¿Qué sucederá? —se preguntaba— ¿Un terremoto o una revolución?

A pesar de todo esto, seguía pintando en los campos sin cubrirse siquiera la cabeza. Parecía como si necesitara de aquel calor y aquel sol enceguecedor para trabajar. Subconcientemente comprendía que su trabajo mejoraba y que sus nueve años de ruda labor no estarían perdidos. En efecto, fué durante ese verano que produjo sus mejores obras expresando la esencia misma de la naturaleza y de sí mismo.

Pintaba sin descanso desde las 4 de la madrugada hasta que la oscuridad le impedía ver lo que tenía delante de sí. Producía dos y hasta tres cuadros diarios, en cada uno de los cuales dejaba parte de su vida misma. Sentía una necesidad imperiosa de no malgastar su tiempo, de crear constantemente, de dar a luz todos aquellos cuadros que se gestaban en su alma.

El trabajo contínuo, las eternas reyertas, la falta de sueño y de alimento y el exceso de ajenjo y tabaco lo había conducido a un paroxismo de excitación rayano a la locura.

Un día que se hallaba pintando una naturaleza muerta, Gauguin aprovechó para hacerle el retrato. Cuando Vincent vió la tela recién terminada de su amigo le dijo:

—No cabe duda que soy yo... Pero soy yo loco.

Esa noche, cuando fueron al café Vincent pidió un ajenjo liviano, y de pronto, sin motivo alguno, arrojó su vaso contra la cabeza de su amigo que por suerte lo evadió. Gauguin que era muy fuerte, tomó a su compañero en los brazos y cruzando la Place Lamartine lo llevó hasta la cama donde no tardó en quedarse profundamente dormido.

—Mi querido Gauguin —dijo a la mañana siguiente—: tengo una vaga idea de haberte ofendido anoche.

—Ya te he perdonado de todo corazón —repuso éste— pero lo de anoche puede volverse a repetir y encontrarme atravesado, por lo tanto creo conveniente escribir a tu hermano que parto de aquí...

—No. No, Paul. Te lo ruego. ¡No me abandones! ¿Qué haría yo sin ti?

Durante todo el día Vincent, insistió para persuadir a su amigo que desistiera de su idea de alejarse. Le rogó, le suplicó, le amenazó y hasta lloró. Finalmente, Gauguin, exhausto prometió quedarse.

La casa amarilla parecía estar cargada de extraña tensión eléctrica. Gauguin no conciliaba el sueño, y solo al amanecer pudo cerrar los ojos. Se despertó con una sensación extraña, y vió a Vincent de pie al lado de su cama mirándolo en la penumbra.

—¿Qué te sucede, Vincent? —inquirió.

Este, sin contestar se alejó y arrojándose sobre su lecho se quedó profundamente dormido.

A la mañana siguiente, Gauguin volvió a despertarse sobresaltado, y de nuevo advirtió la presencia de su amigo a su lado, mirándolo.

—¡Vincent! ¡Vete a la cama! —le ordenó.

Silenciosamente el artista partió.

Durante la cena del día siguiente tuvieron una breve disputa motivada por la sopa.

—¡Le has echado pintura adentro para que no pudiera comerla! —exclamó Gauguin exasperado.

Su amigo dejó oír una extraña carcajada, y acercándose a la pared escribió con tiza:

Je suis Saint Esprit

Je suis sain d'esprit

(Soy el Espíritu Santo)

(Estoy sano de espíritu)

Durante varios días estuvo bastante tranquilo, y hasta parecía deprimido. Casi no dirigía la palabra a Gauguin, y ni siquiera tomó sus pinceles una sola vez. Permanecía sentado en una silla mirando fijamente en el espacio. Al cuarto día, a pesar de que soplaba un desagradable Mistral, pidió a Gauguin que lo acompañara al parque.

—Tengo algo que decirte —le dijo.

—¿Acaso no estamos bien aquí para hablar? —inquirió Gauguin.

—No, necesito caminar para poder hablar con claridad.

—Bien, vayamos entonces.

Tomaron la ruta que circundaba la ciudad hacia la izquierda y llegaron hasta el Parque. El Mistral soplaba tan fuerte que los cipreses del jardín se inclinaban casi hasta barrer el suelo.

—¿Qué querías decirme? —inquirió por fin Gauguin.

Tenía que hablar a gritos en medio de ese viento terrible para que su amigo lo oyese.

—Paul, estuve pensando mucho estos últimos días y tuve una idea maravillosa.

—Perdóname si soy un poco escéptico acerca de tus ideas maravillosas.

—Hemos fracasado todos como pintores y ¿sabes por qué?

—¿Qué dices? ¡No te oigo una palabra! ¡Habla más fuerte!

—¿SABES POR QUE HEMOS FRACASADO COMO PINTORES? —gritó Vincent.

—No. ¿Por qué?

—¡Porque pintamos solos!

—¿Qué diablos estás diciendo?

—Algunas cosas las pintamos bien y otras mal, y nos empecinamos en pintarlas todas en el mismo cuadro.

—¡Maestro, estoy pendiente de sus palabras!

—¿Recuerdas a los Dos Hermanos? ¿Los pintores holandeses? Uno hacía bien los paisajes y otro las figuras. Pintaban cada cual su parte y sus cuadros tuvieron gran éxito.

—¿Y a qué quieres llegar con estos circunloquios?

—Que eso es a lo que debemos llegar nosotros, Paul. Tú, yo, Seurat, Cezanne, Lautrec, Rousseau... ¡todos debemos trabajar en el mismo cuadro! Eso sería el verdadero comunismo entre los pintores. Cada cual haría lo que mejor supiera. Tú el paisaje, Lautrec las figuras, yo el sol, la luna y las estrellas... Juntos seríamos un solo gran artista. ¿Qué me dices de mi idea?

—Ta-ra-ta-ta! ¡Ta-ra-ta-ta! —exclamó Gauguin burlándose y estallando en una risa formidable—. ¡Maestro! —exclamó cuando se lo permitieron sus incontenibles carcajadas—. ¡Esa es la idea más grande del mundo! ¡Permíteme que la festeje!

Y seguía riéndose sosteniéndose el vientre con ambas manos.

Vincent, tieso, no decía una palabra ni hacía un movimiento en medio del terrible vendaval que soplaba.

—¡Vamos, Vincent! —dijo por fin Gauguin—. Vayamos a lo de Luis. ¡Siento la necesidad de festejar tu luminosa idea!

Vincent lo siguió a la Rue des Ricolettes en silencio. Gauguin subió al primer piso con una de las muchachas mientras Vincent permanecía en la sala con Raquel sobre sus piernas.

—¿No quieres subir conmigo, Fou-rou? —preguntó la joven.

—No.

—¿Y por qué?

—Porque no tengo los cinco francos.

—¿Entonces me darás tu orejita esta vez?

—Sí.

Después de algún tiempo Gauguin regresó y ambos amigos se dirigieron hacia la casa amarilla. Luego de engullir su cena Gauguin se dirigió hacia la puerta de calle sin pronunciar palabra. Ya casi había cruzado la Place Lamartine cuando oyó que alguien corría detrás suyo. Se volvió precipitadamente y advirtió que era Vincent que llegaba amenazante con una navaja de afeitar abierta en la mano. Gauguin lo miró fijamente y su amigo bajó la cabeza y se volvió hacia su casa.

Molesto por el incidente, Gauguin fué a un hotel, tomó una habitación, cerró la puerta con llave, se acostó y se durmió.

Por su parte, Vincent entró en la casa amarilla, subió las escaleras y llegó hasta su cuarto. Tomó un espejo, el mismo ante el cual tantas veces había pintado su propio retrato, y lo colocó sobre el toilet, contra la pared. Miró fijamente sus ojos inyectados en sangre.

El fin había llegado. Su vida había terminado. Lo leyó en su rostro. Más le valía terminar de una vez.

Elevó la navaja y sintió el frío acero contra su cuello. Le pareció oír extrañas voces. De un golpe seco se cortó la oreja derecha.

Soltó la navaja y se envolvió la cabeza en unas toallas, pues la sangre corría hasta el suelo. Tomó luego la oreja que había caído en la palangana, la lavó bien y la envolvió en varios pedazos de papel de dibujo y la ató con un piolín.

Cogió un gorro vasco que estaba colgado de una percha y se lo colocó por encima de su tosco vendaje. Bajó luego a la Place Lamartine y se dirigió a la Casa de Tolerancia Nº 1, llamando a la puerta.

—Quiero ver a Raquel —dijo a la sirvienta que le abrió—; que baje.

Un instante más tarde llegaba la joven alegremente.

Eres tú, Fou-rou... ¿Qué quieres?

—Te he traído algo.

—¿Para mí? ¿Un regalo?

—Sí.

—Qué bueno eres, Fou-rou.

—Consérvalo cuidadosamente, es un recuerdo mío.

—¿Qué es? —inquirió curiosa.

—Abre el paquete y verás.

Así lo hizo la joven. En cuanto vió su contenido una expresión de horror cubrió su rostro y sin pronunciar palabra cayó desvanecida.

Vincent partió inmediatamente. Cruzó la Place Lamartine, entró en su casa, cerró la puerta tras de sí y se acostó.

Cuando Gauguin llegó a las siete y media de la mañana siguiente encontró frente a la casa un grupo numeroso de personas. Roulin gesticulaba con agitación.

—¿Qué ha hecho usted a su camarada? —le preguntó amenazante y severo.

—Nada. ¿Qué sucedió?

—¡Usted lo sabe perfectamente!... ¡está muerto!

El artista permaneció azorado mirando tontamente a los que lo rodeaban, como si no lograra coordinar sus pensamientos.

—Vamos arriba... —tartamudeó por fin.

En las habitaciones del piso bajo encontraron varias toallas mojadas y manchadas con sangre. También había sangre sobre la escalera que llevaba al piso alto y cerca de la cama de Vincent. El pintor estaba acostado en su cama envuelto en la sábana y parecía sin vida. Con toda suavidad Gauguin tocó su cuerpo. Estaba caliente. Esto pareció electrizarlo y devolverle todas sus energías.

—Señor —dijo en voz baja al superintendente de policía que se hallaba a su lado, le ruego que lo despierte con mucho cuidado... Y si pide por mí, dígale que he partido para París. Si me viera tal vez podría serle fatal.

El policía envió a buscar al médico y a un coche, y llevaron a Vincent al hospital. Roulin acompañó al coche, corriendo durante todo el trayecto.

FOU-ROU

El doctor Félix Rey, joven interno del hospital de Arles, era un hombre bajo y grueso con cabello negro. Cuidó la herida de Vincent y luego lo hizo acostar en una habitación en la cual únicamente dejaron la cama, y luego partió cerrando la puerta con llave tras de sí.

Al atardecer volvió el médico para tomar el pulso de su paciente. Vincent se despertó. Miró asombrado al techo y a las paredes desnudas y luego sus ojos se posaron sobre el rostro del doctor Rey.

—¿Dónde estoy? —preguntó suavemente.

—En el hospital de Arles —repuso el médico.

—Ah...

Una mueca de dolor se dibujó en su rostro y se llevó la mano hacia donde había estado su oreja derecha, pero el doctor Rey lo detuvo.

—No, no debe tocarse —dijo.

—Sí... sí... recuerdo ahora...

—Es una herida sin peligro, amigo mío, y dentro de pocos días estará sano.

—¿Dónde está mi amigo?

—Regresó a París.

—Ah... ¿Puedo fumar mi pipa?

—Todavía no.

El doctor Rey desvendó la herida y luego de lavarla lo volvió a vendar.

—Es un accidente de poca importancia —dijo—. Después de todo no oímos con el pabellón de la oreja... Usted no la echará de menos.

—Gracias, doctor, es usted muy bueno... Pero ¿por qué está este cuarto tan desnudo?

—He hecho quitar todo para protegerlo a usted.

—¿Y contra quién?

—Contra usted mismo.

—Ah... sí... comprendo.

—Ahora debo retirarme. Le haré traer la cena. Trate de permanecer tranquilo. La pérdida de sangre lo ha dejado débil.

Cuando Vincent se despertó a la mañana siguiente, Theo se hallaba sentado al lado de su lecho, con el rostro pálido y los ojos rojos.

—Theo —murmuró Vincent.

Su hermano se arrodilló al lado del lecho y le tomó las manos comenzando a llorar sin falsa vergüenza.

—Theo... siempre que te necesito.. estás a mi lado...

La emoción del joven le impidió contestar.

—Siento haberte hecho venir hasta aquí... ¿cómo te enteraste?

—Gauguin me telegrafió anoche. Tomé el tren nocturno.

—Hizo mal Gauguin. No hubieras debido hacer ese gasto. ¿Me velaste toda la noche?

—Sí, Vincent.

Permanecieron silenciosos por unos momentos.

—He hablado al Dr. Rey, Vincent. Dice que se trata de una insolación. Has estado trabajando en el sol sin sombrero, ¿verdad?

—Sí.

—No debes hacerlo. Prométeme que nunca más volverás a hacerlo. En Arles muchas personas sufren de insolaciones.

Vincent le estrechó la mano suavemente, mientras Theo tragaba con dificultad.

—Tengo noticias para ti, Vincent. Pero creo prudente esperar unos días para comunicártelas.

—¿Son buenas noticias?

—Creo que te agradarán.

En ese momento llegó el Dr. Rey.

—Y bien, ¿cómo está mi paciente esta mañana?

—Doctor, ¿me permite dar algunas buenas noticias a mi hermano?

—Sí; pero primero déjeme ver la herida... Sí, cicatriza bien.

Cuando el médico abandonó la habitación Vincent insistió para que su hermano hablara.

—Vincent... He... he conocido a una joven...

—¿Y?

—Es holandesa, se llama Juana Bunger... Se parece a nuestra madre.

—¿Y la amas, Theo?

—Sí, me sentí tan terriblemente solo en París sin ti, Vincent. Antes de que tú vinieras era distinto, pero después de haber vivido juntos un año...

—Sin embargo te he molestado mucho, Theo... Es difícil vivir conmigo...

—¡Oh, Vincent, si supieras cuántas veces he deseado llegar a casa y encontrarme con tus cosas todas tiradas de un lado para otro y tus telas recién pintadas sobre mi cama! Pero no hablemos tanto, debes descansar. Me quedaré a tu lado sin pronunciar una palabra.

Theo permaneció dos días en Arles, partiendo después que el Dr. Rey le hubo asegurado que Vincent se repondría en breve y que no solamente cuidaría a su hermano como a un paciente sino como a un amigo.

Roulin lo visitaba todas las tardes y le traía flores. Durante las noches Vincent sufría de alucinaciones y el Dr. Rey le colocó un poco de alcanfor bajo la almohada para combatir su insomnio.

Al cuarto día, cuando el médico se convenció de que Vincent estaba del todo cuerdo, dejó la puerta abierta e hizo colocar de nuevo los muebles en la habitación.

—¿Puedo levantarme y vestirme, doctor? —preguntó Vincent.

—Si se siente suficientemente fuerte... Después que haya tomado un poco de aire, venga a mi oficina.

El hospital de Arles era una construcción de dos pisos de forma cuadrangular con un patio central lleno de maravillosas flores. Vincent se paseó lentamente entre las flores y luego se dirigió a la oficina del doctor en el piso bajo.

—¿Cómo se siente? —inquirió éste.

—Muy bien —repuso el joven.

—Dígame, Vincent, ¿por qué hizo eso?

Hubo un breve silencio.

—No lo sé —repuso por fin.

—¿En qué pensaba usted cuando se cortó la oreja?

—Yo... en... nada, doctor.

Durante los días que siguieron, el pintor fué recobrando poco a poco sus fuerzas. Una mañana que se hallaba charlando amistosamente con el médico en la habitación de éste último, tomó una navaja de afeitar que se hallaba sobre la mesa de toilet y la abrió.

—Usted necesita una afeitada, doctor. ¿Quiere que lo afeite?

El médico dió un brinco hacia atrás.

—No, ¡no! —exclamó—. ¡Deje eso!

—Le aseguro que soy un buen barbero, doctor.

—¡Vincent! ¡Deje eso!

Este obedeció; cerró la navaja y la dejó sobre la mesa.

—No se asuste, amigo mío —dijo—. Todo eso ya pasó.

Al final de la segunda semana el Dr. Rey le permitió que pintara, y le hizo traer todo lo necesario desde su casa. Vincent pidió permiso para hacerle el retrato a lo que el médico accedió. El artista trabajaba lentamente un poquito todos los días. Cuando el cuadro estuvo terminado, se lo regaló a su médico.

—Quiero que lo conserve como un recuerdo mío, doctor. Es la única forma en que puedo demostrarle mi agradecimiento.

—Gracias, Vincent, es usted muy amable y me siento muy honrado.

El doctor llevó el cuadro a su casa y lo usó para disimular un agujero en la pared.

Vincent permaneció dos semanas más en el hospital. Se divertía pintando el patio lleno de flores. Pero ahora trabajaba con un amplio sombrero de paja sobre la cabeza. Tardó dos semanas en pintar ese patio.

—Debe usted venir a verme todos los días —le recomendó el médico al despedirse de él ante la puerta principal—. Y recuerde: nada de ajenjo ni de excitantes ni de trabajar en el sol sin sombrero.

—Se lo prometo, doctor. Y gracias por todo.

—Le escribiré a su hermano que usted está del todo repuesto.

Vincent se encontró con la novedad de que el dueño de la casa amarilla quería hacerle desalojar la casa para alquilarla a un cigarrero. El artista estaba profundamente apegado a su casa y a pesar del accidente quería seguir viviendo en ella, y decidió oponerse a la voluntad del dueño.

Al principio sentía cierto temor por dormir solo en la casa debido a su insomnio y a sus alucinaciones que persistían a pesar de los remedios del Dr. Rey. Aún se encontraba bastante débil y no podía salir a trabajar afuera. Poco a poco recobraba la serenidad de espíritu y día a día aumentaba su apetito. Una noche fué a cenar al restaurante con Roulin y pasaron un momento muy agradable juntos. Comenzó a trabajar en el retrato de la esposa del cartero que había dejado inconcluso a causa del accidente.

El mismo se extrañaba de su mejoría. Sabía que uno podía romperse una pierna o un brazo y reponerse poco a poco, pero no sabía que uno podía romperse el cerebro y reponerse...

Una tarde fué a pedir noticias de Raquel.

—Pichón —le dijo—. Siento haberte causado tanta molestia.

—No es nada, Fou-rou, no te preocupes. En esta ciudad suelen ocurrir cosas por el estilo.

Todos sus amigos le aseguraban que en Provenza la gente solía sufrir ya sea de alucinaciones o de locura.

—No es nada extraño —le dijo Roulin—. En el país de Tarascón estamos todos más o menos chiflados.

—Bien, bien —repuso Vincent—, entonces nos entendemos como miembros de una misma familia.

Transcurrieron algunas semanas más. Vincent trabajaba ahora durante el día entero en su estudio. Las ideas de locura y de muerte lo abandonaron y comenzó a sentirse casi normal.

Finalmente se aventuró a pintar en el campo. El sol estaba magnífico y había dorado espléndidamente los campos de trigo. Pero Vincent no pudo fijar en la tela lo que tenía ante los ojos. Había estado haciendo una vida tan regular y tan tranquila que le faltaba la excitación necesaria para poder pintar.

—Usted es un "gran nervioso", Vincent —le había dicho el doctor Rey un día—. Nunca ha sido del todo normal. Es verdad que ningún artista lo es, de lo contrario no podría pintar. Los hombres normales no crean obras de arte. Comen, duermen, trabajan en forma rutinaria y mueren. Ustedes son hipersensitivos a la vida y a la naturaleza, es por eso que son capaces de interpretar lo que nosotros no podemos. Pero si no tienen cuidado esa hipersensibilidad los llevará a la destrucción.

Y era cierto; Vincent sabía que para pintar con aquellos tonos amarillos que dominaban en sus escenas arlesianas, tenían que estar sus nervios en el paroxismo de la excitación. Podía volver a pintar tan brillantemente como lo había hecho antes, pero para ello debía dar rienda suelta a su apasionamiento, y ese camino significaba la destrucción para él.

—Un artista es un hombre que tiene un cierto trabajo que realizar —se dijo un día—. Es absurdo que permanezca con vida si no puedo pintar en la forma que quiero pintar.

Volvió a salir al campo sin sombrero, dejando que el sol le abrasara la cabeza. Parecía ebrio de color, y poco a poco comenzó a perder el apetito, manteniéndose a base de café, ajenjo y tabaco.

Todo su talento pareció regresar; en pocas horas terminaba un cuadro de grandes dimensiones, volcando en él todo el esplen-.

dor de la naturaleza bañada de sol. Pintó treinta y siete cuadros sin un solo día de descanso.

Una mañana se despertó sintiéndose aletargado e imposibilitado para trabajar. Sentóse sobre una silla y permaneció mirando fijamente al muro ante sí durante casi todo el día. Extrañas voces parecían hablarle al oído. Cuando llegó la noche se dirigió al restaurante gris y pidió una sopa. La criada se la trajo. De pronto, de un gesto brusco arrojó el plato al suelo donde se hizo añicos.

—¡Usted está tratando de envenenarme! —gritó desaforadamente—. ¡Esta sopa está envenenada!

Se puso de pie y echó a rodar la mesa mientras los demás clientes lo contemplaban asustados.

—¡Me quieren envenenar! ¡He visto como lo echaron veneno a la sopa! —gritaba desaforadamente.

Entraron dos policías y lo llevaron a la fuerza al hospital.

Después de veinticuatro horas estaba completamente tranquilo y discutía el incidente con el Dr. Rey. Trabajaba un poco cada día, daba pequeños paseos por las afueras y regresaba al hospital para cenar y dormir. A veces lo embargaba una indecible angustia y otras parecía como si hubiera perdido la noción del tiempo.

Como el Dr. Rey le había permitido volver a pintar, Vincent hizo un huerto de duraznos en flor con los Alpes que se divisaban al fondo. Luego pintó un olivar con tonos verde plateados que contrastaban con el anaranjado de la tierra recién labrada del suelo.

Después de tres semanas regresó a la casa amarilla. Los arlesianos estaban irritados contra él; el asunto de la oreja cortada y del plato de sopa los habían convencido de que estaba loco. Y estaban firmemente convencidos que era la pintura que enloquecía a los hombres. Cuando el artista pasaba lo miraban de mala manera y algunos se atrevían a insultarlo mientras otros, temerosos, cruzaban a la vereda de enfrente para no encontrarse con él. Ningún restaurante de la ciudad le permitía la entrada a sus salones, y los niños de Arles se reunían ante su casa mofándose de él.

—¡Fou-rou! ¡Fou-rou! —gritaban—. ¡Córtate la otra oreja!

Vincent cerró todas sus ventanas, pero los gritos burlones de los muchachos lo perseguían.

—¡Fou-rou! ¡Fou-rou!

Hasta inventaron una canción cuyo estribillo cantaban sin cesar debajo de sus ventanas o cuando el artista se dirigía al campo a trabajar.

Día tras día seguían atormentándolo. Vincent ya no sabía qué hacer para librarse de ellos y decidió ponerse algodón en los oídos y no salir de su casa, ocupándose en hacer su retrato mirándose al espejo.

A medida que el tiempo transcurría los muchachos se tornaban más atrevidos. Llegaron hasta subir por los caños como monos para alcanzar las ventanas del artista y burlarse de él.

—¡Fou-rou! ¡Córtate la otra oreja y dánosla! —gritaban riendo.

En la Place Lamartine se había reunido una cantidad de gente y los muchachos, enardecidos, arrojaron unas piedras contra las ventanas rompiéndolas, a lo cual la gente prorrumpió en vivas.

—¡Danos tu otra oreja!

—¡Fou-rou! ¡Fou-rou! ¿Quieres un poco de sopa envenenada?

Gritaban cada vez más desaforadamente, instigados por la gente reunida abajo.

—¡FOU-ROU¡ ¡DANOS TU OTRA OREJA!

Vincent, exasperado, se levantó del banco frente a su caballete y corrió hacia la ventana amenazante, pero los muchachos lograron escapar mientras los espectadores reían a voz en cuello. Vincent se encaramó sobre el marco de la ventana.

—Váyanse! —gritó—. ¡Canallas! ¡Por amor de Dios, déjenme en paz!

—¡FOU-ROU! ¡FOU-ROU! ¡DANOS TU OTRA OREJA!

—¡Déjenme! ¡Déjenme!

Fuera de sí, tomó la palangana y la arrojó por la ventana, y sin poderse contener más, poco a poco fué arrojando a la plaza todo lo que había en la habitación: sus sillas, su caballete, su espejo, su mesa, sus frazadas, sus cuadros, todo aquello que había comprado a fuerza de tanto sacrificio y que formaban parte de la casa en la que había pensado pasar el resto de su vida.

Cuando no tuvo nada más para arrojar por la ventana, permaneció temblando espasmódicamente y terminó por caerse de bruces contra el alféizar, semiinconsciente.

EN LA SOCIEDAD ACTUAL EL PINTOR SE ASEMEJA A UN BARCO ZOZOBRADO

Más de noventa arlesianos, hombres y mujeres, firmaron una petición concebida en estos términos:

"Al Intendente Tardieu:

"Nosotros, los abajo firmantes, ciudadanos de Arles, estamos firmemente convencidos de que Vincent Van Gogh, que vive en la Place Lamartine Nº 2, es un demente peligroso y que no debe dejársele en libertad.

"Por lo tanto, pedimos al señor Intendente que haga encarcelar a este loco".

Como las elecciones se aproximaban, el Intendente no creyó conveniente desagradar a tantos votantes y ordenó a la policía el arresto de Vincent.

Los agentes lo encontraron caído al pie de la ventana y lo llevaron a la cárcel, encerrándolo bajo llave en una celda y con un centinela a la vista.

Cuando Vincent recobró los sentidos, pidió por el doctor Rey, pero no se lo permitieron ver. Pidió un lápiz y papel para escribir a su hermano, mas también se lo rehusaron.

Finalmente el Dr. Rey consiguió que le franquearan la entrada.

—Trate de refrenar su indignación, Vincent —le aconsejó—, de lo contrario los convencerá que usted es peligroso. Además las emociones fuertes únicamente agravarán su caso. Escribiré a su hermano y entre ambos lo sacaremos de aquí. No se aflija.

—Le ruego, doctor, que no permita a Theo venir hasta aquí. Está por casarse y le arruinaría toda su felicidad.

—Le diré de no venir. He pensado en algo para usted que creo le convendrá.

Dos días más tarde el Dr. Rey regresó. Aún había un centinela a la puerta de Vincent.

—Escúcheme con tranquilidad, amigo mío —le dijo—. Recién acabo de ver cómo lo han desalojado de la casa amarilla. Han guardado sus muebles y sus pinturas en el sótano de un café bajo llave, y el dueño dice que no se las entregará hasta que pague lo que le debe.

Vincent permaneció silencioso.

—Ya que usted no puede regresar allí —prosiguió el médico—, es mejor que pongamos mi plan en ejecución. No puedo decir cuán a menudo se producirán estos ataques epilépticos, pero creo que con calma y tranquilidad usted se repondrá por completo. Por otra parte..., pueden reproducirse cada dos o tres meses. Así que, para protegerlo a usted y a los que lo rodean he pensado..., que sería conveniente... que fuese a...

—¿A una Casa de Salud?

—Eso mismo, Vincent.

—¿Entonces usted cree que estoy...?

—Nada de eso, mi querido Vincent. Usted tiene todo su juicio como lo tengo yo. Pero esos ataques epilépticos hacen perder los estribos, y cuando llega la crisis naturalmente se hacen cosas irracionales. Es por ello que debe usted permanecer en un lugar donde pueda estar bajo constante vigilancia.

—Comprendo.

—Conozco un lugar apropiado en St. Remy, a unos 25 kilómetros de aquí. Se llama St. Paul de Mausole. Existen allí tres categorías de enfermos, de primera, segunda y tercera clase. La tercera clase cuesta ciento cincuenta francos mensuales y creo que le convendría. Esa casa ha sido un antiguo monasterio y es muy hermosa y tranquila. Tendrá un médico para aconsejarle y Hermanitas para cuidarlo. La alimentación es buena y sencilla y se repondrá en poco tiempo.

—¿Me permitirán pintar?

—Por supuesto. Podrá hacer usted todo lo que desee, siempre que no le haga daño, se entiende. Creo que si se decide a vivir tranquilamente allí por un año se curará del todo.

—Pero, ¿y cómo salir de aquí?

—Ya hablé al comisario. Consiente en dejarlo ir a St. Paul de Mausole. Siempre que yo lo acompañe hasta allí.

—¿Y es verdaderamente un lindo lugar?

—Encantador, Vincent. Encontrará paisajes espléndidos para pintar.

—Ciento cincuenta francos mensuales no es mucho... Tal vez sea lo que necesite... Un año de completa tranquilidad.

—Naturalmente. Ya he escrito a su hermano haciéndole parte de mi proyecto, y sugiriéndole que en la actualidad no le conviene a usted viajar muy lejos y que París no es el lugar indicado para usted.

—Si a Theo le parece bien... ¡Lo único que deseo es no cau-
sarle molestias!

—Espero su contestación de un momento a otro. En cuanto
la tenga le avisaré.

A Theo no le quedaba otra alternativa que aceptar, y así lo
hizo. Envió dinero para pagar las cuentas de su hermano y el
Dr. Rey pudo llevarse a Vincent de la prisión. Fueron en coche
hasta la estación de Tarascón y allí tomaron el tren para St. Remy.
Para llegar a St. Paul de Mausole había que atravesar la ciudad
y andar unos dos kilómetros más en las sierras. Alquilaron un
carruaje y por fin llegaron al pie del antiguo monasterio. A un
lado del camino veíase un Templo de Vesta y un Arco de Triunfo.

—¿Qué diablos hacen estos monumentos en medio de las sierras? —preguntó Vincent.

—Antiguamente aquí hubo una población romana. El río
que usted ve allí inundaba todo el valle. Poco a poco se fué re-
tirando y la ciudad también bajó la ladera de la colina. Hoy, de
las primitivas construcciones, sólo existen estos monumentos y el
monasterio.

—Es muy interesante.

—Pero entremos, Vincent. El Dr. Peyron nos espera.

Se adelantaron por una alameda de pinos hasta el monasterio y al llegar, el Dr. Rey llamó con una pesada campana. Pocos minutos después aparecía el Dr. Peyron para darles la bienvenida.

—¿Cómo está, Dr. Peyron? —dijo el Dr. Rey—. Le he traído
a mi amigo, Vincent Van Gogh, según le anunciaba en mi carta.
Sé que lo cuidará usted muy bien.

—Lo mejor posible, doctor Rey.

—¿Me disculpa si parto en seguida? Quisiera volver a tomar
el tren para Tarascón.

—Por supuesto, doctor Rey.

—Adiós, Vincent. Le deseo mucha felicidad. Vendré a verlo
a menudo.

—Gracias, doctor, es usted muy bueno; adiós.

—Adiós, Vincent —dijo una última vez antes de alejarse por
la alameda de pinos.

—¿Quiere seguirme, Vincent? —le dijo el Dr. Peyron invitándolo a pasar.

El joven traspuso el umbral y la pesada reja del asilo de
dementes se cerró tras de él.

LIBRO SEPTIMO

St. REMY

PABELLON DE TERCERA CLASE

L A sala en la cual los internados dormían se asemejaba a una sala de espera de algún pueblo de difuntos vivientes. Los lunáticos siempre llevaban puesto sus sombreros y sus abrigos y empuñaban sus bastones como si estuviesen listos para emprender algún viaje.

La Hermana Dechanel condujo a Vincent por la larga habitación y le indicó una cama vacía.

—Usted dormirá aquí, señor. A la noche puede correr las cortinitas para estar más cómodo. El Dr. Peyron desea verlo en su oficina en cuanto se haya instalado.

Y partió con su delantal y cofia almidonados sin hacer el menor ruido.

Los once hombres que se hallaban sentados en torno de la estufa apagada ni siquiera parecieron notar la llegada de Vincent. Este, dejó su valija sobre la cama y miró a su alrededor. A ambos lados de la sala se alineaban las camas ligeramente inclinadas hacia los pies y separadas con unas cortinitas color crema que se corrían de noche. En el techo se veían las gruesas vigas de madera y los muros estaban pintados a la cal. En el centro encontrábase la estufa encima de la cual pendía la única lámpara de la habitación.

Vincent se preguntaba por qué aquellos hombres estaban tan tranquilos. Ni siquiera hablaban entre sí. Apoyados contra sus bastones miraban a la estufa sin preocuparse de lo que los rodeaba.

A la cabecera de la cama había un estante, pero Vincent prefirió dejar sus cosas en su valija que ubicó debajo del lecho. En el estante puso su pipa, su tabaco y un libro. Una vez que hubo hecho esos someros preparativos salió al jardín, que estaba desierto. Se dirigió hacia la izquierda donde se hallaba la casa particular del doctor Peyron y su familia.

El doctor Peyron había sido un "médico de Marina" en Marsella, y luego oculista, hasta que finalmente un serio ataque de gota le obligó a buscar un puesto en una Casa de Salud.

—Antes cuidaba la salud del cuerpo —le dijo a Vincent—, y ahora me dedico a cuidar la del alma... Es siempre el mismo oficio.

—Usted que tiene experiencia sobre enfermedades nerviosas, ¿puede explicarme por qué me corté la oreja, doctor? — inquirió Vincent.

—Eso suele suceder a los epilépticos —repuso el médico—. Ya he tenido dos casos similares. Los nervios auditivos se tornan extremadamente sensitivos y el paciente cree que podrá hacer cesar las alucinaciones cortando su auricular.

—...Ah... ¿Y qué tratamiento debo seguir?

—¿Tratamiento? Ah... sí, deberá tomar por lo menos dos baños calientes por semana. Insisto sobre ello... Y permanecerá en el agua unas dos horas. Eso lo tranquilizará.

—¿Y qué más, doctor?

—Tiene que permanecer completamente tranquilo. No excitarse, no trabajar, no leer ni discutir.

—Sí... Estoy demasiado débil para trabajar.

—Si usted no desea participar de la vida religiosa de St. Remy, avisaré a las Hermanas de no insistir. Cualquier cosa que necesite, venga a mí.

—Gracias, doctor.

—La cena se sirve a las cinco. Ya oirá usted el gong anunciándola. Trate de acomodarse cuanto antes a la vida del hospital, así se repondrá más pronto.

Vincent volvió a salir al jardín semi-abandonado y se dirigió hacia el edificio de la tercera clase, pasando por una larga hilera de celdas ocuras y desiertas. Se sentó sobre su cama y permaneció mirando a sus compañeros que aún se hallaban en torno de la estufa siempre silenciosa.

Después de un tiempo oyóse ruido en la habitación adjunta y los once hombres se pusieron de pie dirigiéndose atropelladamente hacia ella. Vincent los siguió.

La pieza en la cual comían tenía piso de tierra y carecía de ventana. En el centro había una rústica mesa de madera con bancos alrededor. Las Hermanas servían la comida que resultó bastante desabrida. Primero sirvieron una sopa con pan negro, luego un plato de porotos, garbanzos y lentejas. Sus compañeros comían desaforadamente, limpiando sus platos con la miga del pan negro.

Cuando terminó la comida, los hombres regresaron a sus sillas cerca de la estufa y después de un rato comenzaron a levantarse uno por uno y a desvestirse y tirar las cortinitas para la noche. Vincent no los había oído aún pronunciar una sola palabra.

El sol se estaba poniendo. De pie contra la ventana, el artista contemplaba el valle verde. El cielo tenía un espléndido tono limón pálido contra el cual se dibujaban los pinos como un encaje oscuro. El espectáculo no conmovió a Vincent, ni siquiera sintió el menor deseo de pintarlo.

Permaneció allí hasta que llegó la oscuridad. Nadie vino a encender la lámpara. Vincent se desvistió y se metió en la cama. Permaneció largo tiempo con los ojos abiertos. Había traído consigo el libro de Delacroix. Buscó en el estante y lo tomó, apoyando la cubierta de cuero contra su pecho en la oscuridad. Esto pareció tranquilizarlo. El no pertenecía al grupo de lunáticos que lo rodeaban sino al gran maestro cuyas palabras de sabiduría y consuelo parecían fluir a través de las cubiertas de cuero hacia su corazón.

Después de un tiempo se durmió. Un suave quejido proveniente de la cama contigua a la suya lo despertó. Los quejidos fueron en aumento hasta que se convirtieron en gritos y en un torrente de palabras vehementes.

—¡Váyanse! ¡Váyanse! ¡No me persigan! ¡Yo no lo maté! ¡No traten de engañarme! ¡Ustedes son de la policía secreta! ¡Regístrenme si quieren, yo no robé ese dinero! ¡Fué él que se suicidó! ¡Por amor de Dios, déjenme!

Vincent se levantó de un salto y descorrió su cortinita, viendo a un joven rubio de unos veintitantos años destrozándose la camisa de dormir con los dientes. Cuando el muchacho vió a Vincent corrió a arrodillarse delante de él y le tomó las manos entre las suyas:

—¡Señor Mounet-Sully, no me arreste! ¡Le aseguro que no fuí yo! ¡No soy sodomita! ¡Soy abogado! ¡Prometo defenderle todos sus casos, señor Mounet-Sully, pero no me arreste! ¡Yo no lo maté, yo no robé el dinero! ¡Mire, no lo tengo!

Mientras hablaba se desgarraba la ropa ansioso de demostrar que no tenía el dinero encima. Vincent no sabía qué hacer; todos los demás ocupantes del dormitorio parecían dormir profundamente. Finalmente decidió despertar a uno de ellos y descorrió una de las cortinitas, sacudiendo de un brazo al hombre que se hallaba en la cama. Este abrió sus ojos y lo miró con expresión estúpida.

—¡Levántese! ¡Ayúdeme a calmarlo! —dijo Vincent—. Temo que se lastime.

El hombre, en la cama, comenzó a babear mientras emitía sonidos inarticulados.

—¡Pronto! —insistió Vincent—. Yo solo no puedo tranquilizarlo.

Sintió que alguien le posaba una mano sobre el hombro, y volviéndose rápidamente notó que uno de los hombres de más edad se hallaba a su lado.

—Ese hombre no le entiende —dijo designando al de la cama—. Es idiota. No ha pronunciado una sola palabra desde que está aquí. Venga, le ayudaré a tranquilizar al muchacho.

El joven estaba ahora revolviendo su colchón; con las uñas había logrado hacer un agujero por el cual sacaba la paja que lo rellenaba. Cuando vió a Vincent volvió a dirigirse a él en forma incoherente.

—¡Sí! ¡Fuí yo quien lo mató! ¡Pero no fué por pederastería! ¡Fué por su dinero! ¡Mire! ¡Aquí lo tengo! ¡Lo oculté en el colchón! Se lo entregaré a usted, pero no permita que la policía secreta me persiga. ¡Aún a pesar de haberlo matado puedo librarme de la prisión! ¡Puedo citarle casos...!

—Tómelo por el otro brazo —dijo el otro hombre a Vincent.

Entre ambos obligaron al muchacho a acostarse y lo mantuvieron así por la fuerza, pero durante más de una hora continuó con sus divagaciones. Finalmente, exhausto, cayó en una especie de sopor afiebrado.

—El pobre muchacho estaba estudiando para abogado —explicó el hombre a Vincent—. Trabajó con exceso y le hizo daño. Estos ataques le sobrevienen cada diez días más o menos, pero no hace daño a nadie. Buenas noches.

Regresó a su cama y al poco rato estaba profundamente dormido. Vincent se acercó de nuevo a la ventana que daba al valle. Aún faltaba mucho para el amanecer, y únicamente se veía la estrella matutina en todo su esplendor. El artista recordó el cuadro de Daubigny que la representaba expresando la inmensa paz y majestad del universo..., y todo el sentimiento de angustia por el individuo insignificante que la contempla desde abajo.

LA CONFRATERNIDAD DE LOCOS

A la mañana siguiente, después del desayuno, los hombres salieron al jardín. Detrás del muro lejano podía verse una hilera de colinas desiertas. Vincent contemplaba a sus compañeros mientras jugaban indolentemente a las bochas. Se había sentado sobre un banco de piedra y admiraba los añosos árboles cubiertos de hiedra. Pasaron a su lado las Hermanas de la orden de San José de Aubenas, vestidas de blanco y negro murmurando sus oraciones mientras desgranaban sus rosarios con los ojos bajos.

Después de haber jugado a las bochas durante una hora, sin pronunciar una palabra, los hombres regresaron a su pabellón y volvieron a sentarse en torno a la estufa apagada. Tan completa inactividad extrañaba sobremanera a Vincent que no lograba comprender cómo no se entretenían aunque fuese leyendo un periódico atrasado. No pudiendo soportar más tiempo esa inacción, regresó al jardín comenzando a pasearse. Hasta el sol de St. Paul parecía moribundo.

Las contrucciones del antiguo monasterio formaban un cuadrilátero; hacia el norte se hallaba el pabellón de tercera clase; hacia el este la casa habitación del doctor Peyron, la capilla y un claustro del siglo X; hacia el sur estaban los pabellones de primera y segunda clase, y hacia el oeste el de los dementes peligrosos y un muro largo de doce pies de alto que no podía escalarse. La única salida que existía era el portón de rejas siempre cerrado con llave y trancado.

Vincent volvió hacia el banco de piedra cerca de un rosal silvestre y se sentó. Quiso tratar de coordinar sus ideas y comenzó a preguntarse el motivo por el cual él se hallaba en St. Paul, pero se apoderó de él un horror y una congoja tan grandes que le impidieron pensar.

Volvió al pabellón y apenas traspuso el umbral de la puerta, le pareció oir el extraño ladrido de un perro, que no tardó en transformarse en el aullido de un lobo. Vincent dió unos pasos en el dormitorio y vió en uno de sus extremos al hombre que le había ayudado a tranquilizar al joven rubio. Se hallaba con el rostro elevado hacia el cielorraso y aullaba con todas las fuerzas de sus pulmones.

—¿En qué antro me encuentro prisionero? —se preguntó Vincent.

Los hombres alrededor de la estufa permanecían impasibles ante los chillidos desesperados de su compañero.

—Debo hacer algo por él —no pudo contenerse de decir Vincent en alta voz.

El joven rubio lo detuvo.

—Es mejor dejarlo tranquilo —dijo—. Si usted le habla se enfurecerá. Dentro de algunas horas le habrá pasado.

Los gritos del hombre se tornaban insoportables, y Vincent pasó la mayor parte de la tarde en el rincón más apartado del jardín deseoso de sustraerse a aquellos terribles aullidos animales.

Esa noche, durante la cena, un joven paralítico del lado izquierdo se puso repentinamente de pie y tomando un cuchillo se apuntó el corazón.

—¡Ha llegado el momento! —gritó—. ¡Me mataré!

El hombre que se hallaba a su derecha le dijo con tranquilidad, mientras le tomaba del brazo:

—No, Raymundo, hoy no. Es domingo.

—Sí, sí, hoy. ¡No quiero vivir más! ¡Déjeme! ¡Quiero matarme!

—Mañana, Raymundo, mañana —insistió el hombre.

—¡Deje mi brazo! ¡Quiero hundirme este cuchillo en mi corazón! ¡Le digo que tengo que matarme!

—Mañana, Raymundo, mañana.

Tomó el cuchillo de la mano del joven y lo condujo hacia el dormitorio, mientras éste lloraba de rabia e impotencia.

Vincent se volvió hacia su vecino, un hombre de ojos inyectados en sangre y que se llevaba difícilmente la cuchara a la boca con su mano temblorosa y le preguntó:

—¿Qué tiene ese muchacho?

El sifilítico dejó la cuchara sobre el plato y contestó:

—No ha pasado un solo día del año sin que Raymundo haya tratado de suicidarse.

—¿Y por qué lo hace delante de todo el mundo? ¿Por qué no roba un cuchillo y se mata mientras los demás duermen?

—Tal vez no tenga ganas de morir, señor.

A la mañana siguiente, mientras Vincent miraba a los hombres que jugaban a las bochas, vió a uno de ellos caer al suelo presa de terribles convulsiones.

—Pronto, pronto —gritó alguien—. ¡Es su ataque epiléptico!

Cuatro de sus compañeros se precipitaron para sujetarlo de brazos y piernas, mientras el joven rubio, sacando una cuchara de su bolsillo, se la introdujo entre los dientes.

El enfermo parecía tener la fuerza de diez hombres juntos; sus ojos casi le salían de las órbitas y comenzó a espumar por la boca.

—¿Para qué le pone esa cuchara en la boca? —preguntó Vincent mientras le sostenía la cabeza.

—Para que no se muerda la lengua.

Después de una media hora el hombre terminó por perder el conocimento, y entre Vincent y otros dos hombres lo llevaron a su cama.

Al cabo de quince días, Vincent ya conocía el caso de cada uno de sus once compañeros: el maniático que se desgarraba la ropa y rompía todo lo que encontraba a mano; el hombre que aullaba como un animal; los dos sifilíticos; el suicida monomaníaco; el paralítico que sufría de ataques de furia y exaltación; el epilético, el que padecía de la manía de la persecución; el joven rubio que se imaginaba ser perseguido por la policía.

No pasaba un solo día sin que alguno de ellos sufriese un ataque; no pasaba un solo día sin que Vincent tuviese que ayudar a calmar a algún demente momentáneo. Los pacientes de la tercera clase tenían que atenderse mutuamente. Peyron los visitaba una vez por semana solamente y los guardianes se ocupaban sólo de los de primera y segunda clase. Los hombres se ayudaban unos a otros con toda paciencia, cada cual sabía que su turno llegaría tarde o temprano y que necesitaría de la ayuda de sus compañeros.

Era una verdadera confraternidad de locos.

Vincent estaba contento de haber venido. Al conocer la verdad acerca de la vida de los dementes, perdió poco a poco el temor que le inspiraba la locura. Paulatinamente llegó a considerarla como una enfermedad cualquiera, y a las tres semanas de estar allí consideraba que sus compañeros no eran más aterradores que si hubiesen padecido de tisis o de cáncer.

A menudo se entretenía en hablar con el idiota. Este sólo le contestaba con sonidos inarticulados, pero Vincent suponía que aquel hombre lo entendía y que le agradaba que le hablaran. Las Hermanas nunca se dirigían a los enfermos al menos que fuese estrictamente necesario, y las únicas palabras que Vincent cruzaba con una persona cuerda era durante la visita de cinco minutos que efectuaba semanalmente al doctor Peyron.

—Dígame, doctor —preguntó un día—, ¿por qué esos hombres nunca hablan entre sí? Algunos parecen ser bastante inteligentes cuando están bien.

—No pueden hablar, Vincent, pues en cuanto comienzan a hacerlo empiezan a discutir, se agitan y se enferman. Es por eso que han aprendido a vivir sin pronunciar una sola palabra.

—Pero es casi como si estuviesen muertos —arguyó Vincent.

El médico se encogió de hombros.

—Eso, mi querido Vincent, es cuestión de opinión.

—Pero entonces, ¿por qué no leen al menos? Creo que algunos buenos libros.

—Les haría trabajar el cerebro y no tardarían en sufrir su ataque. No, amigo mío, deben vivir en un mundo cerrado. Pero no es necesario compadecerlos. ¿No recuerda lo que decía Dryden? "Con seguridad hay un placer en ser loco, placer que únicamente conocen los locos".

Transcurrió un mes. Ni una sola vez Vincent sintió deseos de encontrarse en otro lugar, y sabía que lo mismo acontecía con sus compañeros. Estos continuaban vegetando en su ociosidad, pensando únicamente en sus tres comidas diarias. Vincent trataba de conservar su espíritu para cuando le volvieran las ganas de pintar, y a fin de no dejarse vencer por el abandono, rehusaba alimentarse con otra cosa que no fuese un poco de sopa y de pan negro.

Theo le envió un volumen con las obras de Shakespeare*, y leyó "Ricardo II", "Enrique IV" y "Enrique V", dirigiendo sus pensamientos hacia otros tiempos y otros lugares.

Véase el libro "Mi gran amigo Shakespeare" edición Coepla.

Luchó valientemente para no dejarse embargar por el desasosiego.

Theo ya se había casado y él y su esposa Johanna le escribían a menudo. La salud de Theo no era muy buena y Vincent se preocupaba más por su hermano que por sí mismo. Le escribía a Johanna rogándole que preparara para su hermano la sana comida holandesa que tanto necesitaba después de diez años de comidas de restaurantes.

Vincent sabía que su trabajo lo distraería mejor que cualquier otra cosa y que si podía volver a pintar sería para él el mejor remedio. Sus compañeros no tenían nada para salvarse de la muerte lenta, pero él tenía su pintura, y estaba convencido que ella lo sacaría del asilo y lo volvería a transformar en un hombre sano y feliz.

Al finalizar la sexta semana, el Dr. Peyron cedió a Vincent un pequeño cuarto para que le sirviera de estudio. Estaba tapizado con un papel gris verdoso y tenía cortinas verdes con dibujos de rosas pálidas. Las cortinas y un antiguo sillón habían pertenecido a un enfermo pudiente que había fallecido. En la ventana veíanse gruesas barras de hierro.

Vincent no tardó en pintar el paisaje que se divisaba desde la ventana. A la noche regresó al pabellón alborozado. Su poder creador no lo había abandonado. Se había vuelto a encontrar de nuevo cara a cara con la naturaleza. El asilo de dementes no lo mataría. Estaba en camino de curarse, y en pocos meses podría salir y volver libremente a París y a sus antiguos amigos. La vida comenzaba de nuevo para él. Escribió a Theo una carta larga y tumultuosa, pidiéndole pinturas, telas, pinceles y algunos libros.

A la mañana siguiente el sol apareció radiante y caliente. Las chicharras comenzaron a cantar diez veces más fuerte que los grillos. Vincent sacó su caballete al jardín y comenzó a pintar mientras sus compañeros miraban silenciosa y respetuosamente por encima de su hombro.

—Tienen mejores modales que la gente de Arles —pensó Vincent para sí.

A la caída de la tarde fué a ver el doctor Peyron.

—Me siento perfectamente bien, doctor, y desearía me permita salir fuera de la propiedad a pintar.

—En efecto, usted tiene mucho mejor aspecto, Vincent. Los
baños lo han tranquilizado y está mejor. Pero ¿no le parece algo
peligroso salir tan pronto?

—¿Peligroso? No, ¿por qué lo sería?

—Supongamos que... le diera un... ataque en medio del
campo...

Vincent comenzó a reir.

—No hablemos más de ataques, doctor. Eso ya pasó. Me
siento aún mejor que antes de estar enfermo.

—Temo, Vincent...

—Se lo ruego, doctor —insistió el artista—. ¿No comprende
cuánto más feliz me sentiré si puedo ir de un lado para otro
pintando lo que me place?

—Si le parece que es eso lo que necesita...

Y así se abrieron las rejas para Vincent. Cargó su caballete
sobre la espalda y se fué en busca de temas para sus pinturas.
Pasaba los días enteros en las colinas detrás del asilo, pintando
los cipreses de los alrededores de St. Remy. Los encontraba hermosos y de líneas y proporciones tan bellas como un obelisco egipcio. Volvió a tomar sus antiguas costumbres arlesianas. Salía al
amanecer con una tela en blanco y regresaba a la tarde con su
cuadro terminado. Si su habilidad y su poder interpretativo habían
disminuído, él no lo notaba, encontrándose, al contrario, cada día
más seguro de sí mismo.

Ahora que era de nuevo dueño de su destino no temía alimentarse, y devoraba todo lo que le presentaban, aún la sopa
con cucarachas del asilo. Necesitaba comer para tener fuerzas para trabajar.

A los tres meses de estar en el asilo, descubrió un motivo de
cipreses cuya belleza le compensó por todo lo que había tenido
que sufrir. Los árboles eran macizos; en el primer plano veíanse arbustos de hermosas tonalidades y en el fondo las colinas y
el cielo en la que se destacaba la luna menguante. Cuando esa
noche miró a su obra terminada se sintió lleno de regocijo. Le
pareció que otra vez era un hombre libre.

Theo le envió algún dinero suplementario y Vincent pidió
permiso para ir a Arles a buscar sus cuadros. La gente de la
Place Lamartine fué muy atenta para con él, pero la vista de la
casa amarilla lo enfermó, a tal punto que creyó se iba a desva-
necer. En lugar de ir a visitar a Roulin y al Dr. Rey como se

había propuesto, fué en busca del propietario que tenía sus cuadros.

Vincent no regresó al Asilo esa noche como lo había prometido, y al día siguiente lo encontraron desvanecido en una zanja entre Tarascón y St. Remy.

UNA OLLA VIEJA ES SIEMPRE UNA OLLA VIEJA

Durante tres semanas la fiebre oscureció su cerebro. Los hombres del pabellón que había compadecido tanto a causa de sus ataques repetidos fueron muy pacientes con él. Cuando recobró suficientemente sus facultades como para comprender lo que había sucedido, no cesaba de repetirse:

—¡Es abominable! ¡Es abominable!

Al final de la tercera semana, cuando comenzaba a caminar por el gran dormitorio, las hermanas trajeron un nuevo paciente. El hombre se dejó poner en cama con toda docilidad, pero en cuanto las hermanas partieron fué acometido de un violento ataque de ira. Desgarró toda su ropa al mismo tiempo que pegaba alaridos espantosos. Destrozó su cama, el estante, y pateó su valija hasta convertirla en un montón informe.

Los compañeros nunca tocaban a un recién llegado, y finalmente tuvieron que venir dos guardianes que se llevaron al demente encerrándolo en una celda del pasillo. Allí permaneció gritando salvajemente durante dos mañanas consecutivas. Vincent lo oía día y noche, hasta que de pronto los gritos cesaron por completo. El hombre fué enterrado por los guardianes en el pequeño cementerio detrás de la capilla.

Vincent sufrió un intenso ataque de depresión. Cuanto más recuperaba la salud, más su cerebro estaba en condiciones de razonar fríamente, y más le parecía absurdo seguir pintando ya que le costaba tan caro y le reportaba tan poco. Y sin embargo, si no trabajaba, no podía vivir.

El Dr. Peyron le hizo llevar comida y vino de su propia mesa pero no le permitió acercarse a su estudio. Mientras estuvo convaleciente, no se preocupó, pero cuando se sintió más fuerte y se vió condenado a la inactividad de sus compañeros, se rebeló.

—Doctor Peyron —dijo al médico—, necesito de mi trabajo para reponerme; si usted me obliga a haraganear como esos locos, pronto me convertiré en uno de ellos.

—Lo sé, Vincent —repuso el doctor—. Pero su ataque ha sido provocado por el exceso de trabajo. Debe usted permanecer tranquilo.

—No fué el trabajo, doctor. Fué mi visita a Arles. En cuanto vi la Place Lamartine y la casa amarilla me enfermé. Si no vuelvo allí, nunca más sufriré otro ataque. Le ruego que me deje ir a mi estudio.

—No deseo tomar semejante responsabilidad, Vincent. Escribiré a su hermano y si él lo consiente, le dejaré trabajar a usted.

La contestación de Theo no se hizo esperar. Rogaba al médico que permitiera pintar a Vincent. Theo iba a ser padre en breve, y la noticia llenó de felicidad a su hermano, quien le escribió una sentida carta.

Volvió pues a su estudio y pintó de nuevo la escena que se veía desde la ventana enrejada, donde hizo predominar los tonos amarillos.

En cumplimiento a los deseos de Theo, el doctor Peyron permitió al enfermo que saliese al campo a pintar. El artista realizó varios cuadros de los cipreses que se erguían oscuros en un cielo amarillo. Pintó otra tela de las mujeres recogiendo olivas, empleando tonalidades vivísimas.

Cuando caminaba por el campo en busca de motivos, solía detenerse cerca de los labradores a conversar con ellos.

—Ustedes labran la tierra y yo labro mis pinturas —dijo una vez a uno de ellos, pues en el fondo de su mente se consideraba un trabajador como ellos.

El otoño provenzal era maravilloso con sus magníficos coloridos. Vincent recuperó todas sus fuerzas y su trabajo progresaba. Ahora que había aprendido a comprender la naturaleza de los campos de St. Remy no deseaba alejarse de ellos ni del asilo. Allí el sol no era tan deslumbrante ni el Mistral tan cruel, pues las sierras lo atajaban antes de que pudiera llegar hasta allí. Durante los primeros meses que estuvo en el Asilo, rogaba sin cesar de que pudiera transcurrir el año sin perder la razón en aquel lugar, pero ahora, interesado por su trabajo, ni se acordaba si se hallaba en un hotel o en un hospital, y a pesar de que se sentía perfectamente bien de salud, le parecía tonto cambiar de lugar, puesto que tendría que perder por lo menos otros seis meses para adaptarse a cualquier nuevo ambiente.

Las cartas de París lo llenaban de felicidad. La esposa de Theo preparaba ella misma la comida para su marido, quien recuperaba rápidamente la salud. Johanna soportaba su embarazo con toda facilidad y el joven matrimonio aguardaba con ansiedad la llegada del bebé. Semanalmente Theo enviaba a su hermano un poco de tabaco, chocolate, pinturas, libros y un billete de 10 ó 20 francos.

El recuerdo del ataque producido por el viaje a Arles se desvaneció de la mente de Vincent. Estaba convencido que si no hubiese regresado a aquella ciudad el ataque no se hubiera producido.

Cuando sus estudios de los cipreses y de las huertas de olivos estuvieron secos, los envió a Theo, y éste le escribió que los iba a exhibir en el "Salón de los Independientes", lo que causó cierto fastidio al artista, pues estaba seguro de que aún no había realizado su mejor trabajo. Se hallaba empeñado en mejorar su técnica.

Su hermano le aseguraba que sus pinturas progresaban en forma sorprendente, y Vincent decidió que una vez transcurrido el año en el Asilo, tomaría una casita en el pueblo de St. Remy y continuaría pintando allí. Sentía de nuevo la misma alegría alborozada que lo había embargado poco antes de la llegada de Gauguin a Arles, cuando realizaba sus famosos paneles de girasoles.

Una tarde, mientras estaba trabajando tranquilamente en el campo, su mente comenzó a divagar. Esa noche los guardianes del asilo lo encontraron a varios kilómetros de distancia de su caballete, caído al pie de un ciprés.

DESCUBRI LA PINTURA CUANDO YA NO ME QUEDABA MAS ALIENTO

Al cabo del quinto día recuperó los sentidos. Lo que le dolía más profundamente era que sus compañeros de infortunio aceptaban su ataque como cosa inevitable.

Llegó el invierno. Vincent ni siquiera tenía voluntad de levantarse de la cama. La estufa en medio del dormitorio ahora ardía con un buen fuego, y los hombres seguían sentados silenciosamente a su alrededor desde la mañana a la noche. Vincent, despierto, yacía en su estrecho lecho. ¿Qué es lo que le había enseñado aquel cuadro de la playa de Scheveningen pintado por Mauve? *"Saber sufrir sin quejarse"*. Sí, saber sufrir sin quejarse, enfrentar el dolor sin repugnancia... Si se dejaba vencer por su dolor, por su desesperación, sucumbiría.

Los días transcurrían monótonamente iguales. Su mente estaba hueca de ideas y de esperanzas. Oía a las hermanas comentar sus pinturas, y preguntarse si pintaba porque estaba loco o si estaba loco porque pintaba.

El idiota solía venir a sentarse a su lado durante horas enteras y Vincent se sentía reconfortado por la amistad de aquel hombre, y le conversaba como si le entendiera.

—Creen que mi trabajo me ha vuelto loco —dijo un día al pobre infeliz—. En el fondo sé que es cierto que un pintor es un hombre demasiado absorto por lo que ven sus ojos y no suficientemente dueño de sí mismo para dirigir su vida. Pero ¿acaso eso le impide vivir en este mundo?

Lo que finalmente le dió fuerzas para abandonar su cama fueron unas líneas de Delacroix. "Descubrí la pintura —decía Delacroix en su libro— cuando ya no me quedaba más aliento".

Durante varias semanas ni siquiera sintió deseos de ir hasta el jardín. Permanecía sentado cerca de la estufa leyendo los libros que Theo le enviaba desde París. Cuando algunos de sus compañeros sufría un ataque, ni siquiera levantaba la vista o se movía. Lo anormal se había convertido en normal para él. Hacía mucho que no había vivido entre personas sensatas y ya no consideraba a sus compañeros como irracionales.

—Lo siento, Vincent —le dijo el Dr. Peyron—, pero no puedo permitirle que salga de nuevo al campo. Tiene que permanecer usted dentro de los límites del asilo.

—¿Me permitirá volver a trabajar en mi Estudio?

—No se lo aconsejo.

—¿Prefiere usted que termine por suicidarme, doctor?

—Si es así, trabaje en su estudio, pero solamente algunas horas por día.

Ni siquiera la vista de su caballete y sus pinceles disipó el letargo de Vincent. Largas horas permanecía sentado en un sillón frente a la ventana mirando los campos de trigo.

Algunos días más tarde, el doctor Peyron lo hizo llamar a
su oficina a fin de que firmara el recibo de una carta certificada
que acababa de llegar para él. Cuando abrió el sobre encontró en
él un cheque por 400 francos extendido a su nombre. Era la suma
mayor que jamás había poseído. Se preguntaba por qué Theo le
había enviado ese dinero.

—"Mi querido Vincent" —decía la carta de su hermano—.
¡Por fin! He vendido uno de tus cuadros en 400 francos. Es el
"Viñedo rojo" que pintaste en Arles la última primavera. Lo compró Anna Bock, hermana de un pintor holandés. ¡Te felicito,
viejo! Pronto se venderán tus cuadros en toda Europa. Emplea
ese dinero para volver a París si te lo permite el Dr. Peyron.
Hace poco he conocido a un hombre encantador, el doctor Gachet, que tiene su casa en Auvers-sur-Oise, a una hora de París.
Desde el tiempo de Daubigny, todo pintor de categoría ha trabajado allí. Dice que entiende tu caso perfectamente y que cuando quieras ir a Auvers te cuidará. Mañana volveré a escribirte.
Theo".

Vincent enseñó la carta de su hermano al Dr. Peyron y a
su esposa. El médico la leyó hasta el fin y felicitó al pintor por
su buena fortuna. El artista, feliz, tomó su cheque y salió de la
oficina, pero apenas había dado unos pasos se percató que se había olvidado la carta; dió media vuelta y se disponía a llamar de
nuevo a la puerta cuando oyó pronunciar su nombre y se contuvo.

—¿Y por qué crees que lo hizo? —preguntaba la señora de
Peyron.

—Tal vez pensó que le haría bien a su hermano.

—Pero..., ¿y si no puede disponer de tanto dinero?...

—Supongo que pensó que cualquier sacrificio es poco con
tal de volver a Vincent a la normalidad.

—¿Entonces estás del todo convencido de que no es verdad?

—Pero, querida María, ¿cómo podría serlo? Dice que la persona que compró el cuadro es la hermana de un artista... ¿Cómo podría una persona con un poco de percepción...

No queriendo oír más, Vincent se alejó.

Esa noche, a la hora de la cena, recibió un telegrama de su
hermano:

"Llamamos al niño como tú. Johanna y Vincent siguen bien".

La venta de su cuadro y las buenas noticias de Theo le hicieron un bien enorme, y a la mañana siguiente se dirigió temprano

a su estudio, comenzando a preparar sus pinceles y telas con entusiasmo. Empezó a pintar una copia del "Buen Samaritano" de Delacroix, y "El Sembrador" y "El Labrador" de Millett. Estaba decidido a aceptar las desgracias de su vida con flema nórdica.

Exactamente quince días después de haber recibido el cheque de 400 francos, recibió un ejemplar del "Mercure de France" en el cual Theo había marcado un artículo con rojo, en la página titulada: "Los Aislados".

"Lo que caracteriza todo el trabajo de Vincent Van Gogh— leyó—, es el exceso de fuerza y la violencia de su expresión. En su categórica afirmación del carácter esencial de las cosas, en su simplificación de la forma, en su deseo insolente de mirar al sol de frente, en la pasión de su dibujo y color, se distingue un temperamento poderoso, varonil, osado, casi brutal a veces, y delicadamente ingenuo otras.

"Vincent Van Gogh pertenece a la sublime estirpe de Frans Hals. Su realismo va más allá de la verdad de aquellos grandes pequeños burgueses de Holanda, tan sanos de cuerpo, y tan equilibrados de mente que fueron sus antepasados. Lo que resaltaba en sus cuadros es su estudio concienzudo del carácter, su continua búsqueda de la quintaesencia de cada objeto, su profundo y casi infantil amor a la naturaleza y a la verdad.

¿Conocerá algún día ese robusto y verdadero artista con alma iluminada las alegrías de la rehabilitación del público? No lo creo. Es demasiado simple, y al mismo tiempo demasiado sutil para nuestro espíritu burgués contemporáneo. Nunca será del todo comprendido, excepto por sus hermanos artistas.

G. Albert Aurier".

Vincent no enseñó ese artículo al doctor Peyron.

Recobró toda su fuerza y su anhelo de vivir. Pintó un cuadro del interior del gran dormitorio donde dormía, y un retrato del superintendente del establecimiento y otro de su esposa, y copió varias obras de Milet y Delacroix, llenando así sus días y sus noches con tumultuoso trabajo.

Haciendo una recopilación cuidadosa de su enfermedad, se percató de que sus ataques se producían cada tres meses. Perfectamente, si sabía cuando se iba a enfermar, podía cuidarse en consecuencia; dejar de trabajar en el momento oportuno, meterse en cama y prepararse para una breve indisposición. Después de algunos días se levantaría repuesto, como si hubiera sufrido de un simple resfrío.

La única cosa que lo molestaba en el asilo era la gran religiosidad que allí reinaba. Le parecía que a medida que avanzaba el invierno las hermanas sufrían una crisis de histerismo religioso. A veces, mientras las observaba pasar murmurando sus oraciones, besando sus cruces, desgranando sus rosarios y entrando y saliendo cinco o seis veces por día de la capilla, se preguntaba cuáles eran los dementes, si los pacientes o sus cuidadoras. Desde los días del Borinage sentía horror por toda exageración religiosa y por momentos le parecía que las aberraciones de las hermanas le trastornaban el espíritu. Se dedicó con más pasión aún a su trabajo a fin de borrar de su mente la imagen de aquellas criaturas.

Cuarenta y ocho horas antes de finalizar el tercer mes, se metió en cama en perfecta salud y completa lucidez, a fin de prevenir el ataque. Cuando llegó el día que debía hacer crisis su enfermedad, Vincent aguardó impacientemente, casi con satisfacción, pero las horas pasaron y no le sucedió nada. Se sintió sorprendido y hasta decepcionado. Pasó también el segundo día sintiéndose completamente normal. Cuando finalizó el tercer día, comenzó a reírse de sí mismo.

—He sido un idiota —se dijo—. Nunca más sufriré esos ataques. El doctor Peyron está equivocado. Estuve perdiendo mi tiempo al quedarme en cama. Mañana me levantaré y reanudaré mi trabajo.

Esa noche, cuando todos se hallaban acostados, se levantó y comenzó a caminar descalzo por la gran sala. Se dirigió hacia el depósito de carbón y arrodillándose comenzó a embadurnarse el rostro con el polvillo negro.

—¿No ve, señora Denis? Ahora me aceptan. Saben que soy uno de ellos. Antes no me tenían confianza, pero ahora soy un "hocico negro" como ellos. Los mineros dejarán que les traiga la Palabra de Dios.

Poco después del amanecer, los guardianes lo encontraron allí. Estaba murmurando confusas oraciones y repitiendo versículos de la Biblia.

Sus alucinaciones religiosas duraron varios días. Cuando recobró los sentidos, pidió a una de las hermanas que hiciera venir al doctor Peyron.

—Creo que hubiera podido evitar el ataque, doctor —dijo—, si no hubiera sido por la histeria religiosa a la cual estoy expuesto.

El médico se encogió de hombros.

—¿Qué le vamos a hacer, Vincent? —dijo—. Todos los inviernos es lo mismo. Yo no apruebo todo esto pero no puedo remediarlo. En medio de todo las hermanas son muy buenas y hacen buen trabajo.

—Bastante difícil es permanecer cuerdo entre los locos —repuso Vincent— sin verse expuesto además a esta demencia religiosa. La época de mi crisis había pasado.

—No se ilusione, amigo mío, la crisis tenía que venir. Su sistema nervioso se agita hasta que sobreviene el ataque cada tres meses. Si sus alucinaciones no hubieran sido religiosas, hubieran sido de otra naturaleza.

—Le aseguro que si me sobreviene otro ataque, pediré a mi hermano que me saque de aquí.

—Como guste, Vincent.

Llegó el primer día de primavera, y con él volvió a su trabajo en el estudio. Pintó de nuevo la escena que divisaba desde su ventana. Estaban arando la tierra y subrayó los contrastes de los tonos violáceos de la tierra con el amarillo de los rastrojos. Los almendros comenzaban a florecer por doquier y otra vez el cielo tomaba un suave colorido anaranjado al atardecer.

La eterna renovación de la naturaleza no trajo esta vez nueva vida para el artista. Por primera vez desde que se había acostumbrado a sus compañeros, sus ataques comenzaron a incomodarlo y a ponerlo nervioso y excitado.

—Theo —escribía a su hermano—, sentiría mucho dejar St. Remy, pues hay mucho trabajo bueno que hacer aquí, pero si sufro otra crisis de naturaleza religiosa, será la culpa del asilo y no de mis nervios. Dos o tres más de esos ataques bastarán para matarme. Ese doctor Gachet de quien me has hablado ¿estaría siempre dispuesto a interesarse por mí?

Theo le contestó que había hablado de nuevo al doctor Gachet y que le había enseñado algunos de los cuadros de Vincent. El médico estaba deseoso de que Vincent fuera a Auvers para pintar.

"Es un especialista, no solamente de enfermedades nerviosas, sino en pintores —decía a su hermano—. Estoy convencido de

que no podrías estar en mejores manos. Cuando desees venir, no
tienes más que avisarme y tomaré el primer tren para St. Remy".
    Los días se tornaban cada vez más calurosos. Las cigarras
comenzaron a cantar. Vincent pintó el pórtico del jardín de la
tercera clase, y luego hizo su retrato mirándose al espejo. Trabajaba con un ojo en la tela y el otro en el calendario. Su próximo
ataque debía producirse en mayo.
    Le pareció oír voces que le gritaban desde los corredores va-
cíos, y él les contestaba con alaridos. Esta vez lo encontraron in-
conciente en la capilla. Ya había transcurrido la mitad del mes de
mayo cuando se repuso de sus alucinaciones religiosas.
    Theo insistía en ir a St. Remy a buscarlo, pero Vincent de-
seaba hacer solo el viaje, aceptando no obstante que uno de los
guardianes lo condujera hasta el tren que pasaba por Tarascón.
    "Querido Theo:
    "No soy inválido ni una bestia peligrosa. Déjame probarte a
ti y a mí mismo que soy un ser normal. Si puedo salir de este
asilo con mis propias fuerzas y volver a iniciar una vida nueva
en Auvers, tal vez pueda sobreponerme a mi enfermedad. Dame
otra oportunidad. Lejos de esta casa de locos estoy seguro que
volveré a ser de nuevo una persona sensata. Según lo que me es-
cribes, Auvers es un lugar tranquilo y hermoso. Si vivo con cuidado bajo la vigilancia del doctor Gachet, estoy convencido de
que dominaré mi enfermedad.
    "Te telegrafiaré cuando mi tren salga de Tarascón. Espérame
en la estación de Lyon. Quiero salir de aquí el sábado, así podré
pasar el domingo en tu casa contigo, Johanna y el pequeñuelo".

A U V E R S

PRIMERA EXPOSICION DE UN SOLO ARTISTA

T HEÓ no pudo dormir en toda la noche de ansiedad, y partió para la estación de Lyon dos horas antes de la llegada del tren de Vincent. Johanna tuvo que permanecer en casa con el bebé, pero se pasó el tiempo espiando por el balcón del departamento del cuarto piso que habitaban en la Cité Pigalle, deseosa de ver llegar el coche con su marido y su cuñado.

La distancia entre la estación de Lyon y la casa de Theo era bastante grande, y a Johanna le pareció el tiempo interminable. Comenzó a temer de que hubiera sucedido algo a Vincent, en el tren, pero finalmente divisó un coche abierto que dobló por la esquina de la Rue Pigalle y en el cual dos personas con semblantes alegres la saludaban moviendo las manos.

La Cité Pigalle era una calle cortada y de apariencia respetable. Theo vivía en el Nº 8; la casa tenía un pequeño jardín al frente y un enorme árbol se hallaba plantado justo delante de la finca sobre la vereda. En pocos segundos el coche se detuvo debajo del gran árbol.

Vincent subió corriendo las escaleras seguido por Theo. Johanna esperaba encontrarse ante un inválido, pero el hombre que le echó los brazos al cuello tenía aspecto sano y su sonrisa expresaba gran resolución.

—Parece perfectamente bien. Diríase que es mucho más fuerte que Theo —fué su primer pensamiento.

Pero no se atrevió a mirarle la oreja.

—Te felicito, Theo —exclamó Vincent conservando aún entre las suyas las manos de Johanna—, has elegido una linda esposa.

—Gracias, Vincent —dijo su hermano sonriendo.

Theo había elegido una mujer del tipo de su madre. Johanna tenía los mismos ojos castaños suaves de Ana Cornelia y la misma expresión de simpatía. A pesar de que su criatura sólo contaba pocos meses ya se adivinaba en ella a la futura matrona. Sus rasgos eran tranquilos y llevaba su cabello castaño claro sencillamente echado para atrás reunido en un rodete alto al estilo holandés. Su amor a Theo incluía también a Vincent.

Theo condujo a su hermano al dormitorio donde el bebé dormía en su cuna. Los dos hombres contemplaron a la criatura en silencio y con lágrimas en los ojos. Johanna, adivinando que les agradaría estar solos por un momento, se retiró de puntillas. Cuando iba a cerrar la puerta, Vincent se volvió sonriente hacia ella e indicando de un gesto la colchita tejida al crochet de la cuna dijo:

—No lo críes entre demasiados encajes, hermanita.

Johanna sonrió y cerró la puerta tras de sí. Su cuñado volvió a mirar a la criatura y sintió la profunda angustia de los hombres estériles que no dejan descendencia detrás de ellos y cuya muerte es muerte eterna.

Theo pareció leer en sus pensamientos.

—Aún tienes tiempo, Vincent —le dijo—. Algún día encontrarás una mujer que amarás y que compartirá contigo las penurias de la vida.

—No, Theo, es demasiado tarde.

—El otro día conocí una mujer que te convendría perfectamente.

—¿De veras? ¿Y quién es?

La joven que sirvió de modelo a Turgenev para su "Tierra Virgen". ¿La recuerdas?

—¿Quieres decir aquella que trabaja con los nihilistas y se ocupa en pasar papeles comprometedores a través de la frontera?

—Sí. Tu mujer tendría que ser alguien así, alguien que ha conocido las miserias de la vida...

—¿Acaso gustaría ella de mí? ¿De un hombre con una sola oreja?

El pequeño Vincent se despertó y los miró sonriendo. Theo levantó a la criatura de la cuna y la colocó en brazos de su hermano.

—¡Qué suave y calentito es! —dijo Vincent estrechando al niño contra su corazón.

—Vamos, torpe, no tengas a la criatura de ese modo.

—Es que estoy más acostumbrado a sostener un pincel que un bebé...

Theo tomó a la criatura y la apoyó contra su hombro, rozando con su cabeza sus rizos castaños. A Vincent le pareció que estaban esculpidos en la misma materia.

—Y bueno —dijo resignadamente— cada cual su destino. Tú creas en carne viviente... y yo creo pintando.

—Así es, Vincent, así es.

Varios amigos del pintor vinieron a verlo esa noche. El primero en llegar fué Aurier, un hermoso joven con largos rizos y doble barba. Vincent lo condujo hasta el dormitorio donde Theo había colgado un ramo de Monticelli.

—En su artículo, señor Aurier, usted dijo que yo era el único pintor que percibía el cromatismo de las cosas con una calidad metálica semejante al de las piedras preciosas. Mire a este Monticelli. "Fada" lo consiguió muchos años antes de que yo viniera a París.

Al cabo de una hora Vincent desistió de convencer a Aurier, y le regaló uno de sus cuadros de cipreses que había pintado en St. Remy en agradecimiento por su artículo.

Toulouse Lautrec llegó exhausto por la subida de las escaleras, pero risueño y obsceno como siempre.

—Vincent —exclamó mientras le estrechaba las manos a su amigo—. Acabo de cruzarme en las escaleras con un empresario de pompas fúnebres. ¿A quién estaría buscando, a ti o a mí?

—A ti, Lautrec. No tendría nada que hacer conmigo.

—Quiero hacerte una apuesta, Vincent. A que tu nombre aparece antes que el mío en su registro.

—Aceptado. ¿Qué apuestas?

Una cena en el café Athens y una velada en la Opera después.

—¿No podrían hacer chistes menos lúgubres, —inquirió Theo con una débil sonrisa.

En ese momento entró un desconocido que miró a Lautrec y se instaló silenciosamente sobre una silla en un rincón. Todos esperaban que Lautrec lo presentara, pero éste siguió hablando sin preocuparse del recién llegado.

—¿No nos vas a presentar a tu amigo? —inquirió Vincent.

—Ese no es amigo mío. Es mi guardián —repuso Lautrec riendo.

Hubo un momento de penoso silencio.

—¿No lo supiste, Vincent? Estuve un poco "ido" durante unos meses. Dicen que fué el demasiado alcohol, por lo tanto ahora me dedico a beber leche.

Johanna pasó una bandeja con refrescos. Todos hablaban al mismo tiempo y la atmósfera no tardó en ponerse pesada del humo de los cigarros, lo que hizo recordar a Vincent los antiguos tiempos de París.

—¿Y qué tal está Georges Seurat? —preguntó el artista a Lautrec.

—¡Georges! ¿Acaso no sabes?

—No, Theo no me ha escrito nada de él. ¿Qué le sucede?

—¡Se está muriendo de consunción! El médico dice que no llegará a los treinta y un años.

—¡De consunción! ¡Pero si Georges estaba en perfecta salud!

—Exceso de trabajo, Vincent —dijo Theo—. Hace unos dos años que no lo has visto ¿verdad? Georges trabajó como una bestia. Dormía apenas unas dos o tres horas por día y trabajaba todo el resto del tiempo. Ni siquiera su buena madre pudo salvarlo.

—Entonces el pobre Georges se irá pronto —murmuró Vincent pensativo.

En eso llegó Rousseau trayendo un paquete de masas hechas en casa como regalo para Vincent. Vino también el Père Tanguy, llevando el mismo sombrero de paja de siempre y obsequió a Vincent con una estampa japonesa y un lindo discurso, diciéndole cuán contentos se hallaban todos de volver a tenerlo entre ellos en París.

A eso de las diez Vincent insistió en bajar para comprar aceitunas y obligó a todos sus amigos a comerlas, inclusive al guardián de Lautrec.

—Si ustedes hubieran visto como yo esos huertos de olivos de Provenza, comerían aceitunas durante el resto de sus días.

—Hablando de huertos de olivos, Vincent —dijo Lautrec— ¿cómo encontraste a las arlesianas?

A la mañana siguiente Vincent bajó el cochecito del bebé al jardincito frente a la casa a fin de que la criatura pudiera tomar un poco de sol en compañía de su madre. El artista volvió a subir al departamento y permaneció en mangas de camisa mirando a sus cuadros colgados en los muros. Encima de la chimenea del comedor estaba el cuadro que había denominado "Comiendo papas"; en el living room un "Paisaje de Arles" y una "Vista nocturna del Ródano"; en el dormitorio "Huertos en Flor". Por todos lados veíanse enormes pilas de cuadros provocando la gran desesperación de la criada de Johanna, pues invadían toda la casa.

Al revolver el escritorio de Theo, Vincent encontró un grueso paquete de cartas, y se sorprendió al comprobar que eran todas las cartas que él había escrito a su hermano. Theo había guardado todas las cartas que Vincent le había escrito desde el día que por primera vez partiera de Zundert para emplearse en la Casa Goupil de La Haya. En total había unas setecientas cartas, y el artista se preguntaba por qué su hermano las había guardado.

En otro lugar del escritorio encontró los dibujos que había enviado a Theo desde hacía diez años. Estaban cuidadosamente ordenados por época; primeramente los mineros y sus mujeres del Borinage, luego los labradores de los campos de Etten; algunos estudios de La Haya; los trabajadores de Geest y los pescadores de Scheveningen. También estaban los tejedores de Neunen, y después escenas en los restaurantes y calles de París y por último los girasoles y huertas floridas de Arles y el jardín de St. Remy.

—¡Voy a hacer una exposición mía únicamente! —exclamó.

Quitó los cuadros de las paredes y comenzó a buscar entre las pilas de pinturas, separándolos por época. Seleccionó entre todos los mejores dibujos y pinturas y comenzó a colgarlos en las paredes. En el pasillo de entrada colgó sus primeros estudios del Borinage, en los cuales se veían a los mineros saliendo de las minas, o reunidos alrededor de las mesas en sus chozas, comiendo frugalmente.

—Esta es la Sala del Carbón —se dijo.

Luego pensó que el cuarto de baño era la habitación menos importante y allí colocó sus estudios de Etten que representaban a los campesinos del Brabante.

—Y ésta, naturalmente, es la Sala del Carbonillo.

Después se dirigió a la cocina y colgó allí sus croquis de La Haya y de Scheveningen.

—Sala Nº 3: acuarelas.

En el cuarto de costura colgó "Comiendo papas", era su primer óleo de importancia. A su lado puso una docena de estudios de los tejedores de Nuenen, y del cementerio detrás de la iglesia de su padre.

En su dormitorio ubicó los óleos de París, aquellos que había colgado en la casa de la Rue Lepic antes de su partida para Arles. En el living room todos los cuadros que pudo de su época arlesiana y en el dormitorio de Theo las pinturas realizadas en el asilo de St. Remy.

Una vez que hubo terminado, tomó su sombrero, bajó al jardín y paseó a su sobrinito en el cochecito mientras Johanna, dándole el brazo, charlaba con él en flamenco.

Cuando apareció Theo, poco después de las doce, los saludó amigablemente y levantando al bebé de su cochecito dejó a éste con el portero y subieron todos charlando con animación. Al llegar frente a la puerta del departamento, Vincent los detuvo.

—Los voy a llevar a una exposición de Van Gogh, queridos hermanos —dijo—, prepárense, pues, para la prueba.

—¿Una exposición? ¿Y adónde? —inquirió Theo.

—Cierren los ojos y vuélvanlos a abrir cuando yo les diga.

Empujó de par en par la puerta y los tres Van Gogh entraron en el vestíbulo. Theo y Johanna permanecieron boquiabiertos.

—Cuando vivía en Etten —dijo Vincent— mi padre me dijo un día que ningún bien podía resultar del mal. Yo le contesté que no solamente podía ser así, sino que el arte debía serlo. Si ustedes me quieren seguir, les enseñaré la historia de un hombre que comenzó toscamente, como un niño torpe y que después de diez años de constante labor llegó a..., pero eso lo decidirán ustedes.

Los condujo de pieza en pieza, siguiendo el orden cronológico de sus trabajos. Observaban todo como tres visitantes en una Galería de Arte que contemplan el trabajo de la vida de un hombre. Notaron el lento y penoso desarrollo del artista para llegar a la madurez; el cambio radical sobrevenido durante su estada en París y el estallido apasionado de sus creaciones de Arles que compensaban todos los quebrantos de sus años de trabajo..., y luego..., el derrumbe..., los cuadros de St. Remy..., la lucha desesperada por conservar la inspiración creadora... y la caída lenta, lenta...

En una breve media hora recapitularon todo el transcurso de la vida de un hombre sobre la tierra.

Luego Johanna les sirvió un almuerzo netamente holandés y Vincent se sintió feliz de volver a probar la sana comida del Brabante. Una vez que hubieron terminado, los dos hombres encendieron sus cigarros y permanecieron charlando.

—Deberás seguir al pie de la letra las indicaciones del doctor Gachet —dijo Theo a su hermano.

—Así lo haré, Theo.

—Es un especialista en enfermedades nerviosas, y si sigues sus consejos te repondrás, con toda seguridad.

—Te lo prometo.

—Gachet pinta también. Anualmente expone en el Salón de los Independientes bajo el nombre de P. Van Ryssel.

—¿Y es bueno su trabajo?

—No se puede decir que lo sea, pero es uno de esos hombres que tiene el genio de reconocer a los genios. Vino a París a los veinte años para estudiar medicina y se hizo amigo de Courbet, Murger, Champfleury y Proudhon. Solía frecuentar el café de "La Nueva Atenas" y pronto intimó con Manet, Renoir, Degas, Durante y Claude Monet. Daubigny y Daumier estuvieron pintando en su casa muchos años antes de que existiera el Impresionismo.

—¡No me digas!

—Casi todo lo que posee fué pintado en su jardín o en su living room. Pissarro, Guillaumin, Sisley y Delacroix trabajaron con él en Auvers. En su casa encontrarás cuadros de Cezanne, de Lautrec y de Seurat. Te vuelvo a repetir, Vincent, no ha existido ningún pintor de importancia desde la mitad del siglo que no haya sido amigo del doctor Gachet.

—¡Me asustas, Theo! ¡Yo no pertenezco a esa ilustre clase! ¿Vió algún trabajo mío ya?

—¡Tonto! ¿Por qué suponer entonces el que esté tan ansioso de que vayas a Auvers?

—No sé...

—Dice que tus escenas nocturnas arlesianas que vió en los Independientes eran los mejores cuadros de la exposición. Te juro que cuando le enseñé los paneles de girasoles que pintaste para Gauguin en la casa amarilla, se le llenaron los ojos de lágrimas. Se volvió hacia mí y me dijo: "Señor Van Gogh, su hermano es un gran artista. Jamás he visto antes en la historia del arte nada parecido a estos girasoles. ¡Esos cuadros solos harán inmortal a su hermano!"

Vincent se rascó la cabeza y sonrió.

Si el doctor Gachet piensa eso de mis girasoles, creo que nos entenderemos...

ESPECIALISTA EN ENFERMEDADES NERVIOSAS

El doctor Gachet esperaba en la estación la llegada de Theo y Vincent. Era un hombrecito nervioso y vivaz con pronunciada melancolía en los ojos. Estrechó calurosamente la mano de Vincent.

—Sí, sí, usted encontrará que este lugar es un verdadero pueblo de pintores y estoy seguro que le agradará. Veo que ha traído su caballete. ¿Tiene suficientes pinturas? Debe comenzar a trabajar de inmediato. ¿Acepta almorzar hoy en mi casa? ¿Sí? ¿Ha traído algunas telas? Aquí no encontrará el amarillo arlesiano, pero hay otras cosas, sí, sí, encontrará otras cosas interesantes. Tiene que venir a pintar a mi casa. Le daré como modelos jarrones y mesas que han sido pintados por todos desde Daubrigny hasta Lautrec. ¿Cómo se encuentra? Tiene buen semblante. ¿La parece que le agradará este lugar? Sí, sí, lo cuidaremos bien, y haremos de usted un hombre sano.

Vincent se alejó unos pasos para contemplar a su gusto el paisaje y Theo aprovechó para decir en voz baja al doctor:

—Le ruego que vigile cuidadosamente a mi hermano. Si nota cualquier síntoma alarmante, telegrafíeme. Quiero estar aquí cuando..., no debe quedarse solo..., pues hay gente que dice que...

—Ta, ta, ta —interrumpió el doctor Gachet—. Por supuesto que está loco. Pero ¿qué quiere? ¡Todos los artistas lo están! Eso es lo mejor que tienen, y me gustan de ese modo. A veces quisiera estar loco yo mismo. "Ninguna alma excelente está exenta de ligera locura". ¿Sabe quién dijo eso? Aristóteles.

—Lo sé, doctor, pero Vincent es joven, apenas tiene 37 años, aún le queda la mejor parte de su vida delante de él.

El doctor Gachet se quitó su gorro blanco y se pasó varias veces las manos por el pelo.

—Déjemelo. Sé cómo debe tratarse a los pintores. Lo convertiré en un hombre sano en menos de un mes. Lo haré trabajar y eso lo curará. Le haré hacer mi retrato, empezará esta misma tarde. Eso le hará olvidar su enfermedad.

Vincent volvió a acercarse respirando con fruición el aire puro del campo.

—Deberías traer aquí a Johanna y al pequeñuelo, Theo. Es un crimen criar a los niños en las ciudades.

—Eso es, vengan a vernos algún domingo y pasarán todo el día con nosotros —asintió el doctor Gachet.

—Gracias, me agradaría muchísimo. Pero aquí llega mi tren. Adiós, doctor Gachet, le agradezco por encargarse de mi hermano. Vincent, escríbeme todos los días.

El médico y el pintor se encaminaron hacia el pueblo, y mientras andaban el doctor Gachet no dejaba de charlar.

—Este es el camino principal que conduce al pueblo, pero venga, subiremos a la colina y verá qué hermoso panorama se divisa desde allí. No le molesta caminar con su caballete a cuestas ¿verdad? Hacia la izquierda verá usted la iglesia católica. ¿No notó que los católicos siempre construyen sus iglesias sobre las alturas a fin de que los feligreses tengan que elevar la vista para mirarlas? ¡Dios mío! me estoy volviendo viejo, cada año esta subida se me hace más pesada. Esos trigales son hermosos, ¿verdad? Auvers está rodeado de ellos. Usted tiene que venir a pintar en los campos. Naturalmente que no encontrará aquí el amarillo intenso que domina en la región provenzal... Sí, allí a la derecha está el cementerio, desde él se domina todo el río y el valle... ¿le parece que tienen gran importancia para los muertos el lugar donde reposan? Sin embargo les hemos adjudicado el más bello punto de todo el valle del Oise..., ¿quiere que entremos? Verá qué hermoso se ve el valle desde allí..., casi puede divisarse a Pontoise... Sí, la reja está abierta..., empújela..., eso es... ¿Verdad que es hermoso? Han construído el muro que lo circunda a fin de reparar el viento... Aquí se entierra tanto a los católicos como a los protestantes...

Vincent se adelantó unos pasos a fin de escapar al torrente de palabras del médico. Reinaba allí una profunda paz. Dominábase todos los alrededores tal como lo había dicho el médico y el paisaje era realmente magnífico.

—Me hizo bien mi estada en el Sud —dijo Vincent a su compañero—, ahora puedo apreciar mejor al Norte. Fíjese cómo domina el violeta en las márgenes del río, allá lejos...

—Sí, es verdad...

—Y que sano y tranquilo es todo esto...

Volvieron a bajar la colina atravesando los campos de trigo y pasando cerca de la iglesia.

—Lamento no poder tenerlo en mi casa —dijo el doctor Gachet—, pero desgraciadamente no tengo lugar. Lo llevaré a la posada, y vendrá usted todos los días a pintar a casa.

Cuando llegaron a la posada del pueblo, Gachet habló con el dueño, quien consintió en dar una habitación con pensión a Vincent por seis francos por día.

—Ahora lo dejaré para que se instale un poco —dijo el médico al artista—, pero acuérdese que almorzamos a la una. Y no se olvide de traer su caballete. Quiero que haga mi retrato. Usted me enseñará sus últimas pinturas y charlaremos...

En cuanto el doctor hubo desaparecido, Vincent tomó sus cosas y se encaminó hacia la puerta.

—¿Dónde va? —preguntó el dueño sorprendido.

—Soy un trabajador y no un capitalista —le repuso Vincent—. No puedo pagar seis francos diarios.

Comenzó a caminar por la calle hasta que encontró un humilde café, frente a la municipalidad, que se llamaba Ravoux, y donde consiguió una pieza con pensión por tres francos cincuenta diarios.

El café Rovoux era el lugar de reunión de los campesinos y labradores que trabajaban en los alrededores de Auvers. Detrás del café hallábase el billar, que constituía el orgullo del dueño. Desde su ventana, Vincent podía ver la iglesia católica y parte del muro del cementerio.

Tomó su caballete, sus tubos de pinturas y pinceles y el retrato de una arlesiana y partió en busca de la casa de Gachet. Siguió el camino principal hasta que encontró una encrucijada de donde partían tres caminos. Tomó el del centro, como le había indicado Gachet. Caminaba lentamente y a medida que avanzaba pensaba en el médico bajo cuyo cuidado lo había dejado su hermano. Notó que las casas eran cada vez más bellas e importantes.

Por fin llegó frente a la del doctor Gachet e hizo sonar la campanilla de bronce, apareciendo de inmediato el dueño de casa, quien lo hizo subir a la terraza rodeada de flores. La casa constaba de tres pisos y estaba sólidamente construída. Luego el médico lo llevó hacia los fondos del jardín, donde estaba el gallinero lleno de patos, gallinas, pavos y otros animales. Después de haberle narrado con lujo de detalles la historia de cada uno de sus animales, lo condujo al living room. La habitación era grande y quedaba al frente de la casa, pero sólo tenía dos pequeñas ventanas. A pesar de su tamaño apenas si había espacio para que estuvieran en ella los dos hombres, tan repleta de muebles y de chucherías estaba.

Gachet iba de un lado para otro enseñándole las cosas a Vincent, poniéndole entre las manos los objetos más heteróclitos y volviéndoselos a quitar antes de que éste tuviera siquiera tiempo de verlos.

—¿Ve ese ramo de flores en ese cuadro? Delacroix usó este florero para colocar las flores. ¿Y esa silla? Courbet se sentó en ella para pintar el jardín desde la ventana. ¿No le parece que estas fuentes son exquisitas? Me las trajo Desmoulins del Japón. Claude Monet utilizó una de ellas para una naturaleza muerta. Tengo el cuadro arriba, venga, se lo enseñaré.

A la hora de la comida, Vincent se encontró con Paul, el hijo de Gachet; era un muchacho hermoso y vivaracho de unos quince años. Gachet, que era enfermo del estómago y no podía digerir bien, sirvió un almuerzo de cinco servicios. Vincent, que estaba acostumbrado a las lentejas y pan negro de St. Remy, al cabo del tercer servicio no pudo continuar más.

—Y ahora empecemos a trabajar —exclamó el doctor una vez que hubieron terminado de comer—, quiero que haga mi retrato, Vincent, ¿le parece que pose tal cual estoy?

—Me parece conveniente esperar a que lo conozca mejor antes de hacerle el retrato, doctor —repuso el artista—, pues de lo contrario temo no interpretarlo bien.

—Tal vez tenga razón... Pero seguramente querrá pintar algo, ¿verdad? ¿Me dejará mirarlo mientras trabaja? Estoy ansioso de verlo pintar.

—He notado un rincón del jardín que me agradaría hacer.

—Bien, bien, yo mismo le instalaré el caballete. Paul, lleva el caballete del señor Vincent al jardín. Usted nos indicará dónde quiere que lo coloquemos y yo le diré si ya algún otro pintor ha reproducido ese lugar.

Mientras Vincent trabajaba, el doctor se movía de un lado a otro gesticulando, hablando y profiriendo exclamaciones sin parar un instante.

—Sí, sí. Esta vez está bien... ¡Cuidado! Estropeará ese árbol. ¡Ah, sí..., tiene razón! No, no. Basta de cobalto. Aquí no estamos en Provenza. Ahora comprendo. ¡Es extraordinario! ¡Cuidado! ¡Cuidado! Vincent, ponga un toque de amarillo en esa flor... Sí, así. ¡Cómo hace usted *vivir* las cosas! No, no, le ruego... Tenga cuidado, ah, sí... tiene usted razón. ¡Es magnífico! ¡Sorprendente!

Vincent soportó las contorsiones y el monólogo del doctor cuanto pudo hasta que finalmente le dijo:

—Mi querido amigo, ¿no le parece que es contraproducente para su salud que se agite en esa forma? Usted como médico debiera saber lo importante que resulta conservar la tranquilidad.

Pero Gachet no podía conservar la tranquilidad cuando alguien pintaba.

Cuando Vincent terminó su ligero estudio, entró de nuevo en la casa con el doctor Gachet, y le enseñó el retrato de la arlesiana que había traído. Después de haberlo observado con ojos críticos durante un buen rato y haber discutido volublemente consigo mismo respecto a sus méritos, dijo:

—No, decididamente no lo comprendo. No comprendo lo que usted ha tratado de expresar en ese cuadro.

—Nada de particular —contestó Vincent—. Esa mujer es la síntesis de las mujeres arlesianas, nada más. Traté sencillamente de interpretar su carácter por medio de colores.

—¡Ay! —exclamó el médico con pena—. ¡No llego a comprenderlo!

—¿Me permite echar un vistazo a los cuadros que tiene en su casa, doctor?

—Por supuesto, por supuesto. Mientras tanto seguiré estudiando a esta arlesiana para tratar de comprenderla.

Vincent, amablemente conducido por Paul, se entretuvo durante más de una hora contemplando la hermosa colección de Gachet diseminada por su casa. Tirado descuidadamente en un rincón encontró a un Guillaumin que representaba a una mujer desnuda echada sobre una cama. La tela comenzaba a deteriorarse, y mientras Vincent la estaba examinando, apareció el Dr. Gachet presa de gran agitación y comenzó a hacerle gran cantidad de preguntas acerca de la arlesiana.

—¿Y usted estuvo mirándola todo este tiempo? —inquirió Vincent sorprendido.

—Sí, sí, me parece que comienzo a comprenderla...

—Disculpe mi presunción, doctor Gachet, pero éste es un magnífico Guillaumin. Si usted no le hace poner un marco conveniente, pronto estará arruinado del todo.

Pero Gachet ni siquiera lo oyó.

—Usted me dijo que siguió a Gauguin en el dibujo... No concuerdo con usted..., esa oposición de colores... mata su femineidad..., no, no la mata pero... En fin, voy a volver a mirarla..., poco a poco creo que la comprenderé...

Pasó todo el resto de la tarde contemplando la arlesiana, haciendo infinidad de preguntas a su respecto y hablándose a sí mismo. Cuando cayó el sol la mujer lo había conquistado por completo.

—Qué difícil es ser sencillo —comentó por fin exhausto mirando aún al retrato.

—Así es.

—Esa mujer es hermosa, hermosa. Jamás sentí semejante profundidad de carácter.

—Si le agrada a usted, doctor —dijo Vincent—, es suya, lo mismo que la escena que hice del jardín.

—Pero, ¿por qué me regala esos cuadros, Vincent? Tienen valor.

—Tal vez dentro de poco tenga usted que cuidarme, y yo no tengo dinero para pagarle... le pago con cuadros.

—Pero yo no lo cuidaré a usted por dinero, Vincent, lo cuidaré por amistad.

—Perfectamente; entonces acepte estos cuadros como el obsequio de un amigo.

NO SE PUEDE PINTAR UN ADIOS

Y Vincent comenzó de nuevo su vida de pintor. Se acostaba a las nueve, después de haber pasado un rato mirando a los trabajadores jugar al billar bajo la lámpara del café Ravoux. A la mañana se levantaba a las cinco. El tiempo estaba hermoso y el sol brillaba suavemente sobre los campos verdes del valle, pero como consecuencia de su enfermedad y sus períodos de forzada inactividad, su pincel parecía querer escapársele de los dedos.

Pidió a Theo que le enviara los sesenta estudios al carbón de Bargue, pues deseaba copiarlos, temiendo que si no volvía a estudiar las proporciones y el desnudo otra vez, no podría seguir adelante. Anduvo buscando por el pueblo para ver si encontraba alguna casita en la cual podría instalarse permanentemente, y se preguntaba si Theo estaba en lo cierto cuando decía que en el mundo debía haber alguna mujer que consintiera en compartir su vida. Desembaló algunos de los cuadros que había hecho en St. Remy, deseoso de retocarlos y mejorarlos, pero su repentina actividad sólo fué momentánea; el reflejo de un organismo que era aún demasiado fuerte para ser destruído.

Después de su prolongado encierro en el asilo, los días se le hacían largos como semanas y no sabía cómo emplearlos, pues carecía de fuerzas para pintar durante todo el día, y hasta la voluntad para ello. Antes de sufrir su accidente en Arles, los días le parecían siempre demasiado cortos para todo lo que quería pintar, y ahora se le hacían interminables.

Pocas eran las escenas de la naturaleza que le tentaban, y cuando trabajaba lo hacía con toda calma, casi con indiferencia. Esa pasión afiebrada que se apoderaba de él antes cuando pintaba lo había abandonado por completo, y si no terminaba su tela el mismo día que la empezaba..., ya no le importaba.

El doctor Gachet era el único amigo que tenía en Auvers. El médico, que pasaba la mayoría de sus días en su consultorio de París, venía a menudo al café Ravoux al anochecer para mirar los cuadros de Vincent y éste se preguntaba por qué el médico tenía esa expresión de desaliento.

—¿Se siente usted desgraciado, doctor Gachet? —le preguntó un día.

—Ah, Vincent..., hace tantos años que trabajo..., y he hecho tan poco bien... Los médicos sólo ven el dolor, siempre el dolor.

—Sin embargo, gustoso cambiaría mi profesión por la suya, doctor.

—No, Vincent; ser pintor es la cosa más maravillosa del mundo. Toda mi vida quise ser artista..., pero sólo disponía de una hora de aquí y de allá... Hay tantos enfermos que necesitan de mí.

El doctor Gachet se arrodilló y sacó de debajo de la cama de Vincent un montón de cuadros, y contemplando uno que representaba un hermoso girasol exclamó:

—Si yo hubiera pintado un solo cuadro como éste, Vincent, consideraría mi vida justificada. Empleé años enteros aliviando el dolor de la gente..., pero al final se mueren lo mismo... Entonces, ¿de qué sirve mi trabajo? En cambio esos girasoles suyos..., curarán el dolor del corazón de la gente..., les darán alegría..., durante siglos y siglos. He ahí por qué considero que usted tuvo éxito en la vida..., y es por eso que debería considerarse un hombre feliz.

Algunos días más tarde, Vincent pintó el retrato del doctor con su gorro blanco y su bata azul, sentado cerca de una mesa roja donde se veía una planta con flores púrpuras y un libro amarillo. Una vez que lo hubo terminado se percató de que se parecía bastante al retrato que había hecho de sí mismo en Arles poco antes de la llegada de Gauguin.

El médico estaba loco de alegría con su retrato y no cesaba de alabar al autor, insistiendo para que Vincent hiciera una copia para él. Cuando el artista consintió, su alegría no tuvo límites.

—Usará usted mi máquina de imprimir que está en el desván, Vincent —exclamó—. Iremos a París a buscar todos sus cuadros y usted hará litografías de todos ellos. No le costará un solo centavo, ni uno solo. Suba conmigo, verá mi taller.

Subieron por una escalera de mano y abrieron una trampa en el techo para entrar en el desván. Este se hallaba tan atestado de fantásticos implementos que Vincent creyó encontrarse en el taller de algún alquimista de la Edad Media.

Al volver a bajar el pintor notó que el desnudo de Guillaumin aún se hallaba tirado en un rincón.

—Doctor Gachet —dijo—, insisto en que haga poner un marco a ese cuadro. Está dejando arruinar una obra maestra.

—Sí, sí lo haré. ¿Cuándo vamos a París a buscar sus telas? Podrá usted imprimir todas las litografías que desee, yo le suministraré los materiales.

Así pasó mayo y junio. Vincent comenzó a hacer un cuadro de la iglesia sobre la colina, pero ni siquiera se molestó en terminarlo. Haciendo prueba de gran perseverancia logró pintar un trigal, que realizó estando semiacostado entre el trigo. Hizo también un gran cuadro de la casa de la señora de Daubigny y otro de una casita blanca en medio de unos árboles.

Pero ya no encontraba placer en pintar. Trabajaba por costumbre, porque no tenía otra cosa en qué ocuparse. Las escenas de la naturaleza que antes lo habían entusiasmado lo dejaban ahora indiferente.

—He pintado esos paisajes tantas veces —se decía mientras caminaba por los campos en busca de tema—. Ya no tengo nada nuevo que decir... ¿A qué repetirme? Millet tiene razón: *"Prefiero no decir nada a expresarme débilmente"*.

Su amor por la naturaleza no había muerto, pero ya no sentía la necesidad imperiosa de crear. Durante todo el mes de junio sólo pintó cinco cuadros. Se sentía cansado, excesivamente cansado, y hueco, como si los cientos y cientos de dibujos y pinturas que había realizado durante los últimos diez años le hubiesen costado cada uno un pedacito de su vida.

Si seguía trabajando, era porque le parecía que se lo debía a Theo en pago de todo el dinero que había gastado en él, pero cuando recordaba que la casa de su hermano se hallaba abarrotada de cuadros que jamás se venderían, abandonaba su pincel con profundo desgano.

Sabía que su próxima crisis debía presentarse en el mes de julio, al cabo del período de tres meses, y le preocupaba el temor de hacer algún disparate durante su inconsciencia y malquistarse la voluntad de la gente del pueblo. No había hecho ningún arreglo económico con Theo antes de salir de París, y no sabía el dinero que su hermano le enviaría.

Y para colmo, el hijo de su hermano se enfermó.

La ansiedad que le producía la enfermedad de su sobrinito lo trastornaba, hasta que finalmente, no pudiendo soportarla más tiempo tomó el tren para París. Su inesperaba llegada en la Cité Pigalle aumentó la confusión que allí reinaba, Theo estaba pálido y parecía enfermo, y Vincent trató de consolarlo.

—No es sólo el pequeño que me preocupa —dijo por fin.

—¿Y qué es, entonces, Theo?

—Valadón. Me ha amenazado con pedirme la renuncia.

—¡Pero, Theo! ¡Hace dieciséis años que estás en la casa Goupil!

—Lo sé, pero dice que he descuidado las ventas generales en favor de los Impresionistas. Sin embargo no vendo muchos, y cuando lo hago los precios son bajos. En fin, Valadón dice que mi galería ha perdido dinero este último año.

—¿Te parece que podría despedirte?

—¿Y por qué no? Los Van Gogh ya no tienen intereses allí.

—¿Y qué harías, Theo? ¿Abrirías una galería por tu cuenta?

—¿Y con qué? Tenía un poco de dinero ahorrado, pero lo gasté todo en mi casamiento y con el bebé.

—Ah..., si no hubieras gastado tantos miles y miles de francos en mí...

—Vamos, Vincent, no empieces. Eso no tiene nada que ver con mi situación... Ya sabes que yo...

—Pero, ¿qué harás, Theo? Debes pensar en Johanna y el bebé...

—Sí... No sé... En fin, por el momento lo que me preocupa es el bebé.

Vincent permaneció unos diez días en París. La mayor parte del tiempo lo pasaba fuera del departamento a fin de no molestar al niño. París y sus viejos amigos lo agitaban, y sentía que poco a poco la fiebre se apoderaba de él. Cuando el niño se repuso algo, tomó el tren de regreso a Auvers y a su tranquilidad.

Pero la tranquilidad no le hizo bien. Se sentía atormentado por sus preocupaciones. ¿Qué le sucedería a Theo si perdía su empleo? ¿Acaso se vería echado a la calle como un pobre mendigo? ¿Y qué sería de Johanna y del bebé? ¿Y si la criatura moría? Sabía que la salud frágil de su hermano no resistiría el golpe. ¿Quién los iba a mantener mientras su hermano conseguía otra ocupación? ¿Y tendría acaso el joven fuerzas para buscarla?

Durante largas horas permanecía sentado pensativamente en el café Ravoux que le hacía recordar el café Lamartine con su olor a cerveza agria y a tabaco ordinario. No tenía dinero para comprar alcohol ni pinturas ni telas, y no podía pedírselo a Theo en ese momento de prueba. Le aterraba el solo pensar que durante su ataque de julio pudiera hacer algún disparate que causara a su hermano más preocupaciones y gastos.

Trató de trabajar, pero inútilmente. Ya había pintado todo lo que quería pintar, expresado todo lo que quería expresar. La naturaleza ya no lo conmovía, ni le causaba deseos de crear; sabía que la mejor parte de sí mismo estaba muerta.

Pasaron los días y llegó el calor; a mediados de julio, Theo, a pesar de sus fastidios y preocupaciones consiguió enviar cincuenta francos a su hermano, y éste los entregó a Ravoux. Con eso tenía la vida asegurada casi hasta fin de julio... pero, ¿y después? No podía esperar más dinero de parte de Theo.

Pasaba los días acostado de espaldas en los trigales, cerca del cementerio, bajo el cálido sol; caminaba por las barrancas del Oise aspirando el perfume del agua fresca y el follaje verde que cubría sus bordes. Iba a comer a lo de Gachet y engullía todo lo que le presentaban a pesar de que no le encontraba sabor a lo que comía ni podía digerirlo. Cuando el doctor hablaba entusiastamente de sus pinturas, se decía:

—No es de mí de quien habla. Esas no son mis obras, yo nunca pinté nada. Ni siquiera reconozco mi firma en mis cuadros... No recuerdo haber dado ni una sola pincelada en esas pinturas... ¡Deben haber sido hechas por otro hombre!

Otras veces, acostado en la oscuridad de su cuarto, se decía:

—Supongamos que Theo no pierda su empleo. Supongamos que esté en condiciones de enviarme ciento cincuenta francos mensualmente. ¿Qué haré con mi vida? Si me he mantenido con vida estos últimos miserables años es porque tenía que pintar, porque tenía que decir cosas que me estaban quemando interiormente. Pero ahora ya me siento hueco, no tengo más que expresar. ¿Tendré que seguir vegetando como esos pobres infelices de St. Paul hasta que un accidente me barra de la superficie de la tierra?

Otras veces se preocupaba por Theo, Johanna y el bebé .

—Supongamos que me vuelvan las fuerzas y el ánimo y que sienta deseos de pintar de nuevo. ¿Cómo podré aceptar el dinero de Theo si lo necesita para Johanna y el pequeño? No debe gastar su dinero en mí. Debe emplearlo para enviar a su familia al campo para que se reponga del todo. Hace diez años que yo gravito sobre sus espaldas. ¿No es eso suficiente? Debo dejar lugar para el pequeño Vincent. Yo ya he vivido y él recién empieza.

Pero en el fondo de todas estas preocupaciones existía el pavoroso temor de lo que podía resultar de sus ataques epilépticos. Ahora estaba sano y cuerdo y podía hacer de su vida lo que quería, pero suponiendo que su próximo ataque lo dejara demente o idiota para siempre, ¿qué haría el pobre Theo? ¿Encerrarlo definitivamente en un asilo?

Obsequió al doctor Gachet con dos nuevos cuadros y le rogó que le dijera la verdad.

—No, Vincent —le aseguró el médico—. Sus ataques han terminado, y de aquí en adelante gozará de perfecta salud. No todos los epilépticos son tan afortunados.

—¿Y qué es lo que les sucede, doctor?

—A veces, después de un cierto número de ataques pierden por completo la razón.

—¿Y no la recobran más?

—No. Pueden vivir muchos años en algún asilo, pero sin esperanzas de curarse.

—¿Y cómo se puede saber si se repondrán del próximo ataque o no?

—No es posible saberlo... Pero dejemos ese tema, hablemos de otra cosa. ¿Quiere que subamos arriba para hacer unos dibujos?

Durante los cuatro días siguientes, Vincent no abandonó su habitación, y la señora de Ravoux le subía todos los días la comida.

—Ahora estoy cuerdo y soy dueño de mi destino —se repetía sin cesar—. Pero cuando me sobrevenga el próximo ataque..., si me deja loco del todo..., no seré capaz de matarme... y estaré perdido. Oh, Theo, Theo; ¿qué debo hacer?

Al atardecer del cuarto día fué a lo del doctor Gachet, a quien encontró en su living room. Vincent se dirigió directamente hacia el rincón donde estaba aún el desnudo de Guillaumin y levantándolo dijo:

—Le dije que haga poner un cuadro a esto.

El doctor Gachet lo miró con sorpresa.

—Es verdad, Vincent. Encargaré un marco en Auvers uno de estos días.

—¡Debe hacerlo inmediatamente! ¡En este mismo instante!

—Vamos, Vincent, no diga disparates.

Vincent lo miró furibundo y dió un paso amenazante hacia él mientras colocaba una de sus manos en el bolsillo del saco. El doctor Gachet creyó ver que el pintor lo apuntaba con un revólver desde el interior de su bolsillo.

—¡Vincent!

El artista, tembloroso, bajó los ojos, sacó la mano de su bolsillo y salió corriendo de la casa.

Al día siguiente, tomó su caballete y sus pinturas, subió la colina y pasando cerca de la iglesia se sentó en un campo de trigo frente al cementerio.

A eso de mediodía, cuando el sol estaba más caliente apareció en el cielo una nube de pájaros negros. Llenaron el aire y oscurecieron el sol y cubrieron a Vincent con sus alas oscuras.

El artista siguió trabajando. Pintó los pájaros negros volando encima del trigo dorado, y cuando terminó escribió en un ángulo de su cuadro: "Cuervos sobre un trigal". Y luego, cargando su caballete sobre las espaldas volvió a lo de Ravoux y acostándose se quedó profundamente dormido.

A la tarde siguiente volvió a salir. Subió a la colina por otro lado, pasando detrás de un castillo. Un campesino lo vió sentado contra un árbol y lo oyó que decía:

—¡Es imposible! ¡Es imposible!

Después de algún tiempo bajó de nuevo la colina y se detuvo en un campo roturado detrás del castillo. Sabía que su fin había llegado. Ya lo había sabido en Arles, pero no había podido terminar como él deseaba.

Quería despedirse. A pesar de todo, había vivido en un mundo bueno. Como decía Gauguin: "Al lado del veneno está el antídoto". Y ahora, en el momento de dejar el mundo le quería decir adiós. Adiós a todos esos amigos que le habían ayudado a moldear su vida; a Ursula, cuyo desprecio había hecho de él un descastado; a Mendes Da Costa que lo convenció que llegaría a expresarse, y que esa expresión justificaría su vida; a Kay Vos, cuyo ¡No, no, nunca! había quedado escrito con ácido en su alma; a la señora Denis, Jacques Verney y Henry Decrucq que le habían ayudado a amar a los despreciados de la tierra; al Reverendo Pietersen cuya bondad lo había reconfortado; a su padre y a su madre que lo habían amado lo mejor que habían podido; a Cristina, la única mujer que lo había comprendido, a Mauve, que había sido su maestro durante unas breves pero felices semanas; a Weissenbruch y De Bock sus primeros amigos pintores; a sus tíos Vincent Jan, Cornelius Marinus y Sticker que lo habían denominado la oveja negra de la familia Van Gogh; a Margot, la única mujer que lo había amado y que había intentado matarse por él; a todos sus amigos pintores de París; Lautrec, que había sido encerrado de nuevo en un asilo para morir allí; Georges Seurat, muerto a los treinta y un años de exceso de trabajo; Paul

Gauguin convertido en mendigo en La Bretaña; Rousseau que se podría en un agujero cerca de la Bastilla; Cezanne, recluído en medio de su amargura en su colina de Aix; al Père Tanguy y Roulin que le habían enseñado lo que valían las almas sencillas; a Raquel y el doctor Rey que habían sido buenos con él, con la bondad que le hacía falta; a Aurier y al doctor Gachet los dos únicos hombres que lo habían considerado como un pintor de gran talento; y finalmente a su buen hermano Theo, el más querido de todos los hermanos.

Pero las palabras no eran su medio de expresión. Hubiera tenido que pintar un adiós.

Y no se puede pintar un adiós.

Volvió su rostro hacia el sol y apretó el gatillo del revólver.

Cayó al suelo y su rostro se hundió en la tierra recién labrada.

RETORNO AL SENO DE LA MADRE TIERRA

Cuatro horas más tarde, se arrastró como pudo hasta el café Ravoux. Al notar la sangre sobre su ropa, la señora lo siguió hasta su cuarto y luego fué corriendo a buscar al doctor Gachet.

—¡Oh, Vincent! ¿Por qué ha hecho eso? —se lamentó Gachet al entrar en la habitación.

—Creo que la erré, ¿no le parece?

Gachet examinó la herida.

—Mi pobre Vincent, mi pobre viejo amigo, ¡cuán desgraciado ha debido sentirse para hacer esto! ¿Por qué nos quiere dejar cuando todos lo queremos tanto? Piense un poco en todos los hermosos cuadros que puede aún pintar.

—¿Quiere pasarme mi pipa que está en el bolsillo de mi chaleco?

—Por cierto, amigo mío.

La cargó de tabaco y la colocó entre los dientes de Vincent, encendiéndosela.

El artista comenzó a fumar tranquilamente.

—Hoy es domingo y su hermano no está en su trabajo, ¿puede darme su dirección particular?

—No pienso dársela.

—Pero, Vincent. Necesitamos avisarle en seguida.

—Es domingo y no quiero que se moleste a mi hermano. Está cansado y preocupado y necesita reposo.

Fué imposible persuadirlo de que diera la dirección de la Rue Pigalle. El doctor Gachet lo acompañó durante casi toda la noche, cuidándolo, y cuando se retiró a descansar un poco, dejó a su cabecera a su hijo Paul.

Vincent permaneció toda la noche fumando y con los ojos abiertos pero ni una sola vez dirigió la palabra a Paul.

Cuando Theo llegó a lo de Goupil a la mañana siguiente se encontró con el telegrama del doctor Gachet. Tomó el primer tren que salía para Pontoise y de allí un carruaje hasta Auvers.

—Hola, Theo —dijo Vincent al verlo.

Su hermano se dejó caer de rodillas al lado del lecho de Vincent y lo tomó entre sus brazos como si hubiera sido una criaturita. No podía hablar.

Cuando llegó el doctor, Theo lo llevó al corredor y Gachet sacudió tristemente la cabeza.

—No hay esperanzas, amigo mío. No puedo operar para sacar el proyectil, pues está demasiado débil. Si no fuese por su constitución de hierro hubiera muerto en el campo.

Durante todo el día, Theo permaneció al lado de su hermano teniéndole las manos entre las suyas. Cuando cayó la noche y se encontraron solos, comenzaron a hablar de su infancia en el Brabante.

—¿Recuerdas el molino de Ryswyk, Vincent?

—Era un hermoso molino viejo, ¿verdad?

—Solíamos caminar al borde del arroyo y nos entreteníamos en hacer proyectos para el porvenir...

—¿Y te acuerdas cuando jugábamos entre las espigas de trigo durante el verano? Tú me tenías de las manos como lo haces ahora.

—Es verdad, Vincent.

—Cuando estaba en el hospital de Arles pensaba a menudo en Zundert. Hemos tenido una linda infancia, Theo. Jugábamos en el jardín detrás de la cocina y mamá nos hacía tortas de queso para la merienda.

—Me parece que hace tantos años...

—...Sí..., la vida...., es larga. Theo, en recuerdo mío, cuídate. Cuida tu salud. Debes pensar en Johanna y en el pequeño. Llévalos al campo para que se vuelvan sanos y fuertes. Y no permanezcas en lo de Goupil. Theo. Te han tomado toda la vida, y no te han dado nada en cambio.

—Pienso abrir una pequeña galería por mi cuenta. Y mi primer exposición será de obras de un solo artista: las obras completas de Vincent Van Gogh..., tal cual las dispusiste en el departamento, con tus propias manos.

—Mi obra..., arriesgué mi vida por ella..., y mi razón casi no resistió...

La profunda quietud de la noche de Auvers inundó la habitación. Después de la una de la madrugada Vincent murmuró:

—Quisiera morirme ahora, Theo.

Unos instantes más tarde cerró los ojos.

Theo comprendió que su hermano lo había dejado para siempre.

Y LA MUERTE NO LOS SEPARO

Rousseau, el Père Tanguy, Aurier y Emile Bernard vinieron desde París para asistir a las exequias.

Las puertas del café Ravoux estaban cerradas y los postigos bajados. La carroza fúnebre con los caballos negros aguardaba delante de la puerta.

Colocaron el féretro de Vincent sobre la mesa de billar.

Theo, el doctor Gachet, Rousseau, el Père Tanguy, Aurier, Bernard y Ravoux de pie en torno de él, permanecían mudos y ni siquiera podían mirarse.

Nadie pensó en llamar a un sacerdote.

El cochero de la carroza llamó a la puerta.

—Es hora, señores —dijo.

—Por amor de Dios —exclamó el doctor Gachet—, no podemos dejarlo partir así.

Hizo bajar todos los cuadros de la habitación de Vincent y luego envió a su hijo a que buscara los que tenía en su casa.

Los seis hombres comenzaron a colgarlos sobre los muros de la sala, mientras Theo permanecía solo al lado del ataúd.

El colorido de los cuadros de Vincent transformó la lúgubre sala del café en una magnífica catedral.

Nuevamente los hombres se reunieron en torno de la mesa de billar.

Sólo Gachet fué capaz de hablar.

—Nosotros, que somos los amigos de Vincent, no desesperemos. Vincent no está muerto. Nunca morirá. Su amor, su genio, la gran belleza que ha creado seguirá eternamente enriqueciendo el mundo. Siempre que contemplo sus pinturas encuentro nueva fe, nuevo sentido a la vida. Fué un coloso... un gran pintor..., un gran filósifo. Cayó mártir de su amor por el arte.

Theo trató de agradecerle pero las lágrimas ahogaron sus palabras.

Colocaron la tapa del ataúd y los seis amigos lo condujeron lentamente hasta la carroza, siguiendo luego a pie el coche fúnebre.

Después de pasar por la estación comenzaron a subir la colina; pasaron frente a la iglesia católica y por el campo de trigo dorado, deteniéndose finalmente la carroza frente a la entrada del cementerio.

Theo caminaba solo detrás del féretro que fué conducido por los seis hombres hasta la tumba.

El doctor Gachet había elegido para la última morada de Vincent el lugar en que se habían detenido el primer día y desde donde se divisaba el hermoso valle del Oise.

Nuevamente Theo quiso hablar pero sin conseguirlo.

Los enterradores bajaron el féretro y comenzaron a cubrirlo de tierra. Una vez que todo hubo terminado los siete hombres abandonaron el cementerio.

Pocos días después, Gachet plantó girasoles alrededor de la tumba.

Theo regresó a su casa de la Cité Pigalle. Su pérdida lo dejó desconsolado y fué demasiado grande para su salud quebrantada, terminando por perder la razón.

Johanna lo llevó a una Casa de Salud en Utrecht, la misma donde habían llevado a Margot algunos años antes.

—Al cabo de seis meses de la muerte de Vincent su hermano falleció, siendo enterrado en Utrecht.

Poco tiempo más tarde, Johanna que leía su Biblia para consolarse, tropezó con el siguiente versículo de Samuel:

"Y la muerte no los separó".

Hizo llevar el cuerpo de Theo a Auvers y colocarlo al lado del de su hermano.

Cuando el cálido sol de Auvers resplandece sobre el pequeño cementerio rodeado de trigales, Theo descansa cómodamente a la sombra de los exuberantes girasoles de Vincent.

FIN

ESTA EDICIÓN DE 3 000 EJEMPLARES SE TERMINÓ DE
IMPRIMIR EL 25 DE NOVIEMBRE DE 1993 EN LOS TALLERES
DE AVELAR EDITORES E IMPRESORES, S.A.
BISMARK 18 COL. MODERNA
03510 MEXICO, D.F.